Les Voleurs de cygnes

Elizabeth Kostova

Les Voleurs de cygnes

Traduit de l'anglais (États-Unis)
par Joëlle Touati et Jean-Pascal Bernard

Michel LAFON

Du même auteur

L'Historienne et Drakula

Titre original : *The Swan Thieves*

7-13, boulevard Paul-Émile-Victor – Ile de la Jatte
92521 Neuilly-sur-Seine Cedex
www.michel-lafon.com

À ma mère

Prologue

À l'orée du village, un feu éteint au centre d'un cercle de pierres. À côté, dans la neige, un panier abandonné, dont l'osier a presque la couleur des cendres. Des bancs désertés. Quelques braises rougeoient encore parmi les bûches calcinées. La nuit descend si vite que quelqu'un a déjà allumé une lampe dans la maison la plus proche. Hiver 1895 ; l'année sera bientôt marquée en chiffres noirs sur les ombres, dans un coin. La neige tombée des toits d'ardoise forme des monticules au bord des chemins. Toutes les portes sont fermées. Des effluves de cuisine s'élèvent au-dessus des cheminées.

Seule âme qui vive dans ce morne paysage, une femme en chauds vêtements de voyage se dirige vers les dernières habitations. Ici aussi, quelqu'un allume une lanterne, penché au-dessus de la flamme, silhouette indistincte derrière une vitre. La passante solitaire a une allure distinguée. Elle ne porte pas le grossier tablier et les sabots de bois des villageoises. Sa cape et ses longues jupes se détachent sur la neige violette. Son capuchon bordé de fourrure ne laisse voir que la courbe blanche de sa joue. Un liseré bleu pâle à motif géométrique orne le bas de sa robe. Elle porte un paquet soigneusement enveloppé, qu'elle serre contre sa poitrine comme pour se protéger du froid. Le long de la route, les arbres tendent sinistrement leurs branches vers le ciel. Sur le banc devant la dernière maison du village, une étoffe rouge, un châle peut-être, ou une petite nappe, unique tache de couleur vive. La femme marche d'un pas rapide. Ses bottines claquent sur le sol gelé. Son haleine s'échappe par bouffées claires dans le crépuscule s'épaississant. Est-elle pressée de quitter le village ou se rend-elle dans l'une de ses dernières maisons ?

Un seul spectateur l'observe et lui-même l'ignore. Peu lui importe, d'ailleurs. Il a travaillé tout l'après-midi. Il a peint les murs le long des chemins, les champs et les jardins boueux, les arbres, la route. Il a rajouté cette femme à la hâte, durant les dix brèves minutes du coucher de soleil hivernal. Une belle surprise, qui qu'elle soit. Il manquait justement de la vie, du mouvement, à son tableau. En cette saison, ses articulations le font souffrir s'il travaille en extérieur plus d'un quart d'heure. Il y a longtemps qu'il est rentré se mettre au chaud, devant la fenêtre. Il est vieux, perclus de rhumatismes ; l'espace d'un instant, toutefois, il aimerait qu'elle se retourne et le regarde. Il imagine ses cheveux noirs et soyeux, ses lèvres vermillon, ses grands yeux méfiants.

Mais elle ne se retourne pas et il en est heureux. Elle lui plaît telle qu'elle est, s'éloignant de lui dans le tunnel neigeux de sa toile, son paquet serré au creux de ses bras. Une femme réelle, une femme pressée, fixée sur la toile pour l'éternité. Figée dans sa hâte. Une apparition réelle ; à présent le personnage d'une peinture.

1

Marlow

Le cas de Robert Oliver m'a été soumis en avril 1999, quelques jours après qu'il eut tenté de lacérer un tableau à la National Gallery. C'était un mardi matin, il faisait un temps affreux à Washington. Alors que nous avions déjà eu de chaudes journées de printemps, il grêlait sur les arbres en fleurs, le tonnerre grondait dans un ciel lourd et l'atmosphère s'était soudain refroidie. Une semaine exactement s'était écoulée depuis la fusillade au lycée de Columbine, dans le Colorado, et j'étais encore obsédé par ce massacre comme, j'imagine, tous les psychiatres du pays. J'en voyais tous les jours, de ces jeunes pleins d'une haine démoniaque, capables de s'armer de fusils à canon scié. En quoi avions-nous manqué à notre devoir, vis-à-vis d'eux et surtout de leurs innocentes victimes ? La violence de la météo et la consternation nationale m'imprégnaient tout entier, ce matin-là.

Le téléphone a sonné et j'ai immédiatement reconnu la voix de mon ami et confrère le Dr John Garcia. John est un chic type, et un excellent psychiatre avec qui je suis allé à l'école il y a longtemps, et qui m'emmène de temps en temps déjeuner dans un restaurant de son choix – il me laisse rarement payer. John travaille aux urgences psychiatriques de l'un des plus grands hôpitaux de Washington ; comme moi, il a aussi un cabinet privé.

Il voulait me parler d'un patient et je sentais qu'il avait hâte de me le confier.

– Sans doute un cas difficile. Je ne sais pas ce que tu vas en faire, mais je suis sûr qu'il sera entre de bonnes mains, à Goldengrove. C'est un artiste, apparemment assez connu. Il a été arrêté, la semaine dernière. C'est la police qui nous l'a amené. Il ne parle pas beaucoup et n'a pas l'air de se plaire ici. Il s'appelle Robert Oliver.

– Le nom me dit quelque chose, mais je t'avoue que je ne connais pas son œuvre. Il peint des paysages et des portraits, je crois. Il me semble qu'il a fait la couverture de *ARTnews* il y a un an ou deux. Pour quelle raison a-t-il été arrêté ? ai-je demandé en me levant et me tournant vers la fenêtre.

De gros grains de glace s'abattaient sur la pelouse et fouettaient sans pitié le magnolia. Furtivement, un pâle soleil inonda le jardin détrempé, avant d'être éclipsé par une nouvelle rafale.

– Il a essayé de détruire un tableau de la National Gallery. Au couteau.

– Pas de dommages corporels ?

– Apparemment, il n'y avait personne d'autre dans la salle, mais un gardien est arrivé juste au moment où il se jetait sur la toile.

– Il a fait du grabuge ?

Je regardais les grêlons rebondir sur le gazon luisant.

– Oui. Il a fini par lâcher son couteau, mais il a copieusement secoué le vigile. Il est bâti comme une armoire à glace. Et puis tout d'un coup, il s'est calmé et s'est laissé emmener. Le musée hésite encore à engager des poursuites. À mon avis, ils vont laisser tomber.

Tout en écoutant John, j'étudiais le jardin.

– Les œuvres de la National Gallery sont des propriétés fédérales, non ?

– Tout à fait.

– Quel genre de couteau avait-il ?

– Oh, juste un canif. Rien de bien méchant, mais il aurait pu causer des dégâts. Il était très excité, à ce qu'il paraît ; on aurait dit qu'il se croyait investi d'une mission. Il a craqué au commissariat, il a dit qu'il n'avait pas dormi depuis plusieurs jours, il a même un peu pleuré. Ensuite, ils l'ont conduit aux urgences. C'est moi qui l'ai reçu.

John attendait ma réponse.

– Quel âge a-t-il ?

– Pas vieux. Enfin... Tout est relatif. Quarante-trois.

J'ai rigolé. John et moi avions franchi le cap de la cinquantaine deux ans plus tôt, un choc que nous avions encaissé en faisant la fête avec une bande de copains de notre génération.

– À part son couteau, il avait sur lui un carnet de croquis et un paquet de vieilles lettres. Il ne veut laisser personne y toucher.

– Et que veux-tu que je fasse pour lui ?

Las, je me suis appuyé contre mon bureau. J'avais une longue matinée derrière moi et l'estomac dans les talons.

– Juste que tu le prennes à Goldengrove.

– Pourquoi ? Tu crois que je n'ai pas déjà suffisamment de problèmes ?

La prudence est une habitude profondément enracinée dans notre profession.

– Allez... (Je devinais le sourire de John, à l'autre bout du fil.) Je ne t'ai jamais vu refuser un patient, Dr Dévouement. Et celui-là devrait t'intéresser.

– Parce que je peins ?

John ne marqua qu'une brève hésitation.

– Franchement, oui. Tu comprends les artistes mieux que moi. Comme je t'ai déjà dit, il n'est pas très loquace, je n'ai pas réussi à lui arracher plus de trois phrases. J'ai l'impression qu'il sombre dans la dépression, malgré le traitement. Il a aussi des accès de colère et d'agitation. Son état me paraît inquiétant.

J'observai l'arbre, la pelouse émeraude, les grêlons qui y fondaient, puis le magnolia, légèrement décentré sur la gauche dans le cadre de la fenêtre. Par cette sombre journée, ses fleurs mauve et blanc revêtaient un éclat qu'elles n'avaient pas quand le soleil brillait.

Je pris un stylo et un calepin sur mon bureau.

– Qu'est-ce que tu lui as prescrit ?

John me lut son ordonnance : un régulateur d'humeur, un anxiolytique et un antidépresseur, le tout aux doses adaptées.

– Par chance, poursuivit John, il a signé un formulaire de consentement à la divulgation de renseignements, aux urgences, avant de se refermer comme une huître. On vient aussi de recevoir la copie du dossier d'un psychiatre de Caroline du Nord qu'il a consulté il y a environ deux ans. Apparemment, il n'a pas vu de médecin depuis.

– Il est très anxieux ?

– Difficile de juger chez quelqu'un qui ne parle pas, mais je dirais que oui. Le confrère l'avait déjà mis sous anxiolytique. D'ailleurs, il avait un vieux flacon de Klonopin dans sa veste. Sans régulateur d'humeur, ça ne lui servait probablement pas à grand-chose. On a réussi à joindre sa femme, son ex-femme plus exactement ; elle nous en a dit un peu plus sur les traitements qu'il avait suivis.

– Suicidaire ?

– Possible. Là encore, pas évident de se prononcer. En tout cas, il n'a pas fait de tentative depuis qu'il est chez nous. Il est plutôt enragé. On dirait un ours en cage, un ours silencieux. Mais je ne veux pas le renvoyer chez lui... Il a signé son admission sans faire d'histoires, ici. Je ne pense pas qu'il s'oppose à un transfert. De toute façon, il ne se plaît pas, chez nous.

– Qu'est-ce qui te fait dire que j'arriverai à le faire parler ?

C'était une vieille blague entre nous, et John saisit obligeamment la perche que je lui tendais.

– Marlow, tu ferais parler les pierres.

– Merci pour le compliment. Et merci d'avoir gâché ma pause déjeuner. Il est assuré ?

– Oui. L'assistante sociale doit vérifier qu'il est à jour de ses cotisations.

– Bien. Envoie-le moi. Demain, 14 heures, avec les dossiers. Je verrai ce que je peux faire.

Après avoir raccroché, je suis resté debout devant mon bureau, à me demander si j'aurais cinq minutes pour dessiner après avoir mangé, ce que j'aime faire lorsque j'ai un planning chargé. J'avais un rendez-vous à 13 h 30, un à 14 heures, un à 15, un à 16 et une réunion à 17 heures, avec la perspective, le lendemain, d'une longue journée à Goldengrove, la clinique privée où je travaille depuis douze ans. J'avais grand besoin de mon potage, de ma salade, et d'un crayon entre les doigts.

J'ai également repensé à un incident que j'avais oublié depuis un bon bout de temps, un souvenir, pourtant, qui me revenait souvent en mémoire. Pour mes vingt et un ans, mes parents m'avaient aidé à payer un voyage d'un mois en Italie et en Grèce, avec le gars qui partageait ma chambre à l'université. Frais émoulu de Columbia, où j'avais obtenu un diplôme de sciences, je m'apprêtais à attaquer mes études de médecine à l'université de Virginie. C'était la première fois que je partais à l'étranger. J'ai été électrisé par les fresques des églises et des monastères italiens, par l'architecture de Florence et de Sienne. Sur l'île grecque de Páros, dont les carrières fournissent le marbre le plus pur et le plus transparent du monde, je me suis retrouvé seul dans un petit musée archéologique.

Celui-ci ne possédait qu'une seule statue de valeur, dans une salle qui lui était spécialement réservée. Il s'agissait d'une *Niké* d'environ un mètre cinquante, passablement endommagée, sans tête ni bras, ne gardant plus de ses ailes que des cicatrices dans le dos, son corps portant les traces rouges de son long séjour sous la terre de l'île. On voyait néanmoins qu'elle avait été sculptée de main de maître, l'étoffe dont elle était drapée semblait animée de remous. On avait refixé l'un de ses pieds délicats. J'étais seul dans la salle, je la dessinais, quand le gardien est venu crier que le musée n'allait pas tarder à fermer. J'ai remballé mon matériel et, sans réfléchir, je me suis approché une dernière fois de la *Niké* et me suis penché au-dessus de son pied pour l'embrasser. Le vigile s'est instantanément précipité sur moi en hurlant et m'a saisi par le col. Je ne me suis jamais fait virer d'un bar de ma vie, mais ce gardien du musée m'a jeté dehors avec pertes et fracas.

J'ai rappelé John, il était encore dans son bureau.

– C'était quoi, le tableau ?

– Pardon ?

– Le tableau que ton patient, M. Oliver, a tenté de détruire.

John a ri.

– Cette question ne me serait jamais venue à l'esprit, mais c'était dans le rapport de police. *Léda*. Un mythe grec, je suppose. C'est ce que ça m'évoque, en tout cas. Une femme nue, d'après les flics.

– L'une des conquêtes de Zeus, qui a pris la forme d'un cygne pour la séduire. C'est de qui ?

– Tu sais bien que j'étais nul en histoire de l'art. Je n'en ai aucune idée. L'officier qui a procédé à l'arrestation a omis ce détail.

– Tant pis. Je te laisse retourner à ton boulot. Bon après-midi, John.

Tout en maintenant le combiné entre mon épaule et mon oreille, je fis craquer mes cervicales.

– Pareillement, mon cher ami.

2

Avant de commencer ce récit, je tiens à préciser qu'il s'agit d'une histoire personnelle. Il m'a fallu dix ans pour trier mes notes sur ce cas et mettre de l'ordre dans mes pensées. Au départ, j'avais l'intention de rédiger un papier sur Robert Oliver pour l'un des journaux psychiatriques auxquels il m'arrive de contribuer, mais qui publierait un article susceptible de compromettre un membre de la profession ? Nous vivons une époque de talk-shows et de gargantuesque indiscrétion ; néanmoins, dans notre branche, nous sommes particulièrement à cheval sur la confidentialité – circonspects, respectueux de la loi, responsables. En principe. Bien sûr, il y a des cas où la sagesse prévaut sur la légalité ; tout médecin a connu de telles situations. J'ai pris la précaution de changer tous les noms apparaissant dans cette histoire, y compris le mien, à l'exception d'un prénom si courant, et que je trouve si beau que je n'ai eu aucun scrupule à le garder.

Je n'ai pas été élevé dans un milieu médical. Mes parents étaient tous deux pasteurs – ma mère a été la première femme pasteur de leur petite paroisse ; j'avais onze ans quand elle a reçu l'ordination. J'ai grandi dans le Connecticut. Notre maison était la plus ancienne de la ville, une maison en bois bordeaux avec un toit bas et un jardin qui ressemblait à un cimetière anglais, où les thuyas, les ifs, les saules pleureurs et autres arbres funéraires se disputaient l'espace de part et d'autre d'une allée d'ardoise.

Tous les après-midi à 15 h 15, au retour de l'école, je remontais cette allée avec mon cartable plein de cahiers et de miettes, de balles de base-ball et de crayons de couleur. Ma mère m'ouvrait la porte, généralement vêtue d'une jupe et d'un pull bleus, parfois de sa soutane noire et de son faux-col blanc si elle avait rendu visite aux malades, aux personnes âgées, isolées, ou aux nouveaux pénitents. J'étais un gamin bougon, j'avais mauvais caractère et le sentiment diffus que la vie était décevante, qu'elle ne tenait pas ses promesses ; ma mère était une femme stricte – stricte, droite, gaie et tendre. Dès qu'elle s'est aperçue de mon don pour le dessin et la sculpture, elle m'a encouragé jour après jour à le développer, avec une douce fermeté, sans louanges exagérées, sans jamais non plus me laisser douter du succès de mes efforts. Nous n'aurions pas pu être plus différents, je crois, depuis l'instant où je suis venu au monde. Nous éprouvions cependant l'un pour l'autre un amour farouche.

C'est bizarre, mais bien que ma mère soit décédée à un âge relativement précoce, ou peut-être est-ce justement parce qu'elle est morte jeune, j'ai l'impression, en vieillissant, de lui ressembler de plus en plus. Pendant des années, je me suis considéré comme un célibataire plutôt que comme un vieux garçon – j'ai toutefois fini par remédier à cette situation. Les femmes que j'ai aimées avaient toutes quelque chose de moi enfant : elles étaient boudeuses, perverses, intéressantes. À leur contact, j'ai peu à peu changé. Celle que j'ai épousée ne fait pas exception à la règle, mais nous nous sommes bien trouvés.

En partie à cause de ces femmes autrefois aimées et de celle qui partage désormais mon existence, en partie aussi, j'en suis certain, parce que mon métier me plonge chaque jour dans les abysses de l'esprit humain, douloureusement moulé par son environnement et les facéties de la génétique, je me suis forgé une espèce d'entente cordiale envers la vie. La vie et moi sommes devenus amis. Certes, ce n'est pas la folle amitié de mes aspirations d'enfant, mais une trêve clémente, un plaisir à retrouver chaque soir mon appartement. Il m'arrive parfois – en épluchant une orange et en l'apportant du comptoir de la cuisine jusqu'à la table – de sentir monter en moi comme une bouffée de joie, peut-être due à cette couleur franche.

Je ne suis parvenu à cette sérénité qu'à l'âge adulte. On dit que les enfants se contentent de peu ; petit, je me souviens toutefois n'avoir eu que des grands rêves, et puis le champ de mes centres d'intérêt s'est peu à peu rétréci, jusqu'à ce que mes fantasmes se canalisent dans la biologie, la chimie et dans l'ambition de la fac de médecine, et que j'aie finalement la révélation des épisodes infinitésimaux de la vie, leurs neurones et leurs hélices et leurs atomes en mouvement.

J'ai vraiment appris à dessiner, en vérité, dans les laboratoires de biologie d'après ces formes minuscules, et non en essayant de reproduire des objets, des montagnes, des personnes ou des coupes de fruits.

Aujourd'hui, mes grands rêves sont, pour mes patients, qu'ils connaissent ces plaisirs ordinaires de la cuisine et de l'orange, de poser les pieds sur la table devant un documentaire télévisé ; ou le bonheur encore plus grand qu'ils ressentiraient en retrouvant un job, en retournant vivre dans leur famille ou en discernant ce qu'il y a réellement autour d'eux au lieu du monstrueux diaporama qu'ils perçoivent. Pour moi-même, j'ai appris à rêver petit, d'une feuille, d'un nouveau pinceau, la chair d'une orange, et les détails de la beauté de ma femme, une étincelle au coin de ses yeux, le duvet de ses bras à la lueur de la lampe du salon le soir quand elle lit.

Je n'ai pas grandi dans un environnement médical, mais ce n'est pas un hasard si j'ai choisi cette branche. Ma mère et mon père n'étaient pas scientifiques pour deux sous. Pourtant, la discipline à laquelle ils s'astreignaient, et qu'ils m'ont inculquée, entre porridge et chaussettes propres, avec l'acharnement des parents d'un enfant unique, m'a sans doute préparé à la rigueur qu'exige la fac de médecine – la *rigor mortis* de nuits entières passées à bachoter ; la tension, ensuite, des nuits de garde effectuées en stages hospitaliers.

J'ai bien sûr rêvé de devenir artiste, mais au moment de choisir un métier j'ai opté pour la médecine, et je savais dès le début que je me spécialiserais en psychiatrie, que je considérais à la fois comme une profession utile et la science suprême de l'expérience humaine. En sortant de Columbia, j'ai postulé dans plusieurs écoles de beaux-arts et à mon grand plaisir j'ai été accepté dans deux établissements assez prestigieux. J'aimerais pouvoir dire que j'ai pris une décision déchirante, que l'artiste en moi se rebellait contre le médecin. En réalité, en tant que peintre, je n'aurais pas été capable d'apporter une contribution suffisamment sérieuse à la société, et je redoutais secrètement les difficultés matérielles de la vie de bohème. La psychiatrie me placerait directement au service d'un monde souffrant et je pourrais continuer à peindre en dilettante, ce qui me suffirait, pensais-je.

Mes parents ont été profondément étonnés par cette décision. Lorsque je la leur ai annoncée, lors de l'une de nos conversations téléphoniques du week-end, ils sont restés un instant sans voix, le temps de digérer la nouvelle et les raisons qui m'avaient poussé vers cette orientation. Puis ma mère a calmement observé que *tout le monde* avait besoin de quelqu'un à qui parler, ce qui était sa façon de faire un parallèle, à juste titre, entre ma vocation et la leur. Mon père a quant à lui déclaré qu'il existait de nombreuses manières d'exorciser les démons.

Mon père ne croit pas aux démons, ils ne figurent pas dans son panthéon moderne et progressiste. Il aime cependant les évoquer avec sarcasme, et lire en secouant la tête ce qui a été écrit à leur sujet par les premiers prêcheurs de la Nouvelle-Angleterre tels que Jonathan Edwards, ou par les théologiens du Moyen Âge, qui le captivent tout autant. Aujourd'hui encore dans son très grand âge, il est un peu comme les amateurs de films d'horreur : il adore se faire peur. Quand il parle de « démons », de « feu de l'enfer » et de « péché », c'est avec ironie et une fascination dégoûtée. Les paroissiens qui viennent encore se confesser à lui dans notre vieille maison (il ne prendra jamais définitivement sa retraite) repartent ainsi avec une vision beaucoup plus sereine de leurs tourments. Il concède que bien qu'il s'occupe des âmes et moi de diagnostics, de facteurs environnementaux, de symptômes comportementaux et d'ADN, nous œuvrons dans le même sens : pour soulager la misère humaine.

À partir du jour où ma mère est devenue pasteur elle aussi, la maisonnée a toujours été en effervescence, si bien que j'avais tout loisir de m'échapper dans mon monde, dans les livres et dans le parc au bout de la rue, où je trouvais toujours une distraction à mon malaise occasionnel. J'explorais, je lisais sous un arbre, ou bien je dessinais des paysages montagneux et désertiques que je n'avais jamais vus de mes propres yeux. Mes lectures préférées étaient les aventures en mer et le domaine de l'invention. Je dévorais les biographies : Thomas Edison, Alexander Graham Bell, Eli Whitney, tout ce qui me tombait sous la main. Plus tard, j'ai découvert l'aventure de la recherche médicale : Jonas Salk et la polio, par exemple. Je n'étais pas un enfant énergique mais je rêvais d'accomplir un acte courageux, de sauver des vies, ou d'intervenir pile au bon moment avec une révélation cruciale. Aujourd'hui encore, chaque fois que je lis un article scientifique, je suis parcouru d'un frisson d'excitation par procuration, et aiguillonné par une pointe d'envie pour les auteurs de ces découvertes.

Je ne peux pas dire toutefois que mon enfance ait été dominée par ce désir de sauver des vies. Ça aurait fait bien dans mon curriculum, certes, mais le fait est que je n'ai jamais eu de réelle vocation. Au lycée, je faisais mes devoirs parce qu'il fallait les faire, sans enthousiasme débordant. En revanche, je lisais Dickens et Melville avec considérablement plus de plaisir, je suivais des cours de dessin et j'ai été dépucelé à l'âge de dix-sept ans par une fille plus âgée et plus expérimentée, qui avait soi-disant été séduite par l'arrière de mon crâne, en classe.

Mes parents se sont quant à eux distingués en prenant la défense d'un SDF qui dormait dans les jardins publics, et qu'ils ont réussi à réinsérer. Ensemble, ils prononçaient des discours à la prison locale et ils ont empêché qu'une maison presque aussi ancienne que la nôtre (de 1691 – la nôtre est de 1686) ne soit démolie pour faire place à un supermarché. Ils venaient m'encourager quand je participais à des compétitions sportives, ils chaperonnaient mes bals de lycéens, ils invitaient mes camarades à des pizzas-parties œcuméniques et officiaient aux messes du souvenir dédiées à leurs amis décédés prématurément. Il n'y avait pas de cérémonie des obsèques dans leur confession, on ne priait pas au-dessus de cercueils ouverts, si bien que je n'ai pas touché de cadavre avant la fac de médecine, et que je n'avais jamais vu de mort que je connaissais personnellement avant de tenir la main de ma mère – sa main parfaitement inerte, encore chaude.

Mais, bien des années avant le décès de ma mère, à l'époque où j'étais encore étudiant, j'ai sympathisé avec celui à qui je dois le plus beau cas de ma carrière, si je puis m'exprimer ainsi. John Garcia comptait parmi les copains de fac avec qui je révisais pour les tests de biologie et les examens d'histoire et jouais au foot les samedis après-midi. À l'époque, je les reconnaissais de loin à leur démarche dynamique et leur blouse blanche ouverte. Aujourd'hui, ce sont des hommes bedonnants au crâne dégarni ou aux cheveux grisonnants. Pour ma part, je me félicite d'être de ceux qui combattent vaillamment l'embonpoint. Depuis toujours, je fais du jogging et j'ai plus ou moins conservé la ligne et la forme. Je remercie en outre la providence d'avoir toujours une épaisse tignasse plus poivre que sel, et d'attirer encore le regard des femmes dans la rue. Néanmoins, j'étais indiscutablement un des leurs.

Ce mardi, donc, lorsque John m'a téléphoné, j'ai bien sûr accepté de lui rendre le service qu'il me demandait. Robert Oliver me paraissait intéressant, même si, pour l'heure, je pensais davantage à ma pause déjeuner. On ne prête jamais vraiment attention aux signes du destin, n'est-ce pas ? C'est ce que dirait mon père. En tout cas, quand j'ai quitté mon bureau, à la fin de la journée, j'avais quasiment oublié le coup de fil de John. La grêle s'était muée en une fine bruine, les écureuils couraient le long du mur du jardin de la clinique et bondissaient par-dessus les pots de fleurs.

Je suis rentré chez moi sans traîner. J'ai secoué mon imper, je l'ai accroché dans le vestibule et j'ai mis mon parapluie à sécher. Je n'étais pas encore marié, personne ne m'attendait, il n'y avait pas de chemisier parfumé négligemment jeté sur le montant du lit. Je me suis lavé les mains, j'ai préparé un sandwich au saumon, puis je suis allé dans mon atelier. Le manche fin et lisse du pinceau entre les doigts, j'ai alors repensé à mon futur patient, ce peintre qui avait dégainé un couteau au musée. J'ai mis ma musique préférée, la *Sonate pour violon en la majeur* de César Frank, et je me suis vidé l'esprit. La journée avait été longue et creuse, j'ai commencé à la remplir de couleur. Mais il y a toujours un lendemain, à moins que la mort ne survienne. Le lendemain, j'ai fait la connaissance de Robert Oliver.

3

Debout devant la fenêtre de sa chambre, Robert Oliver regardait dehors, les bras ballants. Il s'est retourné à mon entrée. Solidement bâti, il mesurait environ un mètre quatre-vingt-cinq. Quand il vous faisait face, il baissait un peu la tête, tel un taureau prêt à charger. On sentait dans ses bras et ses épaules une puissance à peine contenue. Il avait une expression butée, sûr de lui, le visage marqué, tanné, des cheveux presque noirs et très épais, légèrement blanchissants, ondulés, plus ébouriffés d'un côté que de l'autre comme s'il se passait souvent la main dedans. Il portait un large pantalon de velours vert olive, une chemise de coton jaune, une veste en velours côtelé avec des pièces aux coudes, des grosses chaussures en cuir marron.

Ses vêtements étaient tachés de peinture à l'huile, d'éclaboussures rouge alizarine, bleu céruléen, ocre jaune, un peu de couleur tranchant sur un fond résolument terne. Il avait de la peinture sous les ongles. Il se dandinait nerveusement d'un pied sur l'autre, croisant et décroisant les bras. Deux femmes différentes m'ont par la suite confié que Robert Oliver était l'homme le plus chic qu'elles aient jamais connu, ce qui me laisse perplexe sur la perception des femmes. Une liasse de très fines feuilles était posée sur l'appui de la fenêtre ; les « vieilles lettres » dont John Garcia m'avait parlé, ai-je supposé. Quand je me suis approché de lui, Robert m'a regardé droit dans les yeux – j'allais à maintes reprises connaître cette impression d'être face à lui sur un ring. Son regard d'un vert profond et doré, injecté de sang, s'est momentanément allumé et chargé d'expression. Puis son visage s'est refermé ; il a tourné la tête furieusement.

Je me suis présenté.

– Comment vous sentez-vous, aujourd'hui, M. Oliver ?

Au bout d'un moment, il a vigoureusement serré la main que je lui tendais, sans me répondre, d'un air las et plein de ressentiment, et puis il a recroisé les bras et s'est appuyé contre le rebord de la fenêtre.

– Bienvenue à Goldengrove. Heureux d'avoir la chance de vous rencontrer.

Il soutenait mon regard, sans mot dire.

Je me suis assis dans le fauteuil qui se trouvait dans un coin de la pièce et je l'ai observé quelques minutes avant de reprendre la parole.

– Je viens de lire le dossier du Dr Garcia. J'ai cru comprendre que vous aviez eu une journée très difficile, la semaine dernière, d'où votre hospitalisation.

Il a esquissé un drôle de sourire et s'est enfin décidé à parler.

– Oui, a-t-il acquiescé, j'ai eu une journée difficile.

J'avais atteint mon premier objectif : il parlait. Je me suis composé une expression ne montrant ni plaisir ni surprise.

– Vous souvenez-vous de ce qui s'est passé ?

Ses yeux ne quittaient pas les miens mais son visage ne trahissait aucune émotion. C'était un visage bizarre, taillé à la hache mais néanmoins racé, d'une forme pas banale, avec un nez à la fois long et large.

– Un peu.

– Pourriez-vous me le raconter ? Je suis là pour vous aider, pour vous écouter, en premier lieu.

Devant son silence, j'ai répété :

– Vous voulez bien me raconter ce qui s'est passé ?

Pas de réponse. J'ai essayé une autre tactique.

– Savez-vous que l'incident figurait dans la presse ? Je n'ai pas acheté le journal, ce jour-là, mais on m'a découpé l'article. Dans les faits divers.

Il a détourné le regard.

– L'article avait pour titre : « Un artiste s'attaque à une peinture de la National Gallery », ai-je insisté. Ou quelque chose dans ce goût-là.

Il s'est soudain mis à rire, d'un rire étonnamment doux.

– Ce n'est pas faux, dans un sens. Mais je ne l'ai pas touchée.

– Parce que le gardien vous en a empêché, c'est exact ?

Il a hoché la tête.

– Et vous en êtes venus aux mains. Étiez-vous en colère qu'on vous éloigne du tableau ?

Une nouvelle expression s'est affichée sur ses traits, une expression sinistre. Il s'est mordu le coin de la lèvre.

– Oui.

– Ce tableau représentait une femme, je crois, ai-je enchaîné. Dans quel état d'esprit étiez-vous ? Pour quelle raison avez-vous tenté de vous en prendre à elle ?

Cette fois, il m'a répondu tout de suite. Il s'est d'abord secoué, comme s'il voulait chasser les effets des tranquillisants, et il a redressé les épaules. À ce moment, il m'a paru encore plus imposant. Il devait être impressionnant quand il se montrait violent.

– Je l'ai fait pour elle.

– Pour la femme du tableau ? Désiriez-vous la protéger ?

Silence.

– Vous êtes-vous senti provoqué par cette femme ?

Il a baissé les yeux et soupiré. On aurait dit que le simple fait de respirer lui coûtait.

– Non. Vous ne comprenez pas. Je ne lui voulais aucun mal. J'ai fait ça pour la femme que j'aime.

– Votre femme ?

– Comme vous voudrez.

– Votre ex-femme ?

Je ne le lâchais pas du regard.

– Vous pouvez l'interroger. Vous pouvez même interroger Mary, si vous voulez. Vous pouvez aussi voir les toiles, si vous en avez envie. Je m'en fiche. Interrogez qui vous voulez.

– Qui est Mary ?

Ce n'était pas le prénom de son ex. J'ai attendu un peu, en vain.

– De quelles toiles parlez-vous ? Avez-vous peint Mary ? S'agit-il du tableau de la National Gallery ?

Mutique, il fixait un point au-dessus de ma tête.

J'ai attendu ; j'ai une patience de roc, au besoin. Au bout de trois ou quatre minutes, j'ai déclaré placidement :

– Vous savez que je suis peintre, moi aussi ?

Je me livre rarement à mes patients, et sûrement pas lors d'une première entrevue, mais il me semblait que le jeu en valait la chandelle.

Il m'a jeté un regard à la fois intéressé et dédaigneux, puis il s'est étendu sur le lit, de tout son long, sur le dos, ses chaussures aux pieds, les mains derrière la nuque, les yeux au plafond, comme s'il contemplait le ciel.

– Je suis sûr que seule une chose très douloureuse a pu vous pousser à commettre ce geste.

Là encore, c'était risqué, mais le coup méritait d'être tenté.

Il a fermé les paupières et roulé sur le côté, me tournant le dos. J'ai attendu. Et puis voyant qu'il n'y avait plus rien à en tirer, je me suis levé.

– M. Oliver, si vous avez besoin de moi, n'importe quand, je suis à votre disposition. Nous sommes très attentifs au bien-être de nos patients. N'hésitez pas à demander aux infirmières d'aller me chercher. Je reviendrai vous voir bientôt. Vous pouvez me faire appeler même si vous désirez seulement un peu de compagnie. Tant que vous n'êtes pas prêt, vous n'êtes pas obligé de m'en dire plus.

Il m'a pris au mot. Lorsque je lui rendis visite, le lendemain, l'infirmière m'informa qu'elle n'avait pas entendu le son de sa voix, mais qu'il semblait calme. Il ne daigna pas me parler à moi non plus, ce jour-là, ni celui d'après, ni pendant les douze mois qui suivirent. Durant cette période, son ex-femme ne vint jamais le voir ; ni d'ailleurs qui que ce soit. Il présentait des symptômes de dépression clinique, avec des épisodes d'agitation silencieuse, voire d'anxiété.

En douze mois, je n'ai jamais songé sérieusement à une sortie de clinique : d'une part parce que je n'étais pas sûr qu'il n'était pas dangereux, pour lui-même ou pour autrui ; mais aussi à cause d'un sentiment qui a lentement évolué en moi et que j'ai fini par admettre avec le temps. J'ai déjà souligné que je considère cette histoire comme une histoire personnelle. Les premières semaines, j'ai laissé mon patient sous traitement de régulateur d'humeur et de l'antidépresseur prescrits par John.

Le rapport psychiatrique que John m'avait fait suivre indiquait un trouble sérieux et récurrent. On avait tenté de l'équilibrer avec du lithium, mais apparemment Robert avait arrêté le traitement au bout de quelques mois, car cela le fatiguait. Au demeurant, le dossier décrivait un patient menant une vie globalement « normale », enseignant dans une petite université, poursuivant sa pratique artistique, entretenant de bonnes relations avec sa famille et ses collègues. J'ai moi-même téléphoné à son ancien psychiatre, mais il ne m'a pas appris grand-chose, si ce n'est que Robert n'était pas un patient motivé. C'était son épouse qui tenait absolument à ce qu'il se fasse soigner, et il avait cessé d'aller chez le psy avant leur séparation, qui remontait à un an. Robert n'avait jamais suivi de thérapie sur le long terme et n'avait jamais été hospitalisé auparavant. Le confrère ignorait qu'il n'habitait plus à Greenhill.

Robert prenait à présent ses médicaments sans protester, de la même manière résignée dont il prenait ses repas – un signe inhabituel de coopération chez un malade défiant au point de s'imposer un vœu de silence. Il mangeait peu, sans appétit manifeste, et se tenait rigoureusement propre en dépit de sa dépression. Il ne se mêlait pas aux autres patients mais prenait part aux promenades surveillées dans l'enceinte et à l'extérieur de la clinique ; il s'asseyait parfois dans le plus grand des salons, occupant un fauteuil dans un coin ensoleillé.

Dans ses périodes d'agitation, au début quasiment quotidiennes, il arpentait sa chambre les poings serrés, le corps parcouru de tremblements, le visage sombre. Je l'observais attentivement et avais encouragé mon personnel à faire de même. Un matin, il fracassa du poing le miroir de sa salle de bain, heureusement sans se blesser. Parfois, il demeurait assis au bord de son lit, la tête entre les mains, bondissant toutes les cinq minutes pour aller regarder par la fenêtre, puis reprenant son attitude désespérée. Il passait continuellement de l'agitation à l'apathie.

Robert Oliver ne semblait s'intéresser qu'à une seule chose : ses vieilles lettres, qu'il gardait toujours près de lui et lisait fréquemment. Souvent, lorsque je lui rendais visite, il en avait une à la main. Un jour, au cours des premières semaines, j'ai pu voir avant qu'il ne la replie et ne la remette dans son enveloppe que les pages étaient couvertes d'une écriture élégante et régulière, à l'encre brune.

– J'ai remarqué que vous relisez souvent ces lettres. Sont-elles très anciennes ?

Il a posé la main sur le paquet et a tourné la tête. Son visage exprimait une détresse comme je n'en avais jamais vue depuis que j'exerçais. Non, je ne pouvais pas le laisser sortir, même s'il avait des périodes d'accalmie qui duraient plusieurs jours. De temps en temps, je l'invitais à me parler – sans résultat. Sinon, je restais simplement assis près de lui. Tous les matins, du lundi au vendredi, je lui demandais comment il allait ; tous les matins, il m'ignorait et regardait par la fenêtre.

Ce comportement traduisait un vif tourment, mais comment savoir quelle en était la cause si je ne pouvais en discuter avec lui ? Il m'est venu à l'esprit, entre autres, qu'il souffrait peut-être d'un stress post-traumatique ; mais dans ce cas, quel avait été le traumatisme ? Sa dépression ? Son arrestation ? Vraisemblablement, d'après les maigres informations dont je disposais à son sujet, il n'avait pas vécu de drame, bien qu'il fût fort probable que son divorce l'avait ébranlé. Chaque fois que l'occasion s'en présentait, j'essayais en douceur d'engager la conversation. Il persistait dans son mutisme et dès qu'il était seul, il se replongeait dans la lecture obsessive de ses lettres. Un matin, je lui ai demandé s'il me serait possible d'y jeter un œil, à titre strictement confidentiel, puisqu'elles représentaient vraisemblablement pour lui quelque chose de très important.

– Je vous promets que je ne les garderai pas. Si vous acceptez de me les prêter, j'en ferai des copies et je vous les rendrai très rapidement.

Il s'est tourné vers moi et j'ai lu sur ses traits quelque chose qui ressemblait à de la curiosité. Son visage s'est toutefois aussitôt assombri. En veillant à ne plus croiser mon regard, il a rassemblé ses lettres et s'est couché sur son lit en me présentant son dos. Au bout d'un moment, je suis parti.

4

Dans le courant de la deuxième semaine, en entrant dans la chambre de Robert, je l'ai trouvé en train de dessiner dans son carnet de croquis : une tête de femme, brune, bouclée, de trois quarts. L'expressivité et l'aisance de son coup de crayon m'ont sauté aux yeux. Il n'est pas difficile de pointer ce qui fait la faiblesse d'un dessin, ça l'est en revanche beaucoup plus d'expliquer sa cohérence et la vigueur intrinsèque qui lui donnent vie. Les dessins de Robert étaient vivants, plus que vivants. Je lui ai demandé s'il dessinait d'imagination ou s'il s'agissait de quelqu'un qui existait. M'ignorant plus ouvertement que jamais, il a fermé son carnet et l'a rangé. Lors de ma visite suivante, il marchait de long en large dans sa chambre et je voyais sa mâchoire se contracter.

Cela m'a conforté dans l'idée qu'il ne serait pas prudent de l'autoriser à rentrer chez lui tant que nous ne serions pas certains que le stimulus de sa vie quotidienne ne risquait pas de le pousser de nouveau à la violence. J'ignorais de quoi était fait son quotidien. À ma demande, la secrétaire de Goldengrove avait mené une petite enquête ; apparemment, il n'occupait aucun emploi dans la région de Washington. Avait-il les moyens de rester chez lui et de peindre toute la journée ? Il ne figurait pas dans l'annuaire téléphonique et l'adresse que la police avait communiquée à John Garcia s'était révélée être celle de son ex-femme en Caroline du Nord. Robert était un homme en colère, déprimé, au seuil de la gloire, sans domicile fixe. L'épisode du carnet de croquis m'avait donné de l'espoir ; l'hostilité qui s'ensuivit fut toutefois plus marquée que jamais.

Son talent m'intriguait, de même que le fait qu'il jouissait d'une réelle réputation. Bien que je ne sois pas un adepte d'Internet, j'ai lancé une recherche à son sujet. Robert était titulaire d'une maîtrise de beaux-arts décernée par l'une des écoles les plus prestigieuses de New York. Il avait brièvement été prof au Greenhill College et dans un établissement d'enseignement supérieur de l'État de New York. Il s'était classé second au concours annuel de la National Portrait Gallery, il avait bénéficié de quelques résidences et bourses nationales, et exposé en solo à New York, Chicago et Greenhill. Ses œuvres avaient fait la une de plusieurs magazines d'art à gros tirage. Il y avait sur le web des images de certaines de ses toiles, des paysages et des portraits, dont deux, sans titre, de la femme brune que je l'avais vu dessiner dans sa chambre, qui s'apparentaient à l'école impressionniste.

Je ne trouvai en revanche aucune déclaration ou interview de l'artiste ; Robert était aussi muet dans les médias qu'en ma présence. Comme il me semblait que son travail pouvait constituer un canal de communication, je lui ai apporté de chez moi du papier, de qualité et en quantité, des fusains, des crayons et des stylos. Il s'en est servi pour poursuivre ses croquis de la tête de femme – quand il ne relisait pas ses lettres. Il exposait ses dessins ça et là dans sa chambre. Je lui ai laissé du Scotch, il les a affichés aux murs en une galerie chaotique. Comme je l'ai déjà dit, il possédait une extraordinaire habileté, que j'attribuais à une longue pratique mais aussi à un don immense. Après une série de portraits de profil, il se mit à dessiner la femme de face. J'observais ses traits fins et ses grands yeux sombres. Parfois elle souriait, parfois elle paraissait furieuse ; la colère prédominait. Naturellement, je présumais que cette image était l'expression de sa rage silencieuse, et je spéculais en outre sur une possible confusion d'identité de genre chez le patient, bien qu'il me fût impossible d'obtenir la moindre réponse, même non exprimée, à mes questions en ce sens.

Robert était à Goldengrove depuis plus de quinze jours lorsque j'eus l'idée d'aménager sa chambre en atelier. Il m'a fallu requérir une autorisation spéciale de la direction pour cette expérience, et mettre en place quelques mesures de sécurité : il y avait un risque, certes, mais Robert avait fait un usage totalement responsable des crayons et du matériel que je lui avais fournis. J'avais également songé à lui équiper un coin dans la salle d'ergothérapie. Il me paraissait cependant peu probable qu'il peigne en public. J'ai donc transformé sa chambre pendant qu'il était en promenade.

La pièce était ensoleillée. J'ai poussé le lit contre un mur afin de poser un grand chevalet, puis j'ai garni les étagères de peinture à l'huile, aquarelle, enduit, chiffons, pots de pinceaux, white spirit et médium à l'huile, d'une palette et de couteaux à palette. La plupart de ces articles m'appartenaient ; je trouvais que c'était préférable que si tout avait eu l'air neuf. Contre un mur, j'ai posé des toiles vierges de différentes dimensions ; j'avais également acheté un bloc de papier aquarelle.

Assis dans mon fauteuil habituel, j'ai attendu qu'il revienne. Sur le seuil de la porte, il s'est arrêté net, visiblement stupéfait. Et puis une expression de fureur est passée sur son visage et il s'est avancé vers moi, les poings serrés. Je n'ai pas bougé. Pendant un instant, j'ai bien cru qu'il allait dire quelque chose, peut-être même me frapper, mais il s'est retenu. Son corps s'est un peu détendu ; il s'est détourné de moi pour examiner ce nouvel équipement. Il a touché le papier aquarelle, étudié la construction du chevalet, passé en revue les tubes de couleurs. Puis il a pivoté sur ses talons et m'a dévisagé, cette fois comme s'il voulait me poser une question mais ne pouvait s'y résoudre. Je me suis alors demandé – et l'idée m'avait déjà effleuré – s'il n'était pas réellement devenu muet. Ce n'était peut-être pas qu'il ne *voulait* pas parler, il ne pouvait peut-être plus.

– J'espère que ça vous fait plaisir, ai-je dit de ma voix la plus nonchalante.

Il m'a regardé sombrement. Je suis parti là-dessus.

Deux jours plus tard, je l'ai trouvé en train de peindre, sur un châssis qu'il avait dû apprêter pendant la nuit. Il ne fit pas cas de ma présence, mais me laissa examiner sa peinture, un portrait. Je l'étudiai avec le plus grand intérêt ; je suis moi-même avant tout portraitiste, bien que j'aime aussi les paysages, et je déplore que mon emploi du temps m'empêche de peindre plus souvent d'après des modèles vivants. Au besoin, je travaille avec des photos. Cela va à l'encontre de mon purisme naturel, mais c'est mieux que rien, et cela constitue toujours un excellent exercice.

Pour autant que je sache, Robert avait peint cette toile sans même se référer à une photo, et elle irradiait la vie. Elle représentait encore la même femme, en couleur à présent, dans le même style que ses croquis. Elle avait un visage extraordinairement réaliste, avec des yeux sombres qui vous regardaient directement, un regard confiant mais néanmoins songeur. Des reflets châtains illuminaient ses cheveux bruns et bouclés. Un nez fin, un menton carré creusé d'une fossette sur le côté droit, une bouche souriante, sensuelle, le front haut et blanc. Le peu que l'on voyait de son vêtement était vert, avec un jabot jaune autour d'un décolleté en V plongeant. Aujourd'hui, elle paraissait presque heureuse, comme réjouie d'apparaître enfin en couleur. Ça me donne une impression bizarre, maintenant, de repenser à ça, mais à ce moment-là je n'avais aucune idée de qui elle était.

C'était un mercredi, et le vendredi, quand je suis allé voir Robert, sa chambre était vide ; il avait dû sortir se promener. Le portrait de la dame aux cheveux bruns trônait sur le chevalet – presque terminé, ai-je pensé, magnifique. Sur le fauteuil où j'avais l'habitude de m'asseoir, était posée une enveloppe qui m'était adressée, d'une écriture ample. Elle contenait les vieilles lettres de Robert. J'en ai retiré une et l'ai tenue dans ma main pendant une longue minute. Le papier avait l'air très ancien. Les mots élégamment tracés dessus étaient en français. J'ai soudain pris conscience du long chemin qu'il me faudrait parcourir si je voulais connaître cet homme qui m'avait confié cette si précieuse correspondance.

5

Je n'avais pas l'intention d'emporter les lettres, mais à la fin de la journée je les ai glissées dans ma serviette. Le samedi matin, j'ai téléphoné à mon amie Zoé, qui enseigne la littérature française à l'université de Georgetown. J'ai eu une brève liaison avec Zoé, il y a des années, et nous sommes restés en bons termes, sans doute parce que je n'étais pas suffisamment attachée à elle pour lui en vouloir de mettre fin à notre aventure. De temps en temps, nous allions ensemble au théâtre ou au concert. Je la trouvais d'excellente compagnie et je crois que c'était réciproque.

Elle a répondu après la deuxième sonnerie, d'une voix sérieuse, comme à l'accoutumée, mais également affectueuse.

– Marlow ? C'est sympa de m'appeler. Je pensais justement à toi.

– Pourquoi ne m'as-tu pas appelé, alors ?

– Des copies à corriger. Je n'ai appelé personne, cette semaine.

– Dans ce cas, je te pardonne, ai-je répliqué sarcastiquement, selon notre vieille habitude. Ça tombe bien que tu aies terminé tes corrections, j'ai du boulot à te donner.

Je l'entendais s'affairer dans sa cuisine, qui n'est pas plus grande que le placard de mon couloir.

– Marlow, tu crois que je n'ai pas assez de boulot ? J'écris un livre, au cas où tu ne le saurais pas.

– Je sais, mais c'est quelque chose qui te plaira, exactement ta période – enfin, je crois. J'aimerais que tu y jettes au moins un œil. Passe chez moi cet après-midi, je t'inviterai au restau.

– Ça a l'air ultra-important, dis donc. Je ne suis pas libre, ce soir, je dîne au Dupont Circle, mais je ferai un saut chez toi vers 17 heures.

– Tu as un rendez-vous galant, ai-je dit d'un ton approbateur, en réalisant avec un petit choc qu'il y avait une éternité que cela ne m'était pas arrivé.

Le temps filait si vite...

– Et comment ! a rétorqué Zoé.

Je lui ai montré les lettres dont Robert ne s'était même pas séparé pour perpétrer son attentat au musée. Nous étions assis dans mon salon. Le café de Zoé refroidissait, elle n'y avait pas encore touché. Elle avait un peu vieilli depuis la dernière fois que je l'avais vue : sa peau mate semblait fatiguée, ses cheveux plus secs. Mais ses yeux étaient toujours aussi pétillants. Ceci dit, elle aussi devait trouver que j'accusais le poids des ans.

– D'où viennent-elles ? m'a-t-elle demandé.

– Une cousine me les a envoyées.

Elle avait l'air sceptique.

– Une cousine française ? Tu as des racines en France et tu ne m'en avais jamais parlé ?

Je n'avais pas assez bien préparé mon mensonge.

– Non, elle les a trouvées chez un antiquaire, je crois. Elle a pensé que ça m'intéresserait, comme j'aime bien les bouquins historiques.

Zoé parcourut la première lettre avec un regard attentif.

– Toutes écrites entre 1877 et 1879 ?

– Je ne sais pas, je ne les ai pas toutes regardées. Elles ont l'air si fragiles que j'avais peur de les abîmer. De toute façon, je ne comprends pas grand-chose au français.

Avec précaution, Zoé en a déplié une deuxième.

– Ça va me prendre du temps, rien que pour déchiffrer l'écriture manuscrite, déjà... Il s'agit de la correspondance entre une femme et son oncle, ce que tu as dû réussir à comprendre, qui s'entretiennent notamment de peinture et de dessin. C'est peut-être pour ça que ta cousine a pensé que ça t'intéresserait.

– Peut-être, ai-je acquiescé en résistant à l'envie de me pencher par-dessus son épaule.

– Donne-m'en une qui n'est pas en trop mauvais état. Tu as raison, ce sera sans doute amusant. Mais je ne peux pas les traduire toutes. Je n'ai pas le temps, avec mon livre.

– Je te payerai bien.

– J'avoue que ce serait bienvenu, a dit Zoé après avoir réfléchi un instant. Mais il faut que j'estime le travail que ça demande.

Nous sommes convenus d'un prix et je l'ai remerciée.

– Essaie de toutes les traduire, s'il te plaît, ai-je insisté. Si tu veux, tu peux me les envoyer au fur et à mesure, par la poste, pas par mail.

Je ne savais comment lui expliquer que je souhaitais les recevoir comme du véritable courrier, si bien que je ne l'ai pas tenté.

– J'aimerais conserver les originaux, ai-je ajouté. On ne sait jamais. Je préfère que tu n'emportes que des copies. Allons les photocopier. Tu as le temps ?

– Toujours aussi méfiant. Je suis soigneuse mais c'est une bonne idée. Laisse-moi d'abord boire mon café et te raconter mon *affaire de cœur* *.

– Tu ne veux pas que je te raconte la mienne ?

– Oh si, sauf qu'il n'y a rien à raconter.

– C'est vrai, ai-je admis. Je t'écoute.

Quand nous nous sommes séparés devant la papeterie, elle avec les photocopies et moi avec mes lettres – ou plutôt celles de Robert –, je suis rentré chez moi avec l'intention de me préparer un sandwich grillé, de me déboucher une bouteille de vin et d'aller ensuite au cinéma.

J'ai posé les lettres sur la table basse du salon et les ai repliées une à une selon leurs plis usés, puis je les ai remises dans leur enveloppe en veillant à ne pas les déchirer. J'ai pensé aux mains qui les avaient touchées autrefois, de délicates mains féminines et celles d'un homme, plus âgé s'il était son oncle. Et les larges mains carrées de Robert, tannées, abîmées. Et les petites mains inquisitrices de Zoé. Et les miennes.

Je suis allé à la fenêtre du salon, d'où l'on a une vue que j'aime beaucoup : la rue, un entrelacs de branches qui donnaient déjà de l'ombre bien avant que je ne vienne m'installer ici, les vieux porches des maisons de brique brune, de l'autre côté, les balcons aux balustrades ouvragées, des immeubles bâtis dans les années 1880. La fin d'après-midi avait des reflets dorés après plusieurs jours de pluie ; les poiriers avaient perdu leurs fleurs et revêtu une verdure intense. J'ai abandonné l'idée du cinéma. C'était une soirée parfaite pour rester tranquillement chez soi. J'avais entrepris un portrait de mon père d'après photo, que je voulais lui envoyer pour son anniversaire. J'allais y travailler. J'ai mis la *Sonate pour violon* de Franck et je suis allé dans la cuisine me faire chauffer un bol de potage.

---

* En français dans le texte. (*N.d.T.*).

6

Il y avait plus d'un an, ai-je réalisé avec amertume, que je n'étais pas allé à la National Gallery of Art. Les marches étaient envahies d'écoliers en uniforme bleu marine et écossais ; les élèves d'une école catholique, ou de l'un des ces établissements publics nostalgiques d'un ordre depuis longtemps révolu. Les garçons avaient tous les cheveux très courts, les filles portaient des tresses attachées avec des boules colorées. Leurs visages rayonnants formaient une belle gamme de toutes les couleurs de peau : claires, mouchetées de taches de rousseur, noires comme l'ébène. *Démocratie*, c'est ce qui m'est venu à l'esprit, ce vieil idéal des leçons d'éducation civique de primaire, des textes de George Washington et de Lincoln, le rêve d'une Amérique appartenant à tous les Américains. Nous gravissions ensemble le majestueux escalier d'un musée gratuit, et en théorie ouvert à tous, où nous allions nous mêler les uns aux autres sans discrimination parmi les œuvres d'art.

Et puis le mirage s'est dissipé : les enfants se bousculaient et se collaient du chewing-gum dans les cheveux, et les instituteurs s'efforçaient de maintenir le calme avec les seules ressources de la démocratie. Plus grave, je savais que la majorité des habitants de Washington ne mettraient jamais les pieds dans ce musée. J'ai laissé les gamins prendre de l'avance sur moi ; de toute façon, il était trop tard pour que je franchisse les portes avant eux. J'en ai profité pour tourner mon visage vers le soleil, d'une douce chaleur printanière, et savourer la verdure du Mall. Mon rendez-vous de 15 heures avait été annulé (trouble de la personnalité latent, une longue bataille), si bien que j'avais quitté mon cabinet l'esprit libre et le cœur léger ; ma journée de travail était finie.

Deux femmes se tenaient derrière le bureau d'information : une jeune brune coiffée au carré et une retraitée, une bénévole sans doute, avec un tout petit visage encadré d'un nuage de boucles blanches. Je choisis de m'adresser à elle.

– Bonjour. Pourriez-vous me dire où se trouve le tableau *Léda* ?

Aimablement, elle leva vers moi des yeux d'un bleu passé, presque transparent. Miriam, indiquait son badge.

– Bien sûr.

Sa jeune collègue s'approcha d'elle tandis qu'elle s'affairait devant l'ordinateur.

– Tapez « titre », lui souffla-t-elle d'un ton pressant.

– Ah oui, soupira Miriam.

– Voilà, vous y êtes, dit la jeune en appuyant elle-même sur une touche.

Un sourire étira les lèvres de Miriam.

– Ah, *Léda*. C'est une œuvre du peintre français Gilbert Thomas. Elle se trouve dans la section du XIXe, juste avant les Impressionnistes.

Pour la première fois, la jeune femme me regarda.

– C'est la peinture qu'un type a tenté de détruire, le mois dernier. Tout le monde veut la voir. Enfin, tout le monde...

Elle s'interrompit et remit en place une mèche d'un noir d'obsidienne. Elle avait les cheveux teints, si bien que sa coiffure paraissait sculptée, asiatique, autour de son visage clair et de ses yeux verts.

– Disons que vous n'êtes pas le premier, termina-t-elle.

Inopinément ému, je ne pouvais m'empêcher de la dévisager. Derrière le comptoir, elle m'observait avec un regard entendu, sa silhouette svelte et souple moulée dans une veste zippée, la courbe de ses hanches apparaissant au-dessus de la ceinture d'une jupe noire – probablement le maximum de peau que les employées du musée étaient autorisées à montrer dans ces galeries pourtant pleines de nus. Elle devait être étudiante en art et travailler ici pour payer ses études. Je l'imaginais dessinant une gravure, ou créant des bijoux, avec ses longues mains blanches. Je l'imaginais contre le comptoir, après la fermeture du musée, sans culotte sous sa jupe trop courte. Ce n'était qu'une gamine, j'ai détourné les yeux. C'était une jeunette et je n'étais pas un Casanova.

– Ça m'a choquée, cette histoire, a dit Miriam en secouant la tête. Mais je ne savais pas que c'était ce tableau.

– J'ai lu ça dans le journal. C'est bizarre de vouloir s'en prendre à une peinture, non ?

– Bof... fit la jeune en passant la main le long de l'arête du comptoir. (Elle portait un gros anneau d'argent au pouce.) On voit toutes sortes de dingues, ici.

– Sally... murmura la retraitée.

– Si, si, il faut bien le dire, insista Sally en me regardant avec insolence, comme si elle débusquait en moi l'un de ces dingues.

Signe qu'elle me trouvait séduisant ? J'envisageai de l'inviter à boire un café en guise de préliminaires, au-dessus duquel elle minauderait des choses du genre : *On voit toutes sortes de dingues, ici.* L'image de la femme que dessinait Robert me revint à l'esprit : elle était jeune, elle aussi, et à la fois sans âge, le visage plein de subtile sagesse et de vie.

– Il paraît que le type a fini par se rendre à la police, ai-je dit posément. Peut-être qu'il n'était pas si fou que ça.

– Faut être malade pour vouloir détruire une œuvre d'art, a déclaré la fille avec un regard dur. Le gardien m'a dit que *Léda* l'avait échappé belle.

– Merci, ai-je conclu en me remettant dans la peau d'un homme d'âge respectable avec un plan du musée à la main.

Que Miriam me reprit un instant afin de cocher la salle d'un trait de feutre bleu. Sally était déjà occupée à autre chose ; le frisson n'était passé que de mon côté.

En tout cas, j'avais mon après-midi rien que pour moi ; avec une impression de légèreté, j'ai gravi les quelques marches de l'imposante rotonde de marbre et déambulé quelques minutes entre ses colonnes irisées, puis je me suis immobilisé au milieu et j'ai pris une profonde inspiration.

Une chose étrange m'est alors arrivée – et ce ne serait pas l'unique fois. Je me suis demandé si Robert s'était arrêté là, et j'ai senti sa présence, à moins que j'aie simplement essayé de me figurer comment il s'était comporté dans ces lieux où il m'avait précédé. Savait-il qu'il était sur le point de lacérer une peinture ? Savait-il laquelle ? Dans ce cas, peut-être était-il passé là à la hâte, son couteau dans la poche, indifférent au dôme majestueux. Mais s'il n'avait pas prémédité son acte, s'il n'avait été incité à le commettre qu'au moment où il s'était retrouvé devant le tableau, alors peut-être avait-il lui aussi musardé dans cette forêt de troncs de marbre, comme toute personne attentive à ce qui l'entoure, comme tout amateur d'architecture classique.

J'ai enfoncé les mains dans mes poches. Même s'il avait méticuleusement préparé son coup, même s'il savourait d'avance le moment où il allait sortir son couteau et l'ouvrir, peut-être s'était-il quand même arrêté là juste pour faire durer le plaisir. Il m'était difficile, bien entendu, de concevoir que l'on puisse vouloir endommager une œuvre d'art. Toutefois, c'étaient les pulsions de Robert que je tentais d'analyser, pas les miennes. Au bout d'un moment, je me suis engagé dans la première des galeries du XIXe, content de quitter ce lieu céleste et sombre pour me retrouver au milieu des peintures.

À mon grand soulagement, il n'y avait pas de visiteurs dans la salle. Non pas un, mais deux vigiles y étaient toutefois postés, comme si l'administration du musée redoutait que *Léda* ne fasse l'objet d'un deuxième scandale. Je l'ai repérée immédiatement. J'avais résisté à la tentation de chercher l'œuvre dans des ouvrages d'art ou sur Internet et je m'en félicitai. Je pourrais toujours lire son histoire plus tard. Je découvrais ainsi la toile authentique, l'effet de surprise était intact.

C'était une pièce de grandes dimensions, d'environ un mètre cinquante sur deux mètres cinquante, résolument impressionniste, bien que les détails fussent davantage accentués qu'ils ne l'auraient été dans un Monet, un Pissaro ou un Sisley. La scène était composée de deux personnages. Une femme presque nue, le sujet central, était allongée dans l'herbe dont les brins paraissaient admirablement réels : langoureusement étendue sur le dos, dans une attitude classique de désespoir et de relâchement – ou d'abandon ? –, la tête renversée en arrière, couronnée d'une abondante chevelure dorée, une mince étoffe en travers du ventre, glissant sur l'une de ses jambes, une petite poitrine dénudée, les bras en croix. L'herbe réaliste conférait à sa peau une qualité lumineuse ; trop pâle, translucide, elle m'évoquait une jeune pousse qui se serait développée sous une souche. J'ai tout de suite songé au *Déjeuner sur l'herbe* de Manet, même si le personnage de Léda était manifestement oppressé, effrayé, épique, alors que la prostituée de Manet paraît sereine dans sa nudité, peinte d'une main détendue, dans des tons apaisés.

Le second personnage n'était pas humain ; incontestablement, il avait néanmoins le rôle dominant : il s'agissait d'un cygne immense, s'abattant sur la femme comme s'il s'apprêtait à se poser sur l'eau, les ailes étirées en arrière afin de ralentir la vitesse de son assaut, pourvues de longues plumes recourbées telles des serres. Ses palmes grises touchaient presque le ventre délicat de sa proie, son œil cerclé de noir était aussi farouche que le regard d'un étalon. Une force incommensurable se dégageait de son vol – figé sur la toile –, ce qui expliquait, visuellement et psychologiquement, la panique de Léda. Dans le mouvement de freinage de l'oiseau, une contraction pelvienne enroulait sa queue sous son corps. On sentait qu'il venait juste de surgir du flou des taillis, qu'il était subitement apparu au-dessus de la silhouette endormie et qu'il avait soudainement changé de cap pour fondre sur elle dans un paroxysme de désir.

Ou bien le cygne était-il à la recherche de Léda ? J'essayais de me remémorer la légende. L'élan de la créature avait pu la renverser sur le dos, peut-être, alors qu'elle se réveillait juste d'une sieste en plein air. Indubitablement, il s'agissait d'un cygne mâle. Nul besoin d'organes génitaux, la zone ombrée sous sa queue était plus qu'éloquente, de même que sa tête et son bec puissants, son long cou ployant vers la jeune femme.

J'avais moi-même envie de la toucher et de chasser le volatile. J'ai reculé pour avoir une vision globale de la toile. La peur de Léda était palpable, je la voyais sans peine se redresser en sursaut et retomber en arrière en creusant la terre de ses doigts – on était loin de la volupté des peintures classiques alignées dans les autres galeries du musée, de l'érotisme des Sabines et des Sainte-Catherine. J'ai pensé au poème de Yeats. Sa Léda était, elle aussi, une victime consentante – « les cuisses qui mollissent » – ne manifestant guère de réactions. Il faudrait que je le relise pour en être certain. La Léda de Gilbert Thomas était une femme réelle, véritablement effrayée. Voilà pourquoi elle était désirable.

La plaque du tableau était trop succincte : « *Léda vaincue par le cygne,* 1879, œuvre acquise en 1967. Gilbert Thomas, 1840-1890. » Monsieur Thomas devait être un homme extrêmement sensible, ai-je pensé, ainsi qu'un artiste hors pair, pour dépeindre des émotions d'une telle authenticité. Les plumes rapidement esquissées et le flou de la draperie de Léda étaient caractéristiques de la grande heure de l'impressionnisme, bien que l'on ne pût pas vraiment qualifier le tableau d'impressionniste : son thème, pour commencer, étaient de ceux que les impressionnistes méprisaient – un mythe classique. Qu'était-il passé par la tête de Robert Oliver pour qu'il soit saisi de l'envie de taillader cette peinture ? Souffrait-il d'une obsession antisexuelle ? Condamnait-il sa propre sexualité ? Ou bien cet acte qui aurait pu irrémédiablement mutiler les personnages représentés sur la toile traduisait-il une étrange volonté de défendre cette femme impuissante face au cygne ? Une sorte de galanterie fantasmatique ? Ou alors, peut-être que l'érotisme de l'œuvre le dérangeait. Mais pouvait-on vraiment parler d'une œuvre érotique ?

Plus je l'étudiais, plus il me semblait qu'elle traitait de pouvoir et de violence. Finalement, j'avais moins envie de toucher Léda que de repousser l'énorme poitrail du cygne avant qu'il ne se jette à nouveau sur elle. Était-ce ce qu'avait éprouvé Robert Oliver ? Ou avait-il simplement voulu la libérer du cadre ? Tout en observant les mains de Léda cherchant désespérément une prise dans l'herbe, j'ai tenté pendant un moment de comprendre, puis je me suis tourné vers la toile suivante, également de Gilbert Thomas. Là résidait peut-être la réponse à une question qui me turlupinait, sans rapport avec Robert Oliver, de la pure curiosité intellectuelle : *Quel genre de personne était Thomas ?* Je lus le titre : *Autoportrait avec pièces de monnaie,* 1884, et j'étais juste en train de me plonger dans la contemplation du tableau – manteau noir, barbe noire, chemise blanche impeccablement repassée – lorsque je sentis une main sur mon coude.

Je me suis retourné, pas vraiment surpris. J'habitais à Washington depuis plus de vingt ans et l'on peut dire sans exagérer que c'est une petite ville. Je m'attendais à tomber sur une connaissance. Mais non. Quelqu'un avait dû me frôler sans le faire exprès. Il y avait plusieurs personnes dans la salle, à présent : un couple d'un certain âge qui commentait une peinture à voix basse, un homme en costume sombre au front luisant et aux cheveux longs, quelques touristes parlant, me semblait-il, en italien.

Et une jeune femme – relativement jeune, tout du moins – qui s'était postée non loin de moi devant *Léda*. Sans doute était-ce elle qui m'avait effleuré le bras. Grande et mince, presque de ma taille, vêtue d'un jean et d'un chemisier en coton blanc, chaussée de bottes marron, les bras croisés sur la poitrine. De longs cheveux raides, teints en auburn, lui tombaient dans le dos. Elle avait un profil pur et régulier – sourcils châtains, longs cils, pas de maquillage. Quand elle inclina la tête, je vis que ses racines étaient blondes. En général, ce sont les brunes qui se font décolorer ; l'inverse est plus rare.

Elle a décroisé les bras et enfoncé les mains dans les poches arrière de son jean, à la manière d'un garçon, et s'est rapprochée de la peinture pour en examiner un détail. À son regard averti, j'ai pensé qu'elle était peintre. Mais c'est facile de dire ça maintenant... Il me semble en tout cas que j'ai songé qu'il fallait être peintre pour regarder une toile sous cet angle, pour se pencher de cette façon afin d'étudier la texture de la peinture, là où tombait la lumière. Frappé par sa concentration, je l'observais aussi discrètement que possible. Elle a reculé pour avoir de nouveau une vue d'ensemble.

Je trouvais qu'elle restait bien longtemps devant *Léda,* et j'avais l'impression qu'elle ne s'intéressait pas seulement à ses aspects techniques. Mon regard, visiblement, ne la gênait pas. Et puis elle s'est éloignée, sans un regard dans ma direction. Une jolie fille comme elle était sûrement habituée à ce qu'on l'observe. Je me suis dit qu'elle n'était peut-être pas peintre, mais comédienne, ou enseignante, blindée contre les regards des autres, qui lui procuraient peut-être même un certain plaisir. J'ai regardé ses mains, qui pendaient maintenant le long de son corps, tandis qu'elle se dirigeait vers une nature morte de Manet : des verres de vin, des prunes et des grappes de raisins lumineuses qu'elle observa, me sembla-t-il, avec une attention moins soutenue. Ma vue, bien qu'elle ne soit pas trop mauvaise, n'est plus ce qu'elle était ; je ne parvenais pas à voir si elle avait ou non de la peinture sous les ongles. Et je n'ai pas osé m'approcher davantage.

Soudain, elle m'a surpris en m'adressant un sourire, un sourire évasif, mais un sourire quand même, voire légèrement complice, pour un type qui s'attardait devant les mêmes œuvres qu'elle. Elle avait un visage ouvert, que l'absence de fard rendait encore plus expressif, des lèvres pâles, des yeux d'une couleur que je n'arrivais pas à déterminer, le teint clair mais les joues roses sous ses cheveux auburn. Elle portait un collier de perles en céramique sur un lacet de cuir, que j'aurais bien vu contenir des petits rouleaux de parchemin. Son chemisier de coton blanc laissait deviner une poitrine généreuse sur un buste anguleux. Elle se tenait très droite, moins comme une danseuse que comme une cavalière, dont la grâce est en partie due à la vigilance. À l'approche du couple de personnes âgées, elle s'en alla.

7

Je me suis demandé si c'était moi qui avais involontairement fait fuir cette jeune femme au sourire charmant. J'aurais aimé lier conversation avec elle, afin de savoir si je m'étais trompé ou non en supposant qu'elle était peintre, elle aussi. Il y avait un Renoir dans la salle, elle est passée devant sans le regarder et a quitté la galerie. Cela me fit plaisir : moi non plus, je n'aime pas Renoir, à l'exception de cette toile de la collection Phillips, *Le Déjeuner des canotiers*, où les personnages sont presque éclipsés par les grappes de raisins, les bouteilles et les verres illuminés par le soleil. Je ne l'ai pas suivie ; draguer deux filles dans la même journée aurait été épuisant, futile et frustrant, pour la simple et bonne raison que cela n'aurait mené nulle part.

Ma distraction n'avait duré qu'une seconde ou deux, pendant lesquelles le type au front gras s'était planté entre moi et l'autoportrait de Thomas. J'attendis qu'il s'en aille pour m'en rapprocher et le détailler plus avant. Il avait aussi quelque chose d'impressionniste, notamment dans le traitement de l'arrière-plan – des rideaux foncés – mais il ne possédait pas l'audace et la grâce de *Léda*. Un artiste aux multiples facettes, ai-je songé – à moins que Thomas n'ait changé de style dans les années 1880, qu'il se soit engagé dans une nouvelle direction. Le tableau devait aussi quelque chose à Rembrandt : l'expression maussade du sujet et la palette sombre, peut-être également la représentation sans complaisance du nez couperosé et des bajoues tombantes, de la décrépitude d'un homme qui avait dû autrefois être beau ; le couvre-chef de velours et la veste de smoking aussi. Il aurait pu être intitulé : « le Peintre en Vieux Maître et aristocrate, le tout en un ».

Le titre de l'autoportrait trouvait sa raison d'être au premier plan. Thomas était accoudé à une table de bois où s'amoncelaient des pièces de monnaie, des grosses pièces patinées, en bronze, en or ou en argent noirci, des pièces anciennes de différentes formes et diamètres, dépeintes avec une telle précision qu'on était tenté de les saisir une à une entre le pouce et l'index. On distinguait les merveilleuses inscriptions antiques gravées sur le métal, les caractères de mystérieux alphabets. Certaines avaient les bords crénelés ou étaient percées de trous carrés. Ces pièces avaient un rendu largement meilleur que l'autoportrait en lui-même. Peut-être Thomas se fichait-il de son image, il n'y avait peut-être que l'argent qui l'intéressait. En tout cas, il avait imité le style du XVIIe siècle, tournant son regard deux cents ans en arrière, et moi je contemplais le résultat obtenu au XIXe, presque cent vingt ans plus tard.

Il lui manquait une caractéristique des portraits en clair-obscur de Rembrandt, ai-je remarqué : la sincérité. Thomas avait eu la cruauté, ou la vanité, de donner l'impression d'une certaine gêne autour des yeux. Probablement un subterfuge pour accentuer le malaise créé par les pièces de monnaie. Cela dit, le visage était intéressant. Les toiles de Thomas lui avaient-elles rapporté gros ? me suis-je demandé. Ou rêvait-il seulement de les vendre à prix d'or ? Exerçait-il un autre commerce, jouissait-il d'un colossal héritage ? Comment savoir ?

Je me suis déplacé vers la nature morte de Manet et me suis émerveillé, très certainement comme la fille que j'avais remarquée quelques minutes plus tôt, devant la lumière jouant sur le verre de vin blanc, la peau bleu noir des prunes, l'angle d'un miroir. Me souvenant d'un petit Pissaro que j'aimais, je suis allé le voir, dans la section suivante de la galerie, et j'en ai profité pour admirer d'autres toiles de la même école.

Il y avait des années que je n'avais pas prêté autant d'attention à la peinture impressionniste. Ces éternelles rétrospectives, toutes ces reproductions sur tasses, sacs et calendriers m'en avaient un peu dégoûté. J'ai fouillé dans ma mémoire à la recherche de ce que je savais sur le mouvement : le courant était né en 1874, lorsque quelques artistes, dont une femme – Berthe Morisot – s'étaient associés pour exposer des œuvres refusées par le Salon de Paris, au motif qu'elles étaient d'un genre trop expérimental. Aujourd'hui, nous les considérons comme des classiques ; nous les méprisons ou les aimons trop facilement. À l'époque, elles marquaient une rupture radicale avec la tradition picturale en cela qu'elles représentaient des scènes de la vie courante, et que la peinture sortait enfin des ateliers pour montrer les jardins, les champs et les bords de mer français.

C'est donc d'un œil nouveau que j'appréciai l'éclairage naturel, les tons doux et subtils d'un Sisley : une femme en robe longue au bout d'un chemin creux enneigé. Il y avait quelque chose de touchant et de réel – ou de touchant par leur réalisme – dans les arbres austères bordant le sentier, dont certains surplombaient un haut mur. J'ai repensé à ce que m'avait dit un jour un vieil ami : qu'une peinture devait recéler une part de mystère pour être réussie. J'aimais cette silhouette féminine, de dos dans le demi-jour, plus intrigante à mes yeux que les sempiternelles meules de foin de Monet – je suis passé sans m'arrêter, en enfilant ma veste, devant une série de trois toiles représentant ces édifices de paille jaunes et roses à différents stades du point du jour. J'ai pour principe de quitter les musées avant que tout ce que j'y ai vu ne se mélange dans mon esprit.

À l'accueil, en bas, la fille aux cheveux noirs avait disparu. Miriam était occupée avec un homme de son âge qui semblait avoir du mal à lire le plan du musée. Si elle avait levé les yeux vers moi, je lui aurais souri, mais elle ne me vit pas, si bien que je partis sans lui dire au revoir. En franchissant les portes, j'ai éprouvé ce soulagement mêlé de déception que l'on ressent en sortant d'un grand musée – le soulagement de retrouver un monde familier, moins intense, plus facilement compréhensible ; et la déception de retourner à cet univers dénué de mystère. La rue, ordinaire, sans profondeur. Le vrombissement de la circulation, une collision évitée de justesse, des coups de Klaxon. Heureusement, les arbres étaient splendides, avec leurs branches chargées de fleurs ou de feuilles d'un vert tout neuf. Leur beauté me frappe toujours après l'hiver.

J'essayais de composer mentalement une teinte qui exprimerait ce renouveau lorsque je l'ai aperçue – la jeune femme qui s'était longuement arrêtée devant *Léda*. Elle attendait à un arrêt de bus. Elle n'était plus tout à fait la même sans son air concentré. Grande et droite, elle portait un sac en toile sur l'épaule. Le soleil faisait briller ses cheveux de reflets mordorés. Elle avait les bras croisés sur son chemisier blanc, les lèvres serrées. Déjà, j'aurais reconnu son profil entre mille. Elle affichait une attitude fière, presque hostile, mais je ne sais pas pourquoi, le mot « inconsolable » m'est venu à l'esprit.

Peut-être parce qu'elle paraissait terriblement seule, alors qu'à son âge elle aurait dû être accompagnée d'un beau jeune homme. Mon cœur s'est un peu serré, comme si j'avais aperçu une vieille connaissance, mais que je n'avais pas le temps de m'arrêter pour prendre de ses nouvelles.

J'ai dévalé les marches, elle a tourné la tête vers moi juste au moment où j'arrivais en bas. Elle m'a regardé, en se demandant, me semblait-il, où elle avait déjà vu ce type en veste bleu marine sans cravate. Puis elle m'a souri, comme à l'intérieur du musée, avec sympathie, et une vague gêne, comme si nous étions vraiment de vieux amis. Je lui ai fait un petit signe de la main, probablement ridicule. *Les étrangers se paraissent si étranges les uns aux autres*, ai-je pensé. Enfin, en l'occurrence, c'était sans doute moi le plus bizarre. Son sourire faisait apparaître des petites rides au coin de ses yeux. Elle avait peut-être bien la trentaine, après tout. En m'éloignant, j'ai essayé de me tenir aussi droit qu'elle.

8

Je me suis réveillé encore plus tôt que d'habitude, le lendemain matin, mais pas pour peindre. À 7 heures, j'étais à Goldengrove devant mon ordinateur et une tasse de café. Je voulais faire quelques recherches avant l'arrivée de l'équipe de jour. L'encyclopédie artistique que j'avais chez moi ne m'en avait révélé guère plus que ce que je savais déjà à propos de Gilbert Thomas. Dans mon *Petit Précis de mythologie*, j'avais cependant retrouvé la légende de Léda, une mortelle aimée par Zeus, qui l'étreignit sous la forme d'un cygne. Or, durant la même nuit, elle s'unit aussi à son mari Tyndare, roi de Sparte. Ce qui explique qu'elle donna naissance à deux paires de jumeaux, deux enfants immortels et deux mortels : Castor et Polydeuces (Pollux pour les Romains), et Clytemnestre et Hélène (l'enjeu de la guerre de Troie). Selon les récits, les enfants de Léda naquirent dans deux œufs ou dans un seul, d'où une certaine confusion entre les enfants divins de Zeus et ceux mortels de Tyndare.

J'avais également cherché s'il existait d'autres représentations picturales du mythe, et découvert que Léda et le Cygne avaient donné lieu à une riche tradition iconographique. Dans mes bouquins, j'avais trouvé une copie très érotique d'une œuvre de Michel-Ange, une version du Corrège, une copie d'après Léonard de Vinci, où le cygne apparaissait comme une sorte d'animal domestique, et un Cézanne, qui montrait le cygne prendre une Léda insouciante par le poignet, laquelle semblait ne pas demander mieux que d'être emmenée en promenade. Gilbert Thomas ne figurait pas en cette auguste compagnie, mais je comptais sur Internet pour me fournir de plus amples informations à son sujet.

Au risque de me répéter, j'éprouve une certaine réticence vis-à-vis du Web. Que ferons-nous le jour où n'aurons plus de livres à feuilleter, où nous ne pourrons plus savourer le bonheur de tomber entre les pages sur des choses que nous ne nous attendions pas à y trouver ? Bien sûr, cela arrive aussi sur Internet, mais plus rarement, à mon humble avis. Et comment renoncer à l'odeur des livres, anciens ou neufs ? En fouillant dans ma bibliothèque à la recherche du mythe de Léda, par exemple, j'ai enrichi mes connaissances sur quelques autres grands personnages classiques qui n'ont rien à voir avec cette histoire, mais ce que j'ai appris ce jour-là est demeuré gravé dans ma mémoire. Mon épouse dit que ma propension à me disperser au lieu de me consacrer efficacement à mes recherches est l'un de mes traits de caractère les plus vieux jeu, mais j'ai remarqué qu'elle prend aussi parfois plaisir à s'égarer dans les catalogues de musée.

En tout cas, je ne prétends pas être un expert en recherches sur le Net, mais ce matin celles-ci ont été fructueuses. Gilbert Thomas avait eu un début de carrière prometteur. Il s'était fait connaître avec *Léda* et l'autoportrait que j'avais vu à la National Gallery. Il fréquentait ses contemporains, comme Manet. Avec son frère, Armand, il avait ouvert l'une des premières galeries d'art parisiennes, seconde ou troisième en importance après celle du célèbre Paul Durand-Ruel. Un homme intéressant que ce Thomas ; sa galerie avait fini par péricliter et il était mort criblé de dettes, en 1890. Après son décès, son frère avait bradé la majeure partie des œuvres qui lui restaient et s'était retiré. Gilbert avait peint le paysage de *Léda* vers 1879, près de Fécamp, en Normandie, où il possédait une résidence secondaire. Il avait terminé la toile dans un atelier de Paris. Elle avait été exposée au Salon de 1880, et acclamée par la critique et le public, bien que sa nature érotique lui eût valu quelques détracteurs. D'autres œuvres de Thomas avaient par la suite été acceptées au Salon. Depuis, elles s'étaient toutefois perdues, ou étaient tombées dans l'oubli, si bien que sa renommée reposait principalement sur *Léda*.

Lorsque les résidents eurent terminé leur petit déjeuner, j'allai frapper à la chambre de Robert, dont la porte était fermée. Comme il ne répondait jamais, j'avais pris l'habitude de pousser tout doucement le battant et de m'assurer que je ne le surprendrais pas dans un moment d'intimité. C'était là l'un des aspects de son silence qui me gênaient le plus. Ce matin-là ne fit pas exception à la règle. Après avoir toqué à la porte, je l'ai progressivement entrebâillée et j'ai interpellé Robert avant de m'avancer dans la chambre.

Assis devant sa petite table, il dessinait. Il me tournait le dos. Ce jour-là, il n'y avait rien sur le chevalet.

– Bonjour, Robert.

Depuis une ou deux semaines, je m'autorisais à l'appeler par son prénom.

– Je peux entrer un moment ?

Comme à l'accoutumée, j'ai laissé la porte ouverte. Il ne s'est pas retourné, mais les mouvements de sa main au-dessus du papier se sont ralentis et j'ai vu qu'il serrait plus fort son crayon. Avec lui, il me fallait être constamment à l'affût d'un signe susceptible de se substituer au langage verbal.

– Merci pour les lettres. Je vous les ai rapportées.

J'ai posé l'enveloppe sur le fauteuil où il l'avait laissée. Il ne s'est toujours pas retourné.

– J'aimerais vous poser une petite question, ai-je poursuivi avec entrain. Quand vous avez des recherches à faire, comment procédez-vous ? Vous servez-vous d'Internet ? Ou bien préférez-vous les bibliothèques ?

Une fraction de seconde, son crayon s'est figé, puis il a continué à ombrer quelque chose. Je me suis interdit de m'approcher pour voir ce qu'il était en train de dessiner. Ses épaules avaient quelque chose de menaçant, sous sa vieille chemise. Son crâne commençait à se dégarnir. Je trouvais ça touchant, cet endroit usé par l'âge, alors que tout le reste de son corps semblait encore si vigoureux.

– Robert, ai-je de nouveau essayé, vous faites des recherches sur le Net pour vos peintures ?

Pas de réaction dans le crayon, cette fois. Je brûlais d'envie qu'il se retourne et me regarde, avec son visage sombre et ses yeux las. Néanmoins, au fond, j'étais content de pouvoir parler à son dos, sans être moi-même observé.

– Moi, ça m'arrive de temps en temps, bien que je préfère les livres.

Il n'a pas bougé, mais j'ai senti, plus que je n'ai vu, quelque chose s'éveiller en lui : de la colère ? De la curiosité ?

– Bah... Il faut faire avec son temps... Bonne journée, Robert. Appelez-moi si je peux faire quelque chose pour vous.

J'ai décidé de ne pas lui dire que je faisais traduire ses lettres – après tout, il n'avait pas le monopole du silence.

Avant de sortir de la chambre, j'ai jeté un coup d'œil au mur au-dessus de son lit. Il y avait affiché un nouveau dessin, un peu plus grand que les autres : la belle aux cheveux foncés, sombre, accusatrice, qui le surveillait jusque dans son sommeil.

Le lundi suivant, une enveloppe de Zoé m'attendait dans la boîte aux lettres. Avant de l'ouvrir, je me suis contraint à dîner. Puis je me suis lavé les mains, j'ai préparé un thé et je me suis installé dans mon salon. Il y avait des chances pour que cette correspondance ne soit qu'un banal échange de nouvelles familiales. Zoé avait toutefois promis des passages sur la peinture, et elle avait laissé les formules de salutation en français, sachant que ça me plairait.

Le 6 octobre 1877

Cher Monsieur,

Merci pour votre gentille lettre, à laquelle je m'empresse de répondre. Nous avons été très heureux de vous voir, hier soir. Votre présence a déridé mon beau-père, que nous avons le plus grand mal à faire rire depuis qu'il habite chez nous. Je crois que sa maison lui manque, même si depuis plusieurs années déjà sa femme n'était plus là pour l'égayer. Il nous répète sans cesse combien vous êtes pour lui un bon frère. Yves vous transmet ses amitiés ; il est soulagé que vous soyez revenu à Paris. (Un oncle, ça vous facilite la vie, dit-il !) Quant à moi, je suis ravie d'avoir fait enfin votre connaissance. Vous me pardonnerez de ne pas vous écrire plus longuement, mais j'ai énormément à faire, ce matin. J'espère que vous ferez bon voyage et que vous passerez un agréable séjour en pays de Loire, une région qui, j'en suis certaine, sera propice à votre travail. Je vous envie les paysages que vous peindrez sûrement là-bas. Et je ne manquerai pas de lire à mon beau-père les essais que vous nous avez laissés.

Je vous prie d'agréer, Monsieur, l'expression de mes sentiments respectueux,

Béatrice de Clerval Vignot

Parvenu au bout de cette lettre, je me suis demandé ce que Robert pouvait bien y trouver pour la relire sans cesse – celle-ci et les autres – dans sa chambre solitaire. Et pourquoi il avait accepté de me les prêter, si elles lui étaient si précieuses.

9

En principe, nous n'interrogeons pas les ex de nos patients, mais tandis que je voyais ce visage saisissant prendre forme sur les toiles de Robert Oliver, de semaine en semaine, sans pouvoir obtenir de lui quelque explication que ce fût, je me sentais gagné par une espèce de défaite morale. En outre, il m'avait lui-même donné l'autorisation de m'entretenir avec Kate.

L'ancienne épouse de Robert habitait toujours à Greenhill. Je lui avais téléphoné quelques jours après avoir admis Robert à Goldengrove. Elle avait une voix douce, fatiguée, qui s'était teintée d'une plus grande lassitude encore lorsque je lui avais annoncé que Robert était toujours hospitalisé. Il y avait des éclats de voix enfantines derrière elle, quelqu'un qui riait. Notre conversation avait été brève : elle m'avait confirmé qu'elle était au courant de la pathologie qui avait été diagnostiquée chez son mari, dont elle était divorcée depuis plus d'un an. En la quittant, il était parti vivre à Washington, m'avait-elle dit, puis elle avait ajouté qu'il lui était pénible d'aborder ce sujet. Si son mari – son ex-mari – n'était pas en danger et que j'avais le dossier de son psychiatre de Greenhill, voulais-je bien l'excuser si nous en restions là ?

En la rappelant, j'agissais à l'encontre de mon éthique et de sa requête. À contrecœur, j'ai sorti son numéro du dossier de Robert. Était-ce bien d'agir ainsi ? D'un autre côté, aurait-ce été bien de ne pas le faire ? Ce jour-là, Robert m'avait paru sévèrement déprimé ; et quand je lui avais demandé s'il lui arrivait de penser à *Léda*, il m'avait fixé d'un regard vide, comme s'il était trop épuisé pour s'offenser de cette question absurde. Certains jours, il peignait ou dessinait – toujours ce même visage féminin éclatant de vie ; d'autres jours, comme celui-ci, il restait couché sur son lit, la mâchoire crispée, ou assis sur le fauteuil où j'avais moi-même pris l'habitude de m'installer quand je lui rendais visite, ses lettres à la main, regardant sombrement par la fenêtre. Un jour, lorsque je suis entré dans sa chambre, il a ouvert les yeux et m'a souri pendant un moment, en murmurant quelque chose, comme s'il voyait un être cher, puis il a bondi hors de son lit en brandissant le poing dans ma direction. Sa femme pourrait peut-être au moins me dire comment il avait réagi à ses précédents traitements, et quels médicaments avaient été les plus efficaces.

À 17 h 30, j'ai composé son numéro – Greenhill, dans les montagnes à l'ouest de la Caroline du Nord ; j'avais des amis qui y passaient tous leurs étés. Quand elle a décroché, j'ai eu l'impression qu'elle était en train de rire de quelque chose avec quelqu'un.

– Oui, allô ?

– Mme Oliver, Dr Marlow à l'appareil, de la clinique de Goldengrove. Je vous ai déjà appelé, il y a quelque temps, à propos de Robert.

– Que se passe-t-il ? Il va bien ?

Toute trace de gaieté avait subitement disparu de sa voix pour faire place à une vive inquiétude.

– Ne vous inquiétez pas, Mme Oliver, il est dans un état stationnaire.

Un rire d'enfant résonna derrière elle, puis un cri, puis le fracas d'un objet tombant par terre.

– C'est le problème, justement, ai-je poursuivi. Je ne peux pas le faire sortir tant qu'il n'est pas en meilleure forme. La difficulté, c'est qu'il refuse de parler.

– Ah... a-t-elle fait et pendant une seconde j'ai perçu une ironie qui aurait pu appartenir à ces rayonnants yeux sombres, à cette bouche amusée ou furieuse que Robert dessinait constamment. Pour tout vous dire, il ne me parlait pas beaucoup à moi non plus, surtout pendant les deux dernières années où nous étions ensemble. Attendez... Excusez-moi.

« Oscar ? Les enfants ? Allez jouer à côté, s'il vous plaît », l'ai-je entendu dire hors du combiné.

– Le jour où il est entré à la clinique, ai-je repris, il m'a donné la permission de discuter de son cas avec vous, avant de se murer dans le silence.

Elle n'a rien dit.

– Vous m'aideriez énormément, ai-je continué, en m'expliquant comment ses troubles se manifestaient. Comment a-t-il réagi, par exemple, aux médicaments qu'on lui a prescrits ?

– Docteur... Marlow ? a-t-elle articulé lentement, et derrière sa voix tremblante j'entendais de nouveau des enfants qui jouaient. Je suis occupée, en ce moment, c'est le moins qu'on puisse dire. J'ai déjà été interrogée par la police et par deux psychiatres. J'ai deux enfants, et pas de mari. La mère de Robert et moi avons l'intention de payer une partie de ses frais d'hospitalisation, si son assurance ne suffit pas, comme vous devez le savoir.

Elle a pris une profonde inspiration avant de poursuivre :

– Si vous tenez absolument à ce que je vous parle du désastre de ma vie, il faudra venir me voir. Pour l'instant, j'essaie de préparer le dîner. Je suis désolée.

Le frémissement de sa voix trahissait qu'elle n'était pas du genre à envoyer les gens promener. C'était une femme polie, acculée par les circonstances.

– Je vous prie de m'excuser, ai-je dit. Je comprends que vous traversiez une période difficile. J'aimerais aider votre mari, votre ex-mari, dans la mesure du possible. En tant que médecin, je suis responsable de sa sécurité et de son bien-être, tant qu'il est à ma charge. Je vous rappellerai un autre jour afin que nous puissions fixer un rendez-vous.

– S'il le faut... a-t-elle répliqué.

Puis elle a ajouté :

– Au revoir.

Et elle a raccroché sans brusquerie.

De retour chez moi, ce soir-là, je me suis allongé sur le canapé, dans mon salon vert et or. La journée avait été exténuante, à commencer par l'hermétisme buté de Robert Oliver. Il avait les yeux injectés de sang, désespérés, et je m'interrogeais sur l'utilité d'une garde de nuit. Ne risquait-il pas d'avaler ses tubes de couleurs – ceux que je lui avais offerts – ou de se taillader les veines ? N'aurait-il pas été plus sage de le renvoyer chez John Garcia, dans un service où il aurait été davantage surveillé ? Rien ne m'empêchait d'appeler John et de lui dire que ce cas n'était pas pour moi ; je lui consacrais trop de temps, sans réel espoir d'amélioration. Robert ne présentait plus de risque aigu, mais j'étais quand même inquiet. D'autre part, je ne savais pas si je pouvais dire à John que quelque chose dans mon propre comportement me mettait mal à l'aise. Pourquoi mon cœur avait-il fait un bond au son de la voix de Kate Oliver ? Avais-je vraiment hésité à lui téléphoner ? Ou étais-je au contraire impatient ?

J'étais trop fatigué pour faire mon jogging, aujourd'hui. Au lieu d'aller courir, comme tous les soirs à cette heure-ci, je suis resté étendu les paupières à demi closes, à contempler le tableau au-dessus de la cheminée, l'une des mes productions. Je sais qu'il ne faut pas mettre de peintures à l'huile au-dessus d'une cheminée, mais je ne l'allume que rarement et ce pan de mur ne pouvait pas rester nu. En ce moment, je n'avais aucun mal à me mettre à la place de Robert Oliver, ou de n'importe quel patient atteint de dépression et d'asthénie. À titre d'expérience, j'ai fermé les yeux presque complètement et laissé ma tête rouler mollement sur le bras du canapé.

Quand je les ai rouverts, ils se sont de nouveau posés sur la toile. Comme je l'ai déjà dit, j'aime peindre des portraits, mais cette huile au-dessus de ma cheminée est un paysage vu d'une fenêtre. En général, je réalise les paysages d'après nature, avec une prédilection pour les collines bleues du nord de la Virginie. Celui-là est une fantaisie inspirée de Vuillard ainsi que de la vue que j'avais de ma chambre d'enfant, dans le Connecticut : l'appui et l'encadrement verts de la fenêtre, la cime des arbres, les toits des vieilles maisons, le grand clocher blanc de l'église congrégationaliste s'élevant au-dessus des lourds feuillages, les tons lavande et or du soleil couchant au printemps. J'ai peint tout ce dont je me souvenais, à grands traits bruts ; tout sauf le petit garçon penché à cette fenêtre et s'imprégnant de l'ensemble.

Allongé sur le canapé, je me suis demandé une fois de plus si je n'aurais pas dû un peu décaler le clocher sur la droite ; en réalité, il était *exactement* au centre de ma fenêtre, tel que je l'avais peint, mais la scène était ainsi trop équilibrée, trop symétrique. Maudit Robert Oliver – maudit, surtout, son refus de parler. Pourquoi accentuer sa condition de victime alors que la chimie de son cerveau le faisait déjà cruellement souffrir ? Là était l'éternelle question, le problème de l'influence de la chimie cérébrale sur la volonté. Et dire qu'il avait deux bambins et une épouse à la voix de velours, une facilité artistique hors du commun, un talent qui me faisait tourner la tête...

Tiraillé par la faim, je me suis levé, je me suis mis en pyjama et j'ai ouvert une boîte de soupe à la tomate, que j'ai agrémentée avec du persil, de la crème fraîche et une grosse tranche de pain. Puis j'ai lu le journal et une bonne part d'un roman de P.D. James, un excellent polar. Je n'ai pas mis les pieds dans mon atelier.

L'après-midi suivant, j'ai rappelé Mme Oliver juste avant de partir du travail. Cette fois, elle a répondu d'une voix sérieuse.

– Mme Oliver, c'est le Dr Marlow, de Washington. Excusez-moi de vous déranger à nouveau.

Comme elle gardait le silence, j'ai poursuivi :

– Ma démarche n'est pas courante, je sais, mais nous nous soucions tous deux de la santé mentale de votre mari... Votre offre tient toujours ?

Silence.

– Je souhaiterais venir discuter avec vous.

J'ai entendu une petite inspiration ; elle semblait déconcertée.

– Je vous promets que je n'en aurai pas pour longtemps, me suis-je empressé d'ajouter. Je ne vous prendrai que quelques heures. Je dormirai chez des amis qui ont une maison à Greenhill, je vous causerai le moins de dérangement possible. Notre conversation demeurera strictement confidentielle, je n'en ferai usage que pour soigner votre mari.

– Je ne vois pas trop ce que je pourrais vous apporter, a-t-elle dit enfin. Mais si vous vous souciez tant de Robert, je suis d'accord. Je travaille tous les jours jusqu'à 16 heures, je vais ensuite chercher mes enfants à l'école, donc je ne sais pas trop à quel moment nous pourrons nous voir... (Elle a marqué une pause.) Mais je me débrouillerai. Comme je vous l'ai déjà dit, j'ai parfois du mal à parler de lui. N'attendez pas trop de moi, s'il vous plaît.

– Je comprends.

Mon cœur tambourinait. C'était ridicule, mais le fait qu'elle ait accepté de me recevoir me remplissait d'un étrange bonheur.

– Allez-vous dire à Robert que vous venez me voir ? s'est-elle enquis, comme si elle-même venait juste de se poser la question.

– En général, je ne cache rien à mes patients, mais pour l'instant il n'est pas au courant. S'il y a des choses que vous ne voulez pas que je lui répète, je les garderai pour moi, bien sûr. Nous nous entendrons là-dessus plus précisément.

– Quand pensez-vous venir ?

Son ton était un peu froid, tout d'un coup, comme si elle regrettait déjà.

– Peut-être en début de semaine prochaine. Serez-vous disponible lundi ou mardi ?

– Je me débrouillerai, a-t-elle répété. Rappelez-moi demain.

Il y avait presque deux ans que je n'avais pas pris de congés. Lors de mes dernières vacances, j'étais parti faire un stage de peinture en Irlande, d'où j'avais rapporté ce que j'appelle ma « série verte ».

J'ai sorti mes cartes routières et fait provision dans ma voiture de bouteilles d'eau et de cassettes de Mozart, sans oublier ma *Sonate pour violon* de Franck. J'en avais à peu près pour neuf heures de route. Mon équipe a été un peu étonnée de ce départ sans préavis, mais personne ne m'a posé de questions. Pauvre Dr Marlow, ont-ils dû se dire, il est surmené. J'ai décalé mes consultations privées. J'ai laissé des consignes pour que Robert Oliver soit plus étroitement surveillé durant mon absence et, le vendredi, je suis allé lui dire au revoir dans sa chambre. Il était allongé sur son lit, la tête en arrière, les yeux au plafond, les sourcils et la mâchoire contractés, les cheveux en bataille. Son carnet de croquis et son crayon gisaient à côté de lui. Il y avait exécuté d'autres études de la femme aux cheveux bouclés, mais également quelque chose de nouveau : un banc de jardin au dossier en fer forgé, entouré d'arbres. Sa dextérité m'a encore sidéré. À mon arrivée, il a tourné ses yeux rougis vers moi.

– Comment allez-vous, aujourd'hui, Robert ? lui ai-je demandé en prenant place dans le fauteuil. Vous avez l'air fatigué.

Il s'est remis à contempler le plafond.

– Je prends quelques jours de repos. Je serai absent jusqu'à jeudi ou vendredi. Je pars en voyage. En voiture. Si vous avez besoin de quoi que ce soit, demandez aux infirmières. C'est le Dr Crown qui me remplacera. J'ai recommandé à tout le monde de bien s'occuper de vous. Une question : vous ne ferez pas d'histoires pour prendre vos médicaments ?

Il m'a jeté un regard éloquent, chargé de reproches. J'ai eu honte de moi. Il n'avait jamais fait mine, à aucun moment, de refuser son traitement.

– Bien, au revoir, ai-je dit. Je suis impatient de voir ce que vous aurez peint pendant mon absence.

Je me suis levé. Sur le pas de la porte, je lui ai adressé un signe de la main. Il n'y a rien de plus dur que de parler à un mur. Cette fois, néanmoins, je taisais moi aussi quelque chose. *Au revoir, je vais voir votre femme.*

Dans ma boîte aux lettres, j'ai trouvé une enveloppe de Zoé. Elle avait pas mal avancé dans ses traductions. Je les ai casées dans mes bagages, afin de les lire à Greenhill. Elles feraient partie de mes vacances.

10

Je suis tombé amoureux de la Virginie lorsque j'y faisais mes études. Je l'ai traversée plusieurs fois en me rendant ailleurs, et j'y vais de temps en temps pour peindre, randonner ou me reposer dans son cadre bleuté et verdoyant. J'aime prendre l'I-66 et laisser la ville derrière moi – bien que, à l'heure où j'écris ces lignes, Washington ait déjà étendu ses tentacules jusqu'à Front Royal ; les cités-dortoirs ont poussé comme des champignons le long de l'Interstate et des routes secondaires. En ce milieu de matinée, toutefois, il n'y avait pas beaucoup de circulation. À Manassas, j'avais complètement oublié la clinique.

Avant, quand je voyageais seul, je faisais parfois un crochet par le Manassas National Battlefield. Récemment encore, d'ailleurs, avec ma femme, je me suis spontanément engagé sur la bretelle y menant. Un matin brumeux de septembre, bien avant que je ne la connaisse, j'ai pris un billet au centre des visiteurs et j'ai traversé le champ de bataille. Je me suis arrêté là où s'étaient déroulés les combats les plus violents ; le paysage baignait dans le brouillard, en pente douce jusqu'à une vieille ferme de pierres. À quelque distance, un arbre solitaire me criait de venir jusqu'à lui et de faire halte sous ses branches, ou de le peindre depuis l'endroit où je me trouvais. Je suis resté là à regarder la grisaille se dissiper et à me demander pourquoi les gens s'entretuaient. Il n'y avait pas âme qui vive en vue. C'est le genre de moments qui me manquent et qui me donnent des frissons quand j'y pense, maintenant que je suis marié.

J'ai quitté l'autoroute près de Roanoke afin de prendre un petit déjeuner dans un restaurant indiqué par un panneau. Dès que j'ai aperçu sa façade lugubre, avec quatre ou cinq pick-up garés devant, je me suis rappelé que je m'étais déjà arrêté là. La serveuse affichait ouvertement sa fatigue. Elle m'a servi mon café sans un mot, mais quand elle m'a apporté mes œufs, elle a souri en désignant la sauce piquante sur la table. Deux gros bras discutaient boulot dans un coin – de jobs qu'ils n'avaient pas réussi à dégoter – et deux femmes outrageusement pomponnées réglaient leur note.

– Je ne sais pas ce qu'il s'imagine, a dit l'une d'elles tout fort à l'autre.

Sur le coup, dans une espèce d'état hallucinatoire induit par le café fumant, la fumée de cigarette et le soleil filtrant à travers les vitres sales, j'ai cru qu'elle parlait de moi. J'ai repensé à mon pénible réveil avant l'aube, avec cette impression non seulement de chambouler mon planning, mais de faire une entorse à ma déontologie personnelle, et cette montée de désir, quand j'avais ouvert les yeux, au souvenir de la femme des toiles de Robert Oliver.

Greenhill était facile à trouver, nichée dans une vallée au pied d'un long col de montagne. Le printemps était moins avancé qu'à Washington. Au bord des routes, les arbres étaient d'un vert tendre. Dans les jardins, les cornouillers et les azalées étaient encore en fleurs, et les gros bourgeons coniques des rhododendrons n'avaient pas encore éclos. J'ai contourné le centre-ville – une colline parsemée de toits de tuiles rouges et de gratte-ciel gothiques miniatures – et me suis engagé dans l'artère en lacets que mes amis m'avaient décrite au téléphone. Rick Mountain Road serpentait à travers un quartier résidentiel où les pavillons étaient cachés derrière un écran de sapins, de pins, de rhododendrons et de cornouillers. J'ai baissé ma vitre et humé l'air frais, chargé d'un parfum de mousse.

Le soir approchait. La maison de Jan et Walter se trouvait au bout d'un chemin de terre, indiquée par un panneau de bois : HADLEY COTTAGE. Les Hadley soignaient leurs allergies en Arizona, ce qui m'arrangeait bien : je n'aurais pas à leur expliquer de vive voix ce que j'étais venu faire à Greenhill. Je suis descendu de ma voiture et me suis étiré les jambes. Je ne courais pas assez, en ce moment, mais où trouver le temps ? Puis j'ai fait le tour de la maison. De derrière, on avait un superbe panorama sur la ville. Je me suis assis sur un banc et j'ai respiré le parfum de printemps qui montait des pins. Je me suis demandé pourquoi les Hadley n'habitaient pas là toute l'année.

J'ai songé à mes longs trajets dans les embouteillages entre chez moi et Goldengrove. J'entendais le vent dans les pins, le bruit étouffé de la circulation, au loin. Le chant des oiseaux s'est soudain tu. Un cardinal s'est envolé d'un arbre. Quelque part dans cette ville en contrebas – j'ignorais où exactement, mais je regarderais ce soir sur la carte –, il y avait une femme avec deux enfants, une femme débordée à la voix douce et au cœur brisé, qui vivait dans une maison que je ne pouvais pas encore visualiser, dans une solitude en partie causée par Robert Oliver. Je me suis demandé si elle aurait quelque chose à me dire. J'espérais ne pas avoir fait tout ce chemin pour rien.

Les clés étaient à l'endroit promis, sous un pot de fleurs ne contenant que de la terre, mais je fus obligé de donner un coup de hanche dans le battant pour réussir à l'ouvrir. J'ai ramassé quelques prospectus qui traînaient sur le porche, me suis essuyé les pieds sur le paillasson, et ai laissé la porte grande ouverte afin de chasser cette odeur de renfermé qui m'avait accueilli. Le salon était exigu et plein à craquer : de meubles démodés, de tapis en tissu, d'étagères surchargées de livres de poche et d'une rangée de Dickens à tranche dorée. La télé devait être dissimulée dans un placard. Le canapé était garni de coussins brodés légèrement humides au toucher. J'ai ouvert les fenêtres et la porte de derrière, puis j'ai monté ma valise à l'étage.

L'une des deux petites chambres était à l'évidence celle des Hadley ; j'ai pris la seconde, avec deux lits jumeaux couverts de dessus-de-lit bleu marine, surmontés d'aquarelles représentant des paysages de montagne – des originaux, pas trop mauvais. J'ai tiré les rideaux écossais, un peu humides eux aussi, au contact poisseux, et ouvert la fenêtre. Il fallait absolument que j'aère la pièce pour pouvoir y dormir. Walter m'avait conseillé d'allumer un feu. En bas, des bûches étaient déjà disposées dans la cheminée. Je me les suis réservées pour plus tard dans la soirée. Le vieux réfrigérateur était vide, à l'exception d'un bocal d'olives et d'un paquet de levure. Pour l'instant, je n'avais pas faim. Dans un moment, je prendrais la voiture pour aller faire quelques courses, acheter le journal et un plan de la ville.

Je me suis changé et suis sorti faire un jogging, content de me dégourdir les jambes après ce long voyage en voiture, content, aussi, de me vider l'esprit et de ne plus penser à Robert Oliver et à la femme que j'allais rencontrer le lendemain. À mon retour, j'ai pris une douche – heureusement, il y avait de l'eau chaude – puis j'ai installé mon chevalet derrière la maison. De chaque côté, on devinait des villas semblables derrière les épicéas, apparemment elles aussi désertes en cette saison. Je n'étais pas venu là précisément pour me détendre, mais en remontant mes manches et en ouvrant ma boîte d'aquarelle j'ai soudain éprouvé le délicieux sentiment de me couper du reste de ma vie. La luminosité était superbe. J'ai pensé que j'étais capable de faire largement mieux que ces tableaux vieillots sur les murs de la chambre d'amis et que je pourrais peut-être laisser un cadeau à Jan et Walter, une vue de leur ville un soir de printemps, pour les remercier de me prêter leur maison.

Plus tard, dans la chambre d'amis, j'ai commencé à lire les lettres que Zoé m'avait envoyées.

Le 14 octobre 1877
Cher Monsieur,
Votre lettre de Blois est arrivée ce matin et nous a fait énormément plaisir, en particulier à votre frère. C'est moi qui la lui ai lue, et je lui ai décrit le croquis que vous avez fait pour lui avec autant de précision que possible. Il est magnifique, mais je n'ose pas faire trop de commentaires, de crainte de vous révéler l'étendue de mon ignorance. Je ne suis encore qu'une novice dans ce domaine... J'ai également lu à Papa votre récent article sur l'œuvre de M. Courbet. Il dit que certaines des toiles de Courbet sont encore très claires dans sa mémoire visuelle, et que les mots que vous employez lui rendent leur souvenir plus vivace que jamais. Mille fois merci pour les charmantes attentions que vous avez pour nous tous. Yves vous transmet ses amitiés.
Sincèrement vôtre,

Béatrice de Clerval Vignot

11

J'avais imaginé Mme Oliver dans une belle maison blanche, typique du Sud, à plusieurs étages. Il se révéla qu'elle habitait un grand bungalow de cèdre et de brique, entouré de haies de buis, avec d'immenses épicéas devant. Je suis descendu de ma voiture aussi élégamment que possible, j'ai enfilé ma veste de laine et pris mon porte-documents. J'avais choisi mes vêtements avec soin, dans la vilaine petite chambre d'amis des Hadley, en évitant soigneusement de me demander pourquoi. Sous la véranda, des gants de jardinage boueux traînaient sur un banc, à côté d'un seau contenant de minuscules outils– des jouets d'enfant en plastique. À travers la vitre très propre de la porte d'entrée, on voyait le salon, désert. J'ai appuyé sur la sonnette.

Rien n'a bougé. Après quelques minutes, je me suis senti gêné de regarder à l'intérieur comme un espion, ce living-room simple et confortable, meublé de canapés aux couleurs discrètes, de lampes disséminées sur des guéridons qui avaient l'air anciens, une moquette vert olive défraîchie, un petit tapis oriental qui avait dû coûter assez cher, des bouquets de jonquilles, une armoire vitrée en bois sombre, de hautes étagères garnies de livres dont je ne distinguais pas les titres. J'ai attendu en prêtant l'oreille au chant et au bavardage des oiseaux – des corneilles, des étourneaux, un geai bleu. Des nuages s'amoncelaient dans le ciel. L'air était frais, la lumière grise.

Tout d'un coup, j'ai commencé à désespérer que Mme Oliver n'ait changé d'avis. J'avais fait neuf heures de route, comme un imbécile ; ça me servirait de leçon si elle avait décidé de me fermer sa porte (évidemment, je n'ai pas vérifié si elle était verrouillée) et de partir ailleurs plutôt que de me recevoir. J'aurais peut-être fait pareil à sa place. J'ai sonné de nouveau, non sans hésitation, en me promettant de ne pas réessayer.

Puis j'ai fini par tourner les talons, furieux. Il ne me restait plus qu'à reprendre le volant. Le voyage allait être long, à ruminer mon erreur. Je commençais déjà à gamberger, si bien que je n'ai pas réagi instantanément en entendant un cliquetis et le grincement de la porte derrière moi. Je me suis arrêté, mes poils se sont hérissés à l'arrière de ma nuque – pourquoi ce son me faisait-il tressaillir, alors que je le guettais depuis cinq minutes ? Je me suis retourné, elle avait encore la main sur la poignée.

Elle était jolie, mais ce n'était en aucun cas la muse des croquis et des peintures de Robert Oliver. Fugitivement, elle m'évoqua la mer : des cheveux couleur de sable, une peau claire constellée de taches de rousseur, de celles qui pâlissent avec l'âge, des yeux d'un bleu marin qui ont rencontré les miens avec prudence. Pendant un moment, je suis resté pétrifié sur les marches, puis je suis vivement remonté. De plus près, j'ai réalisé qu'elle était petite et menue. Elle m'arrivait à l'épaule, donc pas plus haut que la poitrine de Robert Oliver. Elle a ouvert sa porte en grand et s'est avancée vers moi.

– Vous êtes le Dr Marlow ?

– Oui. Mme Oliver ?

Elle a serré la main que je lui tendais. La sienne était petite, à son image, mais elle avait une poigne vigoureuse. Si elle n'était guère plus grande qu'une enfant, c'était une enfant forte, farouche.

– Entrez, je vous en prie.

Je l'ai suivie dans ce salon dont j'avais déjà eu un aperçu. J'avais l'impression d'assister au début d'une pièce de théâtre dont le public avait eu tout le loisir, faute de rideau, d'étudier le décor avant que les acteurs n'entrent en scène. La maison était plongée dans le silence. Les livres, j'ai vu, étaient principalement des romans – deux siècles de littérature. Il y avait aussi quelques recueils de poésie et des ouvrages historiques.

Mme Oliver était vêtue d'un jean et d'un haut à manches longues bleu ardoise, près du corps. Elle devait avoir parfaitement conscience de la couleur de ses yeux, ai-je pensé. Elle avait une silhouette gracieuse et vive, une démarche déterminée. Aucun de ses gestes ne trahissait une quelconque mélancolie. Elle me fit signe de prendre place sur l'un des canapés et s'installa en face de moi. La pièce était en angle. Dans la partie que l'on ne voyait pas de la porte, une baie vitrée donnait sur une vaste pelouse, des bouleaux, un houx géant, des cornouillers en fleur. J'ai posé ma serviette à mes pieds et essayé de me donner une contenance.

Mme Oliver avait les mains croisées sur un genou. Elle était chaussée de tennis en toile qui avaient dû autrefois être bleu marine. Ses cheveux épais et raides lui tombaient sur les épaules. J'aurais eu du mal à reproduire leur teinte, entre crinière de lion, épis de blé et feuille d'or. Elle avait un beau visage, très peu maquillé – un rouge à lèvres discret, les yeux soulignés du plus fin des traits. Elle ne souriait pas ; elle m'examinait gravement, sur le point de parler.

– Je suis désolée de vous avoir fait attendre, a-t-elle dit enfin. J'ai failli ne pas ouvrir.

Elle ne me présenta pas d'excuses pour cela, ni de plus amples explications.

– Il n'y a pas de mal.

J'aurais pu me montrer plus galant, mais dans la situation ce n'était pas utile.

– Non.

Nous étions sur la même longueur d'onde.

– Je vous remercie d'avoir accepté de me recevoir, Mme Oliver.

Je lui ai donné ma carte de visite, avec le sentiment d'être un peu trop guindé. Elle y a jeté un coup d'œil.

– Je vous sers un café, un thé ?

J'ai failli refuser, mais ça n'aurait pas été poli.

– Un café, avec plaisir, s'il est déjà prêt.

Elle s'est levée et a quitté le salon. La cuisine n'était pas loin. J'entendais des bruits de vaisselle et de tiroirs qu'on ouvre. J'ai profité de son absence pour regarder autour de moi. Il n'y avait là aucun signe de Robert Oliver. Les livres, peut-être ; certainement pas les lampes aux pieds de porcelaine ornés de fleurs. Pas de chiffons tachés de peinture, pas de posters des nouveaux paysagistes. Les murs étaient décorés de deux tapisseries à l'aiguille, probablement un héritage familial, et de deux aquarelles anciennes représentant un marché de France ou d'Italie. Pas de portraits de la belle brune bouclée, ni de toiles de Robert Oliver ou de tout autre artiste contemporain. Peut-être que le salon n'avait jamais été son domaine ; une sphère féminine, souvent. Ou peut-être qu'elle avait délibérément effacé toute trace de lui.

Mme Oliver revint avec un plateau chargé de deux tasses en fine porcelaine à motif de mûres, de minuscules cuillères, d'un sucrier et d'un pot à crème en argent, un service à café très raffiné à côté de son jean et de ses baskets délavées. J'ai remarqué qu'elle portait un collier et des boucles d'oreilles en or incrusté de minuscules pierres bleues – des saphirs ou des tourmalines. Elle a posé le plateau sur une table près de moi et m'a tendu mon café, puis elle a pris sa tasse et s'est rassise en la tenant adroitement en équilibre. Le café était bon. J'avais eu un peu froid, dehors ; il me réchauffa. Elle me regardait en silence et je me demandai si elle allait se montrer aussi laconique que son mari.

– Mme Oliver, ai-je dit sur un ton aussi naturel que possible, j'ai conscience que cela doit être difficile pour vous et je veux que vous compreniez que je n'ai en aucun cas l'intention de vous arracher des confidences par la force. Votre mari est un patient compliqué et, comme je vous l'ai dit au téléphone, je m'inquiète pour lui.

– Mon ex-mari, a-t-elle rectifié avec une pointe d'humeur à mon encontre, ou peut-être comme si elle se moquait d'elle-même, comme si elle voulait dire: « Moi aussi, je peux être ferme avec vous. »

Je ne l'avais toujours pas vue sourire.

– Je veux aussi que vous sachiez que Robert n'est pas en danger immédiat. Depuis l'incident du musée, il ne s'est plus montré violent, ni envers lui-même ni envers qui que ce soit.

Elle a hoché la tête sans mot dire. J'ai poursuivi :

– La plupart du temps, il est assez calme, mais il traverse des périodes d'agitation et de colère. D'agitation silencieuse. Je pense le garder jusqu'à ce que ces crises aient complètement cessé. Comme je vous l'ai dit au téléphone, mon problème, c'est qu'il ne parle pas.

Elle a gardé le silence.

– Pas du tout, ai-je ajouté.

Ce n'était pas tout à fait exact. Il m'avait dit que je pouvais m'entretenir avec celle que j'avais à présent en face de moi.

Elle a levé les yeux par-dessus sa tasse de café et bu une gorgée. Ses sourcils étaient plus foncés que ses cheveux, duveteux, comme sur les portraits de... J'ai essayé de me souvenir à quel peintre ils me faisaient penser. Quel numéro de pinceau aurais-je utilisé pour les peindre ? Elle avait un front large sous ses cheveux dorés.

– Il n'a pas décroché un mot ?

– Le premier jour, si. Il a reconnu son acte au musée et m'a dit que je pouvais interroger qui bon me semblerait.

J'ai préféré m'abstenir – dans un premier temps, tout du moins – de citer le nom de Mary. J'espérais que Mme Oliver finirait par me révéler qui était cette « Mary » sans que j'aie besoin de le lui demander.

– Mais depuis, je n'ai pas entendu le son de sa voix. Je suis sûr que vous comprenez que la parole est l'un des seuls moyens qu'il ait d'extérioriser ce qui le tourmente, et l'un des seuls moyens pour nous de trouver ce qui a provoqué cet état.

Je l'observais attentivement mais elle ne fit rien pour m'aider, pas même un signe de la tête.

J'ai essayé de compenser par une attitude amicale.

– Tant qu'il ne parle pas, voyez-vous, il m'est difficile de déterminer l'efficacité de son traitement. Je l'ai envoyé en thérapie individuelle et en thérapie de groupe, mais là non plus il ne parle pas, et de toute façon il a cessé d'y aller. Dans ces conditions, il faut que je sois moi-même capable d'aborder ce qui le perturbe.

– De le provoquer ? a-t-elle rétorqué sans prendre de gants, en levant de nouveau les yeux par-dessus sa tasse.

– Non. De le faire sortir de sa coquille, de lui montrer que je comprends sa vie, dans une certaine mesure. Ça l'aidera peut-être à se débloquer.

Pendant un moment, elle a eu l'air de réfléchir. Elle s'est redressée. Ses petits seins sont remontés sous son T-shirt.

– Et comment justifierez-vous que vous connaissez des éléments de sa vie s'il ne vous les a pas lui-même confiés ?

C'était une bonne question, si directe et si pertinente que j'en ai posé ma tasse. Je ne m'attendais pas à devoir y répondre si tôt. En fait, c'était un problème que je n'avais pas encore résolu. En cinq minutes, elle m'avait pris de court.

– Je vais être honnête avec vous, ai-je dit, conscient de prononcer une phrase galvaudée. Je ne sais pas encore comment je m'expliquerai, mais s'il me pose la question, c'est qu'il aura retrouvé l'usage de la parole. Et quitte à ce que ça le mette en colère, ce sera déjà un bon point.

Pour la première fois, ses lèvres se sont retroussées. Elle avait une dentition régulière, les incisives de devant un peu trop larges, charmantes. Puis elle a de nouveau pincé les lèvres.

– Hmm, a-t-elle fait, presque mélodieusement. Vous lui direz que ça vient de moi ?

– Ça dépend de vous, Mme Oliver. Nous pouvons peut-être commencer par nous mettre d'accord là-dessus, si vous voulez.

Elle a soulevé sa tasse de café.

– Oui. Enfin... Je ne sais pas. Il faut que j'y réfléchisse. Appelez-moi Kate, s'il vous plaît.

Elle a esquissé un petit mouvement de la bouche. Ce devait être une femme souriante, autrefois, qui pouvait peut-être réapprendre à sourire.

– Je ne me considère plus comme Mme Oliver, a-t-elle poursuivi. Pour tout vous dire, je suis en train de faire les démarches pour reprendre mon nom de jeune fille. Je m'y suis décidée récemment.

– D'accord... Kate, ai-je dit en détournant le regard avant qu'elle ne le fasse. Si vous n'y voyez pas d'objections, j'aimerais prendre des notes, pour mon usage personnel uniquement.

Elle a semblé peser le pour et le contre. Puis elle a posé sa tasse, comme si l'heure était venue de passer aux choses sérieuses. Je n'y avais pas encore fait attention, mais la pièce était extrêmement propre et ordonnée. Elle avait deux enfants, qui étaient à l'école la journée, avait-elle dit. Pas un seul jouet ne traînait dans le salon. Sa porcelaine à motif de mûres était immaculée, apparemment rangée quelque part hors d'atteinte. C'était une femme qui gérait prodigieusement son foyer et je ne m'en étais pas encore rendu compte, peut-être parce qu'elle n'en faisait pas toute une affaire. Elle a de nouveau croisé les mains sur son genou.

– Bien. Ne lui dites pas que vous êtes venu me voir, s'il vous plaît, pas pour l'instant, tout du moins. Je ne suis pas encore sûre que ce soit une bonne chose. Je vais tout vous raconter. Puisque j'ai accepté de me prêter au jeu, autant le jouer à fond.

Ce fut à mon tour d'être surpris et je crois que je n'ai pas réussi à le cacher.

– Je pense que vous rendrez service à Robert, quels que soient vos sentiments à son égard.

Elle a baissé les yeux, ce qui l'a soudain fait paraître plus vieille. Sans cet éclat de bleu, son visage était plus sombre. J'ai songé à cette appellation de couleur, dans la boîte de Crayola de mon enfance : « Pervenche ». Elle a de nouveau levé le regard vers moi.

– Je ne sais pas pourquoi, mais je le pense aussi. Je n'ai pas été capable de l'aider, vous savez. Je crois que c'est pour ça que j'ai payé une partie de ses notes d'hôpital. Combien de temps allez-vous rester ?

– Ce matin ?

– En tout. Je veux dire, j'ai pris deux matinées de congé. Nous avons jusqu'à midi aujourd'hui et pareil demain.

Elle s'exprimait sur un ton aussi plat que si elle demandait à la réception d'un hôtel à quelle heure les chambres devaient être libérées.

– Si nécessaire, je peux en prendre une troisième, mais ce sera difficile. Il faudra que je rattrape mes heures. Je travaille déjà de nuit, parfois, pour m'occuper des enfants après l'école.

– Je ne veux pas empiéter davantage sur votre temps alors que vous avez été si généreuse. Voyons déjà comment nous avancerons ce matin.

J'ai terminé mon café en deux gorgées et j'ai sorti mon calepin, en me faisant la remarque que son visage n'était pas seulement réservé mais triste, avec ses couleurs d'océan et de plage. Mon cœur s'est serré. Ou bien était-ce ma conscience qui me travaillait ? Elle m'a regardé droit dans les yeux.

– Je parie que vous voulez que je vous parle de la femme qu'il dessine, a-t-elle dit. Je me trompe ?

J'en suis resté sans voix. Je comptais embrayer en douceur, par des questions sur les premiers symptômes qui s'étaient manifestés chez Robert. J'ai vu à son expression qu'elle n'apprécierait pas que je tourne autour du pot.

– Non.

Elle a hoché la tête.

– Il continue à la dessiner ?

– Oui. Presque tous les jours. J'ai vu qu'elle avait fait l'objet de l'une de ses expositions. Je me disais que vous la connaissiez peut-être.

– Je ne sais pas grand-chose d'elle. Mais je ne tiens pas à en savoir plus. Jamais je n'aurais cru que j'en parlerais un jour à un inconnu. Vous avez l'habitude d'entendre des choses très intimes ? m'a-t-elle demandé en se penchant en avant.

12

Kate

La première fois que je l'ai vue, sa muse, c'était sur une aire d'autoroute, quelque part dans le Maryland. Mais que je vous raconte d'abord comment j'ai rencontré Robert. C'était à New York, l'été 1984, j'avais vingt-quatre ans. Je travaillais là-bas depuis environ deux mois, le Michigan me manquait. Je pensais que New York serait une ville excitante, et elle l'était, mais la vie y était épuisante. J'habitais à Brooklyn, je n'avais pas les moyens de me loger à Manhattan. Je prenais trois métros, pour aller travailler au service de rédaction d'un journal médical. À la fin de mes journées, j'étais trop fatiguée pour aller me balader à Greenwich Village ou ailleurs, et trop près de mes sous pour aller voir des films étrangers au cinéma. Je n'étais pas non plus très sociable.

Nous nous sommes rencontrés chez Lord & Taylor, où j'étais allée chercher un cadeau d'anniversaire pour ma mère. Je savais pourtant que tout y était hors de prix. Dès que je suis entrée dans le magasin, je me suis sentie agressée par l'air conditionné et parfumé. Sous le regard hautain des mannequins en maillot de bain échancré à la dernière mode, je regrettais de ne pas m'être mieux habillée. J'avais l'intention d'acheter un chapeau, quelque chose que ma mère ne se serait jamais offert elle-même, quelque chose de joli qu'elle aurait pu porter quand elle était jeune, à l'époque où elle avait rencontré mon père au Cricket Club de Philadelphie. À Ann Arbor, elle ne le mettrait sûrement jamais, mais il lui rappellerait l'insouciance et les gants blancs de sa jeunesse. Je pensais trouver les chapeaux au rez-de-chaussée, près des foulards en soie signés par de grands couturiers dont je connaissais à peine les noms et des longues jambes gainées de bas Nylon. Mais le magasin était en travaux. Une vendeuse très maquillée m'a indiqué que le rayon était temporairement transféré à l'étage.

Je n'avais pas envie de m'aventurer plus loin dans le magasin, parce que je n'avais pas de collant et que je trouvais mes jambes affreuses. Mais en gage d'amour pour ma mère, j'ai pris l'escalator – j'ai toujours peur de louper l'arrivée. Par chance, le rayon des chapeaux était désert. Il y en avait de toutes les couleurs, avec des fleurs en soie épinglées sur du ruban de gros-grain, des bleu marine en paille, des noirs en paille, un bleu avec des cerises. Ils étaient tous un peu tape-à-l'œil, surtout exposés là tous ensemble. J'ai commencé à me dire qu'il fallait que je trouve une autre idée. Et puis j'en ai vu un magnifique, qui correspondait tout à fait à ma mère, à large bord, en organdi crème, orné d'un bouquet de fleurs bleues qui avaient l'air presque vraies : des bleuets, des myosotis, des delphiniums. On aurait dit un chapeau décoré dans un champ.

Je l'ai décroché et j'ai retourné l'étiquette. Il coûtait 59,99 dollars, plus que ce que je dépensais au supermarché pour les courses d'une semaine. Si j'économisais seulement trois fois cette somme, je pouvais aller voir ma mère à Ann Arbor. Mais quand elle le déballerait, peut-être qu'elle sourirait. Elle l'essaierait devant le miroir du couloir et elle se sourirait. Je le tenais très délicatement par le bord et je souriais moi-même à cette pensée. Et tout d'un coup, j'ai eu mal au ventre et mes yeux se sont remplis de larmes. Le peu de maquillage que je mettais pour aller travailler allait couler. J'espérais qu'une vendeuse ne viendrait pas me parler. Si quelqu'un m'adressait un seul mot, je redoutais de me sentir obligée de l'acheter.

Je l'ai remis à sa place et me suis dirigée vers l'escalier roulant, mais ce n'était pas le bon, c'était celui qui montait, et j'ai dû m'écarter pour laisser passer les gens qui arrivaient en haut. Comme une automate, je suis allée de l'autre côté, jusqu'à celui qui descendait, et je l'ai pris en m'agrippant des deux mains. La rampe vibrait sous mes paumes, je me sentais de plus en plus mal et j'avais peur de tomber. Je me suis penchée en avant et, évidemment, j'ai trébuché. Je me serais bel et bien cassé la figure si un type ne m'avait pas rattrapée de justesse. J'ai vomi sur ses chaussures.

La première chose que j'ai vue de Robert, ce sont donc ses chaussures, de gros brodequins beige comme personne n'en portait plus, des godillots de paysan anglais, pour traverser la lande ou aller au pub du village. J'ai appris par la suite que c'étaient effectivement des chaussures anglaises, cousues main, très chères, increvables ; elles duraient au moins six ans. Il en avait toujours deux paires, dont il changeait irrégulièrement. Elles avaient l'air faites à son pied, confortables. Hormis ses chaussures, il n'attachait pas d'importance à son look, mais il avait un instinct incroyable pour le mariage des couleurs. Il s'habillait sur les marchés aux puces, dans les dépôts-ventes, ou il échangeait ses vêtements avec des amis. « Ce sweat ? C'est celui de Jack, me disait-il. Il l'a oublié au bar, hier soir. Il n'y tient pas, de toute façon. » Et le sweat-shirt traînait chez nous jusqu'à ce qu'il tombe en lambeaux et finisse en chiffon à poussière ou à pinceaux – nous sommes restés mariés suffisamment longtemps, après tout, pour que les vêtements deviennent des chiffons. De son côté, Jack avait les gants ou l'écharpe que Robert avait laissés sur son canapé le soir où ils avaient discuté pastel jusqu'à 2 heures du matin. La plupart des habits de Robert étaient tellement tachés de peinture qu'ils ne risquaient pas de plaire à quelqu'un d'autre qu'un artiste. Il ne faisait toutefois pas exprès de les tacher, comme certains de ses congénères.

Ses chaussures, en tout cas, c'était sa fierté. Il mettait de l'argent de côté pour ses chaussures, il en prenait le plus grand soin, il les entretenait à l'huile de vison, il faisait attention à ne pas faire tomber de peinture dessus et il les rangeait au pied du lit, alors qu'il jetait ses vêtements n'importe où. La seule autre chose dans laquelle il mettait le prix, à part ses tubes de couleur, c'était son aftershave. Mais j'ai su plus tard que, par une étrange coïncidence, il était venu chez Lord & Taylor acheter un cadeau d'anniversaire pour sa mère. Quand j'ai vomi sur ses chaussures, il a involontairement grimacé. Évidemment, j'ai pensé que le vomi le dégoûtait ; en fait, il était surtout écœuré par le fait que j'avais sali ses chaussures.

Il a sorti un bout de tissu blanc de sa poche et les a essuyées, ignorant mes excuses. Et puis tout d'un coup, il m'a saisie par les épaules. Il était très grand.

– Venez vite, m'a-t-il dit d'une voix grave et réconfortante.

Il m'a entraînée à travers les rayons, entre des mannequins en polo au col crânement remonté, des raquettes de tennis à la main.

Un effluve de parfum m'a de nouveau contracté l'estomac. Je courbais la tête, je voulais m'enfuir au plus vite de cet endroit, loin de cet étalage de marchandises trop chères pour ma bourse. Tous ces articles que je ne pourrais jamais offrir à ma mère me soulevaient le cœur. Heureusement, cet inconnu me tenait solidement par le bras et l'épaule. Il portait une chemise en denim à manches courtes et un jean gris taché. J'ai relevé un peu la tête : il était frisé et mal rasé. Il sentait l'huile de lin, une odeur que j'aurais trouvée plaisante en d'autres circonstances. Je me suis demandé s'il n'allait pas profiter de la situation pour me voler mon portefeuille, ou pire... New York avait mauvaise réputation, dans les années 1980 ; à Ann Arbor, on s'étonnait presque qu'il ne me soit encore rien arrivé.

Mais j'étais trop malade pour me soucier de ses intentions. En une minute, nous nous sommes retrouvés dans la rue, qui grouillait de monde.

– Respirez, ça va aller, m'a-t-il dit sans me lâcher.

Il avait à peine fini sa phrase que je vomis de nouveau, en veillant cette fois à éviter ses pieds ainsi que ceux des passants. Des larmes me coulaient le long des joues. De sa grosse main, il me frottait le haut du dos. J'étais horrifiée, comme si un pervers était en train de me peloter, dans le métro, mais trop faible pour protester. Quand je me suis redressée, il m'a tendu une serviette en papier.

– Ça va aller, ça va aller, murmurait-il sans cesse.

Je me suis appuyée contre la façade de Lord & Taylor.

– Vous allez tomber dans les pommes ? m'a-t-il demandé.

Il avait un visage sympathique, de grands yeux marron vert, un nez affreux.

– Vous attendez un bébé ?

– Hein ?

– Je vous pose la question parce que ma cousine est enceinte et qu'elle a vomi dans un magasin, elle aussi, pas plus tard que la semaine dernière.

Il a enfoncé ses mains dans ses poches arrière, comme quelqu'un qui bavarde avec une amie sur un parking après une fête.

– Hein ? ai-je répété stupidement. Non, ça ne risque pas.

Immédiatement, je me suis sentie rougir jusqu'aux oreilles, à la pensée qu'il allait s'imaginer que je venais de lui faire une confidence sur ma vie sexuelle – inexistante. J'avais eu trois petits copains à la fac, et une brève aventure lorsque j'étais au chômage, à

Ann Arbor, mais à New York, jusque-là, c'était le calme plat ; j'étais trop fatiguée, trop timide.

– J'ai la tête qui tourne, ai-je balbutié.

Je n'osais pas regarder ses chaussures, mes jambes flageolaient. J'ai appuyé mes deux mains et mon front contre le mur.

– C'est que vous êtes vraiment malade, a-t-il dit. Vous voulez que j'aille vous chercher de l'eau ? Vous voulez vous asseoir quelque part ?

– Non, non, ai-je menti en essayant de reprendre mon équilibre. Je vais rentrer chez moi.

– Vous avez raison, vous serez mieux au lit. Où habitez-vous ?

– Je ne donne pas mon adresse aux gens que je ne connais pas, ai-je répondu faiblement.

Il a souri, révélant une dentition magnifique. Il paraissait n'avoir que quelques années de plus que moi. Ses cheveux bruns étaient tellement emmêlés qu'ils formaient presque des dreadlocks.

– J'ai une tête à faire peur ? a-t-il répliqué. Quelle ligne de métro prenez-vous ?

Les gens nous bousculaient sur leur passage ou pour entrer dans le magasin. Il y avait un monde fou, dans la rue, à cette heure-là.

– Je... La... Brooklyn, ai-je bredouillé. Je vais y aller, je me sens beaucoup mieux.

J'ai fait un pas hésitant en me couvrant la bouche. Après coup, je me suis demandé pourquoi je n'avais pas pris un taxi. L'habitude de toujours regarder à la dépense, je suppose.

– On ne dirait pas... a-t-il rétorqué. Essayez de ne pas dégobiller sur mes godasses et je vous accompagne jusqu'à votre station. Ensuite, vous pourrez peut-être me dire si vous voulez que je prévienne quelqu'un.

Il a passé un bras autour de mes épaules et, tel un couple d'ivrognes, nous nous sommes dirigés vers la bouche de métro au coin de la rue.

En haut de l'escalier, je me suis accrochée à la rampe et je suis restée plantée là.

– Merci, vous êtes gentil.

Je gênais le passage. Il s'est placé devant moi pour me protéger de la cohue.

– Venez, une marche après l'autre.

Je me suis agrippée d'une main à son épaule, sans lâcher la rampe de l'autre.

– Vous voulez que j'appelle quelqu'un de votre famille ? Vos colocataires ?

J'ai secoué la tête, incapable de prononcer un mot. J'avais le cœur au bord des lèvres. Si je vomissais encore une fois, l'humiliation serait complète.

– Allez, voilà, a-t-il dit avec un sourire mi-exaspéré mi-amical. Montez dans cette voiture.

Le métro était bondé. Il y est monté avec moi. Il n'y avait pas de places assises. Il me soutenait d'une main ferme, tout en se tenant de l'autre à un anneau. Lorsque la rame prenait des tournants, il amortissait les secousses pour moi. À la station suivante, une place assise s'est libérée ; je m'y suis affalée, en me disant que je si vomissais dans cet espace confiné, ce serait la fin de mon aventure new-yorkaise. Je retournerais dans le Michigan, parce que je n'étais pas faite pour la grande ville. J'étais plus faible que les sept millions de New-Yorkais ; je vomissais sur les gens.

13

À mon arrêt, je savais à peine où j'étais, mais le galant inconnu m'a aidée à remonter à la surface. J'ai vomi dans le caniveau – je faisais des progrès.

– À gauche ou à droite ? m'a-t-il demandé quand j'eus terminé.

Du bras, je lui ai indiqué la direction de mon immeuble, qui se trouvait heureusement tout près de la station. Je crois que je n'aurais pas agi différemment même si j'avais sincèrement pensé qu'il allait me trancher la gorge. Devant l'entrée de l'allée, je l'ai laissé me prendre les clés des mains. Je tremblais comme une feuille.

– Ça va un peu mieux, ai-je murmuré dans l'ascenseur.

– Quel étage ?

Dans le long couloir moquetté et malodorant, il m'a demandé laquelle de mes clés était celle de mon appartement. C'est lui qui a ouvert la porte.

– Bonjour ! a-t-il crié. Il y a quelqu'un ?

Je n'ai rien dit. Je n'avais ni le courage ni l'envie de lui avouer que je vivais seule. Il a dû s'en douter, de toute façon. Mon logement se résumait à une pièce avec un coin cuisine délimité par un placard. Je dormais sur le canapé, que j'avais pathétiquement décoré des vieux coussins de mon enfance. Des casseroles étaient empilées sur la commode, le sol était recouvert d'un tapis oriental usé jusqu'à la corde, cadeau de ma tante de l'Ohio. Mon bureau était jonché de factures et de croquis, avec une tasse à café en guise de presse-papiers. J'ai parcouru la pièce du regard, comme si je la découvrais, et je l'ai trouvée minable. Avoir un chez-soi était très important pour moi, mais je devais me contenter de ce studio miteux. Au-dessus de l'évier, la peinture des tuyaux s'écaillait et, comme ils gouttaient, j'avais coincé un torchon derrière.

L'étranger m'a aidée à m'asseoir sur le canapé-lit.

– Vous voulez un verre d'eau ?

– Non, merci.

Je ne le quittais pas des yeux. C'était complètement dingue d'avoir amené chez moi un homme rencontré dans les rues de New York. Personne n'avait encore jamais franchi le seuil de ma porte, à part mon propriétaire, qui était resté deux minutes afin de voir pourquoi le four ne s'allumait pas, et qui m'avait montré comment le secouer pour qu'il fonctionne. Je ne connaissais même pas le nom de ce type, et il était planté au milieu de mon studio à regarder autour de lui comme s'il cherchait un remède à me donner. J'essayais de ne pas respirer trop bruyamment.

– Pourriez-vous juste aller me chercher une bassine dans la cuisine, s'il vous plaît ?

Il m'en a apporté une, avec un morceau d'essuie-tout humide. Je me suis appuyée contre le dossier du canapé. Les mains sur les hanches, il a regardé ma galerie : une photo en noir et blanc de mes parents, que j'avais prise devant chez nous quand j'étais au lycée ; plusieurs de mes récents dessins de boîtes de lait ; un poster d'une fresque murale de Diego Rivera – trois hommes déplaçant un bloc de pierre, leurs muscles bandés par l'effort. Son regard s'est arrêté dessus. Je me suis sentie blessée dans mon amour-propre. Pourquoi ignorait-il mes dessins ? D'autres auraient dit : « Oh, c'est vous qui avez fait ça ? ». Lui ne regardait que les ouvriers mexicains de Rivera, leurs visages grimaçants et leurs corps de colosses aztèques. Puis il s'est tourné vers moi.

– Ça va mieux ?

– Oui, ai-je articulé d'une voix à peine audible.

Et j'ai couru jusqu'à la salle de bains. Cette fois, j'ai vomi dans la cuvette des W.-C., en prenant soin de relever la lunette. Enfin, je vomissais dans un endroit approprié !

Il est venu jusqu'à la porte. Je l'entendais, mais je ne pouvais pas le regarder.

– Vous voulez que j'appelle une ambulance ? Je veux dire, vous croyez que c'est grave ? C'est peut-être une intoxication alimentaire. Ou bien on peut descendre prendre un taxi et aller à l'hôpital.

– Pas d'assurance, ai-je marmonné.

– Moi non plus.

Je l'entendais piétiner dans ses gros godillots.

– Ma mère ne le sait pas, ai-je ajouté.

Il a rigolé.

– Et la mienne, à votre avis ?

J'ai tourné la tête sur le côté et je l'ai vu rire, de toutes ses dents. Tout son visage riait.

– Elle vous engueulerait ?

Je me suis passé un gant sur la figure, puis rincé la bouche. Il a haussé les épaules.

– Sûrement.

Il m'a aidée à aller jusqu'au canapé, sans un mot, comme s'il y avait des années que j'étais invalide et qu'il s'occupait de moi.

– Vous voulez que je reste un moment ?

J'ai supposé que cela signifiait qu'il avait autre chose à faire.

– Oh, non, ça va aller, maintenant. Je crois que c'est fini.

– Vous ne devez plus avoir grand-chose dans l'estomac, de toute façon.

– J'espère que ce n'est pas contagieux.

– Je ne suis jamais malade, a-t-il déclaré et je l'ai cru. Bon, eh bien, je vais y aller, alors, si ça va mieux. Je vous laisse mon nom et mon numéro de téléphone.

Il les a notés sur un bout de papier qui traînait sur mon bureau, sans me demander si j'en avais besoin ou non, et je lui ai dit comment je m'appelais.

– Passez-moi un coup de fil, demain, pour me donner des nouvelles. Que je sois rassuré.

J'ai acquiescé de la tête, au bord des larmes. J'étais si loin de ma famille, laquelle se composait en tout et pour tout d'une femme qui sortait ses poubelles toute seule, à 180 dollars de bus d'ici.

– Bon, a-t-il dit. À bientôt. Faites-vous une boisson chaude.

J'ai hoché la tête, il a souri et il est parti. Je n'en revenais pas : il m'avait aidée d'une façon si naturelle, si désintéressée... Je me suis levée et j'ai regardé son numéro. Son écriture lui ressemblait : assurée, sans chichis.

Le lendemain matin, je l'ai appelé pour le remercier.

Le 22 octobre 1877
Mon cher oncle,

Je ne suis pas aussi assidue que vous dans notre correspondance, mais je m'empresse de vous remercier pour la gentille lettre qui est arrivée ce matin. Je l'ai lue à Papa. Il me charge de vous transmettre le message que vous devriez nous rendre visite plus fréquemment ; ainsi, vous auriez à table votre place attitrée. Ce sera votre remontrance du jour, sans rancune toutefois, ni de la part de votre frère ni de la mienne. Nous nous ennuyons un peu, ici, sous la pluie. J'ai beaucoup apprécié votre croquis ; l'enfant dans le coin est adorable. Vous savez si bien saisir la vie, nous sommes très admiratifs de votre talent. Pour ma part, je suis revenue de chez ma sœur avec plusieurs dessins. L'aînée de mes nièces a sept ans. Elle est si gracieuse que je suis certaine qu'elle vous inspirerait, vous aussi.

Avec mon meilleur souvenir,

Béatrice de Clerval Vignot

14

Robert et moi avons vécu ensemble à New York pendant presque cinq ans, que je n'ai pas vus passer. J'ai lu qu'il existe quelque part une sorte de mémoire universelle, des genres de trous noirs où serait conservée l'expérience acquise de toute éternité par les individus, tous nos vécus personnels, toute l'histoire du monde archivée dans des petites cases spatio-temporelles. J'espère que ces cinq années demeureront à tout jamais dans le grand ordinateur. La suite ne le mérite peut-être pas... Je ne me doutais pas que notre histoire se terminerait aussi mal... Pendant cinq ans, j'ai mené une vie merveilleuse et exaltante, persuadée que chaque journée serait toujours aussi parfaite que la précédente. À ce moment-là, je ne voulais pas encore d'enfants et je me fichais que Robert n'ait pas d'emploi stable.

Le lendemain de ma crise de vomissements, je lui ai donc téléphoné, et j'ai fait durer la conversation suffisamment longtemps pour qu'il me dise qu'il allait voir une pièce de théâtre, le lendemain soir, à son école d'art, avec des amis, et que je pouvais venir avec eux si je voulais. Ce n'était pas vraiment une invitation, mais ça y ressemblait. En tout cas, c'était exactement le genre de proposition que j'attendais. Évidemment, la pièce était incompréhensible : les comédiens lisaient leur texte ; à la fin, ils en ont fait des confettis et ils ont barbouillé les spectateurs du premier rang de peinture blanche et verte. Au fond de la salle, où j'étais moi-même assise, personne ne voyait rien et tout le monde se demandait ce qui se passait. Robert était plus près de la scène, il avait oublié de me garder une place à côté de lui.

Après le spectacle, ses amis sont partis à une fête. Nous sommes allés dans un bar près du théâtre, où nous nous sommes installés côte à côte sur des tabourets pivotants. Je n'avais encore jamais mis les pieds dans un bar new-yorkais. Un violoniste jouait des airs irlandais. Robert a engagé la conversation en me demandant quel était mon artiste préféré. Matisse, ai-je répondu. J'aime beaucoup ses portraits de femmes, pour leur audace, et ses natures mortes aux couleurs limpides. Robert, lui, ne citait que des artistes contemporains dont je n'avais jamais entendu parler. Il était en dernière année des beaux-arts, à une époque où il était de bon ton de peinturlurer des sofas, d'empaqueter des immeubles et de conceptualiser tout et n'importe quoi. Il avait des avis parfois intéressants, parfois puérils ; mais comme je ne voulais pas avouer mon ignorance, j'ai écouté sans l'interrompre sa litanie sur des œuvres, des mouvements, des disciplines et des courants de pensée qui m'étaient totalement inconnus, censément tous vivement contestés dans les ateliers où il travaillait et où il était lui-même critiqué.

Pendant qu'il parlait, j'observais son profil, à la fois beau et pas beau : un front proéminent, un nez de prédateur, une mèche de cheveux en tire-bouchon sur la tempe. Je trouvais qu'il ressemblait à un oiseau de proie, mais dès qu'il souriait, comme un enfant heureux, je me demandais où j'allais chercher de telles idées. J'étais hypnotisée par son aisance, envoûtée par le naturel avec lequel il se frottait l'aile du nez, de l'index, puis le bout du nez, du plat de la paume. Il se grattait la tête un peu comme un animal, ou comme il aurait gratté la tête d'un gros chien, distraitement, affectueusement. Ses yeux étaient tantôt de la couleur de ma bière brune, tantôt vert olive. Il avait une manière déstabilisante de les plonger subitement dans les miens. Je buvais ses paroles, prête à répondre quelque chose d'intelligent au cas où il m'aurait demandé mon avis. Il avait un beau teint naturellement mat.

Il était dans une très bonne école d'art que je connaissais de réputation. Après la fac, il avait roulé sa bosse, comme il disait, pendant presque quatre ans. Puis il avait décidé de reprendre ses études. Il les avait presque terminées et il estimait qu'elles ne lui avaient pas apporté grand-chose. Son monologue sur les peintres contemporains n'en finissait pas et je l'écoutais de moins en moins attentivement. J'imaginais son torse nu, bronzé... Et puis, de but en blanc, il m'a demandé pourquoi je dessinais. J'étais persuadée qu'il n'avait pas remarqué mes dessins. Je le lui ai dit, en souriant – consciente qu'il était temps que je lui sourie, et contente d'avoir mis ma chemise assortie à mes yeux.

Ma tentative de modestie charmeuse l'a laissé de marbre.

– Bien sûr que je les ai remarqués, a-t-il répliqué platement. Vous avez du talent. Qu'est-ce que vous en faites ?

Cette question m'a prise de court.

– Si je savais... ai-je enfin soupiré. Je ne connaissais aucun autre artiste dans le Michigan. C'est un peu pour ça que je suis venue à New York.

J'ai réalisé qu'il ne m'avait même pas demandé d'où j'étais, et qu'il ne m'avait pas dit non plus d'où il était originaire.

– Un véritable artiste ne devrait-il pas être capable de travailler n'importe où ? Est-ce qu'on a besoin de connaître d'autres artistes pour faire du bon travail ?

Je me suis sentie piquée au vif.

– Il faut croire que non, si l'on peut se fier à votre jugement sur mon travail.

Il s'est tourné vers moi et a posé l'une de ses grosses godasses pleine d'auréoles sur le repose-pied de mon tabouret. Des petites rides sont apparues au coin de ses yeux et il a esquissé un sourire chagrin.

– Je vous ai vexée, a-t-il dit.

Je me suis redressée et j'ai bu une gorgée de Guinness.

– Un peu. J'ai fait beaucoup de choses toute seule, sans copains de fac avec qui discuter dans les bars à la mode.

J'étais moi-même étonnée de mon aplomb. D'ordinaire, je n'avais pas de repartie. La timidité me paralysait. La bière, peut-être, ou son interminable laïus, ou la satisfaction d'avoir enfin capté son intérêt par mon petit coup d'éclat quand mon silence poli y avait échoué. Il semblait enfin me voir vraiment : mes cheveux, mes taches de rousseur, mes seins, ma petite taille – je lui arrivais à peine à l'épaule. Son sourire me troublait. Il fallait absolument que je retienne son attention ou il disparaîtrait dans la grande ville et je ne le reverrais jamais, lui qui avait des amis artistes à la pelle. Je l'ai regardé droit dans les yeux.

– Comment avez-vous osé analyser mes dessins sans en parler avec moi ? Vous auriez pu au moins me dire que vous ne les aimiez pas.

Son expression est devenue plus sérieuse, son regard plus pénétrant. De près, et de face, il avait aussi des rides sur le front.

– Je suis désolé, a-t-il répondu d'un air de chien battu.

Il semblait sincèrement contrarié de m'avoir offensée. Ce n'était plus le même homme qui dissertait quelques minutes plus tôt sur les peintres contemporains.

– Je n'ai pas eu la chance de pouvoir faire des études d'art, ai-je poursuivi. Je travaille dix heures par jour, je suis secrétaire de rédaction, un job soporifique. Je peins après le boulot.

Ce n'était pas tout à fait vrai : je ne travaillais que huit heures par jour et en rentrant chez moi j'étais tellement à plat que je m'écroulais devant la petite télé que ma grand-tante m'avait donnée, ou bien je téléphonais, vautrée sur mon canapé-lit, ou je lisais.

– Je me lève tous les matins aux aurores pour aller gagner ma croûte. Le week-end, je vais au musée, ou je peins dans un parc, ou je dessine chez moi s'il fait mauvais. Ce n'est pas une vie d'artiste, ça ?

J'avais pris un ton plus sarcastique que je ne l'aurais voulu, je me faisais peur. Je n'étais pas sortie avec un homme depuis des mois et j'aboyais comme un roquet hargneux.

– Je suis désolé, a-t-il répété. Je dois dire que je suis impressionné.

Il a regardé sa main, posée sur le bord du comptoir, puis la mienne, autour de ma chope de Guinness. Puis nous nous sommes dévisagés, à qui baisserait les yeux le premier. Sous ses épais sourcils, la couleur des siens me fascinait. C'était comme si je n'avais encore jamais vraiment observé les yeux de quelqu'un. Je ne pouvais pas détourner le regard, pas tant que je n'avais pas mis un nom sur la couleur de ses iris et sur celle des petites paillettes qui brillaient autour de sa pupille. Finalement, c'est lui qui a capitulé.

– Que voulez-vous faire, maintenant ?

– Eh bien, ai-je répondu, je crois que nous en sommes arrivés au moment où vous allez m'inviter à venir voir vos peintures chez vous.

Mon culot m'effrayait. Je ne me reconnaissais pas.

Il a éclaté de rire, de sa grande bouche à la fois moche et sensuelle, et ses yeux se sont illuminés. Il s'est donné une claque sur le genou.

– Exactement. Ça vous dit de venir chez moi voir mes peintures ?

29 octobre 1877

Mon cher oncle,

Pour répondre à votre dernière lettre : c'est avec joie que nous vous accueillerons ce soir à dîner. Papa espère que vous viendrez de bonne heure, avec les journaux du jour.

À la hâte, votre nièce,

Béatrice de Clerval

15

Robert habitait à West Village, dans un appartement qu'il partageait avec deux autres étudiants en art, qui étaient là tous les deux lorsque nous sommes arrivés. Des livres et des vêtements traînaient partout. Il y avait un poster de Pollock dans le salon, une bouteille de cognac sur le comptoir de la cuisine, de la vaisselle dans l'évier. Robert m'a fait entrer dans sa chambre. Le lit n'était pas fait, du linge sale s'amoncelait sur le plancher. Deux pulls étaient toutefois soigneusement posés sur le dossier de sa chaise de bureau. Des bouquins étaient empilés partout, des livres d'art, des romans, certains en français. Il m'a dit que sa mère était française, qu'elle avait émigré aux États-Unis après la guerre, qu'il avait grandi dans une famille bilingue.

Toutes les surfaces étaient recouvertes de reproductions de tableaux en cartes postales et de croquis qui ne pouvaient être que de lui – au crayon, au fusain, parfois le même modèle dessiné sous plusieurs angles, des études de bras, de jambes, de nez, de mains. Il possédait une technique remarquable ; ses dessins étaient pleins de vie, de mystère et de mouvement.

– J'étudie l'anatomie, m'a-t-il dit sobrement. J'ai encore du pain sur la planche. Le corps humain est la seule chose qui me passionne.

– Vous êtes traditionaliste ? ai-je demandé, étonnée que sa chambre ne soit pas un sanctuaire dédié aux formes géométriques à la Mondrian.

– Oui. L'art conceptuel ne m'intéresse pas. Croyez-moi, je me farcis un tas de conneries, à l'école.

– Je pensais, tout à l'heure au bar, quand vous me parliez de tous ces grands artistes contemporains, que vous les admiriez.

Il m'a regardé bizarrement.

– Je ne voulais pas vous donner cette impression.

Nous sommes restés un moment face à face. Il n'y avait pas un bruit dans l'appartement. J'avais l'impression d'être sur une île déserte au cœur de l'animation nocturne de la ville, ou sur une autre planète, ou en train de jouer à cache-cache, chacun tapi dans un coin où personne n'aurait l'idée de venir nous chercher. Furtivement, j'ai pensé à ma mère. Elle devait dormir depuis longtemps dans le grand lit qui avait aussi été autrefois celui de mon père, la porte de la maison prudemment verrouillée et vérifiée deux fois, le tic-tac de la pendule de la cuisine résonnant à l'étage du dessous.

– Qu'est-ce que vous admirez, alors ? ai-je demandé à Robert Oliver.

– Honnêtement ? a-t-il répliqué en arquant ses gros sourcils. Le travail.

– Vous dessinez comme un ange.

C'était sorti tout seul, une phrase digne de ma mère, mais sincère.

Il a paru content, bien que surpris par mes mots.

– La critique est rarement aussi flatteuse. Jamais, même.

– Rien de tout ce que vous m'avez dit jusqu'à présent ne me donne envie d'aller dans une école d'arts plastiques, ai-je déclaré.

Il ne m'avait pas invitée à m'asseoir. J'ai donc fait une fois de plus le tour de la pièce en regardant ses dessins.

– Je suppose que vous peignez, aussi ?

– Bien sûr, mais à l'école. La peinture, il n'y a que ça de vrai, si vous voulez mon avis, a-t-il dit en prenant quelques feuilles sur son bureau. Tenez, regardez, c'est une étude pour une grande huile sur toile, d'après un modèle avec qui nous travaillons en atelier. J'ai fait des pieds et des mains pour pouvoir m'inscrire à ce cours. Ce type, le modèle, a été un challenge pour moi. C'est un vieil homme incroyable, grand, les cheveux blancs, les muscles noueux, bien abîmé par l'âge, quand même... Vous voulez boire quelque chose ?

– Non, je vous remercie.

Je commençais à me demander ce que j'attendais de cette soirée et s'il n'était pas temps que je rentre chez moi. Il était tard. J'allais être obligée de prendre un taxi – ma rue n'était pas très sûre, à Brooklyn –, ce qui allait réduire à néant mes maigres économies de la semaine. Je me demandais aussi ce que j'avais fait de mon amour-propre. Robert Oliver ne s'intéressait qu'à lui-même. Je ne lui avais plu que parce que j'avais été bon public, au début, tout du moins. Voilà ce que me chuchotaient mon instinct et ma susceptibilité féminine.

– Je crois que je vais y aller. Il va falloir que je trouve un taxi.

Il s'est campé devant moi au milieu de sa chambre en désordre et sans fenêtre, imposant et intimidé à la fois, vulnérable, les mains pendant le long de son corps. Il rentrait un peu le cou dans les épaules pour que ses yeux soient à la hauteur de mon visage.

– Avant que vous ne partiez, je peux vous embrasser ?

J'ai été choquée, moins par le fait qu'il veuille m'embrasser que par cette question idiote. J'ai soudain eu pitié de ce mec qui se donnait des allures de Hun conquérant et me demandait timidement la permission de m'embrasser. Je me suis avancée vers lui et j'ai posé les mains sur ses épaules, solides, inspirant la confiance, les épaules d'un bœuf, d'un travailleur, rassurantes. J'étais si près de lui que son visage s'est brouillé, ses yeux n'étaient plus que des taches de couleur floue. Ses lèvres se sont approchées des miennes. Sa bouche était comme ses épaules, ferme, chaude, musclée, mais hésitante. Il semblait m'attendre. Poussée par une espèce de compassion, je l'ai embrassé.

Il m'a enlacée et mes pieds ont presque décollé du sol. Il était immense. Il n'y avait plus rien de timoré dans son baiser, auquel il se donnait tout entier avec passion, et je me suis moi-même oubliée, moi qui analysais d'ordinaire chaque geste, chaque seconde de ma vie. J'avais l'impression de boire une potion magique dont chaque goutte me montait à la tête et parcourait tout mon corps. J'ai failli m'écarter pour voir de nouveau ses yeux, pour comprendre comment quelqu'un pouvait être à la fois si compliqué et si simple. Sa main m'a pressée contre lui, fort, et il m'a soulevée dans ses bras.

Je m'attendais à ce qu'il verrouille la porte et me dépose sur son lit aux draps douteux, où je me serais demandé si une autre s'était étendue là récemment, pendant qu'il farfouillerait dans sa table de chevet à la recherche d'un préservatif – l'épidémie de sida commençait à faire des ravages. Mais il m'a encore embrassée puis reposée au sol.

– Tu es adorable, m'a-t-il dit en me tenant contre son pull et en me caressant les cheveux.

Puis il a gauchement pris ma tête entre ses mains et m'a déposé un baiser sur le front. Un geste si tendre que j'ai senti une boule se former dans ma gorge. Était-ce tout ce que j'éveillais en lui ? De la tendresse ? Il a posé les mains sur mes épaules et m'a caressé le cou.

– Je ne veux pas te bousculer. Ne précipitons pas les choses. On peut se revoir demain soir ? Je connais un bon petit restau pas cher dans le Village, moins bruyant que le bar de tout à l'heure.

J'étais conquise. Personne n'avait jamais craint de me brusquer. Je savais que lorsque viendrait le moment, que ce soit le lendemain soir, ou le surlendemain, ou la semaine suivante, je le laisserais s'étendre sur moi, non pas comme un intrus mais comme un homme dont je pourrais tomber amoureuse, si je ne l'étais déjà. Cette simplicité... Comment faisait-il pour rester si naturel alors que j'étais si méfiante ?

Dans la rue, il a hélé un taxi et nous nous sommes encore longuement embrassés, et il a ri gaiement en faisant signe au chauffeur de patienter.

Il m'avait promis de me téléphoner le lendemain matin au travail pour me donner l'adresse exacte du restaurant, mais l'heure tournait et il n'appelait pas. À midi, mon euphorie s'était complètement dissipée. Il ne voulait pas me bousculer... Tu parles... Il n'avait tout simplement pas envie de coucher avec moi, pas plus qu'il n'avait l'intention de passer la soirée avec moi au restaurant. J'avais un long article à corriger sur les ponctions lombaires, et une vague nausée. J'ai déjeuné à mon bureau. À 16 heures, le téléphone a sonné. Je me suis jetée dessus. À part ma mère et Robert, personne n'avait mon numéro de ligne directe. Ça ne pouvait être que l'un ou l'autre. C'était Robert.

– Excuse-moi, je n'ai pas pu t'appeler plus tôt, m'a-t-il dit sans plus d'explications. Ça tient toujours, pour ce soir ?

Ce fut le second soir de nos cinq ans de vie commune à New York.

16

Marlow

Kate s'est levée et s'est mise à marcher de long en large dans son salon silencieux, tel un animal en cage. Elle est allée jusqu'à la fenêtre puis est revenue. Je la suivais des yeux avec une sorte de pitié, à cause de la position dans laquelle je l'avais placée. Ce qu'elle m'avait raconté était à mille lieues de ce que je désirais savoir, mais moi non plus je ne voulais pas la brusquer.

Elle devait être – elle avait dû être – une bonne épouse, guère différente de ma mère par son honnêteté, son organisation, son hospitalité. Il lui manquait cependant la décontraction de ma mère, son humour et son ironie. Peut-être que son divorce lui avait fait perdre l'envie de plaisanter. J'espérais qu'elle la retrouverait bientôt. J'avais vu tellement de femmes anéanties par une séparation. Rares étaient celles qui ne s'en relevaient pas, qui s'enfonçaient dans l'amertume permanente ou la dépression chronique. Cela n'arrivait en général que lorsque le divorce était lié à un traumatisme antérieur ou à une pathologie latente. La plupart étaient remarquablement fortes, ai-je toujours pensé. Celles qui guérissaient débordaient souvent par la suite d'une vitalité décuplée. Kate était intelligente, elle saurait sûrement rebondir.

– Vous pensez que je dramatise, m'a-t-elle dit en se retournant, sur un ton accusateur, interrompant brutalement le flot de mes réflexions.

– Non, ai-je répondu. Je me disais que vous étiez une femme très forte.

– Donc je m'en remettrai.

– J'en suis persuadé.

Elle m'a regardé comme si elle s'apprêtait à me faire un reproche, mais elle a seulement dit :

– Vous avez de l'expérience, avec tous les patients que vous avez dû voir. Vous devez savoir.

– Je ne sais pas grand-chose de l'être humain. Il est vrai cependant que j'en ai observé un certain nombre.

Jamais je n'aurais fait un tel aveu à un patient.

– Aimez-vous les gens, Dr Marlow, après en avoir observé autant ?

La lumière de l'extérieur jouait dans ses cheveux lisses et soyeux.

– Et vous ? Vous me paraissez vous-même très observatrice.

Elle a eu un petit rire, le premier que j'entendais depuis que j'étais entré dans son salon.

– Ne jouons pas à ce petit jeu. Je vais vous montrer le bureau de Robert.

Cela m'a considérablement surpris, pour deux raisons : que Robert ait eu un bureau, premièrement ; et que sa femme se montre si généreuse. Ce qu'elle appelait son bureau était peut-être son atelier.

– Vous êtes sûre ?

– Oui. J'ai commencé à le nettoyer parce que je veux l'utiliser pour ranger mes papiers à moi. Il faudrait aussi que je fasse le ménage dans son atelier.

Dans cette maison qu'elle avait partagée avec Robert, elle n'avait donc ni bureau ni atelier, alors que lui avait les deux. Robert Oliver avait tenu beaucoup de place dans sa vie, littéralement. J'espérais qu'elle me montrerait aussi l'atelier.

– Merci, ai-je dit.

– Oh, il n'y a pas de quoi. Son bureau était un véritable capharnaüm. Il m'a fallu du temps avant d'oser en pousser la porte, mais je me sens mieux, maintenant que j'ai commencé à y mettre de l'ordre. Ça m'étonnerait que vous y trouviez quoi que ce soit qui puisse vous être utile, mais en tout cas ne vous gênez pas.

Elle a ramassé les tasses et m'a jeté un regard par-dessus son épaule.

– Venez avec moi.

Je l'ai suivie à travers une salle à manger aussi bien rangée et aussi reposante que le salon : des chaises à haut dossier regroupées autour d'une table reluisante ; aux murs, encore des aquarelles, des paysages de montagne, ainsi que deux gravures anciennes d'oiseaux, des cardinaux et des geais bleus, à la manière d'Audubon. Là non plus, pas d'œuvres de Robert Oliver. Dans la cuisine ensoleillée, elle a déposé les tasses au bord de l'évier, puis elle a poussé la porte d'une pièce à peine plus grande qu'un placard, meublée d'un bureau, d'un fauteuil et d'une étagère, où l'on n'aurait pas eu la place de caser quoi que ce soit d'autre. Le bureau était ancien, comme la plupart des meubles de Kate. Les casiers débordaient de papiers.

Ici, beaucoup plus que dans le salon, je sentais la présence de Robert Oliver ; j'imaginais ses grosses mains fourrer des factures, des reçus et des coupures de presse dans les compartiments de son bureau. Kate avait commencé à répartir les documents dans des caisses en plastique posées par terre.

– Je déteste faire ça, a-t-elle dit.

L'étagère contenait un dictionnaire, un guide de cinéma, des romans policiers – dont certains en français – et de nombreux ouvrages d'art. Picasso, Corot, Boudin, Manet, Mondrian, les postimpressionnistes, les portraits de Rembrandt, et un nombre ahurissant de livres sur Monet, Pissarro, Seurat, Degas, Sisley – tout le panorama de la peinture française du XIXe siècle.

– Robert avait une prédilection pour les impressionnistes ?

Elle a haussé les épaules.

– Il faut croire. Mais il s'enthousiasmait pour beaucoup de choses. Je n'arrivais pas à suivre.

Une note d'agacement perçait dans sa voix. Je me suis tourné vers le bureau.

– Ne vous gênez pas, regardez, a-t-elle répété, du moment que vous laissez les choses en ordre. Enfin, en ordre...

Elle a levé les yeux au ciel.

– Laissez les choses où vous les avez trouvées, s'il vous plaît, s'est-elle corrigée. J'essaie de rassembler tout ce que le fisc pourrait me demander, au cas où j'aurais un contrôle.

– C'est très gentil à vous.

Je voulais être certain d'avoir sa permission. Fouiner parmi les papiers d'un patient sans son consentement, même si son ex-femme m'y encourageait amèrement, constituait une faute grave. Surtout si elle m'y encourageait. J'ai étouffé cette pensée. Robert m'avait dit que je pouvais interroger qui je voulais.

– Ne craignez pas de commettre une indiscrétion, a-t-elle ajouté, comme si elle lisait dans mes pensées. Robert ne consignait pas ses émotions par écrit, il n'était pas du genre à tenir un journal. Personnellement, j'aime bien écrire, mais lui, il disait que les mots ne l'aidaient pas à comprendre le monde. Il percevait les choses par la vue, il les décomposait en couleurs, il les peignait. Moi-même, je n'ai pas trouvé grand-chose d'intéressant dans cette pagaille.

Elle émit un petit rire méprisant.

– En fait, si, il écrivait, a-t-elle poursuivi. Il se faisait des pense-bêtes et des listes, qu'il perdait dans son fouillis.

Elle a sorti un bout de papier d'une boîte ouverte.

– « Corde pour décor, » a-t-elle lu à voix haute. « Verrou porte de derrière, acheter alizarine et planche, chèque Tony, jeudi. » De toute façon, il oubliait toujours tout. Et ça... « Penser à avoir quarante ans. » Vous y croyez ? Être obligé de marquer des choses aussi évidentes... Quand je vois tout ce fatras, je suis contente de ne plus avoir à m'occuper du reste – je veux dire, de ne plus avoir à me préoccuper de lui. Allez-y, je vous en prie, faites comme chez vous.

Elle m'a souri.

– Je vais préparer le déjeuner, a-t-elle ajouté. Comme ça, nous pourrons manger tranquillement avant que j'aille chercher les enfants.

Là-dessus, elle a quitté la pièce avant que j'aie pu ajouter quoi que ce soit.

17

Au bout d'un moment, je me suis assis dans le fauteuil de Robert, un vieux siège de bureau en cuir craquelé, avec des roulettes pas très stables et un dossier qui s'inclinait dangereusement lorsqu'on s'y appuyait. Puis je me suis relevé et j'ai fermé la porte, à peu près certain que Kate ne s'en offusquerait pas. C'était une personne entière et elle avait décidé de ne rien me cacher. Elle me plaisait ; elle me plaisait même beaucoup.

Je me suis réinstallé devant le bureau et j'ai retiré une liasse de papiers de l'un des casiers : des relevés de comptes bancaires, des factures d'eau et d'électricité, des feuilles de cahier vierges – que j'ai remis à leur place. Certains compartiments ne contenaient que des trombones et une couche de poussière. Elle avait dû déjà les vider. Je l'imaginais assise là, en train de procéder à un classement méthodique. Quand elle aurait fini, elle nettoierait le bureau et le cirerait. Derrière un amas de paperasse, je suis tombé sur un vieux mégot de joint, dont j'aurais reconnu l'odeur entre mille, comme celle d'un dessert de mon enfance.

Les deux tiroirs supérieurs étaient remplis de croquis – des exercices conventionnels, rien de comparable aux portraits que Robert réalisait à Goldengrove. Des vieux catalogues de fournitures pour beaux-arts et de vêtements de sport y étaient également entassés. Pratiquait-il la randonnée ou le cyclisme ? J'avais du mal à voir en lui un sportif. Un jour ou l'autre, cependant, il finirait peut-être bien par sortir de son apathie. Mon rôle n'était-il pas de l'aider à retrouver la forme ?

Je dus forcer pour ouvrir le tiroir du bas, bourré de blocs sur lesquels Robert préparait apparemment ses cours (« fruits commencés hier – nature morte jusqu'à la fin du cours, deux heures ? »). Je déduisis de ces notes succinctes qu'il se contentait d'ébaucher ses cours dans les grandes lignes. Sa seule présence devait remplir la classe ou l'atelier. Ou bien il possédait une telle aptitude pour l'enseignement qu'il ne lui était pas nécessaire de structurer son savoir avant de le dispenser. À moins que l'enseignement du dessin ne se soit limité pour lui à se promener entre ses étudiants et à critiquer leur travail. J'avais moi-même suivi cinq ou six stages en atelier, que j'avais adorés – se sentir seul au milieu d'autres peintres, à la fois en paix et observé ; les encouragements du prof au moment où l'on s'y attendait le moins, qui vous poussaient à vous appliquer encore davantage.

Une feuille est tombée de l'un des blocs. Il s'agissait d'un début de lettre que l'on avait chiffonné puis défroissé. L'écriture était indubitablement celle de Robert. Certains mots étaient raturés et remplacés par d'autres.

Tu étais constamment à mes côtés, ma muse, belle et charmante compagnie. J'entendais ton rire, je voyais le moindre de tes gestes.

La phrase suivante était rageusement biffée. J'ai tendu l'oreille en direction de la cuisine. À travers la porte, j'entendais l'ex-femme de Robert s'activer : un tabouret traîné sur le linoléum, un placard ouvert puis refermé. J'ai plié la feuille en trois et l'ai glissée dans la poche intérieure de ma veste. Puis j'ai de nouveau soulevé un à un tous les blocs. Pour ne rien dénicher de plus intéressant que des factures de téléphone et des avis d'imposition.

Comme Kate semblait occupée, et bien que cela me parût stupide, j'ai commencé à déloger les livres de l'étagère et à passer la main derrière. Mes doigts ont rencontré une balle en caoutchouc couverte de poussière. Je ne déplaçais que cinq ou six volumes à la fois ; si Kate arrivait, qu'elle ne trouve pas le bureau sens dessus dessous. Je pourrais toujours dire que je jetais un coup d'œil aux bouquins.

Apparemment, il n'y avait rien de caché derrière les livres, ni à l'intérieur – j'en ai secoué quelques-uns au hasard. J'imaginais la scène vue du seuil de la porte : moi courbé sur le fauteuil, dans un espace composé de formes sombres, éclairé par la faible lumière d'une unique ampoule au plafond, un intérieur suggestif à la manière de Bonnard. Je me suis alors aperçu qu'il n'y avait aucune déco dans le bureau de Robert : pas de peintures, pas de cartes postales, pas d'affiches d'expos. Inhabituel, pour un artiste. Peut-être avait-il gardé tout cela pour son atelier.

Je me suis de nouveau penché vers le bas de la bibliothèque, et quelque chose sur le mur a attiré mon regard : une inscription au crayon, des chiffres et des mots, tout près du montant de l'étagère, si bien qu'on ne pouvait pas la voir de la porte. Sur le coup, j'ai pensé que c'était la taille et l'âge de ses enfants, les dates auxquelles ils avaient atteint une certaine stature, mais même pour un petit enfant, c'était beaucoup trop bas. *Seurat et les Parisiens* en main, je me suis accroupi. « 1879. Étretat. Joie. », ai-je déchiffré.

J'ai ressorti la lettre de ma poche, afin de comparer les deux écritures. Elles étaient quasiment identiques, à ceci près que celle sur le mur était un peu tremblée. Robert avait dû se coucher par terre, dans une position inconfortable, pour tracer ce message sibyllin.

J'ai remis la lettre dans ma poche en regardant autour de moi à la recherche d'un bout de papier. J'ai rouvert le tiroir du bas et arraché une feuille blanche à l'un des blocs, sur laquelle j'ai recopié cet étrange graffiti. Le mot « Étretat » me disait quelque chose. Mais quoi ?

Non sans avoir au préalable jeté un coup d'œil vers la porte, j'ai ensuite examiné le contenu de la corbeille à papier : des études pour un nu, des dessins sans doute esquissés dans des moments d'oisiveté, certains déchirés en deux, des pense-bêtes, des listes d'achats. Sans doute était-ce Kate qui avait jeté tout ça. J'ai failli prendre un croquis mais je n'ai pas osé, de crainte de me couvrir de honte si Kate entendait des bruissements de papier dans mes poches. J'ai palpé la lettre à travers ma veste. « Tu étais constamment à mes côtés, ma muse. » Qui était cette muse ? Kate ? La femme qu'il dessinait à Goldengrove ? La fameuse Mary ? Cette dernière possibilité semblait la plus plausible. Si Kate ne m'en parlait pas d'elle-même, il faudrait que j'amène le sujet sur le tapis, en tâchant de ne pas me montrer trop curieux.

J'ai passé en revue le reste des livres, l'oreille toujours aux aguets. Des marque-pages étaient glissés dans certains. J'ai regardé à quoi ils renvoyaient. À rien qui me parût significatif. Entre autres, une reproduction en couleur de l'*Olympia* de Manet. J'avais vu l'original, à Paris, quelques années plus tôt. Nue, insouciante, elle me dévisageait sans me voir. Sur le dessus de l'étagère, j'ai découvert une chaussette blanche roulée en boule. À moins de soulever la moquette, il ne restait plus aucun recoin à inspecter. J'ai jeté un coup d'œil derrière la bibliothèque et le bureau, et je me suis penché une dernière fois vers l'inscription sur le mur. Étretat était une ville française, me suis-je souvenu. Que s'y était-il passé en 1879 ? Mes cours de civilisation étrangère ne m'avaient laissé que de vagues souvenirs. L'insurrection de la Commune de Paris s'était déroulée à peu près à cette époque, me semblait-il. Quand exactement le baron Haussmann avait-il fait percer les grands boulevards parisiens ? En 1879, en tout cas, l'impressionnisme était à son apogée, bien que vivement critiqué. Au moins une chose que je savais. 1879 avait donc peut-être été une année de paix et de prospérité.

J'ai rouvert la porte du bureau, content que Kate ne l'ait pas fait avant moi. Dans la cuisine, la lumière m'a fait cligner des paupières, après la pénombre du bureau. Le soleil était revenu ; les feuilles des arbres scintillaient de gouttelettes. Il avait donc plu pendant que je furetais dans les papiers de Robert. Debout devant le comptoir, Kate assaisonnait de la salade, un tablier bleu par-dessus ses vêtements, les joues roses.

– J'espère que vous aimez le saumon.

– Beaucoup, ai-je répondu en toute honnêteté. Mais je ne voulais pas causer autant de dérangement. Merci.

– Oh, ce n'est pas grand-chose, a-t-elle dit en disposant des tranches de pain dans une corbeille garnie d'une serviette. Je n'ai pas souvent l'occasion de cuisiner pour des adultes. Les enfants ne mangent que des macaronis au fromage et des épinards. Par chance, ils aiment les épinards.

Elle s'est tournée vers moi et m'a souri. Quelle situation étrange... L'ex de mon patient, une femme que je ne connaissais que depuis quelques heures me préparant le repas... Son sourire était amical, spontané. J'étais si peu fier de moi que j'en aurais baissé la tête.

– Merci, ai-je répété.

– Vous pouvez les poser sur la table ? m'a-t-elle dit en me tendant deux assiettes jaune pâle.

Le 30 octobre 1877

Mon cher oncle,

Je prends la plume ce matin pour vous remercier de la plaisante soirée que nous avons passée hier grâce à vous, ainsi que de vos commentaires encourageants à propos de mes dessins. Si mon beau-père et Yves n'avaient pas insisté, jamais je n'aurais osé vous les montrer. Je suis heureuse que ma jeune fille vous ait tant plu. Comme je vous l'ai dit, j'ai fait poser ma nièce, une véritable petite fée. J'aimerais réaliser une peinture d'après ce dessin. J'attendrai toutefois le début de l'été, afin de m'inspirer du jardin pour l'arrière-plan. Il est magnifique à cette époque de l'année, lorsque les roses sont en pleine floraison.

Avec mes plus cordiales salutations,

Béatrice de Clerval

18

Après le déjeuner, qui se déroula globalement en silence (jamais pesant, toutefois), Kate me dit qu'elle allait bientôt devoir partir travailler. Je pris congé, en m'assurant qu'elle était toujours d'accord pour que nous nous revoyions le lendemain matin. Elle a fermé la porte d'entrée derrière moi, mais lorsque je me suis retourné elle m'observait à travers la vitre. Elle m'a souri, puis elle a rentré la tête dans les épaules, comme si elle regrettait son sourire, et m'a adressé un signe de la main, que je n'ai pas eu le temps de lui rendre avant qu'elle disparaisse. En montant dans ma voiture, j'ai vérifié que le brouillon de lettre bruissait toujours dans ma poche.

Je ne m'étais pas senti aussi triste depuis longtemps. J'avais l'habitude de recevoir des confidences, dans le décor neutre de mon bureau ou dans celui, artificiellement gai, des chambres de Goldengrove. Kate aurait pu être l'une de mes patientes, mais elle s'était livrée à moi dans son cadre quotidien : les meubles hérités de sa grand-mère, des effluves de saumon et d'aneth, les vestiges de son couple. J'avais violé sa vie privée, sa solitude. Néanmoins, elle avait quand même été capable de me sourire.

J'ai parcouru en sens inverse les routes de son quartier, bordées de sous-bois et de maisons à l'architecture travaillée, retrouvant intuitivement le chemin par lequel j'étais venu. J'imaginais Kate enfiler une veste de toile, prendre les clés de sa voiture, verrouiller sa porte. Je l'imaginais souhaitant une bonne nuit à ses enfants, penchée au-dessus de leur lit, sa taille fine et souple sous ses vêtements bleus. Les enfants devaient être blonds tous les deux, comme elle, à moins que l'un d'eux n'aie les cheveux bruns et crépus de leur père – ce que j'avais toutefois du mal à imaginer. Elle devait les embrasser chaque fois qu'elle les retrouvait, même après une brève absence. De cela, j'étais certain. Comment Robert pouvait-il supporter d'être éloigné de cette exquise famille ? Il ne le supportait peut-être pas, justement. Ou alors, il avait oublié combien ces trois êtres étaient exquis. Comment savoir ? Je n'avais moi-même jamais eu de femme ni d'enfant, ni de grande maison avec un salon ensoleillé. Je me revoyais prendre les assiettes des mains de Kate – elle ne portait pas de bagues, juste une fine chaîne d'or à un poignet. Que savais-je d'elle ?

Chez les Hadley, j'ai de nouveau ouvert toutes les fenêtres, puis j'ai posé l'ébauche de lettre de Robert sur la commode et je me suis allongé sur l'un des hideux lits jumeaux. Je me suis assoupi et j'ai même dû dormir profondément pendant quelques minutes. J'ai rêvé que Robert Oliver me parlait de sa femme mais que je n'entendais pas un mot de ce qu'il me racontait et que je le priais sans cesse de s'exprimer plus distinctement. Dans ce même rêve, confusément, il y avait aussi le nom d'Étretat et les célèbres falaises peintes par Manet, les vagues bleu-vert, le roc vert et mauve.

Après ce somme tourmenté, j'ai enfilé une vieille chemise, lu quelques chapitres d'une biographie de Newton, puis j'ai repris ma voiture pour aller dîner en ville. Plusieurs restaurants me paraissaient alléchants ; j'en ai choisi un aux vitrines décorées de guirlandes lumineuses, où j'ai commandé des galettes de pommes de terre accompagnées d'un assortiment de crudités. Une femme assise au bar m'a souri en croisant ses jolies jambes. Quelques minutes plus tard, un homme qui avait l'air d'un businessman new-yorkais l'a rejointe. *Drôle de petite ville*, ai-je pensé. Sous l'effet du pinot noir, je la trouvais de plus en plus plaisante.

En sortant du restaurant, j'ai flâné dans les rues, en me demandant si je n'allais pas croiser Kate, et ce que je lui dirais le cas échéant. Comment réagirait-elle si nous tombions nez à nez après la conversation que nous avions eue le matin ? De toute façon, à cette heure-ci, elle était sûrement chez elle avec ses enfants. J'ai songé à retourner dans son quartier. Une douce lumière brillerait dans la maison cernée par la nuit tombante. Derrière les baies vitrées, Kate jouant avec deux adorables bambins, ses cheveux chatoyant sous une lueur tamisée. Ou bien je l'apercevrais derrière la fenêtre de la cuisine où elle m'avait préparé du saumon, en train de faire la vaisselle après avoir couché ses enfants, savourant ce moment de calme. Elle entendrait du bruit dans le jardin, elle appellerait la police, on me passerait les menottes, je serais incapable de me justifier, elle serait furieuse, et moi, mortifié.

Je me suis arrêté devant une vitrine où étaient exposés des paniers et des châles tissés à la main. Les mots inscrits au crayon sur le mur du bureau de Robert me hantaient. Pourquoi tant d'impressionnistes dans sa bibliothèque ? Je me suis encore un peu promené au hasard dans les rues. Il était tôt, mais je n'allais pas tarder à rentrer chez les Hadley et me coucher avec ma biographie de Newton, me plongeant confortablement dans un autre monde, une autre époque, où l'on ne connaissait pas la psychiatrie moderne. Laquelle, bien sûr, comme les antibiotiques, aurait permis d'éviter bien des tragédies. L'univers révolu de Newton me tiendrait meilleure compagnie que ces rues faiblement éclairées, ces tables de café, ces jeunes couples marchant main dans la main, laissant dans leur sillage un nuage de parfum musqué. Ma jeunesse était bien loin derrière moi ; je ne l'avais pas vue s'enfuir.

En quittant la zone commerçante, je longeai un parking après lequel se trouvait une boîte de nuit qui se révéla un bar topless. En dépit du malabar posté devant l'entrée, le lieu paraissait festif. À Washington, les établissements de ce genre avaient une apparence sordide. Non pas que je les fréquentais – mon unique expérience remontait à mes années de fac –, mais je passais souvent devant en voiture. J'ai hésité. Le videur était élégamment habillé. Même les spectacles de strip-tease, dans cette ville, avaient un petit côté bourgeois. Il s'est tourné vers moi avec un sourire amical, compréhensif, un sourire de banquier.

Je suis resté planté en face de lui, à me demander ce qui m'empêchait d'aller faire un tour dans cette boîte. J'ai également songé à un modèle qui posait parfois à la Art League School, une jeune femme très belle qui devait penser à ses partiels ou à son prochain rendez-vous chez le dentiste tandis qu'elle se tenait nue devant nous, le regard lointain, les seins délicatement soulevés dans le creux de ses mains, très professionnelle, qui ne bougeait quasiment pas de toute la longue, longue séance.

– Non, merci, ai-je dit au videur d'une voix gênée.

Il ne racolait pas, il ne m'avait pas tendu de prospectus ; pourquoi éprouvais-je le besoin de lui parler ? Ma biographie calée sous le bras, j'ai poursuivi mon chemin. Il devait certainement connaître par cœur le spectacle qui se déroulait à l'intérieur. À quoi pensait-il ? Était-il las de ce qui était censé exciter ses congénères ?

Dans le silence du cottage des Hadley, je suis resté éveillé pendant des heures, seul dans mon lit à côté d'un autre lit vide, à écouter le vent bruissant dans les épicéas et les sapins.

Je n'ai ressenti aucune gêne, le lendemain matin, en retournant chez Kate. Au contraire, j'avais presque l'impression de sonner à la porte d'une vieille amie. Elle a ouvert rapidement, et de nouveau j'ai eu l'impression de m'avancer sur une scène de théâtre. Seulement cette fois je connaissais la pièce et je savais où se trouvaient les accessoires. Le décor avait toutefois un peu changé : derrière les baies vitrées, le ciel était radieux, le soleil inondait le salon ; et des fleurs roses et blanches flottaient dans une grande coupe, au centre d'un guéridon. L'actrice principale, Kate, portait aujourd'hui un chemisier en coton safran. Du coup, ses yeux paraissaient turquoise. Elle souriait d'un air poli et réservé, trahissant le malaise que lui causait ma présence et la perspective des questions que j'allais encore lui poser sur ce mari qui ne partageait plus sa vie.

Après avoir servi du café, elle s'est assise sur le canapé en face de moi.

– Ce serait bien que nous terminions aujourd'hui, a-t-elle dit doucement.

– Oui, bien sûr, ai-je acquiescé promptement. Je ne veux pas vous importuner davantage. D'ailleurs, je dois être de retour à Washington demain soir.

– Vous n'aurez pas le temps d'aller à la fac ?

Sa tasse en équilibre sur le genou, elle parlait d'un ton courtois, détendu. Je me demandais si elle serait aussi diserte que la veille.

– Vous pensez que je devrais y aller ? Pour quelle raison ?

– Je ne sais pas... Je suis sûre que vous y rencontrerez plein de gens qui connaissaient bien Robert, mais ça me gênerait de vous mettre moi-même en contact avec eux. Cela dit, je doute qu'il ait déballé ses états d'âme à l'école. En tout cas, c'est là-bas que se trouve sa plus grande œuvre. Alors qu'il aurait pu la vendre à prix d'or. Je ne suis pas la seule à être d'avis qu'il s'agit de son plus beau tableau, bien que je ne l'aie jamais aimé.

– Pourquoi ?

– Allez le voir.

Je l'observais en pensant qu'il fallait absolument que je sache comment la maladie de Robert s'était déclarée, et si possible que j'éclaircisse le mystère de sa muse aux cheveux noirs.

– Ça vous ennuierait de reprendre votre histoire là où vous l'avez laissée hier ? ai-je demandé avec toute la douceur dont j'étais capable.

Le temps m'était compté. Si Kate ne me fournissait pas les informations qui m'intéressaient, j'orienterais habilement la discussion. Dehors, un cardinal se posa sur une branche.

19

Kate

Nous avons vécu dans trois appartements différents, à New York : d'abord dans mon studio, à Brooklyn, puis dans une pièce minuscule, sur la 72e Rue Ouest, près de Broadway, avec une table de cuisine escamotable, et enfin sous les combles d'un petit immeuble de Greenwich Village, une fournaise. J'ai aimé ces trois quartiers, leurs Lavomatic, les petites épiceries familiales ; je sympathisais même avec les sans-abri.

Comme je vous l'ai dit hier, j'adorais la vie que nous menions, mais un beau jour, je me suis mis en tête de me marier et d'avoir un bébé. Ça m'a prise du jour au lendemain : le soir, je me suis couchée jeune et libre, insouciante, pleine de mépris pour les petits-bourgeois et leur petit train-train quotidien ; et le lendemain à 6 heures du matin, en prenant ma douche et en m'habillant, j'étais devenue une autre. Je crois que le déclic s'est produit, très exactement, pendant que je me séchais les cheveux. *Je veux épouser Robert, porter une alliance et être mère d'un enfant qui aura mes petites mains, mes petits pieds et les cheveux frisés de son papa ; voilà désormais comment je vois mon existence.* Il me semblait qu'il n'y avait qu'un petit pas à franchir pour que cette vision devienne réalité. Pas une seule seconde je n'ai songé que je pouvais avoir un bébé sans me marier, un enfant de l'amour, comme aurait dit ma mère en ne plaisantant qu'à moitié. J'associais les bébés au mariage, le mariage au long terme, je voyais mes enfants grandir sur des tricycles et des pelouses bien tondues. En fait, je voulais reproduire mon enfance et jouer le rôle de ma mère, jusqu'à m'habiller comme elle, avec des robes si étroites qu'elle était obligée de s'accroupir en serrant les jambes lorsqu'elle nous enfilait nos chaussettes ou laçait nos chaussures. Je voulais un jardin avec une balançoire accrochée à un arbre.

Il ne me serait pas venu à l'esprit d'élever un enfant dans une grande ville. C'est difficile à expliquer, parce que je me sentais vraiment bien, à Manhattan. Après le travail, on retrouvait nos amis dans un café et puis on partait finir la soirée chez ou l'autre de nos copains qui avaient un atelier. Robert peignait, je le regardais ou je dessinais moi aussi. Les matins, j'avais du mal à me lever, mais pour rien au monde je n'aurais voulu me coucher plus tôt. Et tout d'un coup, pour ces petits êtres aux cheveux bouclés qui n'existaient pas encore, pas même dans mes rêves, j'étais prête à abandonner tout ça... Robert m'a causé beaucoup d'angoisse et de chagrin, mais une chose est sûre, c'est que je n'ai jamais regretté d'avoir fait des enfants, même s'il m'arrive parfois de me sentir coupable d'avoir contribué à la surpopulation de la planète.

Pour Robert, en revanche, devenir père représentait un sacrifice. Je crois qu'il a cédé pour des raisons purement physiques, et soi-disant par amour pour moi. Les hommes aiment faire des bébés, eux aussi, même s'ils soutiennent qu'ils n'éprouvent pas le même besoin de procréer que les femmes. Je crois que je lui ai communiqué mon enthousiasme. La perspective de partir dans un trou paumé et d'enseigner dans une petite fac ne l'emballait pas, mais je suppose qu'il avait conscience que nous ne pourrions pas vivre éternellement comme des étudiants. Il commençait à percer, à New York : il avait exposé avec un prof de son département et vendu plusieurs pièces à des galeries du Village. De plus, sa mère lui envoyait de l'argent tous les mois. Elle lui tricotait des pulls et des vestes, aussi. Elle habitait dans le New Jersey, elle était veuve. Son Bobby – comme elle l'appelait avec un fort accent français – deviendrait un jour un grand artiste, elle en était persuadée.

Robert avait une chance incroyable et il se sentait invincible. Il avait du talent aussi, bien sûr. Tout le monde le reconnaissait, même si tout le monde n'appréciait pas son traditionalisme. Il donnait des cours aux élèves de première année de l'école d'où il était diplômé, et il peignait tous les jours. Ses premières toiles sont maintenant des pièces de collection. Elles sont vraiment superbes, je le pense sincèrement.

Quand j'ai commencé à parler de bébés, il travaillait à ce qu'il appelait sa série Degas : des jeunes filles s'échauffant à la barre, fines, gracieuses et sensuelles, sans toutefois la moindre connotation érotique. Cet hiver-là, il a passé des heures au Metropolitan Museum, à étudier les petites ballerines de Degas. Il voulait que les siennes leur ressemblent tout en étant différentes. La particularité de ces tableaux, en fait, c'est qu'ils contenaient chacun une ou deux anomalies : un gros oiseau essayant de rentrer par la fenêtre du studio, un ginkgo grimpant sur le mur et se reflétant à l'infini dans les miroirs. Une galerie de Soho en a vendu deux et lui en a réclamé d'autres. Moi aussi je peignais, à l'époque, après le travail, au moins trois fois par semaine. Je savais que je ne serais jamais aussi douée que Robert, mais petit à petit je m'améliorais. Les samedis après-midi, parfois, nous emportions nos chevalets à Central Park et nous peignions ensemble. Nous étions amoureux ; les week-ends, nous faisions l'amour deux fois par jour. Robert attachait une très grande importance à notre vie sexuelle et je suis certaine qu'il adorait la nouvelle façon dont je m'offrais à lui dans l'espoir de concevoir un enfant. Du reste, il était intrigué par la possibilité qu'une petite graine puisse passer entre nous et germer en moi.

Nous nous sommes mariés dans une chapelle de la 20e Rue. J'aurais voulu que notre union soit prononcée par un juge de paix mais, pour faire plaisir à la mère de Robert, j'ai accepté une cérémonie catholique. Ma mère est venue du Michigan avec mes deux meilleures copines. Elle a tout de suite sympathisé avec la mère de Robert. À la messe, elles se sont assises l'une à côté de l'autre. La mère de Robert était toute contente de « m'adopter ». En guise de cadeau de mariage, elle m'a tricoté un pull écru avec un grand col boule, qui est resté mon préféré pendant des années. Je l'ai immédiatement « adoptée », moi aussi. Elle était grande, mince, pleine d'allant. Je ne connaissais pas plus de dix ou douze mots de sa langue maternelle, mais elle était persuadée que si je m'appliquais un peu je parlerais français couramment. Elle avait quitté Paris après la guerre, pour suivre le père de Robert, un militaire de carrière chargé de la mise en place du plan Marshall, et elle ne semblait pas le regretter. Elle n'y était jamais retournée. Aux États-Unis, elle avait appris le métier d'infirmière. Toute sa vie tournait autour de ses malades et de son fils prodige.

Pendant la cérémonie, Robert s'est montré égal à lui-même : il ne se posait pas de questions, il était heureux d'être là avec moi, il se fichait d'être obligé de porter un costume et l'unique cravate qu'il possédait. Il avait de la peinture sous les ongles et il avait oublié d'aller chez le coiffeur, alors que j'avais lourdement insisté pour qu'il se fasse couper les cheveux. Au moins, il n'a pas perdu les alliances. Il a dit « oui » avec son flegme habituel, comme si nous étions en train de discuter dans un bar, ce qui m'a un peu déçue. J'aurais aimé qu'il soit plus solennel.

En sortant de l'église, nous sommes allés dans un restaurant du Village où nous attendait notre cercle d'amis. Ils s'étaient tous mis sur leur trente et un, les filles avaient sorti leurs talons hauts. Mon frère et ma sœur, qui vivaient sur la côte Ouest, étaient là aussi. Tout le monde avait une attitude un peu empruntée. Nos amis ont serré la main à nos mères, certains les ont embrassées. Après quelques verres de vin, les copains de Robert ont commencé à porter des toasts paillards. Je trouvais ça déplacé, mais nos mères n'avaient pas du tout l'air choquées. Au contraire, elles riaient comme des adolescentes et se poussaient du coude, les joues en feu. Il y avait longtemps que je n'avais pas vu ma mère aussi heureuse. Je me suis détendue.

Robert a mis des mois avant de chercher un emploi ailleurs, alors que je lui répétais constamment que je voulais qu'on s'installe dans une petite ville. En fait, il n'a jamais vraiment cherché. C'est l'un de ses instructeurs, lors d'un déjeuner impromptu, qui lui a dit qu'il y avait un poste vacant à la fac de Greenhill, et qu'il pouvait le recommander auprès d'un de ses vieux amis sculpteur et céramiste qui enseignait là-bas. Selon lui, c'était une bonne place : la Caroline du Nord était un vivier d'artistes, la vie y était douce, propice à la création. Robert pourrait sans problème continuer à peindre. Moi aussi. En plus, le climat était particulièrement agréable.

Robert a toujours eu des coups de chance de ce genre. Il se faisait arrêter pour excès de vitesse et le policier lui réduisait son amende de 120 dollars à 25. Il déposait une demande de bourse avec un mois de retard et il obtenait la bourse, plus une subvention exceptionnelle pour acheter du matériel. On lui faisait des fleurs parce qu'il avait l'air de n'avoir besoin de rien et de n'attendre d'aide de personne. À l'époque, je trouvais qu'il dupait les gens, involontairement. Maintenant, je me dis que la vie lui offre peut-être des compensations pour les carences dont il souffre.

J'étais enceinte quand nous sommes partis à Greenhill. J'avais des nausées et je disais à Robert que c'était comme ça que commençaient toutes les grandes histoires d'amour de ma vie. J'avais du mal à penser à autre chose qu'au bébé, mais c'est moi qui ai organisé tout le déménagement. J'ai donné pas mal de choses à nos amis. J'avais presque pitié d'eux, dont la vie ne prenait pas un grand tournant comme la nôtre. Robert avait dit que ses copains nous aideraient à charger le camion que j'avais loué, mais il a oublié de le leur demander, ou ce sont eux qui ont oublié de venir, si bien que nous avons dû embaucher deux ados du quartier. J'avais préparé les cartons toute seule parce qu'il avait eu plein de choses de dernière minute à faire à l'école ou à son atelier. Une fois l'appartement vide, nous l'avons nettoyé de fond en comble afin que le propriétaire nous rende notre caution. Ensuite, nous sommes allés à l'atelier de Robert chercher son matériel et ses toiles. Je l'ai attendu dans le camion pour pouvoir le déplacer si jamais un agent de police ou une contractuelle passait par là.

Le soleil d'août cognait à travers les vitres. Je caressais mon ventre déjà rebondi, non pas à cause du fœtus de la taille d'une cacahuète que j'avais vu à l'échographie, mais des quantités phénoménales de nourriture que j'engloutissais, et la torpeur m'avait envahie. Quand je passais la main sur mon ventre, je brûlais de désir pour le bébé qui s'y développait et pour la vie qui nous attendait. J'éprouvais des sentiments totalement nouveaux, que je ne pouvais pas partager avec Robert parce que je n'aurais pas été capable de les lui expliquer. Lorsqu'il est arrivé avec ses derniers cartons et son dernier chevalet, j'ai pris conscience qu'il n'avait pas emballé une seule casserole, ni même un seul de ses vêtements. En revanche, il avait empaqueté avec soin toutes les affaires de son atelier. J'ai alors compris que je comptais moins à ses yeux que sa peinture et j'ai eu l'impression que mon enfant me chuchotait : *Tu crois qu'il s'occupera bien de nous ?*

5 novembre 1877

Mon cher oncle,

Ne m'en veuillez pas d'avoir autant tardé à vous répondre. Votre frère, votre neveu et deux des domestiques ont attrapé un mauvais rhume. En somme, presque toute la maison est tombée malade, si bien que j'ai été très accaparée. Il n'y a cependant pas lieu de

20

Nous nous sommes arrêtés pour déjeuner à quelques kilomètres au-dessus de Washington, sur une aire d'autoroute. Je commençais à avoir des crampes dans les jambes. Les tables de pique-nique étaient dispersées dans un bosquet de chênes. Robert a vérifié qu'il n'y avait pas de crottes de chien et il s'est allongé par terre pour dormir un moment. Il s'était couché tard, la veille, l'haleine empestant le cognac. Je craignais qu'il s'assoupisse au volant. Il aurait été plus sage que je conduise, mais je n'en avais pas envie. Moi aussi, j'étais fatiguée.

Et contrariée : j'étais enceinte et il ne faisait rien pour me faciliter la vie. Il ne lui était même pas venu à l'esprit de se reposer avant d'entreprendre un aussi long voyage. Je me suis étendue à côté de lui, sans le toucher. Il portait une vieille chemise jaune au col tout avachi, qu'il avait dû acheter dans une friperie. On voyait que c'était un vêtement de belle qualité, mais qui avait largement fait son temps. Un morceau de papier dépassait de sa poche de poitrine. Je l'ai attrapé, en veillant à ne pas réveiller Robert, et je l'ai déplié. Comme je m'y attendais, c'était un dessin, un portrait de femme au crayon.

Je ne la connaissais pas. Ce n'était pas l'une des filles de Greenwich Village qui posaient pour lui, ni l'une des jeunes danseuses de l'American School of Ballet dont les parents avaient signé des formulaires autorisant Robert à les représenter. Elle ne ressemblait pas non plus aux personnages nés de son imagination. Elle me regardait comme elle avait dû le regarder, d'un air à la fois énamouré et sérieux, reconnaissante envers l'artiste qui lui portait de l'intérêt. Visiblement, il y avait entre eux une certaine connivence. Elle semblait sur le point de sourire et de tendre le bras pour vous caresser la joue. C'était une belle brune aux cheveux bouclés et aux traits fins, avec un joli petit nez et un regard expressif, brûlant d'une flamme qu'elle ne cherchait pas à dissimuler. Moi-même, j'étais sous le charme.

Robert ne m'avait jamais trompée, j'en étais certaine. D'une part, ce n'était pas un séducteur ; de l'autre, c'était un homme loyal et droit. Mais j'étais jalouse de ce portrait esquissé avec amour, et je me sentais mesquine de considérer que Robert m'appartenait. Je n'étais pas ultra-possessive ; néanmoins, nous vivions sous le même toit, il était mon mari, mon âme sœur, le père de la petite graine qui germait en moi, l'amant dont je vénérais le corps sans inhibition, l'homme grâce à qui, de chenille, j'étais devenue papillon. Alors qu'elle, qui était-elle ? L'une de ses étudiantes ? Une jeune collègue ? En la regardant bien, je me suis rendu compte qu'elle n'était peut-être pas si jeune qu'on aurait pu le croire de prime abord, peut-être même plus âgée que moi et que Robert, qui avait quelques années de plus que moi. Il avait peut-être des modèles que je ne connaissais pas. Et qui me disait qu'il y avait quelque chose entre eux ? J'avais toutefois le pressentiment qu'il ne s'était pas contenté de la dessiner.

Avec une pointe de colère, j'ai réalisé que je n'avais pas touché mes pinceaux et mes crayons depuis trois mois, depuis que j'étais enceinte. Et le pire, c'est que ça ne m'avait pas manqué. Au boulot, j'avais été débordée ; à la maison, le déménagement avait accaparé tout mon temps. Robert avait-il dessiné cette beauté pendant que je me souciais de détails bassement matériels ? Où et quand l'avait-il rencontrée ? Assise sur la pelouse de cette aire d'autoroute, les fourmis et les brins d'herbe me picotant les jambes à travers ma fine robe d'été, je me posais toutes sortes de questions.

Au bout d'un moment, j'ai décidé de faire comme si de rien n'était. Si je soumettais Robert à un insidieux interrogatoire et que cette femme ne représentait rien pour lui, je me dévaloriserais toute seule. Et s'il me trompait, je préférais ne pas le savoir. Je ne voulais pas briser notre nouvelle vie avant même qu'elle ait commencé.

Si elle habitait à New York, de toute façon, il ne la verrait plus, et s'il y retournait sous un quelconque prétexte, je l'accompagnerais. J'ai replié la feuille et l'ai remise dans sa poche. Il dormait comme un loir.

Le lendemain, nous avons traversé des paysages magnifiques. C'était moi qui conduisais ; à chaque tournant, je poussais des cris émerveillés. Nous sommes arrivés à Greenhill par le nord, après avoir franchi les Blue Ridge par un long col. Nous sommes allés directement à la fac, qui se trouve en fait dans la petite ville de Shady Creek, dans le massif des Craggies. Robert avait traversé la région avec ses parents, mais il n'en avait pas gardé beaucoup de souvenirs. Personnellement, je n'étais jamais descendue aussi bas dans le Sud. En début d'après-midi, il a voulu reprendre le volant et nous avons échangé nos places. La campagne semblait endormie sous le soleil, les montagnes se découpant dans la brume à l'horizon tandis que nous grimpions le long d'une petite route. Le vent qui s'engouffrait dans le camion était aussi frais qu'un courant d'air s'échappant d'une grotte ou d'un réfrigérateur ; il frémissait sur nos visages et caressait nos mains.

Dans un virage, Robert a ralenti et a sorti la tête par la vitre. Du doigt, il m'a montré : Université de Greenhill, fondée en 1889 sous le nom de Craggy Farm School. J'ai pris une photo avec l'appareil que ma mère m'avait donné avant mon départ pour New York : le panneau en bois entouré de pierres grises, planté au milieu des fougères, à l'orée d'une forêt. L'endroit était paradisiaque. Je m'attendais presque à voir apparaître un trappeur avec son chien et son fusil. J'avais du mal à croire que la veille encore nous étions à New York. J'ai essayé d'imaginer nos amis rentrant chez eux après le travail, marchant dans la rue ou poireautant sur un quai de métro, le vacarme constant de la circulation, le brouhaha de la ville. J'avais déjà tout oublié de New York. Robert a coupé le contact et nous sommes descendus du camion. J'ai pris Robert en photo devant le panneau, les bras triomphalement croisés sur la poitrine, un véritable homme des bois, déjà. Le camion fumait et produisait des petits bruits de dilatation.

– On peut encore faire demi-tour et rentrer, ai-je dit malicieusement.

Il a ri.

– À Manhattan ? Tu plaisantes ?

Le 15 novembre 1877

Mon cher oncle et ami,

Ne pensez surtout pas que mon silence signifie que je vous ai oublié ! Vos lettres nous font toujours beaucoup plaisir et je suis très touchée par celles que vous m'envoyez personnellement. Je me porte à merveille, en ce moment. Yves s'apprête à partir en Provence pour deux semaines. Par conséquent, nous sommes tous très affairés à préparer son départ. Le ministre l'envoie là-bas chapeauter la réorganisation du bureau de poste dont il aura la direction l'an prochain. Papa est anxieux. Selon lui, le gouvernement ne devrait pas éloigner un fils de son pauvre père aveugle. Il dit qu'Yves est sa canne et moi, ses yeux. Ce que je n'assume nullement comme un fardeau. J'ai au contraire le beau-père le plus charmant qui soit ! Je crains qu'il ne s'ennuie, sans Yves, même pour cette période relativement courte. De ce fait, je n'irai probablement pas chez ma sœur avant son retour. Peut-être viendrez-vous nous rendre visite... Papa en serait ravi ! Je vous remercie pour les pinceaux que vous m'avez envoyés. Je n'en avais encore jamais vus d'aussi belle qualité et Yves se réjouit de savoir qu'ils me distrairont pendant son absence. J'ai terminé mon portrait de la petite Anne, ainsi que deux vues du jardin à l'approche de l'hiver, mais je n'ai encore rien commencé de nouveau. Vos pinceaux me donneront de l'inspiration. Le réalisme des paysagistes modernes me plaît énormément, peut-être encore plus qu'à vous, et j'essaie de travailler dans cet esprit, bien que la saison ne s'y prête pas vraiment.

Dans l'attente de vous revoir bientôt, veuillez recevoir mes affectueuses salutations,

Béatrice de Clerval

21

Marlow

Kate avait posé sa tasse de café sur un guéridon. Elle a fait un petit geste, comme pour me demander l'autorisation d'interrompre son récit. J'ai hoché la tête en me renversant contre le dossier du canapé. Étaient-ce des larmes qui brillaient au bord de ses yeux ? J'espérais qu'elle serait disposée à continuer.

– Faisons une pause, a-t-elle dit. Vous voulez voir l'atelier de Robert ?

– Il travaillait beaucoup à la maison ? ai-je demandé afin de ne pas me montrer trop prompt à accepter.

– À la maison et à l'école. Mais surtout à l'école.

À l'étage, le couloir à la moquette défraîchie faisait également office de bibliothèque. Des romans, des recueils de nouvelles et des encyclopédies s'alignaient sur les rayonnages. Les fenêtres donnaient sur la vaste pelouse à l'arrière de la maison. Une table à dessin était installée à l'extrémité du corridor. Dessus, un grand cahier était ouvert sur un croquis de fenêtres.

– Mon espace de travail, a précisé Kate.

– Vous devez être une grande lectrice.

– Oui. Robert trouvait que je passais trop de temps à lire. La plupart de ces bouquins appartenaient à mes parents.

J'ai jeté un coup d'œil dans les chambres. Les lits étaient faits avec soin. Dans celle des enfants, des jouets étaient éparpillés sur le plancher. Kate a ouvert une porte et m'a fait signe d'entrer.

Des effluves d'essences minérales et de peinture ont assailli mes narines. Comment une ménagère aussi ordonnée (encore plus maniaque que ma mère) pouvait-elle tolérer cette odeur dans sa maison ? Peut-être la trouvait-elle plaisante, comme moi. Nous

nous sommes avancés dans la pièce en silence. Instantanément, j'ai ressenti une impression lugubre, comme si je pénétrais dans l'atelier d'un artiste défunt. J'ai songé à Robert, étendu sur un lit loin d'ici, contemplant le plafond d'un institut psychiatrique. Kate s'est dirigée vers les fenêtres et a remonté les stores en bois. Le soleil s'est déversé à flots sur les murs, sur les toiles rassemblées dans un coin, retournées, sur une longue table couverte de boîtes de conserve pleines de pinceaux. Et sur un chevalet réglable où se trouvait encore une toile, presque terminée, électrisante.

Les murs étaient recouverts de reproductions, principalement des cartes postales de musées, formant un panorama complet de l'art occidental. Certaines œuvres m'étaient familières, d'autres totalement inconnues, parmi cette myriade de visages, prairies, montagnes, cygnes, meules de foin, fruits, bateaux, chiens, mains, poitrines, oies, vases, maisons, faisans, madones, fenêtres, chapeaux, arbres, chevaux, routes, saints, moulins à vent, soldats, enfants. Les impressionnistes dominaient : Renoir, Degas, Monet, Morisot, Sisley, Pissaro et d'autres que je ne reconnaissais pas.

On aurait dit que l'occupant du lieu était parti quelques minutes plus tôt, en jetant un chiffon taché sur la table, sans prendre la peine de nettoyer ses pinceaux – des bons pinceaux, fichus. À la clinique, mon patient se douchait et se rasait pourtant tous les jours. Son ex-épouse se tenait au milieu de la pièce, un rayon de soleil dans sa chevelure couleur dune. Elle irradiait de lumière, de beauté et, m'a-t-il semblé, de colère.

Tout en l'observant du coin de l'œil, je me suis approché du chevalet, où trônait le sujet favori de Robert, la femme aux boucles brunes, aux lèvres rouges et aux yeux de braise, vêtue d'un déshabillé bleu pâle d'une autre époque, ramené sur sa poitrine par une main blanche. Un portrait romantique et extrêmement sensuel – exempt de tout sentimentalisme grâce à un érotisme affirmé, la courbe d'un sein généreux pressé sous l'avant-bras replié devant elle. À ma surprise, la main qui serrait le pan de tissu tenait également un pinceau aux soies imbibées de bleu cobalt, comme si le modèle était aussi en train de peindre. L'arrière-plan se composait d'une fenêtre ensoleillée, encadrée de pierre, aux carreaux en losange, derrière laquelle on distinguait une mer bleu ardoise et des nuages marins. Le reste du décor – la pièce où se tenait la femme-peintre – n'était pas terminé. Le coin supérieur de la toile était demeuré blanc.

Ce portrait différait par deux aspects de ceux que Robert peignait sans cesse à Goldengrove. Par sa facture, d'abord, son réalisme exacerbé, son style presque photographique. Le coup de pinceau était plus fin. La texture de la peau, par exemple, m'évoquait la manie du détail de certaines œuvres de la fin du Moyen Âge. En fait, ce tableau me faisait penser aux portraits féminins des préraphaélites, ces femmes sublimes en toilette légère, coupées à mi-corps. Quelques boucles brunes s'échappaient de sa coiffure le long de ses joues et dans sa nuque. S'était-il inspiré d'une photo ? Était-il du genre à travailler d'après photo ?

La seconde différence frappante – choquante, même – résidait dans l'expression du sujet. Sur la plupart des dessins que j'avais vus à Goldengrove, la muse de Robert était sérieuse, voire sombre, tout du moins pensive, parfois en colère comme je l'ai déjà dit. Ici, elle riait. C'était la première fois que je la voyais rire, avec une expression joyeuse, pétillante. Si son déshabillé avait quelque chose d'impudique, son rire n'était en rien vulgaire ; il traduisait simplement un amour de la vie. Elle paraissait si vivante qu'elle semblait sur le point de bouger. On avait envie de tendre la main vers elle et d'effleurer sa peau, d'entendre son rire. Elle était désirable. J'étais là face à un chef-d'œuvre, indiscutablement l'un des portraits contemporains les plus magistraux que j'eusse jamais vus. Ce tableau avait dû demander des semaines ou des mois de travail. Des mois.

Je me suis tourné vers Kate.

– Vous l'aimez, vous aussi, à ce que je vois, a-t-elle dit d'un ton sec et dédaigneux.

Elle paraissait petite et flétrie, voire pincée, à côté de la toile.

– Vous trouvez que mon ex-mari a du talent ? a-t-elle ajouté.

– Indéniablement, ai-je répondu à voix basse, comme s'il était là derrière nous à nous écouter.

Je me suis rappelé le mépris que j'avais lu sur le visage de Robert, à maintes reprises, lorsque j'avais tenté de le faire parler de ses dessins et ses peintures. Ce couple autrefois marié avait peut-être été divisé par une histoire difficile, mais l'un comme l'autre savait afficher le dédain, c'était certain. Je me suis demandé s'ils s'étaient parfois fait face avec cette expression amère. Kate regardait la beauté sur le chevalet, dont le regard lumineux portait au-delà de nous. Furtivement, j'ai eu l'impression qu'elle cherchait Robert Oliver, son créateur. J'ai failli me retourner pour vérifier qu'il n'était pas effectivement bel et bien là derrière nous. Une impression troublante, que Kate a dissipée en rabaissant les stores afin de laisser la belle rire de nouveau dans l'ombre. Nous sommes sortis de l'atelier. Elle a refermé la porte. Quand allais-je trouver le courage de lui demander qui était cette étrange personne ? J'avais laissé passer une opportunité ; je redoutais qu'elle se braque contre moi si je lui posais la question.

– Vous n'avez rien touché, dans son atelier, ai-je dit en feignant d'être parfaitement décontracté.

– Non. Il va pourtant bien falloir que je m'y mette, mais je ne peux pas me résigner à jeter tout ça, ni à le mettre dans un placard. Quand Robert s'installera quelque part, je lui enverrai peut-être ses affaires. S'il s'installe un jour quelque part... (Elle évitait mon regard.) Les enfants auront bientôt besoin d'avoir chacun leur chambre. Je songe également à aménager un atelier pour moi. Je n'en ai jamais eu. Avant, je ne peignais qu'à l'extérieur, lorsqu'il faisait beau. Et puis nous avons eu les enfants... (Elle s'est interrompue.) Parfois, Robert me disait qu'il y avait de la place pour deux, dans son atelier, ou qu'il pouvait travailler à l'école et me le laisser. Mais je ne voulais pas d'un coin, encore moins qu'il passe encore plus de temps à la fac.

À son ton, j'ai jugé qu'il valait mieux que je m'abstienne de demander pourquoi. Je l'ai suivie dans l'escalier puis j'ai senti dans sa posture une hostilité toute féminine me mettant au défi de ressentir pour elle de l'attirance ou ne serait-ce que de la curiosité. J'ai détourné le regard. Derrière la fenêtre, une lumière rosée filtrait au travers d'un bouleau. Dans le salon, elle a repris sa place sur le canapé et j'ai compris qu'elle souhaitait que nous reprenions notre tâche. Je me suis assis en face d'elle et j'ai essayé de reprendre mes esprits.

Le 14 décembre

Mon cher oncle,

Nous avons reçu du monde, hier soir, et j'ai regretté que vous ne soyez pas là. Outre ses amis habituels, Yves avait invité Gilbert Thomas, un peintre issu d'une excellente famille, que l'on dit prometteur, bien qu'il ait été refusé l'an dernier au Salon, ce qu'il a très mal pris. M. Thomas doit avoir une dizaine d'années de plus que moi, je pense qu'il approche de la quarantaine. C'est quelqu'un de charmant et d'intelligent, mais il pique parfois des colères que je n'apprécie guère, notamment lorsqu'il parle d'autres artistes. Il a poliment demandé à voir mon travail. À mon avis, en l'amenant à la maison, Yves avait dans l'idée qu'il pourrait peut-être me donner des conseils, comme vous le faites si gentiment. Il a semblé sincèrement intéressé par mon portrait de Marguerite, la nouvelle petite bonne aux cheveux d'or et à la peau si blanche dont je vous ai parlé. J'avoue que j'ai été flattée par ses louanges. Il a déclaré que j'avais du talent et m'a complimentée pour le rendu du personnage. J'ai trouvé cela aimable de sa part, lui qui, quelques instants plus tôt, s'était montré aussi imbu de sa personne (je n'emploierai pas l'adjectif « pompeux », de crainte que vous ne me reprochiez mon snobisme). Il projette d'ouvrir une galerie, en association avec son frère, et je ne crois pas trop m'avancer en vous disant qu'ils aimeraient y exposer vos œuvres. Il a promis à Yves de revenir un jour nous présenter son frère. S'il tient sa promesse, il faudra que vous tâchiez d'être là.

J'ai également fait la connaissance d'un homme délicieux, un certain M. Dupré, artiste lui aussi, qui travaille pour la presse illustrée. Il revient juste de Bulgarie, où il y a eu récemment une révolution. Je l'ai entendu dire à Yves qu'il avait entendu parler de vous et vu certains de vos tableaux. Il nous a montré quelques-uns de ses dessins, des scènes de bataille très détaillées, avec des régiments de cavalerie en uniformes magnifiques, ainsi que des portraits de villageois en costumes pittoresques. Il nous a décrit la Bulgarie comme un pays superbe, malheureusement pas très sûr en ce moment pour les journalistes. Il travaille actuellement à une série intitulée Les Balkans illustrés. *Il a épousé une Bulgare qui porte le nom charmant de Yanka Georgiva, qu'il a ramenée avec lui à Paris afin qu'elle apprenne le français. Elle était souffrante, c'est pour cela qu'il n'est pas venu avec elle. J'ai noté son nom afin de m'en souvenir. Comme j'aimerais voyager dans ces contrées lointaines... Pour tout vous dire, l'ambiance est un peu sinistre ici, avec Yves qui est très pris par son travail, ces derniers temps. C'est pourquoi je me suis fait une joie de recevoir à dîner. J'espère que la prochaine fois, vous serez de la partie. Je dois à présent vous quitter, mais j'attends de vos nouvelles avec impatience. Votre dévouée,*

Béatrice de Clerval

22

Kate

Nous avons emménagé dans un grand cottage, un logement de fonction de l'université. Robert avait un emploi du temps chargé ; le soir, il peignait dans le grenier. Je n'aimais pas y monter, à cause des vapeurs toxiques. Je traversais une phase où je me faisais en permanence du souci pour le bébé, peut-être parce qu'il commençait à remuer et à donner des coups de pied. C'était normal, il vivait, m'avait dit la femme d'un prof ; il n'empêche que dès qu'il bougeait, j'étais sûre qu'il était malade et je redoutais de le perdre. Je ne mangeais plus de bananes, parce que j'avais lu qu'elles contenaient une substance chimique susceptible de causer des malformations de naissance. Lorsque j'allais faire les courses à Greenhill, dans notre nouvelle voiture, une épave, je n'achetais que des fruits et des yaourts bio hors de prix. Comment payerions-nous les études de notre enfant si nous n'avions déjà même pas de quoi lui offrir des fruits et des laitages sains ?

Tout cela me tracassait ; en plus, je craignais d'être une mauvaise mère, irritable et dépressive, accro au Valium. Je regrettais presque d'avoir conçu ce pauvre bébé. Et si le sperme de Robert avait muté, avec tous les produits toxiques qu'il inhalait ? Pourquoi n'avais-je pas pensé plus tôt à ces choses-là ? Je me mettais au lit avec un bouquin et je pleurais. J'avais besoin de Robert. Quand nous soupions ensemble, je lui confiais mes angoisses. Il m'embrassait et me serrait dans ses bras en m'assurant qu'il n'y avait pas lieu de s'inquiéter. Et puis il partait à une réunion et me laissait toute seule.

Lorsqu'il était à la maison, il était tout le temps fourré dans son grenier, ce qui explique pourquoi j'ai mis aussi longtemps à m'apercevoir qu'il avait un problème de sommeil. Il peignait parfois toute la nuit et se couchait au lever du soleil sur le vieux canapé qu'il avait installé au grenier. Il n'était pas rare que je me réveille seule au lit. Un matin, il n'est pas descendu pour le petit déjeuner. Il est apparu aux environs de midi, les cheveux tout ébouriffés. Nous avons mangé ensemble et il est parti à la fac.

Quelques jours plus tard, j'ai reçu un coup de téléphone du département d'arts plastiques : Robert avait-il des ennuis ? Il avait été absent deux matins de suite. J'ai essayé de me rappeler ce qu'il avait fait les jours précédents, mais impossible de me souvenir. J'étais complètement épuisée, mon ventre était si gros que je pouvais à peine me baisser pour faire le lit. J'ai dit qu'il n'était pas à la maison, qu'il rappellerait dès son retour.

En vérité, je me levais assez tard. Je pensais que Robert partait avant que je ne sois réveillée, mais tout d'un coup j'ai eu des doutes. J'ai ouvert la porte de l'escalier qui menait au grenier. Il n'y avait que quelques marches, mais j'avais l'impression d'être au pied de l'Everest. J'ai relevé le bas de ma robe et je suis montée tout doucement. Je savais que cet effort risquait de provoquer des contractions, mais la sage-femme m'avait dit la semaine précédente que j'étais à terme et que je pouvais accoucher « quand je voulais ». D'un côté, j'avais hâte de voir le visage de mon fils ou de ma fille ; de l'autre, je n'étais pas pressée que mon enfant me regarde dans les yeux et comprenne qu'il devrait se débrouiller tant bien que mal avec un père artiste et une mère complètement irresponsable.

Dans le grenier, les deux ampoules du plafond étaient allumées. Une lumière blafarde tombait de la lucarne. Robert dormait sur le canapé, un bras pendant par terre, la main tournée vers l'extérieur, gracieux et baroque, le visage enfoui dans les coussins. J'ai regardé ma montre : 11 h 35. Il avait encore dû travailler jusqu'à l'aube. Son chevalet me tournait le dos. L'odeur de peinture me soulevait le cœur. Je suis redescendue et je lui ai laissé un mot sur le comptoir de la cuisine pour lui dire de rappeler le Département. J'ai mangé un morceau et je suis sortie faire un tour avec mon amie Bridget. Elle était enceinte, elle aussi, de quelques mois ; elle attendait son deuxième. Nous nous étions promis de marcher au moins trois kilomètres par jour.

Quand je suis rentrée, Robert avait laissé les restes de son repas sur la table et pris mon petit mot. Il m'a téléphoné dans l'après-midi : il rentrerait tard ; il avait rendez-vous avec des étudiants après les cours ; il dînerait peut-être dans la salle à manger des profs. J'y suis allée pour souper. Pas lui. Dans mes rêves, j'entendais craquer l'escalier du grenier. Cette nuit-là, et la suivante, et celle d'après. Parfois, il était là tout près de moi dans le lit. Parfois, je me réveillais en milieu de matinée et il était parti. J'attendais le bébé et j'attendais Robert, avec de plus en plus d'appréhension. Les jours passant, je commençais à redouter de devoir partir accoucher à un moment où Robert serait introuvable. Je priais pour qu'il soit dans le grenier à peindre ou à dormir lorsque je ressentirais les premières douleurs.

Un après-midi, en revenant de ma promenade, qui m'avait paru interminable, j'ai de nouveau reçu un coup de fil de la fac. Ils étaient ennuyés d'avoir à me poser cette question, mais savais-je où était Robert ? Il s'était encore absenté. J'ai dit que j'allais le trouver. Il y avait plusieurs jours qu'il n'avait pas dormi avec moi. Il n'était presque jamais à la maison. Parfois, la nuit, j'entendais du bruit dans le grenier. Je supposais qu'il peignait. Je me disais qu'il voulait peut-être finir quelque chose avant la naissance. Péniblement, je suis remontée dans son antre, en soufflant comme un phoque. Il ronflait sur le canapé. Il était 16 heures. Je n'étais pas sûre qu'il se soit levé de la journée. À croire qu'il ignorait que des étudiants l'attendaient et qu'il avait une femme avec un ventre de mammouth. La moutarde m'est montée au nez. Je me suis approchée de lui pour le réveiller mais, devant le canapé, je me suis arrêtée. Le chevalet était tourné face à la grande lucarne. Je venais d'entrevoir ce qu'il y avait dessus et les dessins éparpillés sur le sol.

Je l'ai reconnue immédiatement, comme une vieille connaissance perdue de vue que j'aurais aperçue dans la rue. Elle me souriait, avec ce même regard étincelant qu'elle avait sur le croquis que j'avais trouvé dans la poche de Robert. C'était un portrait en buste, habillé. Elle était bien faite de sa personne : mince, une poitrine généreuse, les épaules à peine un peu trop larges, un long cou gracile. De près, on distinguait les traces du pinceau sur la toile, mais ses formes étaient presque palpables – d'un style impressionniste, ou quelque chose qui s'en approchait. Elle était vêtue d'une robe beige avec de la dentelle et des bandes bordeaux soulignant sa poitrine, une tenue d'un autre temps, un costume de théâtre. Ses cheveux étaient rassemblés par un ruban rouge alizarine, l'une des mes couleurs préférées. Je savais exactement quel tube de peinture il avait utilisé. Le plancher était jonché d'études pour ce tableau. J'ai tout de suite pensé que Robert n'avait jamais rien produit d'aussi bon. Je n'avais jamais vu une expression humaine saisie avec tant de génie. Elle semblait sur le point de bouger, de rire, de baisser les yeux sous mon regard.

Furieuse, je me suis tournée vers le canapé. Je ne savais pas si j'étais jalouse de cette femme, du talent de Robert, ou en colère parce qu'il dormait au lieu d'aller gagner de quoi acheter du lait et des couches pour notre futur bébé. Je l'ai secoué, de toutes mes forces. Il m'avait pourtant dit de ne jamais le réveiller brusquement. On lui avait raconté une histoire réputée vraie, d'un type qui était devenu fou suite à un mauvais réveil. Peu m'importait : à ce moment-là, je le haïssais. Je détestais son sommeil de plomb, le monde dans lequel il s'échappait et rêvait de femmes à la taille plus fine que la mienne. Pourquoi avais-je épousé un fainéant et un égoïste ? Pour la première fois, je me suis dit que c'était bien fait pour moi si j'avais eu un aussi piètre jugement.

– Qu'est-ce qu'il y a ? a-t-il marmonné en changeant de position.

– Il est 4 heures de l'après-midi. Tu n'es pas allé en cours ce matin.

– Oh, merde ! s'est-il exclamé en se redressant avec une expression alarmée. Quelle heure tu as dit qu'il était ?

– Il est 16 heures. Tu comptes garder ton poste ou allons-nous élever ce gosse comme des misérables ?

– C'est bon, c'est bon, a-t-il grommelé en repoussant ses vieilles couvertures. Ne t'énerve pas.

Chaque geste semblait lui demander un effort surhumain.

– Je ne m'énerve pas. Il faut que tu rappelles la fac.

Il m'a regardée en se grattant la tête, sans un mot, et j'ai senti ma gorge se nouer. Et s'il se faisait renvoyer... Il a mis ses chaussures et s'est dirigé vers l'escalier. Je l'ai suivi. J'avais peur de trébucher en descendant, je me sentais minable et malheureuse. J'avais envie d'embrasser l'arrière de son crâne, de m'accrocher à lui pour ne pas tomber, de lui faire des reproches et de lui griffer le dos. Je ressentais même une pointe de désir physique, ce qui ne m'était pas arrivé depuis longtemps, un tiraillement dans mes seins et mon bas-ventre. Mais il descendait beaucoup plus vite que moi. Quand je suis arrivée à la cuisine, il était déjà au téléphone.

– Merci, merci, disait-il. Oui, je crois que c'est un petit virus. D'ici demain, ça devrait aller mieux. Merci, d'accord.

Il a raccroché.

– Tu leur as dit que tu avais la grippe ?

J'avais l'intention de lui passer les bras autour du cou, de m'excuser de m'être emportée et de lui préparer un potage. Après tout, il travaillait dur, il peignait beaucoup ; c'était normal qu'il soit fatigué. Mais malgré moi, j'avais parlé d'un ton agressif.

– Ça ne te regarde pas, si tu le prends sur ce ton, a-t-il rétorqué en ouvrant le réfrigérateur.

– Tu as peint toute la nuit ?

– À ton avis ? Je suis peintre, rappelle-toi.

Il a sorti un bocal de cornichons et une bière. J'ai réprimé un haut-le-cœur.

– Ça veut dire quoi ? ai-je répliqué en croisant les bras sur mon gros ventre.

– Ce que ça veut dire.

– Et les peintres peignent toujours la même bonne femme ?

Je m'attendais à ce qu'il me fusille du regard et me dise sèchement qu'il ne voyait pas à quoi je faisais allusion, qu'il peignait ce qu'il avait envie de peindre et basta. Il a ouvert sa bière sans me regarder, sans un mot, le visage de marbre. Il semblait avoir oublié les cornichons. Ce n'était pas la première fois que nous nous disputions, en six ans de vie commune, mais c'était la première fois qu'il n'osait pas me regarder dans les yeux.

Je n'imaginais rien de pire que cette expression coupable, ce regard fuyant. Et pourtant, il a fait pire. Tout d'un coup, son visage s'est radouci et il s'est mis à fixer un point juste au-dessus de mon épaule, comme si je n'existais pas. J'ai eu cette sensation désagréable que quelqu'un était apparu derrière moi dans l'encadrement de la porte. Je me suis fait violence pour ne pas me retourner. Il est resté immobile un moment, le regard absent, un sourire béat sur les lèvres. J'en avais la chair de poule. Soudain, j'avais peur d'en savoir plus. S'il s'était amouraché d'une autre, je l'apprendrais bien assez tôt. Je n'avais qu'une envie : aller m'allonger, les mains autour de mon bébé, et me reposer.

Je suis sortie de la cuisine. S'il perdait son poste, je retournerais chez ma mère à Ann Arbor. J'accoucherais d'une fille et à nous trois, trois générations de femmes, nous nous débrouillerions. Dans notre chambre, je me suis laissé tomber sur le lit. Les ressorts ont grincé sous mon poids. Je me suis mise sous la couette. Des larmes de faiblesse roulaient sur mes joues. Je les ai essuyées du revers de ma manche.

Quelques minutes plus tard, Robert est entré. J'ai fermé les yeux. Il s'est assis au bord du lit. Le matelas s'est affaissé un peu plus.

– Pardon, a-t-il murmuré. Je ne voulais pas te faire de peine. Je suis crevé, je travaille trop.

– Lève un peu le pied, ai-je répondu. On ne se voit plus. Quand tu es à la maison, tu es tout le temps en train de dormir.

– Si je dors le jour, tu sais, c'est parce que la nuit je ne trouve plus le sommeil. J'ai le cerveau en ébullition, alors je profite de l'inspiration. J'ai attaqué une nouvelle série, des portraits. Quand je commence à y travailler, je ne peux plus m'arrêter. C'est épuisant, mais c'est plus fort que moi. Je crois que je n'avais pas fermé l'œil depuis trois jours.

– Tu devrais lever le pied, ai-je répété. De toute façon, tu seras obligé, quand le bébé sera là.

C'est-à-dire d'une minute à l'autre, ai-je pensé, mais par superstition, je me suis gardé de le dire à voix haute. Il m'a caressé les cheveux.

– Oui, a-t-il murmuré d'une voix absente, comme s'il était de nouveau ailleurs.

Les mères de famille avec qui j'avais sympathisé, autour du bac à sable, m'avaient dit qu'il n'était pas rare que les hommes « flippent » à l'approche de la naissance. Elles en avaient ri. D'après elles, tout rentrait dans l'ordre dès que la « petite merveille » venait au monde. Je l'espérais... Lorsque Robert serait papa, il peindrait peut-être à des heures plus raisonnables, il se coucherait en même temps que moi et se lèverait automatiquement le matin pour aller travailler. Nous irions nous promener avec la poussette et le soir nous coucherions le bébé ensemble. Je recommencerais à peindre, nous nous relayerions. Pendant un certain temps, nous pourrions garder le berceau dans notre chambre et je m'aménagerais un atelier dans la deuxième.

J'aurais voulu décrire cette vision à Robert, mais j'étais trop lasse pour chercher les mots. De toute façon, si cela ne se faisait pas naturellement, quel genre de père serait-il ? Ça m'inquiétait déjà qu'il n'ait jamais aucune idée de l'argent que nous avions sur notre compte – en général pas grand-chose –, ni des dates de règlement des factures.

C'était moi qui m'occupais de tout ça, avec une certaine satisfaction lorsque je collais les timbres sur les enveloppes, même si je savais que lorsque les chèques seraient encaissés, nous serions à découvert.

– Je monte travailler, m'a dit Robert en me posant la main sur l'épaule. Si je bosse bien, je pense finir ma toile d'ici demain.

– C'est une de tes étudiantes ? lui ai-je demandé, en prenant mon courage à deux mains.

– Qui ?

– La femme que tu peins.

C'était dur, pour moi, de lui poser cette question. Je souhaitais presque qu'il ne réponde pas.

– Oh, non, je n'ai pas de modèle, a-t-il répondu. J'essaie de l'imaginer.

Bizarrement, je ne le croyais pas, mais je ne pensais pas non plus qu'il mentait. Je savais que dorénavant j'allais dévisager toutes les jeunes brunes frisées, sur le campus. Cela dit, c'était idiot. Il l'avait déjà dessinée à New York. J'étais certaine que c'était la même.

– Le plus difficile, c'est la robe, a-t-il ajouté au bout d'un moment.

Les sourcils froncés, il s'est massé le front, puis l'aile du nez – le plus naturellement du monde, perplexe, absorbé dans ses réflexions. *Mon Dieu*, ai-je pensé, *je suis complètement parano*. Cet homme est un artiste. Ce n'est pas parce qu'il a peint une jolie femme qu'il couche avec elle. Ce n'est pas parce qu'il a du génie qu'il sera un père indigne.

Il s'est levé et penché au-dessus de moi pour m'embrasser. Sur le pas de la porte, il s'est arrêté.

– Oh, j'allais oublier... C'est moi qui expose en solo, à la fac, cette année. Je ne pensais pas qu'ils me mettraient à l'honneur aussi rapidement. Je vais toucher une bourse du musée.

Je me suis assise dans le lit.

– C'est génial... Tu ne me l'avais pas dit.

– Je ne l'ai su qu'hier. Ou avant-hier. Je compte présenter ce portrait, toute la série, peut-être.

En souriant, je me suis laissé glisser sous la couette et j'ai dormi pendant une demi-heure, d'un sommeil bien mérité.

À mon réveil, je suis montée au grenier. Il avait entièrement raclé la toile. La robe à bandes rouges ne devait vraiment pas lui convenir. Je me suis demandé si ce visage amoureux n'existait pas que dans mon imagination.

18 décembre

Mon cher oncle et ami,

Quelle bonne idée d'être venu hier juste au moment où le ciel a commencé à se couvrir ! Nos après-midi sont si moroses lorsqu'il pleut... Grâce à vous, hier, nous ne nous sommes pas ennuyés une minute. Aujourd'hui, il tombe encore des cordes ! J'aimerais peindre la pluie, mais je ne sais comment m'y prendre. Monet y est arrivé, lui. Et ma cousine Mathilde, qui raffole de tout ce qui vient du Japon, a dans son boudoir une série d'estampes qui feraient pâlir d'envie les artistes français. Peut-être les averses sont-elles plus propices à la création au Japon qu'en France. J'aimerais tellement être capable de reproduire toute chose de la nature, à l'instar de M. Monet, même si les gens sont cruels envers lui et ses collègues. Berthe Morisot, l'amie de Mathilde, expose avec eux, ce qui doit lui demander un grand courage. Comme vous devez certainement le savoir, elle commence à être assez connue. J'attends la neige avec impatience. Cet aspect magnifique de l'hiver tarde tant à arriver, cette année, et les distractions sont si rares, ici...

C'est très gentil à vous de prendre la peine de nous adresser à chacun une lettre, à Papa et à moi. Je ne mérite pas vos commentaires élogieux à propos de mes progrès, bien que je travaille beaucoup mieux dans mon nouvel atelier. J'y passe des heures lorsque Papa se repose.

Nous avons reçu des nouvelles d'Yves, ce matin. Il ne sera pas de retour avant au moins deux semaines, ce qui nous a porté un coup, à Papa, surtout. Je comprends qu'il soit contrarié. Je crois qu'il vaut mieux ne pas avoir d'enfant du tout, comme nous, qu'un fils unique constamment appelé au loin par ses obligations, comme mon beau-père. Quand je lui lis Villon, au coin du feu, nous nous tenons la main. La sienne est devenue si frêle qu'elle pourrait servir de modèle pour une étude du grand âge.

C'est merveilleux que votre grande toile avance et que vos articles rencontrent un public toujours plus large. J'insiste sur mon droit à en être aussi fière que vos parents par le sang. Veuillez accepter les félicitations de votre nièce,

Béatrice

23

Ingrid est née le 22 février à la maternité de Greenhill. Je crois que le plus beau moment de ma vie est celui où j'ai vu sa minuscule main agrippée à mon doigt, que j'ai réalisé qu'elle était bien portante et que j'avais survécu. Robert lui caressait le visage, le bout de son index était presque aussi gros que son nez. J'en avais les larmes aux yeux. Je débordais d'amour pour lui et pour ce petit être. En fait, je découvrais ce qu'aimer signifiait, et je ne savais pas lequel des deux j'aimais le plus. Comment avais-je fait pour ne pas m'apercevoir plus tôt que Robert possédait quelque chose de divin ? Quelque chose qu'il avait transmis au petit ange dont la tête reposait contre moi, dont les yeux noisette regardaient autour d'eux avec incrédulité.

Nous lui avons donné le prénom de ma grand-mère de Philadelphie, qui était morte depuis longtemps. Ingrid dormait relativement bien, et Robert aussi. Il était trop fatigué pour veiller tard. Le bébé nous réveillait trois fois par nuit. Je lui assurais que ce n'était rien, mais il trouvait ça épuisant. Lorsque je lui proposais de se lever pour lui donner à manger, il riait en disant d'une voix endormie qu'il le ferait volontiers mais que même s'il produisait du lait il aurait mauvais goût : « Trop de toxines. Toute cette peinture. » C'était donc moi qui me levais systématiquement. Ensuite, je me recouchais et je les regardais dormir, ou je lisais, ou je déambulais dans la maison, ou je me rendormais avec eux.

J'en voulais un peu à Robert. Je n'avais pas le choix, moi, puisqu'il n'y avait pas de peinture dans mon sang et que nous ne pouvions pas nous permettre d'acheter du lait premier âge. Cet amour, proche de l'adoration, que j'avais éprouvé pour lui dans la salle d'accouchement s'amenuisait de jour en jour. Ça me faisait de la peine, mais je n'y pouvais rien. C'était comme une passion d'adolescente qui se termine, en plus triste. Je me sentais vide, parce que j'avais plus de trente ans et que je savais que je ne ressentirais plus jamais des émotions aussi intenses. Néanmoins, quand je voyais Robert tenir le bébé au creux de son bras – avec l'habitude, il était de plus en plus à l'aise – tout en mangeant de l'autre main, le spectacle me faisait fondre. Ingrid tournait la tête pour le regarder, avec des grands yeux pleins d'étonnement, comme moi lorsque j'observais cet homme immense au visage angulaire et à la tignasse crépue.

Je n'étais pas très exigeante envers Robert. Il donnait des cours du soir pour compléter son salaire et je lui en étais reconnaissante. Au bout de quelque temps, il a recommencé à peindre tard dans le grenier. Parfois, il passait la nuit à l'atelier de l'école. Mais il ne dormait plus la journée, tout du moins pas à ma connaissance. Un jour, il m'a montré deux petites natures mortes composées de branches et de cailloux, un exercice qu'il proposait à ses élèves auquel il avait eu envie de s'essayer. J'ai souri et me suis abstenue de lui faire remarquer qu'à mes yeux elles manquaient singulièrement de vie. Évidemment, c'est le propre des natures mortes. Quelques années plus tôt, je me serais lancée dans un débat passionné sur la question, parce que je savais que Robert aimait discuter de son travail avec moi, et je l'aurais charrié, pour le stimuler, en lui disant qu'il ne manquait qu'un faisan mort au tableau. Or, je ne voyais plus dans ses peintures que notre gagne-pain et je n'avais pas envie d'en parler. Ingrid avait besoin de manger, de préférence des carottes et des épinards bio ; quand elle serait grande, elle voudrait peut-être faire des études, et mon pyjama était troué au genou.

Un matin de juin, j'ai décidé d'aller en ville, histoire de changer de mes promenades sur le campus avec la poussette. J'ai habillé Ingrid et je l'ai déposée dans son berceau le temps de chercher un pull, mon sac et mes clés de voiture. Elles n'étaient pas à leur place habituelle, accrochées au mur près de la porte de derrière. Robert avait dû les prendre. Il allait parfois à la fac en voiture, quand il était en retard, et il ne savait jamais où il mettait les siennes.

Agacée, je suis montée voir au grenier si je ne les trouvais pas dans son fouillis. Sa table était jonchée de papiers froissés, de stylos, de serviettes jetables, de cartes de téléphone, de pièces et de billets. Pressée de sortir, j'ai remué tout ça sans me soucier du reste. Il m'a fallu un moment pour que mon cerveau intègre ce que je voyais. J'ai allumé la lumière. Je n'étais pas montée au grenier depuis trois ou quatre mois, depuis la naissance d'Ingrid, en fait. Nous habitions dans une vieille maison rustique, comme je vous l'ai déjà dit. Le plafond n'était pas terminé ; par endroits, les poutres et les ardoises du toit étaient apparentes. En été, c'était une fournaise, là-dedans. Heureusement, les grosses chaleurs étaient plutôt rares, dans la région. Enfin bref... Je n'osais pas regarder autour de moi, mes yeux revenaient sans cesse sur la table.

Je ne peux pas vous décrire l'impression que j'ai eue, mais je me souviens que j'ai poussé un petit cri. Elle était partout, sur toutes les surfaces de la pièce, dans toutes les dimensions, sous toutes les coutures, toutes les parties de son corps disséquées dans les moindres détails. Ce visage qui ne m'était que trop familier, reproduit des dizaines de fois partout dans le grenier, exprimant toutes les humeurs possibles et imaginables. Elle était parfois coiffée d'un chignon, avec ou sans ruban rouge, parfois d'un chapeau ou d'une bonnette de soie, ou bien ses longs cheveux retombaient sur ses seins nus. Parfois, elle n'était qu'une main parée de fines bagues en or, ou un doigt seulement, une bottine à boutons, un pied nu ou, comble de l'horreur, un téton dressé, une épaule, une fesse, les poils de son pubis, sa nudité formant un contraste saisissant à côté d'un gant nettement boutonné, et encore et encore son visage, de face, de trois quarts ou de profil, ses yeux sombres et tristes.

Robert avait peint jusque sur les boiseries. Elles étaient poncées, ce qui lui avait permis de réaliser des dessins extrêmement détaillés, sur un fond gris pâle, bordé d'une frise de fleurs printanières, moins réalistes que sa muse mais aisément reconnaissables : des roses, des branches de pommier, des rameaux de glycine, toutes les variétés qui poussaient sur le campus et que nous adorions tous les deux. Les poutres étaient ornées de longs rubans rouges et bleus entrelacés, en trompe-l'œil, dans le style des tapisseries victoriennes.

Le grenier s'étendait sur toute la longueur de la maison. Les deux murs latéraux étaient chacun revêtu d'un paysage impressionniste, où apparaissait bien sûr la femme aux cheveux noirs. Sur l'un, elle se tenait seule sur une plage, au pied d'une falaise. Une ombrelle en équilibre sur l'épaule, coiffée d'un chapeau bleu à fleurs, elle contemplait la mer en se protégeant les yeux d'une main – le soleil se réfléchissait sur l'eau. Sur le mur opposé, elle était à demi allongée dans les hautes herbes d'une prairie parsemée de taches de couleur, des fleurs d'été. D'une main, elle tenait son ombrelle ; de l'autre, un livre ouvert. Les motifs de sa robe rose se reflétaient sur son beau visage. Près d'elle, une fillette âgée de trois ou quatre ans cueillait des fleurs. Je me suis demandé si ce personnage avait été inspiré par Ingrid. Ma colère est un peu retombée.

Je me suis assise dans le fauteuil de bureau, en me disant que je ne devais pas laisser Ingrid seule en bas trop longtemps. Un coin du plafond en pente était resté à nu. Tout le reste resplendissait de couleurs et de beauté, de la présence de cette femme. Deux toiles pas tout à fait achevées reposaient sur des chevalets : elle, encore, assise, drapée d'une étoffe noire – une cape ? un châle ? –, les yeux emplis de... de quoi ? D'amour ? De crainte ? Elle me dévisageait, j'ai détourné le regard. La deuxième peinture était encore plus dérangeante. Elle représentait son visage à côté d'un autre visage, celui d'une femme inerte dont la tête reposait sur son épaule. La morte avait les cheveux gris, un costume d'époque, une blessure rouge au centre du front, un petit trou sombre, profond, plus horrible qu'une plaie sanguinolente.

Je suis restée assise là une longue minute, consciente d'avoir sous les yeux le meilleur de ce que Robert avait jamais donné de lui-même. Il avait dû lui falloir des jours, des nuits, des semaines, des mois sûrement, pour se transcender ainsi. J'ai songé aux cernes violets qu'il avait sous les yeux, à son visage creusé par la fatigue. Il m'avait dit à plusieurs reprises qu'il était parfois porté par des élans d'énergie créatrice et que, dans ces cas-là, il n'avait pas besoin de sommeil. Je l'enviais, moi qui avais envie de dormir toute la journée parce que je me levais plusieurs fois par nuit pour Ingrid. Nous ne pouvions pas vendre le grenier, mais les deux toiles méritaient certainement d'être exposées. En fait, je priais pour que personne ne voie jamais cette déco extravagante. Comment nous en expliquerions-nous ? Il faudrait qu'il repeigne le grenier, un jour ou l'autre, en tout cas avant que nous déménagions. La perspective de devoir réduire à néant ce travail grandiose me faisait mal au cœur, mais qui comprendrait ?

Le plus douloureux, qui que fût cette femme, c'est que ce n'était pas moi. Elle avait une fille, apparemment, une petite brune frisée, comme Ingrid. Des cheveux hérités de Robert ? Non, ce n'était pas possible, c'était ridicule de penser des choses pareilles. La fatigue nerveuse, probablement. Après tout, cette femme avait aussi des cheveux bruns et bouclés. Une idée encore plus affreuse m'a traversé l'esprit : et si Robert s'était lui-même représenté sous les traits de cette femme ? Peut-être aurait-il voulu être une femme. Que savais-je vraiment de mon mari, au fond ? J'ai toutefois rapidement écarté cette hypothèse ; Robert n'avait strictement rien d'efféminé. Je ne savais pas ce qui m'inquiétait le plus : qu'il ait décoré chaque centimètre carré du grenier, ou qu'il ne m'ait jamais parlé de cette femme qui le hantait.

Je me suis levée et me suis mise à fouiller la pièce. Les mains tremblantes, j'ai secoué les couvertures du canapé sur lequel il ne dormait apparemment plus. Qu'espérais-je trouver ? S'il avait une maîtresse, il ne couchait certainement pas avec elle sous mon toit. J'ai retrouvé sa montre, qu'il avait perdue. J'ai examiné les croquis éparpillés sur la table : des études pour les portraits et les frises qui m'entouraient. J'ai fini par tomber sur ses clés. Je les ai mises dans la poche de mon jean.

Des livres étaient empilés en équilibre précaire au pied du canapé, principalement des ouvrages d'art grand format. Il rapportait tout le temps des bouquins et des photos à la maison ; il me semblait toutefois qu'il y en avait plus que d'habitude. La plupart étaient des monographies des grands impressionnistes français et de leurs prédécesseurs : Manet, Boudin, Courbet, Corot. Il avait eu sa période Degas, à New York, mais j'ignorais que ce courant le passionnait à ce point. Certains livres provenaient de bibliothèques universitaires autres que celle de Greenhill. Il y avait également des bouquins sur l'histoire de Paris, sur la Normandie, sur les jardins de Monet à Giverny, la mode féminine au XIXe siècle, la Commune de Paris, l'empereur Louis-Napoléon, le baron Haussmann, l'Opéra de Paris, les châteaux français et la chasse, les éventails et les bouquets dans la tradition picturale. Pourquoi Robert ne m'avait-il jamais parlé de ses centres d'intérêt ? Quand avait-il rapporté toute cette documentation à la maison ? Avait-il lu tout ça dans le seul but de décorer son grenier ? Robert n'était pas un historien dans l'âme, pas que je sache. Il lisait des catalogues d'art, de temps en temps des romans policiers.

Je me suis rassise avec une biographie de Mary Cassatt. Il devait chercher là-dedans de l'inspiration pour son expo, ou pour un projet dont il avait oublié de me parler. Était-ce moi, trop occupée par le bébé, qui le négligeais ? Ou cette série était-elle si intimement liée aux sentiments qu'il éprouvait pour le modèle qu'il n'osait pas en discuter avec moi ? J'ai de nouveau laissé courir mon regard autour de moi, sur ce raz-de-marée d'images, ces fragments de miroir ne reflétant que cette femme d'une beauté saisissante. Il l'avait habillée à la mode du XIXe, de pied en cap : souliers, gants, dessous blancs froufroutants. Pour lui, néanmoins, elle était clairement un personnage de chair, une part vivante de sa vie. Ingrid s'est mise à crier. Quelques minutes seulement s'étaient écoulées depuis que j'étais montée au grenier, le bref passage d'un cauchemar.

En ville, je me suis promenée avec la poussette parmi les retraités, les touristes et les gens sortis faire un tour pendant leur pause-déjeuner. À la bibliothèque municipale, j'ai emprunté *Max et les maximonstres*. Enfant, j'adorais cette histoire ; je voulais la lire à Ingrid. Pour moi, j'ai pris une biographie de Van Gogh, dont je ne savais pas grand-chose, à part les faits marquants de sa vie. Dans une boutique qui faisait des soldes, je me suis acheté une robe d'été en coton crème avec un imprimé de violettes, un peu rétro, pour changer de mes jeans et de mes T-shirts informes. À la caisse, je me suis dit que je demanderais à Robert de faire mon portrait dans cette robe, sur le porche de la maison ou dans les prés qui s'étendaient derrière les logements de fonction, et puis l'image de la fillette brune qu'il avait peinte sur le mur du grenier m'est revenue à l'esprit. Je me suis efforcée de la chasser de mes pensées. « Ce sera tout pour aujourd'hui ? », m'a demandé la vendeuse en m'offrant gracieusement quelques bâtonnets d'encens.

« Ce sera tout, je vous remercie. » En ravalant mes larmes, j'ai redressé Ingrid dans sa poussette.

Le 22 décembre 1877

Mon cher oncle et ami,

Merci pour votre aimable lettre. Je ne suis pas sûre de mériter vos compliments, mais ils me seront précieux lorsque j'aurai besoin d'encouragements. Par cette journée de grisaille, vous écrire me remonte un peu le moral. Nous vous attendons bien sûr pour Noël, à une heure à votre convenance. Yves espère pouvoir passer quelques jours à la maison, bien qu'il ne soit pas encore certain qu'on lui accordera autant de congés qu'il le souhaite. En tout cas, il devra retourner dans le Sud dès les premiers jours de la nouvelle année, afin de terminer ce qu'il a entrepris. Je pense que nous célébrerons les fêtes simplement. Papa a de nouveau attrapé froid : rien d'alarmant, toutefois, je vous rassure, mais il s'épuise rapidement et ses yeux le font davantage souffrir qu'à l'accoutumée. Je viens de l'aider à s'allonger dans son salon avec des compresses tièdes. Le temps que je ravive le feu, il s'était endormi. Je suis moi-même un peu fatiguée, aujourd'hui, et je n'ai pas le courage de faire autre chose que du courrier. Heureusement, j'ai longuement peint, hier. J'ai trouvé un nouveau sujet, Esmé, une autre de mes bonnes. Je lui ai demandé si elle connaissait votre cher Louveciennes ; elle m'a timidement répondu qu'elle était d'un village tout proche, Grémière. Yves dit que je ne devrais pas tourmenter les domestiques en les faisant poser pour moi, mais où trouverais-je des modèles aussi patients ? Ce matin, de toute façon, Esmé est sortie faire des courses, ce qui tombe bien car je dois tendre l'oreille au cas où Papa aurait besoin de moi.

Vous qui avez vu mon atelier, vous savez qu'il n'abrite pas seulement mon chevalet et ma table de dessin, mais aussi ce bureau qui appartenait autrefois à ma mère et qu'elle a elle-même décoré avant de me le donner, quand j'étais enfant. Je m'installe toujours là pour faire ma correspondance, devant la fenêtre. Je vous laisse le soin d'imaginer le jardin sous la pluie. J'ai du mal à croire qu'il s'agit du petit paradis que je peignais l'été dernier. Néanmoins, même par ce temps maussade, il demeure magnifique. Imaginez ce jardin, mon ami, imaginez ma consolation d'hiver, voulez-vous bien ?

Affectueusement vôtre,

Béatrice de Clerval

24

Lorsque Robert est rentré, je ne lui ai pas parlé du grenier. Il avait eu une journée chargée, il était fatigué. J'avais préparé un potage de lentilles, nous avons soupé en silence. Puis j'ai donné à manger à Ingrid. Elle s'est barbouillée de purée de carottes et de compote de pommes. Je l'ai essuyée avec un gant humide, en essayant de trouver le courage d'interroger Robert sur son travail, mais je n'en ai pas eu la force. Il était assis la tête appuyée sur une main, les paupières lourdes. De temps en temps, il jetait des coups d'œil vers la porte de la cuisine, comme s'il attendait désespérément quelqu'un qui ne venait pas. J'en avais des frissons.

Après dîner, il est allé directement dans la chambre et il a dormi pendant quatorze heures. J'ai nettoyé la cuisine, couché Ingrid, je me suis réveillée avec elle dans la nuit et levée avec elle le matin. Je comptais inviter Robert à se joindre à notre promenade matinale, mais quand je suis revenue de la poste, il était parti sans faire le lit, en abandonnant un bol de céréales à moitié plein sur la table. Je suis montée au grenier : la femme kaléidoscopique était toujours là.

Le surlendemain, n'y tenant plus, j'ai laissé Ingrid faire la sieste plus longtemps que d'habitude, au risque de chambouler son rythme de sommeil. Robert est arrivé, j'avais mis de l'eau à chauffer pour du thé, il s'est assis à la table. Il avait les traits tirés, le teint gris, un côté du visage légèrement déformé, comme s'il allait s'endormir, ou pleurer, ou avoir un infarctus. Il était exténué, c'était évident, mais je ne voulais pas remettre la discussion à plus tard. Peut-être était-ce égoïste de ma part, mais c'était aussi pour son bien. Quelque chose ne tournait pas rond, il fallait que je l'aide.

J'ai posé les tasses sur la table et me suis installée en face de lui.

– Robert, je sais que tu es fatigué, ai-je commencé aussi calmement que possible, mais est-ce que je peux te parler deux minutes ?

Il a levé vers moi un regard las. Ce n'est qu'à ce moment-là que je me suis aperçue que par-dessus le marché il se négligeait. Il n'avait pas dû se doucher depuis plusieurs jours.

– Qu'est-ce que j'ai fait, encore ? a-t-il bougonné.

– Rien, ai-je répondu avec une boule dans la gorge. Rien, mais je me fais du souci pour toi.

– Pour quelle raison ? Il n'y a pas de raison.

– Tu travailles trop, tu te surmènes. On ne se voit plus.

– C'est ce que tu voulais, non ? a-t-il répliqué. Si je ne m'abuse, c'est toi qui as voulu que je prenne ce job pour subvenir à tes besoins.

Mes yeux se sont emplis de larmes.

– Je veux que tu sois heureux et regarde, tu es au bout du rouleau. Tu dors toute la journée, tu peins toute la nuit, ce n'est pas une vie...

– Et quand serais-je censé peindre, à part la nuit ? De toute façon, ce n'est pas vrai. Je dors la nuit, maintenant. Tu crois que j'arrive à travailler sérieusement, dans ces conditions ?

Il s'est rageusement passé la main dans les cheveux, qu'il avait gras et dépeignés, ce qui m'a énervée. Après tout, j'avais de bonnes raisons d'être crevée, moi aussi. Je ne dormais que par tranches de deux ou trois heures, je me tapais toutes les corvées ménagères, je n'avais plus le temps de peindre, à moins de sacrifier encore quelques heures de sommeil, ce que je ne pouvais pas me permettre, tout ça pour que Monsieur puisse faire ce qu'il avait envie de faire. Il ne lavait jamais une assiette, il ne passait jamais la brosse dans les toilettes, il ne préparait jamais le repas, je le dispensais de toutes ces tâches ingrates. Et moi, je m'efforçais d'être toujours bien coiffée, par respect pour lui.

– Il y a autre chose, ai-je dit plus sèchement que je ne l'aurais voulu. Je suis montée au grenier. Qu'est-ce qui t'a pris de faire ça ?

Il s'est renversé contre le dossier de sa chaise et a redressé les épaules en me fixant. Pour la première fois, j'ai eu peur de lui, non pas de son génie ou de son talent, ni du chagrin qu'il pourrait me causer, non... C'était une peur primale, animale.

– De faire quoi ? a-t-il demandé.

– De peindre partout.

Il a gardé le silence un moment, parfaitement immobile, puis il a étalé une de ses grosses mains sur la table.

– Ça te dérange ?

– Je croyais que tu préparais une expo.

– C'est ce que je fais.

– Tu n'as même pas fini deux toiles.

Ce n'était pas ce sujet que je voulais aborder. Ma voix s'est remise à trembler.

– Tu surveilles mon travail, maintenant ? Tu n'as qu'à me dire ce que je dois peindre, tant que tu y es.

Il s'est brusquement redressé de toute sa hauteur.

– Non, non, ai-je bredouillé, la cruauté de ses paroles faisant jaillir les larmes de mes yeux. Je suis inquiète, c'est tout. Tu me manques. Tu as l'air si fatigué.

– Ne t'inquiète pas pour moi. Et laisse-moi vivre. Il ne manquait plus que ça, que tu m'espionnes...

Il a bu une gorgée de thé, reposé sa tasse avec dégoût et il est sorti de la cuisine. J'étais plus ébranlée par son refus de dialoguer que par tout le reste. J'avais l'impression de faire un mauvais rêve. Je me suis ressaisie et je lui ai couru après.

– Robert... Attends !

Dans le couloir, je l'ai attrapé par le bras. Il m'a brutalement repoussée.

– Fiche-moi la paix.

– C'est qui, cette femme ? ai-je hurlé, perdant complètement mon sang-froid.

– Quelle femme ? a-t-il demandé en pénétrant dans notre chambre, le visage sombre.

Il s'est couché sur le lit et s'est recouvert d'un plaid. Je suis restée plantée sur le pas de la porte, en larmes, secouée de gros sanglots.

– Laisse-moi tranquille, a-t-il dit en fermant les yeux.

Et il s'est endormi. J'étais horrifiée. Un souffle régulier s'échappait de ses lèvres. La main sur la bouche pour étouffer mes pleurs, je l'ai regardé un instant. Il dormait comme un bébé. À l'étage, Ingrid s'est réveillée en criant.

25

Marlow

J'imaginais le jardin de Béatrice, petit et rectangulaire. J'avais trouvé un livre de peintures de Paris à la fin du XIXe siècle, dans lequel ne figurait aucune des œuvres de Clerval, mais une scène intimiste de Berthe Morisot représentant son mari et sa fille assis sur un banc ombragé. Le texte expliquait que Morisot et sa famille avaient vécu à Passy, une banlieue huppée. J'imaginais le jardin de Béatrice à la fin de l'automne, les arbres brunissants, une allée d'ardoise jonchée de feuilles jaunes arrachées par une violente averse, des haies savamment taillées, un banc.

La jeune femme contemplant ce paysage devait avoir vingt-six ans, un âge mûr pour l'époque. Elle était mariée depuis cinq ans mais elle n'avait pas d'enfant, ce qui lui manquait, à en juger par l'amour qu'elle vouait à ses nièces. Je la voyais assise à ce bureau, les pans d'une longue robe gris pâle ramenés devant sa chaise. Les dames n'avaient-elles pas des toilettes différentes pour le matin et pour l'après-midi, en ce temps-là ? Je voyais de la dentelle à son cou et à ses poignets, un ruban argenté retenant son abondante chevelure. Je voyais une jeune femme au visage expressif, aux traits bien dessinés, le teint radieux, les lèvres rouges, les cheveux brillants, les yeux mélancoliquement baissés sur une feuille de papier à lettres.

26

Kate

Tout l'été, Robert a gardé ses distances. Après un moment, je me suis résignée à cette situation et j'ai cessé de pleurer en secret. Je me suis blindée, j'ai rangé mon amour pour lui tout au fond de moi.

En septembre, le rythme de l'année scolaire a repris. Lorsque j'allais prendre le thé avec Ingrid chez les femmes de profs avec qui j'avais sympathisé, je les écoutais parler de leurs maris. De temps en temps, je glissais un petit commentaire dans la conversation, afin de montrer que j'avais une vie de couple tout à fait normale. Robert avait trois cours, ce trimestre. Robert aimait le chili. Il faudrait me donner cette recette.

Apparemment, les époux des autres se levaient de bonne heure pour aller travailler ou faire du jogging. L'un cuisinait tous les mercredis soir, car il n'avait pas beaucoup de cours le jeudi. Quand j'ai entendu ça, je me suis demandé si Robert savait jamais quel jour de la semaine on était. En tout cas, il ne touchait jamais une casserole, si ce n'était pour réchauffer une conserve, à l'occasion. Un autre s'occupait de son fils deux soirées par semaine, de façon que sa femme ait un peu de temps pour elle. Je l'avais vu un jour arriver pile à l'heure dite pour prendre en charge leur bambin de deux ans, ce qui pour moi tenait du miracle. Mes copines se plaignaient parfois des petits défauts de leurs conjoints, je me contentais de sourire. *Il ne met pas ses vêtements au linge sale ? Ce n'est rien*, avais-je envie de leur dire. Je m'étais également liée avec une prof qui était mère célibataire, et je trouvais dommage et triste que personne ne fasse d'effort pour l'intégrer dans notre petit cercle. Comment faisait-elle pour élever un enfant toute seule ? Comparées à elle, nous avions de la chance : nous avions plein de temps libre et si nous comptions nos sous, nous n'avions pas à les gagner. Cela dit, je ne m'estimais pas aussi bien lotie que mes amies.

Et puis un jour, cet automne-là, Robert est rentré à la maison, euphorique. Il m'a embrassée sur le dessus du crâne avant de m'annoncer qu'il avait accepté une invitation à enseigner pour un semestre au Barnett College, pas très loin de New York. Barnett était réputé pour son musée et pour les grands artistes qui se succédaient au poste qu'on avait offert à Robert. Il m'a énuméré quelques noms connus. Il n'aurait qu'un cours. Le reste du temps, il pourrait se consacrer à la peinture.

– Comment on va faire ? ai-je demandé en posant le torchon que j'avais à la main, contente pour lui. Ça ne va pas être facile de dépayser un enfant en bas âge juste pour quelques mois.

Il m'a regardée d'un air ahuri. Manifestement, ce détail ne l'avait pas effleuré.

– Eh bien... À vrai dire, j'avais l'intention...

– L'intention de quoi ? ai-je aboyé.

Pourquoi montais-je sur mes grands chevaux alors qu'il n'avait encore rien dit, qu'il n'avait fait que froncer les sourcils ?

– Ils ne m'ont pas parlé de venir avec ma famille. Je pensais y aller tout seul. En fait, le but, c'est de me permettre de peindre quasiment à temps plein.

– Tu aurais pu au moins leur demander si c'était possible.

Mes mains tremblaient. Je les ai cachées derrière mon dos.

– Ne te mets pas en colère. Tu ne sais pas ce que c'est que de ne pas pouvoir peindre.

Quel culot ! Il ne faisait que ça.

– Tu n'as qu'à passer moins de temps à roupiller, ai-je suggéré.

En vérité, il ne dormait plus la journée, il dormait même très peu. Le soir, il restait jusque tard à l'atelier de la fac. Mais j'avais de lui l'image indélébile d'un corps à l'horizontale. Son visage s'est crispé, il est devenu blême.

– Tu ne m'es vraiment pas d'un grand soutien, a-t-il dit. Bien sûr que vous allez me manquer, toi et Ingrid. Vous pourrez venir me rendre visite. Et on se téléphonera tous les jours.

– Pas d'un grand soutien...

Je me suis tournée et j'ai fixé les placards de la cuisine. Quel genre de mari quittait sa famille sans même consulter sa femme au préalable ? Quel genre de mari ? Oui, quel genre de mari ? Intérieurement, je demandais aux placards de m'aider à ne pas exploser. Cet homme allait me rendre folle... Tout était facile pour lui. Son génie excusait tout... Il pouvait tout se permettre, sous prétexte qu'il était un artiste. La vérité, c'est que je l'aurais laissé partir sans un murmure s'il m'en avait parlé avant de prendre sa décision. J'ai chassé une image de sa muse – pourquoi revenait-elle sans cesse me harceler ? Barnett n'était pas très loin de New York, avait-il dit... Eh bien, qu'il y aille, qu'il se consacre à sa peinture, qu'il finisse sa série, si ça pouvait lui remettre les idées en place.

– Tu aurais pu me demander si j'étais d'accord, ai-je dit d'une voix pleine de hargne. Mais fais ce que tu veux. Ce n'est pas grave. Je passerai l'hiver toute seule.

– Va te faire foutre, a-t-il articulé lentement.

Je ne l'avais jamais vu aussi furieux, aussi méchant.

– C'est exactement ce que je vais faire, ai-je riposté.

Il a alors fait une chose étrange : il s'est levé et a tourné deux ou trois fois sur lui-même, comme s'il voulait quitter la pièce mais ne savait plus où était la porte de la cuisine. Son comportement était chaque jour plus inquiétant. Et puis, il a disparu pendant deux jours. Chaque fois que je prenais Ingrid dans mes bras, je fondais en larmes et je me dépêchais de m'essuyer les yeux pour qu'elle ne me voie pas pleurer. À son retour, il n'a pas fait la moindre allusion à notre conversation et je ne lui ai pas demandé d'où il revenait.

Un matin, il est apparu dans la cuisine pendant que je préparais mon petit déjeuner et celui d'Ingrid. Il avait les cheveux mouillés, il sentait le shampoing. Il a posé trois bols sur la table. Le lendemain, il a de nouveau pris son petit déjeuner avec nous. Le surlendemain, il m'a embrassée avant de s'installer devant son café, et quand je suis allée chercher quelque chose dans la chambre, j'ai vu qu'il avait fait le lit – n'importe comment, mais il l'avait fait. On était en octobre, mon mois préféré, à cause des couleurs d'automne. Il semblait nous être revenu – comment et pourquoi, je l'ignorais, et j'étais trop heureuse pour lui poser des questions. Toute la semaine, il s'est couché à la même heure que moi et, pour la première fois depuis bien longtemps, nous avons fait l'amour. Son corps n'avait pas changé. Il était toujours aussi beau : grand, chaud, sculptural, ses cheveux fous sur l'oreiller. J'ai eu honte de ma chair que la grossesse avait rendu flasque. Je le lui ai chuchoté. Son ardeur a réduit mes complexes au silence.

Il ne peignait plus la nuit. Il descendait manger lorsque je l'appelais. Parfois, il travaillait à l'atelier du campus, notamment pour les grandes toiles. À l'heure du dîner, j'allais le chercher en emmenant Ingrid en poussette. J'adorais ce moment, quand il délaissait ses pinceaux pour rentrer à la maison avec nous. Lorsque nous croisions des amis, j'étais contente de leur offrir ce spectacle de la petite famille au complet se dirigeant tranquillement vers le repas que j'avais gardé au chaud sous des assiettes en porcelaine. Après le dîner, il montait peindre au grenier, une heure ou deux au maximum. Et puis il me rejoignait dans le lit et il lisait. Je m'endormais la tête blottie sous son menton.

Il avait attaqué une série de natures mortes comprenant un élément comique. (De temps en temps, j'allais jeter un œil dans le grenier, quand il n'était pas là.) Le portrait à la cape et le grand tableau de la femme aux cheveux noirs et de son amie morte étaient retournés contre un mur. Au pied du canapé, il y avait de nouveau des catalogues d'exposition et quelques biographies, plus rien sur les impressionnistes ni sur Paris. Parfois, je me disais que j'avais rêvé. En revanche, l'hallucinante déco du grenier était toujours là. Parfois, j'appréhendais de monter là-haut.

Un jour, à l'époque où Ingrid faisait ses premiers pas, Robert ne s'est pas levé avant midi. La nuit, je l'avais entendu dans le grenier. La nuit suivante, il ne s'est pas couché et au petit matin, il a pris la voiture et il a disparu jusqu'au lendemain matin. J'étais morte d'inquiétude, je n'ai pas fermé l'œil de la nuit et, plusieurs fois, j'ai failli prévenir la police, malgré le petit mot qu'il m'avait laissé : « Ne t'inquiète pas pour moi, ma chérie. J'ai besoin de passer une nuit à la belle étoile. Il ne fait pas trop froid. J'emporte mon chevalet. Je crois que sinon je deviendrais fou. »

Effectivement, la météo était clémente pour une fin d'automne. Il est revenu juste après le petit déjeuner, avec un nouveau paysage, les champs au pied des montagnes du Blue Ridge, sous le soleil couchant. Une femme en longue robe blanche se promenait dans les herbes brunes. Je connaissais si bien cette silhouette que je la sentais presque sous mes mains, la ligne de sa taille, le drapé de sa jupe, le renflement de ses seins, ses épaules un peu trop larges. Elle était de dos, dans le lointain, la tête légèrement tournée sur le côté. On ne distinguait pas son expression, uniquement ses yeux noirs. Robert a dormi jusqu'au soir. Il a loupé son cours du matin et une réunion de profs l'après-midi. Le lendemain, j'ai téléphoné au médecin du centre de soins universitaire.

27

Marlow

J'imaginais sa vie.

Il serait inconcevable que Béatrice sorte sans chaperon. Son époux n'est pas là de la journée et elle ne peut même pas le joindre par téléphone – cette étrange invention ne sera pas installée dans les foyers parisiens avant au moins un quart de siècle. Chaque matin, son mari quitte la maison en costume noir, haut-de-forme et redingote, pour aller prendre un omnibus à cheval qui le conduit le long des Grands Boulevards jusqu'à un imposant immeuble au centre de Paris. Il occupe une haute fonction à la poste. Le soir, il rentre fatigué, parfois tard et l'haleine chargée d'alcool.

Il lui dit dans ces cas-là qu'il a été retenu par son travail. Elle n'a aucun moyen de vérifier où il était : en réunion autour d'une longue table, dans une salle feutrée, avec d'autres hommes en costume, plastron blanc et cravate de soie noire ? Dans l'un de ces clubs d'un genre particulier, au décor suggestif, où une femme vêtue seulement d'un cache-corset, d'un jupon à volants et de mules à talons (d'allure autrement tout à fait respectable, coiffée avec le plus grand soin) l'autorise à laisser courir sa main sur la peau d'albâtre de son décolleté ? – une scène qu'elle imagine d'après ce qu'elle a entendu chuchoter ou lu dans les romans, à mille lieues de l'éducation qu'elle a reçue.

Bien sûr, elle n'a pas la preuve que son mari fréquente de tels établissements et peut-être n'en a-t-il d'ailleurs jamais poussé la porte. Cette image récurrente, en tout cas, ne lui inspire pas de jalousie. Au contraire, elle lui procure un certain soulagement, la décharge d'un fardeau. Elle sait au demeurant qu'il existe entre ces deux extrêmes des alternatives très convenables : des restaurants, par exemple, où une clientèle principalement masculine se retrouve à l'heure du déjeuner ou du dîner pour échanger des points de vue. Il arrive qu'il rentre le soir en déclarant avoir dégusté un excellent *poulet rôti* ou un *canard à l'orange*. Il y a aussi les *cafés concerts*, où hommes et femmes se côtoient en tout bien tout honneur, et les bistrots où il peut lire tranquillement *Le Figaro* en buvant un café. En outre, il est fort possible qu'il reste tard au bureau.

À la maison, il est prévenant : il se baigne et se met en tenue de soirée s'ils soupent ensemble ; s'il a dîné dehors, il fume au coin du feu, en peignoir, tout en lui lisant les nouvelles du jour à voix haute. Parfois, lorsqu'elle est penchée au-dessus de son ouvrage – un napperon au crochet, de la layette qu'elle brode pour le futur bébé de sa sœur –, il lui dépose dans le cou un baiser d'une infinie tendresse. Il l'emmène à l'opéra au Palais Garnier, ou encore au concert. De temps à autre, ils se rendent à un bal. En ces occasions, elle revêt une nouvelle robe de soie turquoise ou de satin rose. Il est fier de se montrer avec elle à son bras.

Surtout, il l'encourage à peindre et salue d'un hochement de tête approbateur chacune de ses expérimentations sur la couleur, la lumière, ses coups de pinceau grossiers dans le style qu'elle a découvert avec lui lors de l'une des dernières expositions les plus avant-gardistes. Il n'oserait jamais la qualifier d'avant-gardiste, bien sûr ; il lui dit simplement qu'elle est une artiste et qu'elle doit suivre son inspiration. Elle lui explique qu'elle pense que la peinture doit être le reflet de la nature et de la vie, que ces nouveaux paysages font vibrer sa corde sensible. Il acquiesce en silence. Il se permet cependant d'ajouter que la nature est un beau sujet, mais que la vie a parfois de bien sinistres aspects qu'il n'est pas utile qu'elle connaisse. Il est content qu'elle sache s'occuper et s'adonne à une activité épanouissante. Lui-même est amateur d'art ; il est conscient qu'elle est douée pour le dessin et ne désire que son bonheur. Il connaît les Morisot, des gens charmants. Il a rencontré les Manet et il affirme qu'Édouard est quelqu'un de très bien, en dépit de l'immoralité dont on le taxe (il peint des femmes de mœurs légères). Peut-être est-il trop moderne. Il possède néanmoins un incontestable talent.

Yves et Béatrice visitent fréquemment les galeries. Chaque année, ils se rendent au Salon, qui attire près d'un million de curieux, et ils écoutent les ragots. Ils savent ainsi quels tableaux ont la cote et quels autres sont décriés par la critique. Ils aiment aussi aller au Louvre, où elle voit des étudiants reproduire des peintures ou des sculptures, parmi lesquels des jeunes femmes non chaperonnées (sûrement des Américaines). Elle n'ose pas admirer les nus en présence de son époux. Devant les tableaux et les statues d'éphèbes, elle détourne pudiquement le regard. Elle sait qu'elle ne peindra jamais un modèle dévêtu. Avant son mariage, elle a pris des leçons avec un académicien qui lui faisait dessiner des moulages en plâtre. Sa mère l'accompagnait à chaque séance.

Elle se demande parfois ce que penserait Yves si elle décidait de soumettre une œuvre au Salon. Quelques œuvres réalisées par des femmes y ont déjà été exposées ; il n'a jamais fait de commentaires désobligeants à ce sujet. Et il applaudit à chacune de ses toiles. Du reste, elle est une excellente maîtresse de maison dont il n'a jamais à se plaindre si ce n'est, une fois l'an tout au plus, parce que la viande n'est pas assez saignante à son goût ou qu'il aimerait qu'elle change la composition florale qui orne la console du couloir. À la faveur de l'obscurité, ils se connaissent d'une manière totalement différente, avec une fougue qui la ravit, à laquelle, toutefois, elle évite soigneusement de repenser durant le jour. Elle espère seulement qu'un matin elle pourra ranger au fond de son armoire ces linges qu'elle place chaque mois au fond de ses sous-vêtements et ces bouillottes qu'elle se met sur le ventre, après avoir avalé un petit verre de sherry, afin de soulager ses douleurs menstruelles.

Elle y pense trop peut-être, ou pas assez, ou alors elle a de mauvaises pensées. Chaque jour, elle guette l'arrivée du courrier, dans l'attente d'une lettre qui constituera sa principale distraction de la journée. Le facteur passe deux fois par jour. Elle l'entend agiter sa clochette, elle entend Esmé qui lui ouvre la porte. Elle attend ensuite que la bonne lui apporte l'enveloppe dans son boudoir, sur un plateau d'argent, tandis qu'elle se prépare pour ses visites de l'après-midi. Elle ouvre le courrier devant Esmé, parcourt rapidement la page puis la range dans son bureau en sachant qu'elle la relira plus tard. Elle n'a pas encore pris l'habitude de glisser les lettres dans le corsage de sa robe.

Entre la correspondance, les domestiques à superviser, les rendez-vous avec la couturière, les plantes vertes qu'elle tient à arroser elle-même et la courtepointe qu'elle veut terminer avant Noël pour l'offrir à son beau-père, ses journées sont bien remplies. Le vieil homme est patient, mais il lui réclame beaucoup d'attention. Lorsqu'il se réveille de sa sieste, elle lui porte une boisson chaude et lui fait la lecture. Il lui tapote la main et la regarde de ses yeux presque vides en la remerciant chaleureusement. Elle apprécie la gratitude qu'il lui témoigne. Enfin, dès qu'elle a un peu de temps libre, elle retrouve son chevalet et ses tubes de peinture dans la véranda attenante à sa chambre, dont elle s'est fait un atelier.

La bonne qui pose pour elle en ce moment – non plus Esmé, mais la petite Marguerite, dont elle aime tant le doux visage et les cheveux blonds comme les blés – n'est encore qu'une très jeune fille. Béatrice a commencé un portrait d'elle assise devant la fenêtre avec une pile de couture. Comme Marguerite ne peut pas rester les mains inoccupées, Béatrice lui donne des cols et des jupons à raccommoder pendant qu'elle pose.

Il fait très clair dans l'atelier. Même lorsque la pluie ruisselle le long des vitres, elles peuvent travailler de concert, les doigts de Marguerite manipulant les délicates pièces de batiste et de dentelle, ceux de Béatrice mesurant la couleur, les formes, la rondeur des jeunes épaules penchées au-dessus de l'aiguille, les plis de la robe et du tablier. Elles ne se parlent pas, mais elles sont unies dans la sérénité féminine de leurs tâches. Béatrice a le sentiment que son travail s'inscrit dans le bon fonctionnement de la maison, au même titre que le déjeuner mijotant dans la cuisine et les fleurs qu'elle dispose sur la table de la salle à manger. Elle rêve de peindre la fille qu'elle n'a pas encore mise au monde ; elle l'imagine réciter des poèmes pendant qu'elle la dessine, ou lui parler de ses amies. En attendant, elle se contente néanmoins de cette jeune domestique qu'elle connaît à peine.

Lorsqu'elle travaille, Béatrice ne pense pas à la signification de ses tableaux, et elle cesse de se demander s'ils sont bons ou mauvais, si elle doit toucher un mot à Yves de son désir de soumettre une œuvre au Salon – de toute façon, elle n'est pas encore à la hauteur. Elle ne s'interroge pas non plus sur le sens de la vie. Elle est tout entière absorbée par la noisette de bleu étalée sur la palette, exactement de la même teinte que la robe du modèle, par cette note de couleur qu'elle vient d'apporter à la joue juvénile, la touche de blanc qu'elle ajoutera le lendemain matin à l'arrière-plan (un peu de gris, aussi, pour rendre la luminosité de cette pluvieuse matinée d'automne). L'heure du déjeuner approche, elle doit à présent libérer Marguerite.

Les après-midi, quand elle n'a plus envie de dessiner et qu'elle n'a pas de visite à rendre ou à recevoir, il lui arrive de s'ennuyer un peu. Les personnages de ses romans manquent de vie, elle préfère écrire. Elle réfléchit longuement avant de rédiger ses lettres. Elle croise les chevilles et les ramène sous sa chaise. Au printemps dernier, elle a installé son bureau sous la fenêtre, de façon à pouvoir profiter de la vue du jardin.

Tandis que la plume court sur le papier, elle s'aperçoit que la pluie s'est changée en neige. *Effet de neige, effet d'hiver* – elle a vu ces expressions employées dans une exposition, l'an passé. Les nouveaux peintres ne se cantonnent plus seulement à la campagne ensoleillée. Certains s'attachent aussi à montrer la neige, accomplissant dans le froid des œuvres révolutionnaires. Humblement, elle a étudié le détail de ces toiles vilipendées par la presse. Le manteau neigeux présente des nuances de gris, a-t-elle observé, de bleu également, selon la lumière, l'heure de la journée, le ciel ; il contient de l'ocre, voire du brun, ainsi que du mauve. Depuis l'année dernière, la neige ne lui paraît plus blanche. Elle se souvient parfaitement du moment où elle s'en est rendue compte, dans le jardin.

Et voilà que tombent enfin les premiers flocons de la saison ; la pluie s'est transformée sans crier gare. Elle essuie sa plume et la pose près de l'encrier. La nature a déjà changé de couleur. Et ce n'est pas de blanc qu'elle est en train de se parer, effectivement. La fine pellicule qui la recouvre est-elle beige ? Argent ? Incolore – est-ce possible ? Elle reprend sa plume et s'applique à décrire les cristaux se posant sur les branches, le léger voile d'une teinte indescriptible drapant les haies, le fin coussin apparu sur le banc. Elle sent son correspondant l'écouter, elle le voit déplier la lettre de ses mains vieillissantes, mais non moins élégantes, ses yeux chaleureux parcourant attentivement les lignes.

Il y a encore une lettre de lui à la deuxième livraison du courrier ; il a dû l'écrire la veille au soir ou en début de matinée. Il habite dans le centre de Paris. Chez lui, il n'a pas encore neigé. Avec l'humour qui lui est coutumier, il déplore le vide de son existence. Il est veuf depuis plusieurs années et il n'a pas d'enfant. Comme elle. Elle est toutefois beaucoup plus jeune que lui ; elle pourrait être sa fille, sa petite-fille, même. Elle replie la lettre en souriant, puis la déplie et la relit.

28

Kate

Robert a accepté d'aller voir le médecin du campus, mais il a refusé que je l'accompagne. Le centre de soins se trouvait à quelques pas de chez nous. Il est parti à pied et je l'ai regardé s'éloigner. Il marchait tout doucement, comme un vieillard, les épaules voûtées. J'espérais qu'il décrirait bien tous ses symptômes. On lui ferait sans doute passer des examens. Il avait peut-être une maladie du sang, une mononucléose ou, pourvu que non, une leucémie. Cela expliquerait cette grande fatigue. Mais pas la femme aux cheveux noirs. S'il ne me répétait pas ce que le médecin lui avait dit, il faudrait que j'aille le voir moi-même et que je lui explique la situation en cachette, afin de ne pas fâcher Robert.

Après son rendez-vous, il a dû aller en cours ou peindre à l'atelier de la fac ; je ne l'ai pas revu avant l'heure du dîner. Une fois Ingrid couchée, je lui ai demandé comment s'était passée sa visite médicale. Il était vautré sur le canapé avec un livre fermé.

– Hein ? a-t-il fait en levant la tête vers moi.

Il me regardait comme s'il me voyait de très loin, il avait de nouveau un côté du visage légèrement tordu.

– Oh, je n'y suis pas allé, a-t-il ajouté au bout d'un moment.

J'ai pris une profonde inspiration.

– Pourquoi ?

– Parce que je n'en avais pas envie, a-t-il répondu d'une voix cassante. Tu crois que je n'ai que ça à faire ? Ça fait trois jours que je n'ai pas eu le temps de peindre.

– Tu as peint au lieu d'aller chez le médecin ?

Au moins, c'était un signe de vie.

– Je fais ce que je veux.

Il a placé son livre devant lui, comme un bouclier. Il avait l'air capable de me le lancer à la figure. C'était un essai photographique sur les loups qu'il avait acheté quelques semaines plus tôt sur un coup de tête. Ça aussi, c'était nouveau. Il achetait tout un tas de bouquins qu'il ne lisait pas. Lui qui, autrefois, était si peu dépensier...

– Bien sûr, ai-je acquiescé. Mais je m'inquiète pour ta santé. C'est pour ça que j'aimerais que tu ailles chez le médecin. Je crois que ça te ferait du bien.

– Ah oui ? a-t-il rétorqué sèchement. Tu penses que ça me fera du bien d'aller chez le médecin ? Est-ce que tu as seulement une idée de comment je me sens ? De ce que c'est que de ne pas pouvoir peindre, par exemple ?

– Oh oui, ai-je répondu en essayant de ne pas m'énerver. Ce n'est pas souvent que j'ai la chance de pouvoir peindre. Je sais très bien ce que ça fait.

– Mais tu ne sais pas ce que c'est que de penser toujours et toujours à la même chose, au point de te demander... Oh, et puis, laisse tomber !

– De te demander quoi ?

Je m'efforçais de rester calme, de façon à lui montrer que j'étais au moins capable d'écouter.

– Au point de ne plus pouvoir penser à rien d'autre, de ne plus rien voir d'autre.

Il parlait à voix très basse et il n'arrêtait pas de jeter des coups d'œil vers la porte.

– Combien d'artistes ont connu une fin tragique ? a-t-il poursuivi. Alors qu'ils ne demandaient qu'à vivre comme tout le monde... Tu imagines ce que c'est que d'être sans cesse hanté par des visions terribles ?

– Moi aussi, ça m'arrive de penser à des choses horribles, ai-je dit, bien que cela me parût une étrange digression. Tout le monde a parfois des idées noires. La vie est pleine de drames. C'est normal d'y penser, surtout quand on a des enfants. Mais il ne faut pas que ça te rende malade.

– Et si tu pensais toujours à la même personne ? Tout le temps.

Les poils de mes bras se sont hérissés.

– Que veux-tu dire par là ? ai-je articulé avec peine.

– Quelqu'un pour qui tu aurais pu avoir de l'affection, mais qui n'existe pas.

Il ne quittait pas la porte du regard.

– Hein ?

Je ne comprenais pas.

– J'irai chez le médecin, demain, a-t-il déclaré sur le ton d'un garçonnet puni, sans doute pour que je ne l'importune plus.

Le lendemain matin, il est sorti, puis revenu. À son retour, il a dormi jusqu'à midi.

– Il n'a trouvé aucun problème physiologique, m'a-t-il dit à table, sans que je lui demande rien. Il m'a fait une prise de sang pour voir si je ne faisais pas de l'anémie. Et il m'a conseillé de consulter un psychiatre.

Il avait une expression un peu moqueuse. Je sentais néanmoins qu'il était inquiet. J' ai passé un bras autour de son cou et je lui ai caressé la tête, le front, le visage.

– Ne t'en fais, ça se passera bien, lui ai-je dit.

– J'irai. Pour toi.

Sa voix était à peine audible. Il m'a enlacé la taille et s'est blotti contre moi.

29

1878

Le manteau de neige s'est épaissi durant la nuit. Après avoir donné des consignes pour le dîner et envoyé un mot à la couturière, elle sort dans le jardin. Dès que ses pieds s'enfoncent dans le moelleux tapis, elle oublie tout le reste, y compris la lettre glissée dans sa robe. L'arbre planté par les précédents occupants de la maison est festonné de guirlandes cotonneuses. Un minuscule oiseau est perché sur le mur, les plumes tout hérissées, paraissant ainsi deux fois plus gros qu'il ne l'est en réalité. Tout est transformé. Ses bottines lacées laissent des empreintes derrière elle. Une image lui revient : ses frères, enfants, emmitouflés jusqu'aux oreilles, se roulant joyeusement dans une immense étendue blanche. Tiens...

Elle en ramasse une poignée au creux de sa main gantée. On dirait un dessert, un mont-blanc. Elle y goûte. C'est froid, sans saveur. Les massifs seront jaunes, au printemps ; celui-ci, rose et crème ; et au pied de l'arbre écloront les fleurettes bleues qu'elle aime tant, celles-là même qui bordaient la tombe de sa mère. Si elle avait une fille – ou un fils –, elle l'emmènerait dans le jardin tous les jours, deux fois par jour, qu'il pleuve, qu'il neige ou qu'il vente. Elle lui apprendrait le nom des fleurs. Elles s'assiéraient côte à côte sur le banc ; elle lui ferait construire une balançoire. Elle retient les larmes qui lui brûlent les yeux et se tourne furieusement vers le mur. De l'index, elle trace un sillon dans la neige qui le couvre. La masse sombre du bois de Boulogne se dessine au-delà. Si elle ajoute quelques mouchetures blanches à la robe de la bonne, le tableau tout entier s'en trouvera éclairci.

Elle sent la lettre contre sa peau. Elle secoue la neige de ses gants, entrouvre sa cape et retire le feuillet de dessous ses vêtements, consciente dû risque d'être observée par les domestiques. En principe, ils sont cependant bien occupés à cette heure de la journée ; soit ils sont dans la cuisine, soit ils aèrent la chambre de son beau-père, pendant que lui doit être assis devant la fenêtre du salon, trop aveugle pour la distinguer dans le jardin.

Son correspondant ne l'appelle jamais par son prénom. Il s'adresse à elle par des formules affectueuses. Il lui raconte ses journées, il lui parle de ce qu'il peint, de ses lectures. Mais entre les lignes, elle l'entend lui chuchoter tout autre chose. Elle fait très attention à ne pas poser les doigts mouillés de ses gants sur les mots. Bien qu'ils soient déjà gravés dans sa mémoire, elle a envie de revoir noir sur blanc son écriture savamment négligée. Il écrit comme il dessine, avec une franchise mêlée de désinvolture – contrairement à elle qui s'applique de tout son être lorsqu'elle manie le pinceau. Ses phrases sont concises, bien que chargées d'un sens indécelable de prime abord. L'*accent aigu*, un léger coup de plume, une caresse ; l'*accent grave* appuyé, un avertissement. Il parle de lui avec assurance, en ayant l'air cependant parfois de s'en excuser : *Je*, le « J » majuscule en début de phrase marque une profonde inspiration , le « e » rapide et retenu. Il affirme qu'elle lui a insufflé un regain de vie. Volontairement ou involontairement ? s'interroge-t-il. Et dans ses dernières lettres, avec sa permission, il la tutoie, avec un « t » respectueux et un « u » tendre, pareil à une main recourbée autour d'une flamme minuscule.

Il ne veut pas semer le trouble dans son esprit. Il est conscient d'avoir atteint un âge n'offrant plus guère de séductions à la jeunesse ; il ne désire qu'être autorisé à respirer en sa présence, et à encourager ses pensées les plus nobles. Il ose espérer qu'elle le considère au moins comme un ami dévoué, même s'il est fort probable qu'elle ne le lui dira jamais de vive voix. Il s'excuse de l'ennuyer avec ses sentiments indignes d'elle. Elle redoute que sous les fioritures de ses *pardonne-moi*, il ne s'imagine qu'elle est déjà à lui.

La neige commence à s'infiltrer dans ses bottines, elle a les pieds glacés. Elle replie la lettre, la remet sous sa robe et pose le front contre l'écorce d'un arbre. Elle ne peut pas se permettre de rester là trop longtemps. Quelqu'un pourrait la voir de derrière les fenêtres. Elle doit toutefois reprendre ses esprits. Ce ne sont pas les mots qu'il emploie qui la font frémir au plus profond de son être, mais le ton catégorique sur lequel il s'exprime. Elle ne répondra pas à sa dernière lettre. Néanmoins, elle n'a pas décidé de ne jamais la relire.

30

Kate

Robert n'a pas voulu que je l'accompagne chez le psychiatre. En revenant, il m'a dit qu'il avait un traitement à prendre, ainsi que le nom et le numéro de téléphone d'un thérapeute. Je me suis gardée de lui demander ce qu'il avait l'intention de faire. J'allais attendre une semaine ou deux, je verrais bien... Un flacon de comprimés est apparu dans l'armoire à pharmacie de la salle de bains, du lithium. J'entendais Robert le secouer matin et soir.

Au bout d'une semaine, il s'est remis à peindre. Il paraissait plus serein, mais il avait l'air un peu assommé et dormait au moins douze heures sur vingt-quatre. J'étais contente qu'il ne loupe plus ses cours. Par chance, la fac ne lui tenait pas rigueur de son absentéisme, tout du moins pas à ma connaissance. Un jour, il m'a annoncé que le psychiatre souhaitait me voir ; il trouvait que c'était une bonne idée. Il avait un rendez-vous l'après-midi même – il ne lui était pas venu à l'esprit de me prévenir. Comme il était trop tard pour faire garder Ingrid, nous l'avons emmenée avec nous. Il y avait un bon bout de temps que je n'étais pas allée en ville. En regardant les montagnes défiler derrière les vitres de la voiture, j'ai pris conscience que ma vie tournait autour de la maison, de l'aire de jeux pour enfants et du supermarché. Je me suis tournée vers Robert, qui conduisait, et j'ai observé un instant son profil grave, puis je lui ai demandé pourquoi le psychiatre voulait me voir, à son avis.

– Pour avoir la perspective d'un membre de la famille, m'a-t-il répondu, et il a ajouté : il trouve que le lithium me réussit plutôt bien, a priori.

C'était la première fois qu'il mentionnait la drogue par son nom.

– Et toi, qu'est-ce que tu en penses ? lui ai-je demandé en posant une main sur sa cuisse.

– Je me sens bien. Je vais sûrement bientôt pouvoir arrêter. Si seulement je n'étais pas aussi fatigué... J'ai besoin d'énergie pour peindre.

Pour peindre, ai-je pensé, *pas pour nous*. Après dîner, il s'endormait comme une masse et souvent, le matin, il dormait encore lorsque je sortais promener Ingrid. J'ai préféré ne pas poursuivre la conversation.

La clinique était installée dans un luxueux bâtiment en bois d'un seul étage. Des jeunes arbres étaient plantés tout autour dans des tubes en plastique. Je portais Ingrid dans mes bras, Robert m'a tenu la porte. Nous nous sommes assis dans une grande salle d'attente, éclairée par une large fenêtre, où attendaient apparemment les patients de plusieurs médecins. Le nôtre est venu nous chercher en adressant un sourire et un signe de tête à Robert et en m'appelant par mon nom. Il ne portait pas de blouse blanche. Il était en pantalon kaki, impeccablement repassé, veste de costume et cravate.

J'ai jeté un coup d'œil à Robert, il a secoué la tête.

– C'est toi qu'il veut voir, m'a-t-il dit. Il m'appellera s'il a besoin de moi.

J'ai laissé Ingrid à Robert et j'ai suivi le Dr... Peu importe son nom, n'est-ce pas ? Il avait déjà un certain âge, l'air sympathique. Ses diplômes étaient affichés sur les murs de son cabinet. Il s'est assis derrière un grand bureau sur lequel il n'y avait qu'une feuille, avec dessus un gros presse-papier en bronze. J'ai pris place en face de lui. Sans Ingrid, je me sentais les mains vides. Je regrettais de ne pas l'avoir gardée avec moi. Et si Robert s'endormait au lieu de la surveiller ? Il y avait des prises électriques dans la salle d'attente, d'énormes vases... Le Dr Q. avait une voix amicale, grave et gutturale, ainsi qu'un très léger accent, indéfinissable. Il me rappelait mon grand-père du Michigan.

– Merci d'être venue me voir, Mme Oliver. Ça m'est souvent très utile de pouvoir discuter avec un proche de mes nouveaux patients.

– Je suis moi aussi contente de vous voir, ai-je répondu en toute honnêteté. Je me fais beaucoup de souci pour Robert.

– Je comprends, a-t-il acquiescé en déplaçant son presse-papier de quelques centimètres et en se renversant contre le dossier de son fauteuil. Vous avez dû traverser des moments difficiles. Soyez certaine, en tout cas, que je suis votre mari de très près. Notre première tentative de traitement semble avoir des effets positifs.

– C'est vrai qu'il semble plus calme, ai-je admis.

– Robert m'a dit que c'est vous qui avez insisté pour qu'il consulte un médecin. Pouvez-vous m'expliquer pourquoi ?

J'ai croisé les mains et énuméré les problèmes de Robert, les hauts et les bas vertigineux qu'il avait traversés tout au long de l'année.

Le Dr Q. m'écoutait en silence avec une expression bienveillante.

– Et avec le lithium, il vous paraît plus stable ?

– Oui. Il dort toujours beaucoup et ça l'ennuie ; il se plaint de ne plus pouvoir peindre. Mais au moins, il assure tous ses cours, maintenant.

– Il faut du temps pour établir un nouveau traitement, trouver le médicament qui marche le mieux, définir le bon dosage, etc.

Le Dr Q. a de nouveau déplacé son presse-papier, dans le coin supérieur gauche de la feuille.

– À mon avis, a-t-il repris, votre mari devra prendre du lithium à vie. Ou un autre médicament si celui-ci, à terme, se révèle ne pas lui convenir. Le processus exigera un peu de patience de sa part, et de la vôtre.

Ces paroles m'ont alarmée.

– Voulez-vous dire par là qu'il ne guérira jamais ? Il ne pourra pas arrêter le traitement, quand il ira mieux ?

– Bien qu'il soit encore tôt pour poser un diagnostic, je crois que Robert souffre de...

Il m'a dit le nom d'une maladie dont je n'avais qu'une vague notion et que j'associais à des choses indicibles, des choses qui n'arrivaient qu'aux autres, les électrochocs, notamment, ou des thérapies si lourdes qu'elles entraînaient parfois le suicide. Un froid glacial m'a envahie.

– Vous êtes en train de me dire que mon mari est un malade mental ?

– Il est difficile de déterminer dans quelle mesure une pathologie, quelle qu'elle soit, relève de la maladie mentale, de l'influence des facteurs environnementaux, de troubles de la personnalité.

Le Dr Q. évitait de me répondre franchement. Je me suis mise à le détester.

– Si Robert ne se stabilise pas avec ce traitement, nous en essayerons un autre. Je suis assez confiant : c'est un homme intelligent, qui aime sa famille et son métier. D'une manière ou d'une autre, il retrouvera son équilibre.

Malheureusement, à mes yeux, le mal était irrémédiable. Pour moi, Robert était désormais étiqueté malade mental. Je savais que rien ne serait plus jamais comme avant. J'avais de la peine pour lui, mais encore plus pour moi. Le Dr Q. m'avait pris ce que j'avais de plus cher au monde et il n'avait rien à m'offrir en échange, que le spectacle de sa main rangeant son bureau vide. À l'évidence, il ne se rendait pas compte de ce que je ressentais. J'aurais aimé qu'il ait au moins l'élégance de s'excuser.

31

Robert était somnolent avec le lithium. Il a embouti une voiture ; heureusement, il ne roulait pas vite. Après cet incident, le Dr Q. a modifié son traitement. Robert me décrivait l'état dans lequel il se sentait lorsque je lui posais des questions, ce que je faisais aussi souvent que possible, en veillant à ne pas l'irriter.

Mi-décembre, les nouveaux médicaments ont commencé à agir. Robert semblait avoir retrouvé son dynamisme. Plusieurs fois par semaine, il travaillait jusque tard dans l'atelier du campus, ce qui ne l'empêchait pas, le matin, d'être à l'heure pour ses cours. Un soir où je suis passée le voir avec Ingrid, je l'ai trouvé profondément absorbé dans un portrait – la femme de mes cauchemars. Elle était assise dans un fauteuil damassé, les mains croisées devant elle. C'est grâce à ce tableau, entre autres, qu'il a été exposé à Chicago. Vêtue de jaune, elle se souriait à elle-même, comme si elle se remémorait un souvenir agréable. Il y avait un bouquet de fleurs à côté d'elle. J'étais tellement contente que Robert ait réalisé une œuvre optimiste que, finalement, peu m'importait qui elle était.

Le choc n'en a été que plus brutal lorsque, quelques jours plus tard, en apportant à Robert des cookies que j'avais préparés avec Ingrid, je l'ai découvert en compagnie d'un modèle, une fille qui avait l'air d'une étudiante, en maillot de foot de l'équipe universitaire, assise sur une chaise pliante, tandis qu'il travaillait toujours à la même toile. Un frisson m'a parcourue. Elle était jeune et jolie. Robert bavardait avec elle tout en retouchant l'angle de sa tête et son épaule. Elle ne ressemblait pas à sa muse. C'était une blonde aux yeux clairs. Elle n'avait de commun avec la femme du grenier que sa plastique parfaite et sa mâchoire carrée. Mon apparition n'a pas troublé Robert. Il m'a embrassée, il a embrassé Ingrid, et il m'a présenté la fille : elle était effectivement étudiante, elle posait régulièrement à la fac pour se faire de l'argent de poche. Elle a parlé à Ingrid, elle m'a dit que j'avais un bout de chou adorable et qu'elle était contente que ses partiels se terminent. Manifestement, il n'y avait rien entre Robert et elle.

Début janvier, Robert est parti dans l'État de New York. Avant de prendre la route, il a tenu Ingrid dans ses bras un long moment. Elle avait les jambes enroulées autour de sa taille et j'ai réalisé combien elle avait grandi. Elle avait les cheveux bruns et crépus de son père, et aurait probablement aussi sa silhouette élancée. Il faisait froid, je suis rentrée dans la maison avant même que la voiture ait disparu et j'ai débarrassé la table du petit déjeuner. *Est-ce une séparation ?* ne pouvais-je m'empêcher de me demander. Dans la cuisine, rien n'était changé : il faisait chaud, il y avait une bonne odeur de pain grillé et de compote de pommes. Tout était normal. La maison me paraissait un peu triste, mais j'éprouvais aussi une sorte de soulagement. J'avais tenu le coup jusque-là, je n'allais pas craquer.

Robert nous envoyait des cartes postales et il téléphonait, irrégulièrement, mais relativement souvent. L'hiver était rude dans le Nord mais avec la neige, les paysages étaient superbes, impressionnistes. Il avait été accueilli par le président de l'université. On lui avait donné une chambre avec vue sur la forêt. Ses étudiants n'étaient pas très doués, mais intéressants. L'atelier était petit, mais ça lui suffisait.

Parfois il ne donnait pas de nouvelles pendant plusieurs jours, parfois il se manifestait tous les jours. Je préférais qu'il nous écrive. Au téléphone, il y avait toujours un certain froid entre nous, d'autant plus difficile à dissiper que nous ne nous voyions pas. Un jour, il a envoyé un dessin à Ingrid, comme s'il sentait qu'elle comprendrait mieux ce langage : des immeubles gothiques, des monceaux de neige et des arbres décharnés. Je l'ai affiché dans sa chambre. Lorsqu'elle pleurait, la nuit, je la prenais dans mon lit et le matin, nous nous réveillions l'une contre l'autre. Fin février, Robert a pris l'avion pour venir fêter l'anniversaire d'Ingrid avec nous. Il a beaucoup dormi, nous avons fait l'amour, mais évité d'aborder des sujets délicats. Il aurait de nouveau des vacances en avril, mais il avait déjà décidé qu'il ne reviendrait pas. Il en profiterait pour peindre. Je n'ai pas protesté. S'il avait bien travaillé, à son retour, en été, il serait peut-être plus facile à vivre.

Ma mère est venue passer quelques jours à la maison. Tous les matins, elle me forçait à aller à la piscine du campus. C'est grâce à ça que j'ai retrouvé ma ligne d'avant la grossesse, de l'époque, pas si lointaine, où j'étais encore jeune et optimiste. Je n'avais pas vu ma mère depuis longtemps. Elle avait les mains qui tremblaient, des petits vaisseaux éclatés sur les joues, les chevilles enflées. Cela ne l'empêchait pas de m'aider : elle faisait la vaisselle, la lessive, le repassage, et elle lisait à Ingrid autant d'histoires qu'elle lui en réclamait.

Je sentais néanmoins qu'elle avait pris un coup de vieux. De retour dans le Michigan, elle m'a dit au téléphone qu'elle avait peur de tomber quand il y avait de la neige. Elle sortait sur le pas de sa porte, pour aller à l'épicerie, ou chez le dentiste, ou à la bibliothèque – elle y faisait du bénévolat – et quand elle voyait la neige, elle rentrait se mettre au chaud. Un jour, elle m'a avoué qu'elle n'avait pas mis le nez dehors depuis presque une semaine. Je ne voulais pas attendre, seule, avec l'inquiétude qui me rongeait. J'ai demandé à Robert si maman pouvait venir habiter chez nous. Il a dit oui sans hésiter.

J'ai été surprise. Je n'aurais pas dû, mais je suppose que j'avais oublié sa générosité, sa spontanéité, comme il était conciliant, la facilité avec laquelle il donnait ses vêtements à ses amis ou même à des étrangers. Je l'ai remercié de tout mon cœur. Il avait ravivé la flamme de mon amour. Je lui ai dit que les azalées commençaient à fleurir, que tout reverdissait. Il m'a dit qu'il serait bientôt avec moi et je le voyais sourire à l'autre bout du fil.

Contre toute attente, ma mère n'a pas refusé ma proposition. Elle a dit qu'elle y réfléchirait et que si elle acceptait, elle nous aiderait à acheter une maison plus grande. Je l'ignorais, mais apparemment elle avait de l'argent de côté. En outre, quelqu'un lui avait offert d'acheter sa maison, à Ann Arbor, l'année précédente. Il fallait qu'elle pèse le pour et le contre. Peut-être que ce n'était pas une mauvaise idée. Comment allait le rhume d'Ingrid ?

32

1878

En mai, Yves insiste pour que son oncle les accompagne en Normandie, à Trouville d'abord, puis dans un petit village près d'Étretat où ils ont déjà séjourné plusieurs fois. C'est Papa qui a émis l'idée de passer quelques jours là-bas avec son frère. Yves s'est empressé d'approuver. Béatrice se montre en revanche plus réticente. Pourquoi ne partiraient-ils pas tous les trois, comme d'habitude ? Elle peut très bien s'occuper de Papa toute seule. La chambre d'amis de la maison qu'ils louent est minuscule ; oncle Olivier n'y sera pas à son aise ; si on change Papa de chambre, il ne retrouvera plus rien ; il risque même de tomber dans l'escalier, la nuit. Le voyage est déjà suffisamment éprouvant pour lui, bien qu'il soit la patience même et qu'il adore sentir le soleil et la brise de la Manche sur son visage. Elle supplie Yves d'y réfléchir à deux fois.

Il campe cependant sur ses positions. Il n'est pas exclu que ses obligations professionnelles le contraignent à regagner Paris plus tôt que prévu. Le cas échéant, il sera plus rassuré sachant Olivier au côté de Béatrice. Olivier est l'aîné de Papa, mais il paraît quinze ans de moins que lui. D'après Yves, il n'avait pas un cheveu blanc avant le décès de son épouse. Olivier est encore vigoureux pour son âge, il peut rendre de nombreux services. Yves ne se plaint jamais d'avoir Papa à sa charge ; qu'il tienne autant à ce qu'Olivier les accompagne témoigne toutefois du poids qui pèse sur ses épaules.

Béatrice proteste encore un peu, faiblement, et trois semaines plus tard, les voici dans le train qui s'ébranle lentement et quitte la gare Saint-Lazare, Yves arrangeant un plaid sur les genoux de Papa, Olivier lisant à voix haute la page culturelle du journal du matin. Il semble éviter le regard de Béatrice. Elle aimerait se trouver dans un autre wagon. Il paraît rajeuni depuis quelques mois, depuis qu'ils correspondent ; il a le teint hâlé avant même d'être arrivé sur la côte. Son épaisse barbe argentée est taillée avec soin. Il leur dit qu'il a peint la forêt de Fontainebleau et elle se demande s'il a pensé à elle en plantant son chevalet dans ces clairières qu'elle ne verra probablement jamais. Furtivement, elle envie les arbres qu'il a contemplés, l'herbe sur laquelle il s'est sans doute allongé. Serait-elle jalouse de sa liberté ?

Les champs défilent derrière les vitres du train. De temps à autre, elle entrevoit une rivière. La chaleur commence à devenir étouffante, mais Yves s'oppose à ce que l'on ouvre la fenêtre, à cause de la fumée et de la poussière. Elle regarde les vaches paître à l'ombre des arbres, les coquelicots et les marguerites dans les prés. Comme ils sont seuls, en famille, les rideaux tirés entre le compartiment et le corridor, elle s'est permis d'ôter ses gants, son cardigan et son chapeau. Lorsqu'elle ferme les yeux, elle sent le regard d'Olivier posé sur elle. Pourvu qu'Yves ne remarque rien... Mais que pourrait-il remarquer ? Rien, il n'y a strictement rien et il n'y aura jamais rien entre elle et ce vieil homme que son époux connaît depuis sa naissance, et à qui elle est-même apparentée, maintenant.

Le train émet un sifflement. Elle se sent vide. La vie ne fait que commencer, pour elle. N'est-ce pas merveilleux ? N'a-t-elle pas toujours été confiante en l'avenir ? Elle rouvre les yeux et les fixe sur un village, au loin, les contours flous d'un clocher. Mais que serait un avenir sans enfant, sans Olivier, sans ses lettres, sa main sur ses cheveux ? Elle le regarde droit dans les yeux, tandis qu'Yves déplie un second journal. Gêné, il tourne son beau visage vers la fenêtre, ouvre son livre. Le temps lui est compté, à lui. Il mourra bien avant elle. Et si cela en soi suffisait à compromettre sa résistance ?

33

Kate

En fait, maman a mis des années avant de se résoudre à vendre sa maison et à faire le tri de tous ses livres. Pendant ce temps-là, Robert et moi, nous sommes restés dans le cottage sur le campus. Je suis montée dans le Michigan et nous avons donné la plupart des affaires de mon père, ce qui nous a arraché des larmes à toutes les deux. J'avais laissé Ingrid à Robert. Il s'occupait bien d'elle, mais je craignais qu'il la laisse sortir seule et qu'elle se perde.

À l'automne, il est parti en France pour dix jours. Il tenait à revoir des musées qu'il avait visités quand il était étudiant. Il est revenu dans une forme éblouissante. Au moins, la dépense n'avait pas été vaine. En janvier, il devait exposer à Chicago, sur l'invitation de l'un de ses anciens profs. Nous y sommes tous allés en avion, ce qui nous a coûté les yeux de la tête. Il s'agissait d'une expo assez importante ; j'ai pris conscience qu'il commençait à être connu.

En avril, nos plates-bandes préférées ont refleuri, sur le campus. J'allais me promener dans la forêt et je cueillais des fleurs sauvages. J'emmenais Ingrid dans les jardins de la fac et je lui montrais les massifs. À la fin du mois, j'ai acheté un test de grossesse, qui s'est révélé positif. J'appréhendais la réaction de Robert, bien que nous ayons décidé d'un commun accord d'essayer de faire un deuxième enfant. Il était si souvent fatigué ou découragé. Néanmoins, il a accueilli la nouvelle avec joie. Je pensais qu'Ingrid ne pourrait s'épanouir pleinement qu'avec un petit frère ou une petite sœur. Je ne voulais pas qu'elle reste fille unique. Il s'est révélé que j'attendais un garçon. J'ai offert à Ingrid un poupon avec un zizi. En décembre, nous sommes retournés à la maternité puis revenus à la maison avec

Oscar. Il avait les cheveux clairs. Je trouvais qu'il ressemblait à ma mère, Robert trouvait qu'il ressemblait à la sienne. Elles sont venues toutes les deux pour nous donner un coup de main durant les premières semaines. La mienne habitait encore dans le Michigan. Elles dormaient chez des voisins qui avaient plus de place que nous. J'ai ressorti la poussette, j'avais en permanence un bambin sur les bras ou les genoux.

Le souvenir le plus net que j'aie gardé de Robert est celui de cette période où Oscar était bébé et Ingrid encore toute petite, avant que maman ne vienne vivre avec nous. Sans doute parce que nous avions atteint une sorte d'apogée de la perfection, bien que ce soit aussi à ce moment-là, je crois, que Robert a commencé à vraiment perdre pied. Même quelqu'un dont vous avez partagé l'intimité, que vous avez vu nu tous les jours, assis sur les toilettes à travers une porte entrouverte, peut devenir un contour flou, au bout d'un certain temps.

En tout cas, l'image de Robert à cette époque est demeurée gravée dans ma mémoire, en couleur et en relief. Il avait un gros pull marron qu'il portait quasiment tous les jours, en hiver. Je me rappelle ses mailles en gros plan, toutes les petites saletés qui s'accrochaient dans la laine. Je lui avais acheté ce pull peu après notre rencontre, dans un dépôt-vente. C'était un pull irlandais, tricoté main. Il a duré des années et des années, à croire qu'il était plus costaud que notre couple. Il m'emplissait les bras lorsque Robert rentrait à la maison. Je caressais les manches quand je lui caressais les coudes. Dessous, il mettait un T-shirt ou un sous-pull à col roulé, d'une couleur qui jurait parfois avec celle du pull – violet, ou vert foncé – mais qui ne me choquait pas. Il avait les cheveux tantôt longs tantôt courts, qui bouclaient par-dessus son col ou coupés ras dans la nuque, mais le pull restait toujours le même.

J'étais dans une période très tactile, contrairement à Robert. C'est peut-être pour cette raison que nous évoluions dans des univers différents, et que je me suis peu à peu estompée du sien. Toute la journée, je sentais des assiettes ou des bols sous mes doigts, la tête savonneuse des enfants, la douceur de leur peau, le caca sur leurs fesses, les nouilles chaudes, le linge mouillé, les marches de brique du porche quand je m'y asseyais cinq minutes pour lire tout en surveillant d'un œil les enfants qui jouaient.

Lorsque Robert revenait de la fac, je palpais son pull, ses cheveux, son menton mal rasé, ses poches arrière, ses mains calleuses. Je le regardais prendre les enfants dans ses bras et rien que de les voir, je sentais son visage râpeux contre le leur, si délicat, et combien ils aimaient ce contact. Les soirs où je ne m'endormais pas comme une masse, il me caressait pour me tenir éveillée et je laissais mes mains courir le long de ses cuisses, sur les poils de son pubis, sur son torse musclé. Dans ces moments-là, le toucher nous réunissait enfin et nous retrouvions une osmose fusionnelle. À cette époque, j'avais l'impression d'être constamment couverte de sécrétions corporelles : le lait qui s'écoulait de mes seins, un jet de pipi dans le cou quand je changeais Oscar quelques minutes trop tôt, le sperme sur mes cuisses, de la salive sur la joue.

C'est peut-être pour ça que je me suis mise à percevoir les choses par le toucher davantage que par la vue. C'est peut-être aussi ce qui explique pourquoi j'ai cessé de peindre, alors que pendant des années j'avais dessiné presque chaque jour.

Et puis nous nous sommes mis à la recherche d'une maison à acheter, comme des adultes. Après avoir envoyé une multitude de photos à ma mère, nous avons emménagé ici l'été où Ingrid avait cinq ans et demi, et Oscar un et demi. J'avais enfin tout ce dont je rêvais : deux beaux enfants, un jardin avec une balançoire (que Robert a fini par installer après deux ou trois mois de supplications), une petite ville dont le nom même respirait la verdure. Et au moins l'un de nous avait un bon job. Peut-être aurait-il mieux valu que ce rêve ne reste qu'un rêve...

En fait, je crois que si j'ai conservé un aussi bon souvenir de ces années, c'est parce que ma mère était là. Au début, elle jardinait, elle passait l'aspirateur et elle lisait une heure ou deux par jour tout en surveillant Oscar et Ingrid qui chassaient les chenilles. J'avais de la compagnie et tant qu'elle a vécu avec nous, nous avons coulé des jours heureux. De temps à autre, Robert passait une nuit entière à peindre, ou il dormait à l'atelier de l'école ; après quoi, il était extrêmement fatigué et irritable, mais cela n'arrivait pas souvent. Il avait repeint le grenier du cottage avant que nous ne déménagions. Je ne savais pas ce qu'il fallait attribuer aux flacons en plastique orange rangés dans l'armoire à pharmacie et je ne voulais pas le savoir. L'essentiel, c'était que nous soyons sereins.

Environ un an après notre installation dans la nouvelle maison, Robert est parti animer un stage de portrait dans le Maine. Il ne m'en a pas raconté grand-chose, mais il en est revenu dans une forme éblouissante. Nous riions tous les deux des maladresses ou des bons mots des enfants, nous faisions l'amour ; il semblait satisfait de son travail. Afin que nous remboursions plus vite notre part du crédit, j'ai trouvé un emploi à temps partiel dans l'édition. Je travaillais principalement à domicile. Pendant ce temps-là, ma mère s'occupait des enfants.

Un matin, en montant à mon bureau, j'ai trouvé un bout de papier près de la porte de l'atelier de Robert. Il s'était levé de bonne heure pour aller peindre à la fac. Ma mère était partie au parc avec les petits. Je l'ai ramassé sans arrière-pensée. Il semait des morceaux de papier partout : des trucs qu'il notait pour ne pas les oublier, des croquis, des serviettes chiffonnées.

C'était un quart de feuille de papier à lettres, rageusement déchiré, couvert de l'écriture de Robert, plus appliquée que d'habitude. J'ai toujours ce bout de texte quelque part au fond de mon bureau. Pas l'original, je le lui ai jeté à la figure, il l'a fourré dans sa poche et je ne l'ai plus jamais revu. Mais je l'ai recopié. Je suppose que j'avais dans l'idée que j'aurais peut-être besoin de le produire devant la justice.

« Ma chérie », avait-il écrit – jamais il ne s'était adressé à moi en ces termes.

Ma chérie,

Je reçois ta lettre à l'instant et je suis si ému que j'y réponds de suite. Oui, comme tu le soulignes avec compassion, la solitude me pèse. Aussi étrange que cela puisse paraître, je regrette que tu n'aies pas connu mon épouse, quoique que si cela avait été possible, nous aurions toi et moi eu des rapports bien différents de cet amour éthéré, si tu me permets de m'exprimer ainsi.

Je ne connaissais pas à Robert un style aussi fleuri. Il était toujours bref et terre à terre quand il m'écrivait. Sur le coup, cela m'a plus choquée que le fait qu'il s'agissait d'une lettre d'amour. Ce ton précieux, démodé, ne ressemblait pas à Robert. En tout cas, jamais il ne s'était montré aussi galant envers son épouse, dont il parlait comme si elle n'existait plus.

Il se sentait très seul, et il éprouvait pour cette femme un amour « éthéré ». Quel culot ! Il était marié, père de deux enfants... Et moi alors ? Je n'étais pas seule, moi, avec un mari au bord de la folie ? Croyait-il que les couches, la vaisselle, les factures et son psy suffisaient à remplir ma vie ?

La porte de l'atelier était ouverte. Je me suis avancée jusqu'au chevalet. Elle était là, sur une toile commencée depuis plusieurs semaines. Son visage n'était pas encore terminé, mais j'aurais pu moi-même compléter ce pâle ovale. Elle se tenait debout devant une fenêtre, vêtue d'un peignoir bleu clair très décolleté, un pinceau à la main. Encore un jour ou deux de travail et elle lui sourirait, ou elle l'observerait sérieusement de ses yeux sombres emplis d'amour. J'avais fini par me convaincre qu'elle n'était qu'un être imaginaire, une vision née de son talent. En fait, mon premier pressentiment était fondé. Elle existait, puisqu'il lui écrivait.

J'étais à deux doigts de tout saccager dans l'atelier, de déchirer ses croquis, de renverser le chevalet, de piétiner la toile inachevée, d'arracher les posters et les cartes postales des murs. Mais je me suis retenue. Le cliché était trop humiliant. Je ne voulais pas me comporter comme ces furies jalouses que l'on voit dans les films. Et puis je réussirais peut-être à en apprendre plus si Robert ne savait pas que je savais. J'ai posé la feuille de papier déchirée sur ma table de travail dans l'intention de la recopier et de la remettre où je l'avais trouvée. Je l'imaginais se baisser et la ramasser : *Tiens... Je l'avais fait tomber ? Ouf, j'ai frôlé le drame*. Et la glisser dans sa poche ou dans l'un des tiroirs de son bureau.

Je les ai inspectés un à un, replaçant avec le soin d'une archiviste tout ce que je déplaçais : des mines de plomb, des gommes, des tickets de caisse du magasin de fournitures pour beaux-arts, une barre de chocolat à moitié grignotée. Et au fond du dernier, des lettres, d'une écriture qui m'était inconnue. *Cher Robert. Mon cher Robert. J'ai pensé à toi, aujourd'hui, en travaillant à une nature morte. Crois-tu que les natures mortes soient des sujets dignes d'intérêt ? Pourquoi peindre des choses inertes ? Comment leur insuffler de la vie, cette force mystérieuse qui jaillit telle de l'électricité entre le spectacle et l'œil, puis se transmet de l'œil à la main, de la main au pinceau et du pinceau à l'œil ? Au bout du compte, tout se réduit à ce que l'œil perçoit, non ? Car quoi que la main puisse réaliser, elle ne peut remédier à l'imprécision de la vision. Il faut que je file en cours, à présent, mais je pense à toi constamment. Je t'aime, tu sais. Mary.*

Mes mains tremblaient. J'avais envie de vomir, tout tournait autour de moi. Je connaissais désormais son prénom. Elle devait être étudiante, ou prof, quoique dans ce cas son prénom ne m'aurait pas été inconnu. Elle devait filer en cours. Le campus fourmillait d'étudiantes que je n'avais jamais vues – il était impossible que je les ai toutes croisées, même si nous vivions là depuis un certain temps. Et puis je me suis souvenue du croquis que j'avais trouvé dans la poche de Robert, sur l'aire d'autoroute, quand nous étions venus à Greenhill. Cette histoire ne datait pas d'hier ; il l'avait sûrement rencontrée à New York. Il était allé à plusieurs reprises dans le Nord, depuis, dont une fois pour un semestre entier. Pour la voir ? Était-ce la raison de sa réticence à nous emmener avec lui ? Naturellement, elle peignait, elle aussi. Elle était étudiante en arts plastiques, ou peintre professionnelle. C'était une artiste, elle, une vraie. Il la représentait pinceau en main. Évidemment qu'elle peignait. Moi aussi, je peignais, autrefois.

Mary... Un prénom si ordinaire, celui de la Vierge à l'agneau, de la mère de Jésus. Mary Stuart, reine d'Écosse, Mary Tudor la Sanglante, Marie-Madeleine. Pas toutes des innocentes. Elle avait une écriture large, ronde, féminine et puérile. Elle ne faisait pas de fautes d'orthographe. Elle employait des tournures de phrases recherchées. Elle était intelligente, pertinente. Elle avait de l'humour, du cynisme aussi. Elle le remerciait parfois pour un dessin qu'il lui avait envoyé et il lui arrivait aussi de joindre des croquis à ses lettres – l'un tenait toute une page et montrait des gens dans un café, avec des tasses et des théières sur les tables. Ses lettres n'étaient pas datées, sauf une, de quelques mois plus tôt. Et elles n'avaient pas d'enveloppe. Robert avait dû les jeter. Certaines étaient froissées, comme s'il les avait trimballées dans une poche. Il n'était jamais question de rendez-vous. Dans l'une, elle faisait allusion à un baiser qu'ils avaient échangé, jamais rien de plus érotique. Elle lui disait qu'il lui manquait, qu'elle rêvait de lui. Dans une autre, elle le qualifiait d'« inaccessible ». Peut-être avaient-ils une relation purement platonique.

Une chose était sûre, toutefois : ils s'aimaient. J'ai remis les lettres dans le tiroir. C'était celle de Robert qui me contrariait le plus. Je n'en ai pas trouvé d'autres. Ni quoi que ce soit de compromettant, ni dans l'atelier, ni dans son bureau, ni dans la veste qu'il n'avait pas mise ce jour-là, ni dans sa voiture (que j'ai aussi fouillée, le soir, en prétextant aller chercher une lampe-torche dans la boîte à gants). Il a joué avec les enfants. Au dîner, il était de bonne humeur, mais il avait le regard distant.

34

Le lendemain, sitôt ma mère sortie avec les enfants, j'ai demandé à Robert s'il avait quelques minutes avant de partir à la fac – je savais qu'il n'avait cours que l'après-midi. J'avais caché les lettres de sa maîtresse dans le buffet de la salle à manger ; la sienne, je l'avais dans la poche. Je l'ai prié de s'asseoir, il fallait que je lui parle. Il était pressé, mais il s'est figé lorsque je lui ai dit que j'étais au courant de ce qui se passait. Il a froncé les sourcils. Je tremblais de rage, d'appréhension.

– Au courant de quoi ?

Il n'avait pas l'air de jouer la comédie. Il était habillé en sombre. J'ai été frappée par sa beauté, ce qui m'arrivait parfois au moment où je m'y attendais le moins.

– Première question : est-ce que tu la vois à l'école ? Est-ce que tu la vois tous les jours ? Est-ce qu'elle a quitté New York pour venir ici ?

– Qui ?

– Celle que tu peins sans arrêt.

Il m'a jeté un regard noir.

– Tu recommences avec ça ? Je croyais que le sujet était clos.

– Est-ce que tu la vois tous les jours ? Ou est-ce qu'elle t'envoie des lettres parce qu'elle habite trop loin ?

Il a pâli.

– Inutile de me répondre. Je sais qu'elle t'écrit.

– Ah, oui ? Et que sais-tu, au juste ?

Ses yeux luisaient de colère mais, en même temps, il avait l'air de tomber des nues.

– J'ai trouvé ses lettres.

Il me dévisageait, bouche bée, à court de mots. Je l'avais rarement vu aussi désorienté, tout du moins par quelque chose d'extérieur à lui. Il a posé ses deux mains sur la table que maman avait cirée la veille.

– Tu as trouvé ses lettres, a-t-il répété.

Il y avait une note d'exaltation dans sa voix, son visage s'est éclairé. Il n'avait même pas honte de lui. Ça m'a rendue furieuse. Manifestement, il l'aimait au point de ne pas pouvoir se contrôler dès lors qu'il était question d'elle.

– Oui ! ai-je hurlé en bondissant de ma chaise et en allant chercher le paquet de lettres dans le buffet. Oui, et je sais même comment elle s'appelle, pauvre andouille ! Elle s'appelle Mary. Pourquoi les as-tu laissé traîner à la maison si tu ne voulais pas que je les trouve ?

Je les ai balancées devant lui. Il en a pris une.

– Mary, oui, a-t-il murmuré en levant les yeux au plafond avec un sourire triste. Ce n'est rien. Enfin, non, mais ce n'est pas grave.

Malgré moi, j'ai éclaté en sanglots, non pas parce qu'il me trompait, mais parce que je venais de me comporter de façon humiliante.

– Tu crois que ce n'est pas grave pour moi que tu en aimes une autre ? Et ça ?

J'ai sorti son brouillon de lettre déchiré de ma poche, je l'ai roulé en boule et le lui ai lancé à la figure.

Il l'a attrapé au vol et l'a lissé sur la table. Furtivement, son visage s'est décomposé et puis il a repris contenance.

– Ce n'est pas la peine d'en faire toute une histoire, Kate. Elle est morte. Elle est morte !

De nouveau, ses traits se sont crispés.

– Elle est morte, mais j'aurais donné n'importe quoi pour la sauver, pour qu'elle continue à peindre, a-t-il ajouté d'une voix blanche.

Je me suis mise à pleurer de plus belle. Je n'y comprenais plus rien.

– Elle est morte ?

La seule lettre de Mary qui était datée remontait pourtant à quelques mois seulement. Instinctivement, j'ai failli dire : *Oh, je suis désolée*. Avait-elle eu un accident de voiture ? Dans ce cas, comment se faisait-il qu'il n'ait pas été traumatisé ? Je n'avais rien remarqué de particulier au cours des mois précédents. Peut-être, quelle qu'ait été leur relation, qu'il tenait si peu à elle que son décès ne l'avait pas affecté. Ce qui en soi me paraissait horrible. N'avait-il donc vraiment pas de cœur ?

– Oui. Elle est *morte*. (Il a prononcé ce mot avec une amertume dont je ne l'aurais pas cru capable.) Et je l'aime encore. Sur ce point, tu as raison, si ça peut te satisfaire. Mais je ne vois pas en quoi ça te dérange. Je l'aime. Si tu ne comprends pas, tant pis, je ne t'expliquerai pas.

Là-dessus, il s'est levé.

– Ça ne me satisfait pas du tout. (Je ne pouvais pas m'arrêter de pleurer.) C'est encore pire. Je ne comprends pas, non. C'est trop dur d'essayer de te comprendre ; dorénavant, d'ailleurs, je ne me donnerai plus la peine d'essayer. Tout est fini entre nous, Robert. Voilà ce qui me satisfait. Voilà ce que je veux.

Alors j'ai pris le vase chinois qui se trouvait sur le buffet, hors de portée des enfants, et je l'ai jeté à travers la pièce. Il s'est lamentablement fracassé contre la cheminée, sous les portraits de mes grands-parents paternels. Aussitôt, j'ai regretté mon geste. Je regrettais tout, sauf mes enfants.

35

1878

Le village où ils logent est d'une grande quiétude. C'est pour cette raison qu'Yves le préfère à Étretat. Il n'a pas apprécié leur journée à Trouville. En plein été, il doit y avoir autant de monde sur la promenade que sur les Champs-Élysées, a-t-il dit à Béatrice. Si la bonne société leur manque, ils peuvent toujours prendre un fiacre pour se rendre à Étretat. Mais ce paisible hameau à quelques pas d'une grande plage de sable et de galets leur plaît davantage, si bien qu'ils n'éprouvent pas le besoin de faire des excursions.

Tous les soirs, Béatrice lit Montaigne à Papa, dans le salon aux fauteuils tapissés de damas bon marché et aux étagères couvertes de coquillages. Yves et Olivier l'écoutent aussi, ou ils discutent à voix basse. Elle a également commencé un nouvel ouvrage de broderie, qu'elle coudra sur un coussin, le cadeau d'anniversaire d'Yves. Elle y travaille chaque jour avec application, les yeux plissés au-dessus des délicates fleurs or et pourpre. En général, elle s'installe sur la véranda, où elle n'a qu'à lever la tête pour voir la mer, les falaises gris-brun couronnées de vert, les filets de pêcheurs étendus sur la grève, les bateaux amarrés au rivage, les nuages poussés par le vent. Les averses sont fréquentes, mais de courte durée. Ensuite, le soleil réapparaît. La température se radoucit de jour en jour, jusqu'à un matin où une tempête les contraints à rester à l'intérieur toute la journée. Le lendemain, le ciel est radieux.

Ses passe-temps l'aident à éviter Olivier. Un après-midi, toutefois, il vient s'asseoir près d'elle sur la véranda, ce qui n'est pas dans ses habitudes. D'ordinaire, quand il fait beau, il peint sur la plage, à cette heure-ci. Il l'a invitée à l'accompagner, mais chaque fois elle a bredouillé une excuse et il est parti seul en sifflotant joyeusement, portant une main à son chapeau en passant devant elle.

Marche-t-il d'un pas aussi alerte parce qu'il sait qu'elle le regarde ? Elle a souvent cette étrange impression qu'il rajeunit à son contact. Ou serait-ce elle qui ne voit plus son âge ? Lorsqu'il s'éloigne de la maison, elle observe son dos droit comme un I dans le vieux costume qu'il met pour peindre. Elle essaie d'oublier ce qu'elle sait de lui, de le considérer seulement comme un vieil oncle de son mari, mais il lui en a trop révélé de ses pensées les plus intimes, de la passion qu'il voue à son art, des sentiments qu'il éprouve à son égard. Bien sûr, ils ne s'envoient pas de lettres, ici ; néanmoins, elle sent des mots écrits flotter entre eux, des tournures de phrases, son écriture penchée, ses traits d'esprit, ses « tu » caressants sur la page.

Aujourd'hui, c'est un livre qu'il a sous le bras, au lieu de son chevalet. Il s'installe à côté d'elle sur une chaise longue, avec l'air déterminé de quelqu'un qui ne se fera pas éconduire. Malgré elle, elle se réjouit d'avoir mis sa robe vert pâle à col jaune ruché. Quelques jours plus tôt, il lui a dit qu'elle ressemblait à un narcisse, dans cette tenue. Elle aimerait qu'il soit encore plus près d'elle, de façon qu'elle sente la manche de sa veste grise contre la sienne. Elle aimerait aussi qu'il reprenne le train pour Paris. Sa gorge se serre. Il dégage un agréable parfum de savon et d'eau de Cologne. Utilise-t-il depuis toujours les mêmes articles de toilette ou en a-t-il changé au fil des ans ? Le livre reste fermé sur ses genoux. Elle est certaine qu'il n'a pas la moindre intention de le lire. Le titre confirme ses soupçons : *La Loi des Latins*. Il s'agit d'un volume qu'il a pris dans la bibliothèque de la maison, qui ne contient que des ouvrages ennuyeux au possible. Elle sourit discrètement.

– Bonjour, dit-elle, sur un ton qu'elle espère détaché.

– Bonjour, répond-il.

Et le silence s'installe entre eux. La preuve, se dit-elle, qu'il y a quelque chose de spécial entre eux. Ou un problème. Autrement, ils bavarderaient déjà de la pluie et du beau temps.

– Puis-je vous poser une question, ma chère ?

– Je vous en prie.

Avec ses minuscules ciseaux à bec de cigogne, elle coupe son fil.

– Comptez-vous me fuir jusqu'à la fin du mois ?

– Nous ne sommes ici que depuis six jours.

– Et demi. Six jours et sept heures, très exactement.

Cette repartie est si inattendue qu'elle relève la tête et lui sourit. Il a des yeux d'un bleu magnifique, nullement ternis par l'âge.

– Ah, voilà qui est mieux ! s'exclame-t-il. J'espérais ne pas être puni pendant quatre semaines.

– Puni ? répète-t-elle de sa voix la plus suave, essayant en vain de passer un nouveau fil dans le chas de son aiguille.

– Puni, oui. Et pourquoi ? Pour avoir admiré une jeune peintre ? Après tous les compliments que je vous ai faits, vous pourriez tout de même me témoigner un peu de cordialité.

– Vous comprenez, je crois... bredouille-t-elle en bataillant avec son aiguille.

– Vous permettez ?

Il lui prend l'aiguille, y enfile le brin de soie dorée, et la lui rend.

– Avec l'âge, la vue s'aiguise.

Elle ne peut s'empêcher de rire. Cet humour, cette autodérision... Voilà surtout ce qui lui plaît chez lui.

– À la bonne heure ! Avec votre vue aiguisée, vous devez donc comprendre qu'il m'est impossible de...

– De m'accorder autant d'attention que vous en accorderiez à un gravillon dans votre soulier ? En fait, je crois que vous en accorderiez davantage au gravillon. Peut-être faut-il tout simplement que je me montre plus ennuyeux ?

– Non, je vous en prie...

Un nouvel éclat de rire l'empêche de poursuivre sa phrase. Elle déteste ces étincelles de joie qui jaillissent parfois entre eux. Leur complicité sauterait aux yeux de n'importe qui. N'a-t-il pas conscience d'être un membre de sa famille ? De surcroît bien plus âgé qu'elle ? *L'âge est toutefois une notion si vague*, pense-t-elle. Tant que le corps ne réclame pas son dû, l'esprit demeure jeune. Voilà pourquoi Papa paraît plus vieux que son frère cadet, cet artiste aux cheveux blancs et à la barbe argentée qui se conduit comme un jeune homme effronté.

– Arrêtez, ma chère. À mon âge, je suis inoffensif. Et votre mari approuve notre amitié.

– Pourquoi la désapprouverait-il ?

Elle feint d'être offensée, mais elle prend un tel plaisir à cette étrange discussion qu'elle ne peut réprimer un sourire.

– Vous voilà prise au piège de votre argumentation. S'il n'y a rien à désapprouver, venez donc peindre avec moi, demain matin. Mon ami pêcheur prévoit du grand bleu. Les poissons sauteront dans son bateau, m'a-t-il affirmé. Pour ma part, je croyais qu'ils sautaient plus haut par temps pluvieux.

Il imite l'accent de la côte. Elle rit. Il agite le bras en direction de la mer.

– Je n'aime pas vous voir vous languir ici à faire de la couture. Le grand air est excellent pour les artistes.

Elle sent le rouge lui monter aux joues.

– Ne me taquinez pas.

Soudain sérieux, il lui prend la main, d'un geste qui ne semble pas calculé.

– Loin de moi cette idée. Si j'avais votre talent, je n'en gaspillerais pas une miette.

– Gaspiller ?

Elle est vexée, au bord des larmes.

– Oh, ma chère, je suis si maladroit.

Il lui embrasse les doigts, puis lui lâche la main avant qu'elle ne proteste.

– Vous savez quelle foi j'ai en votre travail. Ne vous indignez pas. Venez peindre avec moi, demain. Avez-vous oublié le bonheur du dessin ? Lorsque vous en aurez retrouvé le goût, vous me pardonnerez tout. Je vous indiquerai un endroit propice et puis je vous laisserai tranquille. D'accord ?

Il la regarde avec des yeux suppliants. Elle se passe une main sur le front. Comment résister au charme de cet homme à la personnalité à la fois si confiante et si fragile ?

– D'accord. Merci. Je viendrai, murmure-t-elle en se remettant à l'ouvrage.

Trois semaines plus tard, elle rapporte à Paris cinq petites toiles représentant la mer, les bateaux de pêche, le ciel.

36

Kate

Robert n'a pas déménagé tout de suite. Moi, je ne voulais pas déraciner ma mère et mes enfants, ni quitter cette maison dont j'avais rêvé, que j'aimais, et que ma mère nous avait aidés à payer. Après l'épisode du vase, il a rassemblé ses lettres, les a mises dans l'une de ses poches et il est parti.

Je ne l'ai pas revu pendant plusieurs jours. Il n'avait rien emporté, pas même une brosse à dents ou une tenue de rechange. J'ai dit à ma mère que nous nous étions disputés et que nous avions besoin de faire un break. Elle ne m'a pas posé de questions, mais je voyais qu'elle était inquiète : elle se doutait que l'affaire était sérieuse. De mon côté, j'ai essayé de me convaincre qu'il était chez Mary, mais je n'y croyais pas vraiment ; à la façon dont il m'avait dit qu'elle était morte, je sentais que c'était la vérité. Le pire, c'est que ce décès ne semblait pas l'avoir bouleversé. J'aurais pu m'en réjouir, mais non, cette absence de sentiments me hantait et ne faisait qu'ajouter à ma peine.

Il a réapparu dans le courant de la semaine, un après-midi, alors que je lisais – distraitement – sur les marches du porche. Ma mère cousait sur la terrasse. Les enfants arrosaient, ou plutôt inondaient le jardin. Sa voiture était pleine de chevalets, de cartons à dessin et de caisses. Une boule s'est formée dans ma gorge. Il a embrassé ma mère, lui a demandé comment elle allait. Je n'ai pas entendu ce qu'elle lui a répondu ; sûrement qu'elle était en pleine forme, alors que la veille il avait fallu que je l'emmène chez le médecin à cause d'une crise de vertiges. Puis il est venu vers moi. Ses vêtements étaient sales et froissés, il avait de la peinture partout, encore plus que d'habitude. J'avais envie de lui sauter au cou, mais je n'ai pas bougé. Je me sentais minuscule à côté de lui, une pauvre petite femme trop propre qu'il avait fini par ne plus voir, dans sa quête artistique ; une femme si insignifiante qu'il avait négligé de lui expliquer en quoi consistait cette quête existentielle. Il s'est arrêté en bas des marches.

– Je viens juste chercher quelques trucs.

– OK, ai-je acquiescé.

– Tu voudrais que je revienne ? Vous m'avez manqué, toi et les enfants.

– Si tu reviens, ai-je articulé d'une voix tremblante, est-ce que tu seras vraiment avec nous ou est-ce que tu continueras à vivre avec un fantôme ?

J'ai cru qu'il allait s'énerver, mais il a seulement dit :

– Laisse tomber, Kate. Tu ne peux pas comprendre.

Je me suis retenue de hurler devant ma mère et les enfants. J'ai serré mon livre de toutes mes forces. Il est entré dans la maison et, au bout d'un moment, il en est ressorti avec un vieux sac de voyage.

– Je pars pour quelques semaines. Je t'appellerai, m'a-t-il dit.

Il a embrassé les enfants. Oscar était trempé, mais il l'a pris dans ses bras et l'a fait sauter en l'air. Il semblait avoir du mal à les quitter. Finalement, il est remonté dans sa voiture et il a démarré. Et son poste à l'université ? me suis-je demandé. L'avait-il quitté aussi ?

Quelques jours plus tard, le médecin de ma mère nous a téléphoné et nous a convoquées dans son cabinet. Elle était atteinte d'une leucémie, déjà bien avancée. On pouvait tenter une chimiothérapie, mais le traitement risquait de lui causer plus d'effets indésirables qu'autre chose. Elle s'est davantage intéressée à la brochure d'un service de soins palliatifs qu'il lui a donnée. En sortant, elle m'a serré le bras pour m'empêcher de pleurer.

37

Le soir même, j'ai téléphoné à la fac pour savoir, à tout hasard, si quelqu'un pouvait me dire où joindre Robert. Il n'était pas parti bien loin, il m'a rappelée peu après et il est venu immédiatement. Campait-il dans l'atelier ? Dans l'un des cottages inoccupés ? Dans le nôtre ? Il ne me l'a jamais dit.

Ma mère a été emportée en six semaines. Je ne m'étendrai pas sur cette période. Je veux seulement vous dire que Robert était là pour m'aider. Il dormait dans son atelier. Il était très calme et très prévenant. Parfois, il emmenait les enfants en balade pour que je puisse rester au chevet de ma mère. Elle prenait des antalgiques et elle passait de plus en plus de temps à somnoler. Elle avait elle-même contacté le service de soins palliatifs et nous étions convenues que lorsque ce serait le moment, elle me le ferait comprendre.

Mais elle est décédée à la maison et, en même temps, tout s'est éteint entre Robert et moi. Bien sûr, il était déjà parti et nous nous sommes encore parlé au téléphone après, de loin en loin. Et puis il y a eu d'autres cassures avec sa disparition à Washington, ma demande de divorce ; le moment où je me suis enfin résolue à débarrasser son bureau, au bout d'un an ; celui où j'ai rangé tous ses portraits de Mademoiselle Mélancolie ; le coup de téléphone par lequel j'ai appris qu'il s'était fait arrêter pour avoir tenté de lacérer un tableau, son hospitalisation ; ma décision d'aider sa mère à payer les soins ; le jour où j'ai pris conscience que je souhaitais de tout mon cœur qu'il guérisse et qu'il soit là lorsque les enfants se marieraient...

Les gens qui n'ont pas connu de séparation, ou même ceux dont le conjoint est mort, ne savent pas ce que c'est que la fin d'un couple.

La fin d'un couple, ce n'est pas une rupture nette ; c'est comme un livre dont on tourne la dernière page en croyant que l'histoire s'arrête là ; or non, il y encore un épilogue et les personnages continuent à vivre sans vous. Et il vous faut un certain temps pour les oublier, pour que vous cessiez de vous demander comment ils ont poursuivi leur chemin.

Néanmoins, je considère que le décès de ma mère a mis un point final à ma relation avec Robert. Nous ne nous attendions pas à ce qu'elle meure aussi subitement. Elle se reposait sur le canapé, au soleil. Elle m'a demandé de lui préparer du thé et son cœur a lâché tout d'un coup. Les médecins ont employé une autre expression, mais au bout du compte c'est quand même son cœur qui s'est arrêté, non ? Je sortais juste de la cuisine, avec un plateau qui m'est tombé des mains. Je me suis précipitée vers elle. Elle est morte dans mes bras. C'était horrible, je ne sentais plus son cœur et je ne sentais plus le mien non plus. Heureusement, tout est allé très vite, et surtout j'étais là avec elle.

Je l'ai gardée longtemps serrée contre moi avant de retrouver ma voix et de pouvoir appeler Robert. Il était dans son bureau, il est arrivé en courant. J'avais l'impression que ma mère ne pesait déjà presque plus rien. J'avais la joue pressée contre la sienne, pour ne pas voir son visage. J'ai levé les yeux vers Robert et c'est à cet instant précis que j'ai vu que notre amour était mort, comme ma mère. Il avait le regard vide. Il ne nous voyait pas, moi et ma mère sans vie entre mes bras. Il ne se demandait pas comment il allait me réconforter, ni ce qu'il convenait de faire dans ces circonstances. Non, il regardait quelqu'un d'autre, quelque chose qui lui plaquait un masque d'horreur sur les traits, que je ne pouvais ni voir ni comprendre. Il n'était pas là.

Novembre 1878
Paris
Très chère Béatrice,

Ta dernière lettre m'a beaucoup touché. La pièce de Molière que j'ai vue hier soir était excellente ; je regrette cependant de ne pas avoir été des vôtres. Les frères Thomas étaient-ils là ? Je t'avoue que la question me taraude. Non pas que je sois jaloux, bien que ces poseurs soient plus proches que moi de ton âge, mais je n'aime pas la façon dont ils regardent ton travail. Ces gens-là n'entendent pas grand-chose à l'art, crois-moi.

Cela dit, ce n'est pas pour médire d'eux que je t'écris. Il fait un temps tellement splendide, ce matin, que je ne peux résister à l'envie de te faire partager les émotions qui me submergent. Tu dois être devant ta fenêtre, occupée à broder, ou à lire. Peut-être es-tu plongée dans la lecture du livre que je t'ai apporté la dernière fois. Je l'imagine au creux de tes paumes. Tu m'as dit, lorsque j'ai commis l'indiscrétion d'admirer tes mains, que tu les trouvais trop larges. Je puis t'assurer qu'elles sont parfaitement proportionnées. En outre, elles possèdent la grâce de savoir manier pinceau, crayon et, nul doute, tout ce qu'elles touchent. Puissé-je les tenir entre les miennes, je les couvrirais de baisers, avec tout le respect que je leur dois.

Pardonne-moi, je m'égare, et revenons-en à cette délicieuse matinée. J'ai poussé ma promenade jusqu'au Jeu de paume, tout à l'heure, en dépit de la fatigue que je ressens pour être rentré tard du théâtre, hier. À vrai dire, je crois que je commence à me faire trop vieux pour sortir le soir. Sincèrement, j'aurais préféré passer la soirée à tes côtés. Demain soir, peut-être lirons-nous ensemble devant la cheminée, ou bien resterons-nous simplement l'un près de l'autre en silence et j'écouterai tes pensées. Assieds-toi ainsi au coin du feu, de temps à autre, et pense à moi quand je ne suis pas là.

Voilà que je divague à nouveau. En me dirigeant vers le Jeu de paume, donc, j'ai vu un vieux monsieur qui jetait des miettes aux hirondelles et j'ai songé qu'il avait dû être bel homme autrefois, et qu'il avait peut-être assisté à la dernière charge de Napoléon. Je t'entends rire de mes idées fantasques. En traversant le parc, j'ai ensuite croisé un jeune prêtre (lequel, dans une autre dimension, aurait pu nous donner sa bénédiction), tellement pressé qu'il se prenait les pieds dans sa soutane. Moi qui avais tout mon temps, je me suis assis sur un banc afin de rêver un instant. Tu imagines aisément vers quoi, ou plutôt vers qui, mon esprit s'est envolé. Ne te moque pas, je t'en supplie, de cet accès de mélancolie.

À présent, après m'être réchauffé et avoir pris mon petit déjeuner, je me prépare pour une journée de rendez-vous et de travail, durant laquelle je penserai à toi à chaque instant tandis que tu vaqueras à tes occupations sans te soucier de moi. J'espère pouvoir t'annoncer demain une nouvelle qui te fera plaisir. Tout dépendra de l'une des personnes que je dois rencontrer aujourd'hui. Pour le moment, je ne peux guère t'en révéler davantage, si ce n'est que cela concerne ma soumission au prochain Salon. Que de mystère, n'est-ce pas ? Ne m'en veux pas, tu en sauras plus très bientôt ! Yves m'a vivement conseillé de prendre ton avis sur le sujet. C'est pourquoi j'aimerais que tu passes demain à mon atelier, entre 10 heures et midi, si tu peux te libérer. Je joins l'adresse ainsi qu'un petit plan à la présente. Tu verras, la rue est pittoresque mais pas déplaisante.

En attendant, et dans l'espoir que tu acceptes cette invitation, permets-moi le plus chaste des baisemains.

Ton dévoué ami, conscient de s'exposer à des remontrances bien méritées !

O.V.

38

Marlow

J'ai quitté Kate en la remerciant du fond du cœur, avec dans ma serviette les notes que j'avais prises durant nos entretiens. Elle m'a serré la main chaleureusement. À l'évidence, toutefois, elle était soulagée que je m'en aille. En bordure du centre-ville, je me suis garé devant un café et, de ma voiture, j'ai téléphoné à l'université de Greenhill. Je suis tombé sur une standardiste fort sympathique, qui m'a passé la secrétaire du département d'arts, tout aussi aimable.

– Je suis le Dr Andrew Marlow, lui ai-je dit. Je suis en train de rédiger un article, pour *Art of America*, sur l'un de vos anciens enseignants, Robert Oliver. Je sais qu'il ne travaille plus chez vous, je l'ai récemment interviewé à Washington.

La sueur me perlait au front. Pourquoi diable avais-je mentionné une publication précise ? J'ignorais s'ils étaient au courant, à la fac, qu'Oliver avait été interné. J'espérais que l'incident de la National Gallery n'avait paru que dans les journaux de Washington. J'ai pensé à Robert, étendu sur son lit tel un colosse terrassé, les mains derrière la nuque, les chevilles croisées, les yeux au plafond. *Vous pouvez interroger qui vous voulez.*

– Je me trouve en ce moment tout près de Greenhill, ai-je poursuivi sur un ton enjoué. J'aurais dû vous prévenir mais, avec un peu de chance, peut-être que l'un de ses collègues aura quelques minutes à me consacrer, cet après-midi ou demain matin, pour me parler de son travail... Oui. Je vous remercie.

La secrétaire m'a prié de patienter un instant. Je l'imaginais traverser un vaste atelier et transmettre ma requête à tous les profs présents. Elle est revenue rapidement.

– Le professeur Liddle ? D'accord. Merci infiniment. Vous lui direz que je suis navré de le prendre au dépourvu et que je ne le retiendrai pas longtemps.

Après quoi je suis entré dans le café, j'ai commandé un expresso glacé et je me suis épongé le front avec la serviette en papier, en me demandant si le jeune garçon qui me regardait de derrière sa caisse lisait sur mon visage que j'étais un menteur. Depuis que je connaissais Robert Oliver, je n'arrêtais pas de contrefaire la vérité.

Il n'y avait qu'une vingtaine de minutes jusqu'au Greenhill College, mais j'étais tellement impatient que le trajet me parut interminable. Le ciel était dégagé ; la route, magnifique, bordée de fleurs sauvages roses et blanches dont j'ignorais le nom. « Vous pouvez même interroger Mary », m'avait dit Robert. Ses paroles résonnaient encore à mes oreilles. Il en avait cependant prononcé si peu qu'il m'aurait été difficile de les oublier.

Il n'y avait que trois possibilités, me semblait-il. Soit Robert avait menti à Kate et Mary n'était pas morte. Soit elle n'était effectivement plus de ce monde mais, dans son délire, il croyait qu'elle était encore en vie. Il ne présentait toutefois aucun symptôme indiquant qu'il était en proie à des hallucinations. En outre, si tel était le cas, il lui aurait été difficile de garder délibérément le silence. Quant à la troisième hypothèse, elle me paraissait tellement tirée par les cheveux que je l'ai écartée afin de me concentrer sur la route.

Je me faisais une idée plus sauvage de l'arrière-pays des Appalaches. Peut-être fallait-il pour cela s'éloigner davantage des grands axes. Après avoir grimpé quelques kilomètres dans la montagne, j'ai reconnu le panneau de bois et de pierre devant lequel Kate avait pris Robert en photo.

Le campus de Greenhill College était niché dans les bois. Certains des bâtiments étaient en bois, d'autres en brique, à demi cachés dans les rhododendrons et les sapins. Trois étudiants jouaient au Frisbee sur une pelouse. Un prof barbu faisait cours sous un grand sycomore, ses élèves assis par terre autour de lui, leurs cahiers sur les genoux. Le cadre était idyllique. J'avais envie de redevenir étudiant et d'être interne ici, dans ce petit paradis où Robert Oliver avait vécu plusieurs années, malade et déprimé.

Je me suis garé devant le département d'arts. J'étais nerveux mais de quoi avais-je peur, au juste ? N'étais-je pas venu jusque-là pour le bien de l'un de mes patients ? Si je n'avais pas révélé ma profession, c'était seulement parce que je savais que l'on parlerait plus librement à un journaliste qu'à un psy.

La secrétaire était une étudiante. Ou tout du moins, elle avait l'âge d'une étudiante. Bien en chair, elle portait un jean et un T-shirt blanc. Je lui ai dit que j'avais rendez-vous avec Arnold Liddle. Elle m'a accompagné jusqu'à son bureau. Il était au téléphone, les pieds sur sa table de travail, en chaussettes. À mon arrivée, il a raccroché abruptement et reposé ses longues jambes maigres par terre. Le fil en spirale de son vieux combiné s'était entortillé autour de son bras. Il lui a fallu quelques secondes pour s'en dépêtrer. Puis il s'est levé et m'a tendu la main.

– Professeur Liddle ?

– Appelez-moi Arnold, je vous en prie.

La secrétaire s'est éclipsée. Arnold avait les cheveux roux et clairsemés, un visage en lame de couteau, de grands yeux bleu pâle, amicaux, et un long nez couperosé. Il était en chemise et pantalon de costume gris. En souriant, il m'a indiqué un siège et s'est rassis en reposant les jambes sur son bureau. J'aurais volontiers enlevé mes chaussures, moi aussi, mais je n'ai pas osé. Des cartes postales annonçant des expos étaient punaisées sur un tableau d'affichage, ainsi que quelques photos de deux enfants maigrichons en équilibre précaire sur des bicyclettes. Un grand poster de Jasper Johns était affiché sur un mur.

– En quoi puis-je vous être utile ? m'a demandé Arnold en se calant confortablement dans son fauteuil.

J'ai croisé les mains et me suis efforcé de ne pas paraître trop emprunté.

– La réceptionniste a dû vous dire que je recueillais des témoignages sur Robert Oliver. C'est elle qui m'a orienté vers vous.

Il m'a observé un instant sans mot dire, avec une expression tout à fait neutre. Il n'avait pas l'air d'être au courant de ce qui s'était passé à la National Gallery. Je me suis un peu détendu.

– Oui, a-t-il enfin acquiescé. J'ai travaillé avec Robert pendant sept ans, je connais bien sa peinture. Je ne dirais pas que nous étions amis, il était un peu ours, vous savez, mais j'ai toujours eu beaucoup d'estime pour lui.

J'étais étonné qu'il ne me demande pas ce que je faisais exactement, ni ce que je désirais savoir. La secrétaire lui avait-elle dit que j'écrivais un article pour *Art of America* ? Et si, par hasard, il connaissait le rédacteur en chef ?

– Il a réalisé ici plusieurs pièces remarquables, me suis-je aventuré, voyant qu'Arnold ne savait plus trop quoi me dire.

– Absolument. Il était prolifique, il peignait sans arrêt. Personnellement, je n'aime pas trop ce qu'il fait, un peu trop décalé à mon goût, mais il faut reconnaître que c'est un grand artiste. Il a, paraît-il, eu une période abstraite, à ses débuts, qui n'a pas duré longtemps ; ce n'était pas son truc. Il a réalisé trois séries, ici : une de portes et de fenêtres, un peu dans le style des intérieurs de Bonnard mais en plus réaliste, vous voyez ? Une autre de natures mortes à la Manet, avec toujours un élément anachronique : des fleurs, des fruits, des coupes, avec au milieu une prise électrique ou un tube d'aspirine. Très bien exécutées. Elles ont d'ailleurs fait l'objet de l'une de nos grandes expos et le musée de Greenhill en a acheté quelques-unes. D'autres musées, aussi.

Tout en me parlant, il faisait tourner un crayon entre ses doigts.

– Quant à la troisième, elle était franchement bizarre. Autant que je me souvienne, il y travaillait surtout chez lui. Nous l'avons également exposée.

J'avais sorti mon bloc-notes et j'essayais de me donner une attitude de journaliste.

– S'agissait-il également d'une série traditionaliste ?

– Oh, oui, mais vraiment étrange. Toutes les toiles représentaient peu ou prou la même scène, assez terrifiante : une jeune femme, soutenant dans ses bras le corps inanimé d'une femme plus âgée, morte d'une blessure par balle à la tête. Un genre de mélodrame victorien, avec une foule de détails atrocement réalistes. Je ne sais pas qui il a fait poser pour ça. Le visage de la jeune femme exprime un choc profond. Des étudiantes peut-être, bien que je ne l'aie jamais vu travailler là-dessus avec des modèles. Quand nous avons rénové la galerie, nous avons demandé une œuvre à chacun des profs. Il nous a fait don de l'un de ces tableaux. Il est encore dans le hall d'entrée. Vous connaissez bien Robert Oliver ?

– Je l'ai interviewé plusieurs fois, à Washington, ai-je répondu, mal à l'aise. Je ne le connais pas bien, non, mais je le trouve intéressant.

– Que devient-il ?

Arnold me scrutait, le regard pénétrant. C'était une personne déstabilisante, qui m'inspirait à la fois sympathie et défiance.

– J'ai cru comprendre qu'il venait de commencer une nouvelle série.

– Il ne va pas revenir à Greenhill, je suppose ?

– Je ne peux pas vous dire. Nous n'avons pas parlé de ça. Aimait-il l'enseignement ? Comment était-il avec ses élèves ?

– Eh bien... Vous savez qu'il a quitté sa femme pour une étudiante...

J'ai cru que j'avais mal entendu.

– Pardon ?

Arnold a eu un petit sourire amusé.

– Il ne vous l'a pas dit ? Ce n'était pas une étudiante de chez nous. Vraisemblablement, il l'avait rencontrée pendant le semestre où il a enseigné dans une autre fac. Nous ne l'avons appris que lorsqu'il est parti vivre avec elle à Washington. Je ne sais pas ce qui lui a pris. Je crois qu'il n'a même pas déposé de démission officielle. Après un coup pareil, il peut dire adieu à sa carrière universitaire. Remarquez, peut-être que ses peintures lui rapportent suffisamment, maintenant. Il y a de fortes chances, d'ailleurs. En tout cas, il a filé comme un voleur... Ma femme connaissait un peu la sienne, mais elle n'en a pas su plus que nous. Ils s'étaient installés en ville, depuis quelque temps, ils n'habitaient plus sur le campus. Mme Oliver était une jeune dame charmante. Vraiment, je n'arrive pas à comprendre quelle mouche a piqué ce vieux Bob. Il a dû péter un plomb, je ne vois pas d'autre explication.

Je cherchais quelque chose à dire mais j'étais incapable de formuler le moindre commentaire pertinent.

– Enfin, bon, s'il est heureux comme ça, c'est tout ce que je lui souhaite, a conclu Arnold. C'était un chic type, au fond. Il est parti jouer dans la cour des grands. Il devait se sentir à l'étroit, ici. Je me trompe peut-être, mais c'est ma théorie.

Là-dessus, il s'est mis à crayonner quelque chose sur un bloc. Il ne semblait pas envieux. Manifestement, lui se sentait à sa place dans ce bureau trop exigu pour ces grandes jambes.

– Votre papier portera sur quoi, exactement ? m'a-t-il demandé.

Je me suis raclé la gorge.

– Sur ses portraits féminins.

– Il en a fait beaucoup, en effet, a-t-il enchaîné. Presque toujours de la même femme, une jolie brune aux cheveux bouclés. Une expo leur a été consacrée, à Chicago. Nous avons peut-être encore le catalogue, quelque part, si son épouse ne l'a pas emporté. Un jour, je lui ai demandé s'il s'agissait de l'une de ses connaissances, il ne m'a pas répondu. Sa jeune maîtresse, peut-être, ou... je n'en sais rien. Drôle d'oiseau, que ce Robert. Très réservé, comme je vous le disais tout à l'heure.

– Est-ce qu'il vous a paru... Est-ce que vous avez remarqué quelque chose d'inhabituel, chez lui, avant qu'il quitte Greenhill ?

Arnold a repoussé son bloc loin de lui.

– Quelque chose d'inhabituel... Non, je ne crois pas, à part ses dernières peintures. Je ne devrais pas parler ainsi du travail d'un collègue, mais je suis du genre à dire ce que je pense et je vais être honnête : je les trouvais inquiétantes. Robert avait un don pour imiter les styles du XIXe siècle, ce que l'on est en droit d'aimer ou pas, mais ce talent forçait l'admiration. Ses natures mortes étaient splendides, notamment. Il peignait aussi parfois des paysages. Épatants. On aurait presque dit des photos. Il adorait la nature et détestait l'art conceptuel. Ce n'est pas non plus ma tasse de thé, mais je ne *déteste* pas. Je me suis toujours demandé pourquoi il peignait ces scènes victoriennes oppressantes, s'il aimait tant les grands espaces. Et ce style d'une autre époque qu'il avait fait sien, est-ce que ce n'était pas en soi un concept ? Mais je suis sûr qu'il a dû vous parler de tout ça.

Je voyais que je n'en obtiendrais guère plus. Arnold analysait les peintures, pas les gens. C'était un homme affable et intelligent, mais sans substance, nettement moins intéressant que Robert Oliver.

– Si vous voulez, je peux vous montrer le tableau de Bob dont je vous ai parlé tout à l'heure, m'a-t-il proposé. C'est tout ce qu'il nous reste de lui, ici. Sa femme est venue chercher tout ce qu'il avait laissé dans son bureau et à l'atelier. Venez, ça me dégourdira les jambes.

39

Je l'ai suivi jusqu'à la galerie, laquelle se révéla beaucoup plus spacieuse et sophistiquée qu'on aurait pu le croire de l'extérieur. Une verrière avait été rajoutée à l'arrière, sans doute conçue par un architecte convoitant un prix local.

Dans le hall d'entrée au plafond vitré, Arnold m'a désigné un grand tableau et j'ai immédiatement compris ce qu'il avait voulu dire par « bizarre ». Il était terriblement vivant et en même temps exagérément dramatique ; en effet, il rappelait les toiles de fond des pièces de théâtre victoriennes. Il représentait une femme en longue robe bouffante à bustier cintré, vert pâle, agenouillée dans une rue pavée, le corps d'une femme plus âgée dans les bras. La morte avait le visage gris, les yeux fermés, la mâchoire pendante ; du sang s'écoulait de son front dans ses cheveux défaits et sur son châle.

Les élégants vêtements de la jeune femme étaient sales et déchirés, maculés de sang. Des mèches bouclées s'étaient échappées de sa coiffure et lui retombaient devant le visage, son chapeau pendait sur une épaule. Elle était penchée au-dessus du cadavre, si bien que l'on ne voyait pas les yeux de braise dont j'avais déjà si souvent croisé le regard. L'arrière-plan était flou, mais on devinait un mur, une étroite ruelle, l'enseigne d'une échoppe, des lettres rouges et bleues, illisibles, et au bout de la venelle, des piles de quelque chose, marron et beige – de bois ? des sacs de sable ?

L'image était saisissante, émouvante, il s'en dégageait une ambiance de peur et de désespoir. À mon humble avis, toutefois, elle manquait cruellement de naturel. La pose et la douleur de la jeune femme m'évoquaient la *Pietà* de Michel Ange, une œuvre trop célèbre pour que l'on puisse en avoir une vision impartiale, à moins d'être très jeune, ce qui était mon cas lorsque je l'avais vue lors de mon voyage en Italie, avant d'entrer en fac de médecine. À l'époque, elle n'était pas encore sous verre, seulement mise hors d'atteinte par une corde. Leurs corps auréolés de lumière naturelle, Marie et Jésus paraissaient vivants, le sang pulsant dans leurs veines – non seulement la *Mater dolorosa*, mais aussi le Christ descendu de la croix. C'était cela qui m'avait touché : on n'avait pas l'impression qu'il était mort. Moi qui n'étais pas croyant, j'avais vu là non pas l'annonce de la résurrection mais une représentation de l'affliction de la Vierge, et de la vie que l'on voit s'attarder, à l'hôpital, lorsqu'une personne jeune décède prématurément d'une terrible blessure. C'est devant cette statue que j'ai appris à reconnaître le génie.

Dans la peinture de Robert, ce qui m'a frappé de prime abord, outre l'horreur de la scène, c'est qu'elle était narrative, contrairement à tous les portraits que j'avais vus précédemment. Mais que racontait-elle ? Robert n'avait probablement pas utilisé de modèles. Kate avait dit qu'il peignait et dessinait parfois d'imagination. À moins qu'il n'ait fait poser des modèles et inventé l'histoire – les costumes du XIXe étayaient cette hypothèse. Avait-il imaginé sa muse témoin des derniers instants de sa mère ? Avait-il voulu montrer ses propres faces visible et obscure, sa psyché divisée par la maladie ? Je ne voyais pas Robert peindre des fictions.

– Vous ne l'aimez pas, vous non plus ?

Arnold avait l'air satisfait.

– C'est une œuvre habile. Laquelle est de vous ?

– Là.

Arnold tendit l'index vers une grande toile abstraite, des grands carrés bleu pâle se fondant l'un dans l'autre sur un fond argenté, des sortes de ricochets angulaires. Je lui ai dit en souriant que j'aimais bien, ce qui était vrai. Il m'a cordialement remercié.

– Je fais du jaune, maintenant, m'a-t-il dit, la tête inclinée sur le côté, examinant ce tableau qu'il n'avait pas dû regarder depuis un certain temps.

– D'accord. Bon... Je crois que je vais vous laisser retourner à votre travail, ai-je dit. Je vous remercie de votre accueil.

– Si vous revoyez Robert, passez-lui le bonjour de ma part, m'a-t-il interrompu. Et dites-lui que nous gardons un bon souvenir de lui.

– Je n'y manquerai pas, ai-je encore menti.

– Et si vous y pensez, envoyez-moi une copie de votre article, a-t-il ajouté en me précédant vers la porte.

J'ai vaguement hoché la tête et nous nous sommes séparés devant ma voiture. Je suis resté un moment assis derrière le volant avant de mettre le contact. Puis j'ai rempoché mes clés et je suis retourné dans la galerie. J'ai traversé le hall d'entrée sans m'arrêter, et dans la salle principale j'ai examiné une à une les œuvres réalisées par les étudiants, lu chacune des légendes sans les voir vraiment : des arbres, des fruits, des montagnes, des fleurs, des cubes, des motos, des mots, des choses indéfinissables, certaines excellentes, d'autres étonnamment maladroites. Quand elles n'ont plus formé devant mes yeux qu'un tourbillon de couleurs, je suis alors retourné devant le tableau de Robert.

Elle était toujours là, bien sûr, penchée au-dessus de son terrible fardeau, le visage ravagé de chagrin, de colère aussi, ses jupes frémissant encore du mouvement qu'elle venait de faire afin de se précipiter au secours de la mourante, dont elle tenait la tête inerte et ensanglantée contre la courbe pleine de sa poitrine. Il était évident qu'elle la connaissait et qu'elle l'aimait ; ce n'était pas une abstraction de la pitié. J'étais face à une œuvre exceptionnelle. En dépit de ma pratique et de toutes mes connaissances techniques, je ne comprenais pas comment Robert avait réussi à rendre une telle émotion. Je voyais ses coups de pinceau, les mélanges de couleurs, mais la vie qui animait la jeune femme et l'inertie du cadavre dépassaient mon entendement. Si cette image était le produit de son imagination, elle était d'autant plus effrayante. Ce devait être éprouvant pour les étudiants de la voir là, jour après jour.

Je l'ai observée jusqu'à ce que la jeune femme me paraisse sur le point de hurler, d'appeler à l'aide, de partir en courant chercher du secours ou de se relever en portant le cadavre. Quelque chose semblait prêt à se produire : là était le miracle. Il avait saisi l'instant de choc, d'incrédulité, l'instant où tout bascule. J'ai attendu qu'elle relève la tête. Si elle me regardait, serais-je capable de la réconforter ? Elle n'était qu'à quelques centimètres de moi, figée dans la seconde de calme irréel précédant la détresse absolue, et je me savais impuissant à l'aider. J'ai alors réalisé ce que Robert avait accompli.

40

Il m'a fallu des heures, cet après-midi-là, pour prendre une décision. Il faisait nuit quand je suis retourné chez Kate. Au lieu de quitter Greenhill dans l'après-midi, comme prévu, j'avais nerveusement arpenté les rues et dîné en ville. Puis j'étais retourné chez les Hadley, et devant le cottage, j'avais fait demi-tour. Les maisons étaient éclairées dans le quartier de Kate, un chien aboyait. Il n'était pas très tard, mais ce n'était pas une heure pour aller frapper chez les gens. Pourquoi ne lui avais-je pas téléphoné ? De toute façon, maintenant que j'étais là, je ne pouvais plus faire machine arrière.

La lumière s'est allumée automatiquement lorsque j'ai gravi les marches du porche. Je n'aurais pas été surpris qu'une alarme se déclenche. Une lampe brillait dans le salon, mais je ne voyais personne. Plutôt que de sonner, j'ai préféré frapper. Kate est apparue et a prudemment jeté un coup d'œil par la vitre avant de m'ouvrir.

– Je suis désolé, lui ai-je dit. Excusez-moi de revenir vous déranger à cette heure-ci... Je repars demain matin et je... euh... Pourriez-vous me montrer les autres tableaux, s'il vous plaît ?

Je me sentais terriblement mal à l'aise. Elle devait me prendre pour un dingue. Elle me dévisageait avec tristesse, condescendance et patience à la fois. Un instant, j'ai cru qu'elle allait me refermer la porte au nez, mais non, elle s'est écartée afin de me laisser entrer.

La maison était plongée dans le silence. J'avais l'impression que mes pas faisaient un bruit monstre. Qui étais-je, pour me permettre de venir troubler la tranquillité de ce confortable foyer ? Les enfants devaient dormir. Si nous montions, à coup sûr nous allions les réveiller. À ma surprise, toutefois, Kate m'a conduit au sous-sol.

Il y régnait une odeur de poussière et de bois sec qui me rappelait un souvenir d'enfance, vague mais plaisant, un lieu que j'avais visité, un endroit où j'avais joué, peut-être. Devant moi, la silhouette de Kate semblait se mouvoir comme dans un rêve. En bas, il y avait un tas de bûches dans un coin, un vieux rouet dans un autre, des seaux en plastique, des pots de fleurs vides.

Kate a traversé la pièce jusqu'à un meuble en bois. Sans un mot, toujours comme dans un rêve, elle l'a ouvert. Il contenait des toiles, suspendues à des sortes de cintres. De sa main blanche, Kate me tenait la porte. Je me suis approché, et un à un j'ai retiré les tableaux du placard et les ai posés contre les murs. Huit grandes peintures encadrées. Certaines avaient dû être exposées. En avait-il vendu beaucoup d'autres ? Où étaient-elles, à présent ? Dans des musées ? Chez des particuliers ?

Il n'y avait qu'une ampoule nue au plafond, qui dispensait une faible lumière, mais les tableaux n'en paraissaient que plus réels. Sept représentaient des variantes de la toile que j'avais vue à la galerie de l'université : les deux visages en gros plan ; celui de la jeune femme enfoui dans le cou de la morte, comme si elle s'abreuvait de son sang ou le mêlait à ses larmes – mélodramatique, oui, mais profondément touchant ; la jeune femme debout, en pleurs, un mouchoir pressé contre les lèvres, cherchant désespérément de l'aide autour d'elle – l'instant suivant ou celui précédant la scène exposée à la fac ? Dans tous les cas, la belle aux cheveux bouclés était pétrifiée de stupeur, d'horreur et de chagrin. L'histoire n'avançait ni ne reculait ; elle était à jamais figée dans cette séquence.

La huitième peinture était plus grande que les autres, et différente. Kate s'était postée devant. Il s'agissait d'un portrait de groupe, trois femmes et un homme, en pied, dans une attitude étrangement conventionnelle. Robert avait abandonné ici son style caractéristique du XIXe siècle. L'œuvre était résolument contemporaine, d'un réalisme époustouflant, comme le sensuel portrait que j'avais vu dans son atelier. L'homme se tenait au premier plan, deux des femmes derrière lui à sa droite, la troisième à sa gauche. Tous les quatre faisaient gravement face à l'observateur et portaient des vêtements modernes. Les trois personnages féminins étaient en jean et chemise de couleur claire. L'homme avait un pantalon kaki et un sweat-shirt déchiré. Je les connaissais tous, sauf l'une des femmes. La plus petite en taille était Kate, avec les cheveux plus longs, chacune de ses taches de rousseur à sa place, dans une posture très droite, une expression sérieuse dans ses grands yeux bleus. À côté d'elle, beaucoup plus grande, celle qui m'était inconnue, une jeune rousse aux cheveux raides et au visage anguleux, des jambes immenses, les mains enfoncées dans les poches de son jean. Elle me disait vaguement quelque chose, mais où aurais-je pu l'avoir vue ? Qui pouvait-elle bien être ? À la gauche de l'homme, la troisième m'était familière, bien que dans une tenue vestimentaire inhabituelle : un jean délavé et un corsage de soie grise, pieds nus, ses boucles brunes lui tombant sur les épaules. De la voir ainsi habillée à la mode actuelle me fit battre le cœur. J'avais peut-être des chances de la retrouver...

L'homme était évidemment Robert Oliver, hirsute. Le regard insondable, il semblait indifférent aux trois Grâces qui l'entouraient, seul, arrogant, égocentrique. Cette peinture avait quelque chose de dérangeant. Kate l'observait de ses grands yeux, le buste aussi droit que celui d'une danseuse. Je me suis approché d'elle et, non sans hésitation, je lui ai passé un bras autour des épaules, sans aucune autre intention que de la réconforter. Elle s'est tournée vers moi avec une expression cynique, presque un rictus.

– Vous ne les avez pas détruites, ai-je murmuré.

Elle n'a rien fait pour repousser mon bras. Elle avait des épaules minuscules, l'ossature d'un petit oiseau.

– Robert est un grand artiste. C'était un bon père et un mauvais mari, mais il a du talent. Je n'ai pas le droit de détruire ce qu'il a fait.

Il n'y avait rien de grandiloquent dans sa voix. Ce n'était qu'un constat. Finalement, elle s'est gracieusement écartée de moi, refermant ainsi une porte entre nous. Sans quitter la toile des yeux, elle s'est lissé les cheveux.

– Que comptez-vous en faire ? lui ai-je demandé.

– Je ne sais pas encore. Pour le moment, je les garde.

Je ne lui ai pas posé davantage de questions. Ces troublantes images serviraient peut-être un jour à financer les études de ses enfants... Indiscutablement, elles valaient une fortune. Je l'ai aidée à les ranger dans le meuble et nous l'avons refermé ensemble. Puis nous sommes remontés dans le salon et elle m'a raccompagné sur le porche.

– Peu m'importe ce que vous ferez, m'a-t-elle dit. Agissez comme bon vous semblera.

J'ai compris qu'elle m'autorisait par là à dire à Robert que j'avais rencontré sa femme, qu'elle m'avait accueilli dans la belle maison où il avait vécu, et montré les tableaux qu'elle conservait en vue d'un avenir dans lequel elle n'osait se projeter.

Pendant un moment, nous n'avons rien dit ni l'un ni l'autre. Puis elle s'est hissée sur la pointe des pieds – sans doute pas autant que pour embrasser Robert – et elle a déposé un baiser sur ma joue.

– Bon retour, m'a-t-elle dit. Soyez prudent.

J'ai hoché la tête, incapable de prononcer la moindre parole. Tandis que je descendais les marches, j'ai entendu la porte se refermer derrière moi pour la dernière fois. Sur la route, j'ai allumé l'autoradio, puis je l'ai éteint et j'ai chanté pour meubler le silence. Je revoyais les toiles de Robert sous l'ampoule nue du sous-sol, des toiles que je ne reverrais peut-être jamais. Une brèche s'était ouverte dans ma vie. Peut-être était-ce Kate qui l'avait ouverte.

41

1878

Le cabriolet s'est arrêté devant un immeuble peu avenant. C'est là que se trouve son atelier, rue Lamartine. Toute la journée de la veille, elle s'est dit qu'elle emmènerait sa femme de chambre avec elle. À la dernière minute, cependant, juste avant de quitter la maison, elle s'est ravisée. Elle a laissé une note, inutile, à la gouvernante, lui expliquant qu'elle partait rendre visite à une amie et la priant de porter un plateau à son beau-père pour le déjeuner.

Son chapeau la gêne, elle a attaché les brides trop serrées. En milieu de matinée, les rues sont animées. C'est l'heure des livraisons, les attelages se croisent. Les garçons de café installent les terrasses. Une vieille femme déguenillée balaie le trottoir. Un homme au ventre ceint d'un long tablier lui donne quelques pièces. Elle s'en va balayer un peu plus loin.

Béatrice a dans son petit sac un croquis de l'immeuble. Elle vérifie qu'elle ne s'est pas trompée d'adresse. Olivier va soumettre une toile au Salon ; il doit l'envoyer au jury dans la semaine et désire la lui montrer avant. C'est pour cela qu'il l'a invitée. Un prétexte fallacieux. Que le tableau soit accepté ou non, elle sait qu'elle aura de toute façon l'occasion de le voir avec Yves, bien qu'il soit, paraît-il, difficile à transporter. Il s'agit d'un grand portrait féminin, lui a récemment révélé Olivier. Elle n'a pas osé lui demander de qui ; un modèle, sans doute. Elle se sent toutefois concernée par ce projet dont il lui a tant parlé. Il a longuement hésité à le soumettre au Salon, il a également songé à présenter un paysage. Elle est fière d'être consultée. Voilà sa maigre justification pour paraître seule à son atelier coiffée d'un nouveau chapeau. Du reste, ce n'est pas comme s'il l'avait conviée à son domicile. D'autres personnes seront peut-être là pour donner leur avis en sirotant des rafraîchissements.

Après avoir prié le cocher de revenir dans une heure, elle soulève ses jupes et descend de voiture. Elle a mis une robe couleur prune et une cape de laine bleue bordée de fourrure grise, assortie à son chapeau, un modèle dernier cri en velours bleu garni d'une ganse argent et d'un gros bouquet de myosotis, de clématites et de lupins d'aspect plus vrai que nature. On dirait un chapeau décoré dans un champ. Le miroir de son cabinet de toilette lui a dit qu'elle avait les joues roses et les yeux pétillants d'une lueur voilée de culpabilité.

Elle regarde ses souliers de cuir noir se poser sur le marche-pied. Sur le pavé, elle évite une flaque boueuse. Il y a huit ans, ce quartier a été le théâtre de l'insurrection, songe-t-elle en essayant d'imaginer les barricades, les monceaux de cadavres. Elle a du mal à penser à autre chose qu'à l'homme qui l'attend. L'observe-t-il de derrière une fenêtre ? À son corps défendant, elle lève discrètement la tête vers les étages. Ses jupes rassemblées dans sa main gantée, elle frappe à la porte de l'allée, puis elle la pousse, se rappelant qu'il n'y aura pas ici de domestique pour l'accueillir. Un escalier délabré la mène jusqu'au troisième étage. À chaque palier, elle craint qu'une porte ne s'ouvre sur son passage. Mais toutes demeurent fermées. Devant celle de l'atelier, elle inspire profondément ; son corset l'étouffe. Puis elle toque contre le battant.

Il ouvre sur-le-champ, comme s'il guettait son arrivée. Ils se font face sans parler. Il y a plus d'une semaine qu'ils ne se sont pas vus et durant ce laps de temps leur amitié s'est renforcée. Leurs regards se rencontrent, inévitablement. Elle lit dans le sien qu'il est conscient que quelque chose entre eux a changé. Pour sa part, elle ne voit que les rides aux coins de ses yeux, les profonds sillons de part et d'autre de son nez, ses cheveux blancs. Loin de lui, elle oublie son âge.

Très rapidement, elle retrouve néanmoins sous ce visage le jeune homme qu'il a dû être autrefois, ce jeune homme qui l'observe de derrière un masque qu'il n'a jamais désiré porter, de ses yeux vulnérables et expressifs. Peut-être ont-ils perdu un peu de leur vivacité, leur bleu s'est sans doute dilué ; les paupières sont soulignées de rouge. Lorsqu'il s'incline au-dessus de sa main, elle voit la peau rose de son crâne. Ses lèvres sont chaudes, sous sa barbe encore parsemée de brun. Durant ce fugace contact, il n'est plus pour elle qu'un artiste sans âge, fort de l'expérience de la vie. Son cœur s'emballe.

– Entrez, je vous en prie.

Il ne la tutoie pas. Il lui tient courtoisement la porte. Il est vêtu d'un vieux costume élimé et d'une blouse de lin déboutonnée, aux manches retroussées. Sa chemise blanche est tachée de peinture, sa cravate de soie noire usée jusqu'à la trame. Il n'a pas pris la peine de s'habiller pour sa visite. Il se montre ainsi à elle tel qu'il est lorsqu'il travaille, lorsqu'il se consacre à ce qu'il aime. Elle s'avance dans la pièce. Il n'y a personne d'autre. Il referme la porte, créant ainsi un espace qui n'appartient qu'à eux, à l'abri du monde extérieur. Elle n'éprouve aucun remords, aucune honte. Après tout, quel mal y a-t-il à se rendre chez un vieil oncle par alliance ?

– Puis-je prendre votre cape ?

Avec un naturel qui la surprend elle-même, elle dénoue son chapeau et le soulève à la verticale au-dessus de sa tête afin de ne pas déranger sa coiffure. Elle défait l'agrafe de sa cape et la plie en deux sur l'envers, de façon à protéger la délicate fourrure. Elle lui tend les deux, il les emporte dans une autre pièce. L'atelier est doté de longues fenêtres et d'une belle lucarne ; il y fait très clair. En hauteur, le bruit de la rue est si atténué qu'il est aisé de l'oublier. Le cocher a dû aller prendre une boisson chaude dans un relais. Il ne se soucie certainement pas de ce qu'elle est en train de faire. Olivier revient et, d'un ample geste du bras, il lui montre ses peintures. Elle a délibérément évité de les regarder.

– Tout est là, dit-il. Vous êtes une artiste, vous aussi. Je n'ai rien à vous cacher.

Il n'y a aucune ostentation dans sa voix. Il paraît même très légèrement intimidé. Elle pivote sur elle-même en esquissant un sourire.

– Je vous remercie. Vous me faites beaucoup d'honneur.

Elle a besoin de courage pour laisser son regard s'arrêter sur l'un ou l'autre des tableaux. Il lui en désigne un.

– Voici celui qui a été exposé l'an dernier au Salon. Sans doute vous en souvenez-vous, sans vouloir me flatter.

Elle se souvient très bien, en effet, de ce subtil paysage de trois ou quatre longueurs de main, un champ ondulant constellé de fleurs blanches et jaunes, avec une vache paissant sur un bord de la toile, des arbres bruns et verts. Le style est un peu suranné, non sans rappeler Corot, pense-t-elle, avant de regretter ce jugement. Il peint comme il a toujours peint, et il a du talent. Le temps n'a pas de prise sur l'art.

– Vous l'aimez, mais vous le trouvez démodé, dit-il.

– Non, non, proteste-t-elle.

Il lève la main pour l'interrompre.

– Nous sommes entre amis, soyez honnête.

Ses yeux sont très bleus. Comment a-t-elle pu penser que l'âge les avait délavés ? Ils irradient à présent d'une vigueur bien plus intense que celle de la jeunesse.

– Soit, acquiesce-t-elle. Dans ce cas, je préfère l'audace de celui-ci.

Elle s'est tournée vers une grande toile posée sur le sol.

– Est-ce celui-ci que vous allez soumettre ?

– Hélas, non.

Le voilà qui rit. Tant qu'elle ne le regarde pas, elle a l'impression d'être en compagnie d'un jeune homme.

– Celui-ci est un peu trop audacieux, comme vous dites. Ils risqueraient de le refuser.

Le tableau représente un jeune dandy assis sous un arbre, les jambes croisées négligemment, ses longues mains sur un genou. La perspective est habile. On aurait envie de contourner l'arbre afin de voir ce qu'il y a derrière. Le style est plus moderne que celui de la toile à la vache. Béatrice reconnaît ici une influence.

– Vous montrez là votre admiration pour le travail de M. Manet.

– Une admiration réticente, ma chère, oui. Rien ne vous échappe. Je crains que le Salon n'apprécie guère.

– Qui est ce garçon ?

– Le fils que je n'ai jamais eu, répond-il sur un ton dégagé.

Elle redoute néanmoins des révélations.

– Mon filleul de Normandie, précise-t-il. C'est ainsi que je le considère. Il habite à Paris, maintenant. Je le vois régulièrement. Nous faisons ensemble de longues promenades. Un garçon charmant, ses parents sont de vieux amis. Il fera un excellent médecin, d'ici quelques années ; il est constamment plongé dans les livres. Je suis le seul à parvenir à l'emmener faire un peu d'exercice à la campagne. Il pense que cela me fait du bien, à moi son pauvre vieux parrain. C'est je crois l'unique raison pour laquelle il consent à m'accompagner. Un marché de dupes, en quelque sorte.

– Formidable, commente-t-elle le plus sérieusement du monde.

– Bah... Venez, je vais vous montrer le reste, dit-il en effleurant sa manche couleur prune. Ensuite, nous prendrons le thé.

Les autres peintures la mettent mal à l'aise, elle les examine néanmoins sans ciller : des modèles à demi dévêtus ; le dos d'une femme nue, gracile, inachevé – cela signifie-t-il que cette femme reviendra se déshabiller devant lui ? A-t-elle déjà été son amante ? Ces choses-là se pratiquent couramment dans le milieu des artistes. Les modèles sont souvent des femmes de mœurs légères, comme chacun le sait. Et elle, alors, qui est venue seule chez un homme, vaut-elle mieux ? Elle chasse ces considérations de son esprit et observe les natures mortes, des fruits et des fleurs, des œuvres de jeunesse, lui explique-t-il. Hormis la finesse de leur exécution, elle ne leur trouve guère d'intérêt. Elles lui évoquent les Vieux Maîtres.

– Je les ai peintes au retour d'un voyage en Hollande, dit-il. Je les ai sorties à l'extérieur, l'autre jour, afin de voir comment elles avaient vieilli. Ce sont des croûtes, n'est-ce pas ?

Elle s'abstient de répondre.

– Et votre soumission pour cette année ? L'ai-je vue ?

– Pas encore.

Il traverse la pièce et passe derrière les deux vieux fauteuils et la petite table ronde où, suppose-t-elle, il servira le thé. Une grande toile est adossée contre le mur, cachée sous un drap. Il s'en saisit à deux mains et la place contre un fauteuil.

– Êtes-vous sûre de vouloir la voir ?

Elle a peur, tout à coup. Elle lui jette un regard interrogateur mais ne parvient pas à formuler sa question. Pourquoi hésite-t-il à lui montrer ce tableau ? Est-ce un nu particulièrement choquant ? Une scène qu'elle n'ose imaginer ? Si son époux était là, il désapprouverait, il croiserait les bras sur la poitrine afin de lui signifier qu'elle est allée trop loin. Olivier a cependant précisé dans sa lettre qu'Yves tenait à ce qu'elle voie cette peinture. Elle ne sait que penser, encore moins que dire.

Olivier soulève le drap. Un souffle échappe à Béatrice, qu'ils entendent tous deux. Il s'agit du portrait de sa petite bonne aux boucles d'or reprisant sur le sofa rose, dans lequel elle a tenté de faire passer une impression à la fois de légèreté et de profondeur.

– Vous comprenez pourquoi j'ai choisi de soumettre cette œuvre au Salon, cette année. Elle est d'un bien plus grand artiste que moi.

Elle porte les mains à son visage, les larmes lui brouillent la vue.

– Que voulez-vous dire ? articule-t-elle faiblement. Vous me faites marcher ?

Il se tourne vivement vers elle.

– Oh, non ! Je ne voulais pas vous froisser. Je suis allé la chercher dans votre atelier, la semaine dernière, après que vous nous avez souhaité une bonne nuit. Laissez-moi la soumettre pour vous, je vous en supplie. Yves est d'accord. Il m'a seulement prié de préserver votre vie privée en utilisant un autre nom que le vôtre. C'est une œuvre remarquable, à la fois classique et très novatrice. Lorsque vous me l'avez montrée, j'ai tout de suite pensé que le jury devait absolument la voir, quitte à ce qu'il la trouve trop moderne. Il ne me reste plus qu'à vous persuader.

– Yves sait que vous l'avez emportée ?

Elle ose à peine prononcer le prénom de son époux.

– Oui, bien sûr. Je lui en ai demandé la permission. Je savais qu'il me la donnerait, alors que vous me l'auriez refusée.

– Je ne suis pas d'accord, murmure-t-elle, une larme roulant sur sa joue.

Elle est humiliée. Elle ne pleure jamais, pas même devant son mari, ou si rarement. Elle est incapable d'expliquer ce qu'elle ressent à la vue de ce tableau si personnel dans un environnement étranger. Ce sont les compliments, surtout, qui la troublent. Elle s'essuie les yeux, se met en quête d'un mouchoir dans la bourse de velours accrochée à son poignet. Il s'approche d'elle, tire quelque chose de sa veste. Et le voilà qui lui tamponne doucement le visage. Il lui caresse le bras, l'attire vers lui.

Elle pose la tête sur son épaule, contre son cou, son menton. Il n'y a là rien d'inconvenant, elle a besoin d'être réconfortée. Il lui caresse les cheveux et la nuque, des mèches s'échappent de sa coiffure. Du bout des doigts, il palpe les tresses savamment rassemblées à l'arrière de sa tête, soucieux de ne pas les déranger, puis ses mains descendent sur ses épaules. Il la serre contre son torse, elle pose une main dans son dos afin de ne pas perdre l'équilibre. Il lui effleure la joue, l'oreille ; il est déjà si près d'elle que sa bouche trouve la sienne avant sa main. Ses lèvres sont chaudes et sèches, épaisses ; son haleine sent le café et le pain. Elle n'a jamais été embrassée que par Yves ; ce qu'elle perçoit tout d'abord, c'est l'étrangeté de ces nouvelles lèvres. Puis dans un second temps, elle remarque que ces lèvres sont plus expertes que celles de son mari, plus insistantes.

Une vague de chaleur lui monte aux joues, un poing se serre dans ses entrailles. Désir ou culpabilité ? Il lui tient les bras, à présent, comme s'il redoutait qu'elle ne s'éloigne. Sa poigne est robuste.

– Je ne peux pas, balbutie-t-elle.

De nouveau, il plaque sa bouche sur la sienne, la réduisant au silence. Elle-même ne sait pas ce qu'elle a voulu dire : qu'elle ne peut pas lui permettre d'envoyer son tableau au Salon, ou qu'elle ne peut le laisser l'embrasser ? Finalement, c'est lui qui la repousse, avec une grande douceur. Il tremble légèrement, il est tout aussi gêné qu'elle.

– Pardonnez-moi, bredouille-t-il d'une voix étranglée.

Il la regarde dans les yeux mais ne semble pas la voir. Elle soutient son regard et songe qu'en dépit de son âge, il ne manque pas de courage.

– Excusez-moi, ajoute-t-il. Je me suis oublié.

Elle le croit : il s'est oublié, oui, il n'a pensé qu'à elle.

– Il n'y a pas de mal, chuchote-t-elle d'une voix à peine audible en arrangeant ses manches, son sac, ses gants.

Son mouchoir est tombé à leurs pieds. Avec son corset, elle ne peut pas se baisser. Il le ramasse et le glisse dans sa poche.

– C'est de ma faute, dit-il.

Elle fixe ses chaussures, tachées de peinture jaune.

– Non, murmure-t-elle. C'est moi qui ai commis une erreur en venant seule.

– Béatrice...

Il lui prend la main, cérémonieusement. Elle revoit Yves la demander en mariage. L'oncle et le neveu ont parfois les mêmes gestes, les mêmes attitudes.

– Je dois m'en aller, déclare-t-elle en tentant de retirer sa main.

Il la retient.

– Avant que vous ne partiez, veuillez comprendre que j'ai pour vous beaucoup de respect et d'amour. Vous m'éblouissez. Votre personnalité me fascine. Je ne vous demanderai plus jamais rien si ce n'est de me laisser vous baiser les pieds. Permettez-moi, en revanche, de vous ouvrir mon cœur, juste une fois.

Elle est émue.

– Vous me faites trop d'honneur, réplique-t-elle en cherchant sa cape et son chapeau du regard.

Ils sont dans l'autre pièce, se souvient-elle.

– J'aime votre peinture, votre instinct pour l'art ; je les aime en dehors de l'amour que j'éprouve pour vous. Vous possédez un don merveilleux.

Il a retrouvé son calme. Il est sérieux, triste, sincère. Elle lit dans son regard qu'il a connu des déceptions, mais n'en a jamais causé. Les mains tremblantes, elle noue les rubans de son chapeau.

Il a l'air si malheureux qu'elle s'avance vers lui et lui dépose sans réfléchir un baiser sur la joue, puis un autre sur les lèvres, très rapidement. Leur texture et leur goût lui sont déjà familiers.

– Il faut vraiment que je m'en aille, dit-elle.

Elle s'engage dans l'escalier en se tenant à la rampe, l'oreille aux aguets, dans l'attente du bruit de la porte qui se referme. Elle ne l'entend pas. Il doit être encore sur le seuil. Son cocher ne sera pas là avant au moins une demi-heure. Elle peut aller le chercher au relais, au bout de la rue, ou prendre un cab. Elle s'appuie un instant contre la façade de l'immeuble et tente de reprendre ses esprits. Puis elle s'éloigne avec aplomb.

Assise seule sur la véranda, en fin de journée, elle tente de se convaincre que ce baiser demeurera sans incidence, mais il revient sans cesse dans ses pensées. Il est partout, il flotte au travers des fenêtres, sur le tapis, dans les plis de sa robe, au-dessus des pages de son livre. « Veuillez comprendre que j'ai pour vous beaucoup de respect et d'amour. » Impossible d'oublier cet instant. Le lendemain matin, d'ailleurs, elle n'y tient plus. Elle ne désire que conserver ce souvenir le plus longtemps possible.

42

Marlow

J'ai chargé ma voiture à la première heure. Les champs étaient encore plus verts que lors de mon voyage-aller. Arrivé à Washington, je suis allé directement à mon cabinet, où j'avais un rendez-vous en fin d'après-midi. Le patient était bavard ; je l'ai écouté en lui posant de temps à autre les questions dictées par l'habitude, j'ai modifié son ordonnance et l'ai laissé partir.

De retour chez moi, à la tombée de la nuit, j'ai rapidement déballé mes affaires et me suis fait chauffer un potage. Après le lugubre cottage des Hadley, mon appartement me paraissait douillet, la lumière des lampes parfaitement dirigée sur chaque tableau, les rideaux de lin encore frais et propres de leur dernier passage mensuel au pressing. Une odeur d'essences minérales et de peinture à l'huile me chatouillait agréablement les narines, une odeur que je ne sens pas d'ordinaire, à moins de m'être absenté quelques jours. Dans la cuisine, les narcisses avaient fleuri. Je les ai abondamment arrosés, en veillant toutefois à ne pas les noyer. J'ai failli m'installer dans un fauteuil avec l'une des vieilles encyclopédies de mon père, mais je me suis dit que j'avais le temps. J'ai pris une douche, éteint toutes les lumières, et me suis mis au lit.

Une journée chargée m'attendait le lendemain à Goldengrove : le personnel m'a d'autant plus sollicité que j'avais été absent ; certains de mes patients ne se portaient pas aussi bien que je l'espérais ; les infirmières étaient de mauvaise humeur ; mon bureau était couvert de courrier et de dossiers. Je me suis néanmoins débrouillé pour passer voir Robert Oliver en début de matinée. Il était assis sur une chaise pliante devant le comptoir qui lui servait de bureau et d'étagère de rangement. Il dessinait, ses lettres disposées en deux piles à côté de lui. J'aurais été curieux de savoir selon quel critère il les avait triées. À mon arrivée, il a fermé son carnet et s'est tourné vers moi, ce que j'ai interprété comme un signe positif. Il n'était pas rare qu'il ignore totalement ma présence, parfois pendant plusieurs jours d'affilée. Il paraissait dans un état de grande nervosité. Ses yeux allaient et venaient de mon visage à mes vêtements.

Je me suis demandé, pour la centième fois au moins, si je ne sous-estimais pas la gravité de sa maladie, si son silence ne faussait pas mes observations. Je me suis également demandé s'il n'avait pas deviné où j'étais parti. J'ai songé un instant à m'asseoir en face de lui et à lui parler de son ex-femme. J'aurais pu lui dire par exemple : *Je sais que la première fois que vous l'avez embrassée, vous l'avez soulevée au-dessus du sol.* Ou bien : *Les cardinaux viennent toujours manger dans la petite cabane à oiseaux et le laurier ne va pas tarder à fleurir.* J'aurais pu lui dire aussi : *Je me doutais que vous étiez un génie mais j'en ai maintenant la confirmation.* Ou j'aurais pu lui demander : *Que vous évoque Étretat ?*

Je suis resté sur le seuil de sa chambre.

– Comment allez-vous, Robert ?

Il s'est remis à dessiner.

– Bien. Bon, je vais voir d'autres patients.

J'ai rapidement parcouru la chambre du regard. Rien ne semblait différent. Je lui ai souhaité une bonne journée, en lui faisant remarquer qu'elle s'annonçait ensoleillée, et je l'ai quitté avec mon sourire le plus amical, qu'il n'a même pas dû voir.

Je suis resté à la clinique jusque tard dans la soirée. Une fois l'équipe de jour partie et les plateaux-repas distribués puis débarrassés, je me suis enfermé dans mon bureau et me suis installé devant mon ordinateur.

Étretat était une station balnéaire de Normandie, une région prisée par les peintres du XIXe, notamment par Eugène Boudin et son jeune protégé, Claude Monet. J'ai trouvé des images qui m'étaient familières : les falaises déchiquetées de Monet, la fameuse arche de roc. Olivier Vignot et Gilbert Thomas comptaient parmi les nombreux artistes tombés sous le charme de la côte normande. Vraisemblablement, tous ceux qui pouvaient se payer le billet de train avaient posé leur chevalet sur ce spectaculaire bord de mer : les maîtres et les artistes mineurs, les barbouilleurs du dimanche et les aquarellistes de la bonne société. Si les falaises de Monet s'élevaient au-dessus du lot dans l'histoire de la peinture d'Étretat, elles n'en faisaient pas moins partie d'une tradition.

À en juger d'après les photographies récentes, la petite ville n'avait guère changé depuis l'époque des Impressionnistes : les monumentales falaises de craie blanche étaient toujours là, tapissées de vert, dominant une vaste plage sur laquelle étaient amarrés des bateaux de pêche ; les rues étaient bordées d'élégantes demeures et de vieux hôtels sans doute déjà là au temps de Monet. Robert Oliver était-il allé à Étretat ? À l'occasion de ce voyage en France mentionné par Kate ?

Le lendemain était un samedi. Le matin, j'ai fait un jogging jusqu'au National Zoo, en pensant aux montagnes qui entouraient Greenhill. Et en m'étirant les jambes contre le portail du parc, il m'a traversé l'esprit que je ne pouvais peut-être rien pour Robert. Comment saurais-je à quel moment baisser les bras ?

43

Le mercredi matin, une enveloppe portant le cachet de Greenhill m'attendait à Goldengrove. L'adresse était tracée avec soin, d'une écriture féminine. Kate. Avant même d'aller voir Robert, je me suis enfermé dans mon bureau pour l'ouvrir. La lettre était tapée à l'ordinateur.

Cher Dr Marlow,

J'espère que êtes bien rentré. Je vous remercie de votre visite à Greenhill. Si j'ai pu vous être utile, à vous et (indirectement) à Robert, j'en suis heureuse. Je pense souvent à vous et je suis convaincue que si quelqu'un peut faire quelque chose pour Robert, ce sera quelqu'un comme vous.

Il y a une chose que je ne vous ai pas dite, en partie parce que cela m'aurait été trop douloureux, en partie parce que je n'étais pas sûre de ne pas enfreindre mon éthique personnelle en vous communiquant un tel renseignement. J'ai cependant bien réfléchi et décidé de vous le donner. Il s'agit du nom de la femme dont j'ai trouvé les lettres dans le bureau de Robert. Elle s'appelait Mary R. Bertison. Je n'en sais pas plus à son sujet, si ce n'est qu'elle était peintre, ce que je vous ai déjà dit. Je ne suis pas certaine que ce nom vous serve à grand-chose mais sait-on jamais...

Avec tous mes vœux de réussite dans le traitement de Robert. Veuillez agréer, Monsieur, l'expression de mes meilleurs sentiments,

Kate Oliver

Un geste généreux, quoique maladroit. Il avait dû lui en coûter d'écrire cette lettre, mais elle avait agi en son âme et conscience. Je l'imaginais assise à sa table de travail, dans sa bibliothèque, cachetant vite l'enveloppe avant de se raviser, puis redescendre à la cuisine, préparer le petit déjeuner, remonter réveiller les enfants. Je ne la reverrais sans doute jamais... Quel dommage !

Par cette démarche, elle avait fermé une porte entre nous et je devais respecter sa volonté. J'ai tapé une brève réponse de remerciement, sur un ton professionnel. Elle ne m'avait pas donné d'adresse e-mail, ni utilisé la mienne, qui figurait pourtant sur la carte de visite que je lui avais laissée. Manifestement, elle avait voulu procéder de façon officielle, par les voies lentes, une trace matérielle traversant le pays au milieu d'un flot de courrier anonyme. Comme au siècle précédent, un échange poli et confidentiel sur papier, une conversation à distance. J'ai rangé sa lettre dans mes documents personnels plutôt que dans le dossier médical de Robert.

Je n'ai pas eu besoin de jouer les détectives pour apprendre que Mary R. Bertison habitait à Washington, sur la 3e Rue Northeast. Elle figurait dans l'annuaire téléphonique. En d'autres termes, comme je le soupçonnais, il était fort probable qu'elle soit encore en vie. Elle avait peut-être une homonyme, mais j'en doutais. Après le déjeuner, j'ai composé son numéro. Puisqu'elle était peintre, j'avais des chances de la trouver chez elle. Cinq ou six sonneries ont retenti sur la ligne. Elle avait peut-être un autre job, comme moi qui exerçais la médecine cinquante-cinq heures par semaine. Une messagerie s'est enclenchée. « Bonjour, vous êtes bien chez Mary Bertison. » La voix était grave, distinguée, plaisante, un peu sévère, mais qui s'exprime naturellement sur un répondeur ?

Finalement, c'était peut-être mieux comme ça. Sans doute était-il préférable de lui laisser un message plutôt que de la prendre au dépourvu. Elle aurait ainsi le temps de réfléchir. « Mme Bertison, bonjour, ici le Dr Andrew Marlow, psychiatre à la clinique de Goldengrove, à Rockville. Je m'occupe actuellement de l'un de vos amis, un peintre, et je voulais vous demander si vous accepteriez de nous prêter votre assistance. »

J'ai aussitôt regretté ce « nous » sous-entendant une démarche d'équipe. Par ailleurs, n'avais-je pas été trop alarmant ? D'un autre côté, si elle tenait encore à lui, comment se faisait-il qu'elle ne soit pas venue le voir à la clinique ? Ignorait-elle qu'il était hospitalisé ? « Si vous pouviez me rappeler au... » Je lui indiquai le numéro de la clinique et raccrochai.

Puis je suis allé voir Robert, avec le désagréable sentiment d'avoir du sang sur les mains. J'avais téléphoné à quelqu'un qui n'aurait peut-être jamais su autrement qu'il était hospitalisé dans un service psychiatrique. « Vous pouvez même interroger Mary », m'avait-il dit dédaigneusement le jour de son entrée à Goldengrove. Il n'avait toutefois rien dit de plus et il devait y avoir des millions de Mary aux États-Unis. Il se souvenait probablement de ses paroles exactes. Allais-je devoir lui expliquer d'où je tenais son nom de famille ?

J'ai frappé à la porte entrouverte. Il peignait tranquillement, debout devant son chevalet, ses larges épaules détendues. Depuis quelques jours, j'avais l'impression que son état s'améliorait. Son seul silence justifiait-il que nous le gardions ? Il a levé les yeux et froncé les sourcils. Visiblement, je le dérangeais. Je me suis assis dans le fauteuil.

– Robert, ce ne serait pas plus simple de me parler ?

Ma voix trahissait plus de frustration que je ne l'aurais voulu. Il a tressailli, pour ma plus grande satisfaction. Au moins, j'avais obtenu une réaction. En revanche, j'ai nettement moins apprécié son sourire de triomphe. Il me narguait, ce qui a peut-être précipité ma décision.

– Vous pourriez me parler de Mary Bertison, par exemple. Vous l'avez prévenue que vous étiez à l'hôpital ? Ou, meilleure question, pourquoi ne vient-elle pas vous voir ?

Il a fait un pas vers moi, levé brusquement le bras qui tenait le pinceau, puis il s'est immobilisé, les yeux immenses, emplis de cette intelligence qu'il ne m'avait laissée voir que le jour de son arrivée. Il ne pouvait pas répondre sans perdre à son propre jeu. Il m'inspirait de la pitié, coincé dans cette impasse où il s'était lui-même enfermé. S'il me demandait comment je connaissais Mary, il déposait sa seule arme : le droit de garder le silence face à l'adversité.

– Comme vous voudrez, ai-je dit avec douceur.

Oui, j'avais de la peine pour lui. Cependant, il venait de remporter un avantage sur moi : il aurait amplement le temps de s'interroger sur mes sources de renseignements. J'ai songé à lui promettre que je les lui révélerais moi-même quand j'aurais retrouvé sa Mary – si je la retrouvais –, mais j'en avais déjà suffisamment dit, si bien que j'ai gardé mes intentions pour moi. Il se réfugiait derrière son silence ? Eh bien, moi aussi.

Je suis encore resté cinq minutes assis dans sa chambre, tandis qu'il fixait sa toile en agitant nerveusement son pinceau. Et puis je me suis levé. Sur le pas de la porte, pris de remords, je me suis retourné : il avait la tête baissée. Il était malheureux, ça crevait les yeux. Cette image m'a poursuivi dans le couloir et dans les chambres de mes patients plus ordinaires. (C'était ainsi que je les considérais, je le confesse, bien qu'aucun cas ne soit ordinaire.)

Dans l'ensemble, ils étaient relativement stables, si bien qu'en fin de journée je quittai la clinique avec un sentiment de satisfaction proche du contentement. Un voile de brume dorée flottait au-dessus de Rock Creek Parkway ; à chaque tournant, j'entrevoyais la surface scintillante du fleuve. Je me suis dit que j'allais laisser un moment de côté la peinture à laquelle j'avais travaillé toute la semaine, un portrait d'après photo de mon père dont je n'arrivais pas à faire le nez et la bouche. Peut-être aurais-je plus de succès si je m'attelais à autre chose pendant quelques jours. J'avais des tomates. Posées sur le rebord de la fenêtre de mon atelier, elles formeraient une sorte de Bonnard revisité ou, plus humblement, un nouveau Marlow. La luminosité serait problématique mais, maintenant que les jours étaient plus longs, je pourrais peut-être saisir quelques rayons de soleil couchant et, si j'en avais le courage, je pourrais peut-être aussi me lever tôt et les peindre également au lever du soleil.

Je pensais déjà aux couleurs, à la façon dont j'allais disposer les tomates, si bien que je suis entré dans mon garage en pilotage automatique. Parfois, il m'arrive d'avoir sérieusement envie de changer de boulot, de trouver une clinique où je pourrais me rendre à pied. Je ne sais pas cependant si je pourrais quitter Goldengrove... Quant à la perspective de rester assis toute la journée dans mon cabinet au Dupont Circle, avec des patients suffisamment bien portants pour venir de leur plein gré me demander conseil, j'avoue qu'elle ne me séduit guère.

La tête à toutes ces choses – ma nature morte, le coucher de soleil sur Rock Creek, les embouteillages – et les mains occupées à chercher mes clés, je suis monté à pied, comme d'habitude, afin de faire de l'exercice. Je ne l'ai vue qu'au moment où j'ouvrais ma porte. Elle était appuyée contre le mur du couloir, les bras croisés. Pour autant que je me souvienne, elle était en jean, longue chemise blanche et blouson sombre, ses cheveux auburn rougeoyant sous le mauvais éclairage du palier. J'ai été tellement surpris que je me suis figé net.

– Vous... ai-je bredouillé.

C'était sans aucun doute possible la fille du musée, celle qui m'avait adressé un sourire complice devant la nature morte de Manet à la National Gallery, celle qui avait longuement examiné la *Léda* de Gilbert Thomas, et m'avait de nouveau souri dans la rue. J'avais repensé à elle une ou deux fois, puis je l'avais complètement oubliée. D'où sortait-elle ? Était-ce un ange, une fée, un être d'un autre royaume réapparu comme par enchantement ?

– Dr Marlow ? m'a-t-elle lancé en se redressant.

44

– Oui, ai-je dit en serrant la main qu'elle me tendait.

La trentaine, elle était aussi grande que moi, charmante mais pas vraiment belle. Elle avait de la présence, une attitude un peu défiante. La lumière brillait dans ses longs cheveux roux. Une frange très courte et très lisse barrait son front blanc. Sa poignée de main était ferme ; instinctivement, j'ai resserré la mienne.

– Je vous ai fait peur ? Excusez-moi, je suis Mary Bertison.

– Nous nous sommes déjà vus. À la National Gallery.

Je ne pouvais pas m'empêcher de la dévisager. Ce n'était pas la muse de Robert. Elle figurait cependant sur l'une de ses toiles, en jean et corsage de soie. En fronçant les sourcils, elle m'a lâché la main.

– Devant *Léda*, ai-je ajouté. Vous ne vous rappelez pas ?

Je me sentais idiot. Pourquoi se serait-elle souvenu de moi ?

– Ah, oui, ça me revient maintenant.

Je voyais que c'était vrai, qu'elle ne disait pas cela pour me flatter. Elle se tenait très droite, son regard plongé dans le mien.

– *Léda*, oui, a-t-elle ajouté, le tableau qu'il a tenté de lacérer. Je venais juste d'apprendre ce qui s'était passé, avec quelques semaines de retard, par un ami qui m'avait découpé l'article. Je ne lis pas les journaux.

Elle a eu un petit rire amusé.

– C'est marrant, a-t-elle poursuivi. Si vous aviez su qui j'étais, ou inversement, nous aurions pu nous parler à ce moment-là.

J'ai ouvert ma porte. Il n'était pas très orthodoxe de faire entrer cette séduisante inconnue chez moi pour la questionner à propos de l'un de mes patients, mais la curiosité l'a emporté. De toute façon, c'était elle qui était venue à moi, à cause du message que je lui avais laissé.

– Comment avez-vous trouvé mon adresse ?

Contrairement à elle, je ne figurais pas dans l'annuaire.

– Internet. Ce n'était pas difficile, avec votre nom et votre numéro de téléphone.

– Entrez, je vous en prie. Vous avez un moment ?

– Ben, ouais... Puisque je suis là.

Elle avait les dents très blanches, des manières à la fois raffinées et cavalières.

– Asseyez-vous, je suis à vous dans une minute. Je vous offre un thé, un jus de fruit ?

J'aurais volontiers bu une goutte d'alcool, mais il me semblait déplacé de lui en proposer.

– Je vous remercie, a-t-elle dit avec une grande politesse, en prenant place gracieusement sur l'un des fauteuils du salon, les jambes croisées et ramenées sur un côté, ses mains fines et élégantes sur les cuisses.

Elle était étonnante. Elle s'exprimait de façon distinguée, d'une voix douce et assurée. Une prof, ai-je de nouveau songé. Elle ne me quittait pas des yeux.

– Je veux bien un jus de fruit, oui, si ça ne vous dérange pas.

Je suis allé dans la cuisine et j'ai rempli deux verres de jus d'orange. Puis j'ai disposé quelques crackers sur une assiette et apporté le tout dans le salon sur un plateau, en pensant à Kate me servant le café.

– Je n'étais pas sûr à cent pour cent d'avoir laissé un message à la bonne Mary Bertison, ai-je dit en lui tendant un verre, mais j'ai maintenant confirmation que vous êtes bien une amie de Robert Oliver...

– Oui...

Elle a bu une gorgée de jus de fruit et posé son verre en me regardant avec une expression implorante, à présent dénuée de toute insolence.

– Je suis désolée de venir vous importuner. Ça fait presque trois mois que je suis sans nouvelles de Robert. On s'est disputés, la dernière fois qu'on s'est vus... Je pensais qu'il était encore fâché et j'étais un peu inquiète, quand même. Votre message m'a affolée. À cette heure-ci, j'avais peu de chances de vous trouver à la clinique. Je n'ai pas pu attendre demain matin. Je n'aurais pas fermé l'œil de la nuit.

– Vous avez bien fait de venir. C'est aussi bien que nous puissions nous parler en tête à tête.

Elle a de nouveau souri avec assurance.

– Dites-moi que Robert va bien, s'il vous plaît. Je ne veux pas le voir, juste savoir qu'il n'a pas de gros ennuis.

– Il ne va pas trop mal, ai-je déclaré prudemment. Nous le traitons pour une grosse dépression. Le problème, c'est qu'il refuse de coopérer. Il ne parle pas.

Elle s'est mordu l'intérieur de la joue.

– Pas du tout ?

– Je n'ai entendu le son de sa voix que le jour où il est arrivé à la clinique. Il m'a dit que je pouvais interroger Mary, si je voulais. Voilà pourquoi j'ai pris la liberté de vous contacter.

– C'est tout ce qu'il a dit de moi ?

– C'est quasiment tout ce qu'il m'a dit, en tout et pour tout. Que je pouvais aussi interroger son ex-femme. C'est Kate qui m'a donné votre nom de famille.

Elle a paru surprise et, à mon grand étonnement, ses yeux se sont emplis de larmes.

– Elle a bien fait, a-t-elle dit d'une voix entrecoupée d'un sanglot.

Je me suis levé et suis allé lui chercher un mouchoir.

– Vous connaissez Kate ?

– Seulement à travers ce que Robert m'a raconté, a-t-elle répondu en se séchant les yeux. Je ne l'ai vue qu'une fois, brièvement. Elle ignorait qui j'étais. C'était bizarre... Je savais qu'elle était issue d'une famille de Quakers de Philadelphie, comme moi ; je me disais que nos grands-parents ou nos arrière-grands-parents auraient pu se connaître... Je l'ai trouvée sympathique.

– Moi aussi.

C'était sorti tout seul.

– Vous l'avez rencontrée ? Elle est là ?

Elle a regardé autour d'elle, comme si elle s'attendait à ce que l'ex-épouse de Robert se joigne à nous.

– Non, pas à Washington. Elle n'est pas venue le voir. Il n'a reçu aucune visite.

– J'ai toujours su qu'il finirait tout seul.

Son ton s'était durci. Elle a tendu une jambe afin de mettre le mouchoir en papier dans la poche de son jean.

– Ça lui pendait au nez, a-t-elle ajouté. Il n'était pas capable d'aimer. Résultat, il a fini par se couper de tous ceux qui l'aimaient.

– Vous l'avez aimé ? Vous l'aimez encore ?

– Oh, oui. Bien sûr. C'est quelqu'un d'exceptionnel. Vous n'êtes pas de mon avis ?

– Si, ai-je acquiescé en terminant mon jus d'orange. Il possède un talent hors du commun. C'est l'une des raisons pour lesquelles je me soucie tant de son rétablissement. Je suis toutefois dérouté par sa personnalité. Si j'ai bien compris, c'est moi qui vous ai appris qu'il était hospitalisé... Vous ne viviez pas ensemble ?

– Plus. Nous sommes séparés depuis plusieurs mois. Pourtant, on a passé ensemble une période merveilleuse. Au début, on se voyait encore de temps en temps. Je voulais recoller les morceaux, mais il sentait que je cherchais à le reconquérir et ça le mettait en rage. J'ai fini par comprendre qu'il n'y avait plus rien à faire. Et puis les choses se sont peu à peu dégradées. Il se mettait en rogne pour un rien, ou il ne m'adressait pas la parole de plusieurs jours. Je crois qu'il culpabilisait d'avoir quitté sa famille, bien qu'il ne l'ait jamais exprimé ouvertement. Cela dit, il n'était pas heureux avec sa femme, vous savez.

J'ai hoché la tête. Je n'en étais toutefois pas certain. Elle a esquissé un geste de la main, résignée.

– Je pensais que si je le laissais tranquille, il finirait par me téléphoner, mais non. Le problème, avec les gens comme Robert, c'est qu'ils ne fonctionnent pas comme les autres. Les premiers temps, on a l'impression que c'est une qualité. J'étais fière d'être avec quelqu'un de différent. À côté de lui, tout le monde me paraissait terne. Le hic, c'est que nous n'étions pas sur la même longueur d'onde. Ça le faisait rire quand je lui disais des choses pareilles. C'était la vérité, pourtant...

Elle a pris une profonde inspiration. Sa tristesse, lorsqu'elle affleurait à la surface, la faisait paraître dix ans de moins que son âge, contrairement à la plupart des gens, que le chagrin aigrit et flétrit. Elle aurait pu être ma fille – si je m'étais marié et avais eu un enfant à vingt ans.

– Vous ne l'aviez pas vu depuis combien de temps quand il s'est fait arrêter ?

– À peu près trois mois. Je ne savais même pas où il était. Chez des amis, probablement. Quoiqu'il aurait été capable de dormir dans la rue... Il n'avait pas de téléphone portable – il déteste les portables. Je n'avais aucun moyen de le joindre. Savez-vous s'il a gardé le contact avec Kate ?

– Il lui téléphonait de temps en temps pour parler aux enfants, mais elle n'avait pas eu de nouvelles depuis un moment, elle non plus, quand il a fait cet esclandre au musée. C'est la police qui l'a prévenue.

Curieusement, avec Mary, je n'avais pas le sentiment de trahir le secret professionnel.

– Est-il vraiment malade ? m'a-t-elle demandé.

– Oui. Et il ne guérira pas tant qu'il ne s'impliquera pas dans son traitement. S'il n'a pas la volonté de s'en sortir, s'il continue à s'enfermer dans le mutisme, nous ne pouvons pas grand-chose pour lui.

– Bien sûr... a-t-elle acquiescé pensivement.

– Vous êtes-vous rendu compte, quand vous viviez avec lui, qu'il souffrait de troubles psychologiques ?

Je lui ai tendu l'assiette de crackers. Elle en a pris un et l'a gardé entre ses mains.

– Non. Vaguement. Enfin... À vrai dire, je ne me suis jamais posé la question en ces termes. Je savais qu'il prenait parfois des médicaments, quand il était anxieux ou qu'il n'arrivait pas à dormir. Comme beaucoup de monde... Je ne pense pas qu'il estimait avoir de sérieux problèmes. Il m'en aurait parlé, nous étions très proches.

Elle avait prononcé cette dernière phrase sur un ton un peu agressif, me mettant au défi de la contredire.

– Je suppose que j'ai vu certaines choses émerger sans avoir conscience de leur gravité, a-t-elle ajouté.

– Quelles choses ? ai-je demandé en prenant un cracker.

Elle a ramené une mèche derrière son oreille et réfléchi un instant.

– Il était imprévisible. C'est ça, surtout, qui aurait peut-être dû me mettre la puce à l'oreille. Parfois, il me disait qu'il dînerait à la maison et il ne rentrait pas de la nuit. Ou bien il devait aller au théâtre ou à un vernissage avec un copain, et il ne bougeait pas du canapé. Je n'osais rien lui dire. J'en étais arrivée à un point où j'avais peur de lui poser des questions sur son emploi du temps. Systématiquement, ça le mettait hors de lui. À la fin, je ne prévoyais plus rien avec lui, de crainte qu'à la dernière minute il n'ait autre chose à faire. Nous étions très indépendants, mais je n'appréciais pas qu'il me fasse faux bond alors que je comptais sur lui.

J'ai hoché la tête d'un air compréhensif. Elle a gardé le silence un moment.

– Un jour, par exemple, a-t-elle repris, nous avions rendez-vous au restaurant avec ma sœur et son mari, qui n'étaient à Washington que pour quelques jours. Il n'est pas venu. J'ai passé une soirée affreuse. Ma sœur est quelqu'un de très organisé, elle était ahurie. Lorsque je lui ai annoncé que Robert m'avait quittée, au téléphone, en larmes, elle m'a dit que ça ne l'étonnait pas. Quand je suis rentrée à la maison, le soir du restau, je l'ai trouvé endormi tout habillé sur le lit. Je l'ai secoué. Il avait soi-disant complètement oublié que nous devions passer la soirée avec ma sœur. Le lendemain, il a refusé d'en reparler ou de reconnaître ses torts. De toute façon, il n'admettait jamais ses erreurs, et d'une manière générale il n'aimait pas parler de lui.

Je me suis abstenu de lui faire remarquer qu'elle venait d'affirmer qu'ils étaient très proches. Elle a enfin mangé son cracker, puis s'est délicatement essuyé les doigts avec la serviette que je lui avais donnée.

– Comment peut-on à ce point manquer de savoir-vivre ? a-t-elle continué. Je voulais lui présenter ma sœur et mon beau-frère parce que je pensais que c'était sérieux entre nous. Sa femme avait demandé le divorce. Nous n'avions pas l'intention de nous marier – je ne veux pas me marier, en aucun cas, ni avoir d'enfant – mais d'après ce qu'il me disait, je croyais que nous formions un couple solide.

J'ai cru qu'elle allait de nouveau pleurer. Elle a seulement secoué la tête d'un air désabusé.

– Je ne sais pas pourquoi je vous raconte tout ça, a-t-elle dit en souriant tristement et en regardant ses mains. Je suis venue pour avoir des nouvelles de Robert, pas pour vous déballer ma vie. Vous feriez parler les pierres, Dr Marlow.

J'ai tressailli. Elle avait employé la même expression que mon vieil ami John Garcia, un compliment qui m'allait droit au cœur, que personne d'autre n'avait jamais formulé en ces termes.

– Merci. Je ne voulais pas vous faire dire des choses que vous n'aviez pas envie de me dire, mais vous m'avez déjà été très utile.

Elle a souri plus franchement, avec une lueur d'amusement dans les yeux et de nouveau cette attitude effrontée.

– Ça vous rassure de savoir qu'il ne se confiait même pas à la femme qui partageait sa vie ; ça minimise votre sentiment d'échec, n'est-ce pas ?

– Madame, vous êtes effrayante, mais très perspicace, ai-je répliqué.

Elle a ri. Je ne voyais pas de raison de lui révéler qu'elle ne m'en avait pas appris davantage que Kate.

– À votre tour, maintenant, de me parler de Robert.

Je lui ai décrit le Robert auquel j'avais affaire, honnêtement et consciencieusement, avec de nouveau ce désagréable sentiment de commettre une faute professionnelle. Mais la fin ne justifiait-elle pas les moyens ? J'avais encore beaucoup de choses à demander à Mary, je lui devais bien cette petite contrepartie. En guise de conclusion, je lui ai assuré que Robert recevait à Goldengrove toute l'attention dont il avait besoin et qu'il ne semblait plus enclin à la violence.

Elle m'a écouté attentivement, sans m'interrompre, en me scrutant avec des grands yeux clairs et candides, d'une étrange couleur aquatique, soulignés d'un discret trait de maquillage. Elle aurait fait parler les pierres, elle aussi. Je le lui ai dit.

– Merci, vous me flattez, a-t-elle répondu. Pour tout vous dire, j'ai failli faire des études de psycho.

– Mais vous êtes devenue artiste et professeur, ai-je hasardé.

Elle n'a rien dit.

– Ce n'était pas difficile à deviner. Je vous ai observée pendant que vous contempliez *Léda*. Vous aviez un regard de peintre, ou d'historien de l'art. Je ne vous vois pas dans un rôle purement académique – trop ennuyeux pour vous. Vous devez enseigner la peinture, ou exercer une autre activité dans le domaine des arts visuels. Vous possédez cependant l'assurance d'une prof. Suis-je impertinent ?

– Oui, a-t-elle répondu en nouant ses mains autour de son genou. Et vous êtes artiste, vous aussi. Vous avez grandi dans le Connecticut. Ce tableau au-dessus de la cheminée est de vous, il représente l'église de votre petite ville natale. Vous êtes sérieux et vous avez du talent, ce dont vous êtes parfaitement conscient. Votre père était pasteur, plutôt progressiste. Il a toujours été fier de vous et il l'aurait été même si vous n'étiez pas devenu médecin. Vous vous intéressez à la psychologie de la créativité et aux désordres affectant les esprits brillants. Vous avez l'intention de faire de Robert le sujet de votre prochaine publication. Vous comprenez les artistes parce que vous avez une sensibilité à la fois artistique et scientifique, ce qui n'est pas courant. Vous faites très attention à préserver votre santé mentale. Pour cela, entre autres, vous pratiquez une activité physique, la course ou la musculation. C'est pourquoi vous paraissez dix ans de moins que votre âge. Vous aimez l'ordre et la logique. Peu vous importe de vivre seul et d'avoir un métier très prenant.

– Arrêtez ! me suis-je écrié en me bouchant les oreilles. Comment savez-vous tout ça ?

– Internet, votre appartement, ce que j'observe de vous depuis tout à l'heure. J'étais fan de Conan Doyle quand j'étais gamine.

– C'est également l'un de mes écrivains préférés.

J'avais envie de lui prendre la main. Elle avait de longs doigts, elle ne portait pas de bagues. Le sourire ne quittait plus ses lèvres.

– Je crois que vous allez pouvoir m'aider à cerner le cas de Robert, ai-je dit lentement. Seriez-vous prête à me raconter tout ce que vous avez vécu avec lui ?

– Tout ? s'est-elle exclamée.

– Non, excusez-moi. Seulement ce qui, d'après vous, pourrait m'aider à le comprendre. Vous connaissiez ce tableau qu'il a tenté de détruire ?

– *Léda* ? Oui, je l'avais déjà vu, mais je n'en savais pas grand-chose. Je me suis documentée, depuis.

– Que faites-vous, ce soir, Mme Bertison ?

Elle a incliné la tête et s'est touché la bouche du bout des doigts. Elle avait le teint très pâle. Elle se tenait très droite dans son blouson cintré, ses longues jambes ramenées contre le fauteuil, ses sveltes épaules prêtes à affronter une tornade. Robert Oliver l'avait fait souffrir et elle n'avait pas d'enfants, elle, pour la consoler. Je me suis senti en colère contre lui.

– Ce soir ? Rien de spécial. Nous pouvons dîner ensemble, si vous voulez, à condition que nous partagions la note. Et que vous ne me posiez plus de questions sur Robert. Je vous parlerai de lui par écrit, si vous n'y voyez pas d'objections. Je n'ai pas envie de fondre en larmes devant un inconnu.

– Nous nous connaissons un peu, maintenant... ai-je dit en parcourant mon salon du regard.

J'étais très à cheval sur l'ordre et le rangement, elle avait raison, peut-être même un peu maniaque. J'avais mes petites habitudes, en tout cas. Au restaurant, nous allions sûrement encore un peu parler de Robert Oliver, mais surtout de peinture et de peintres, de Sherlock Holmes, de la façon dont nous gagnions respectivement notre vie. J'avais devant moi au moins deux heures pour la faire sourire.

1878

Chère Béatrice,

Pardonne-moi, je t'en supplie, mon inexcusable comportement et sache qu'il n'était pas prémédité. J'ai pour toi bien trop de respect ; rien ne me chagrinerait davantage que de porter atteinte à ton honneur. Sans doute me suis-je laissé submerger par une ardeur que toi seule as le pouvoir d'éveiller, ces dernières années. Le grand âge n'est que renoncements. Tu le découvriras un jour et comprendras combien il est dur de l'accepter. C'est en tout cas avec les intentions les plus pures que je t'ai invitée à mon atelier, j'espère de tout mon cœur que tu en es consciente. Ton portrait de Marguerite est extraordinaire. Permets-moi, s'il te plaît, de le soumettre au Salon. Je me sentirais ainsi absous de mes errements. Je suis du reste convaincu que le jury ne manquera pas de reconnaître la délicatesse, la subtilité et la grâce de cette première grande œuvre. Quitte à ce qu'elle soit refusée (ce qui relèverait toutefois d'un jugement de béotien), elle mérite d'être vue. Libre à toi de la présenter sous ton nom ou sous une autre identité de ton choix ; je me conformerai sur ce point à tes desiderata. Je serais si heureux de servir ton talent... Il ne me manque plus que ton aval.

En mon nom, je soumettrai le tableau représentant mon jeune ami. J'étais encore hésitant ; tes remarques m'ont décidé. J'ai cependant conscience qu'il risque fort d'être rejeté. Nous devons nous armer de courage.

Ton humble serviteur,
O.V.

45

Mary

Je ne suis pas encore très au clair avec moi-même sur le chapitre Robert Oliver et je ne sais pas si je le serai un jour. Je l'espère. Lors de l'une de nos dernières disputes, Robert m'a asséné que, dès le départ, nous étions partis sur de mauvaises bases, parce que je l'avais volé à une autre, ce qui était terriblement injuste. Je ne l'avais volé à personne, même s'il est vrai qu'il était encore marié la première fois que je suis tombée amoureuse de lui. La deuxième fois aussi, d'ailleurs.

Ce matin, j'ai dit à ma sœur Martha que j'allais rédiger un compte-rendu de ma relation avec Robert Oliver, à la demande d'un médecin. Elle a rétorqué : « Essaie de ne pas en écrire deux cent cinquante pages et épargne-moi la relecture, s'il te plaît. » Heureusement qu'elle était là pour m'écouter quand j'étais au plus bas. J'ai une sœur formidable, d'une patience à toute épreuve ; elle m'a beaucoup aidée. Sans elle, je ne sais pas si j'aurais tenu le coup... En revanche, si j'avais suivi tous ses conseils, je serais peut-être passée à côté de certaines choses que je ne peux pas me résoudre à regretter. Ma sœur est quelqu'un de très réfléchi. À trop réfléchir, cependant, il lui arrive de faire des choix dont elle se mord ensuite les doigts. Pour ma part, je ne regrette jamais rien. Robert Oliver est l'exception qui confirme la règle.

Comme je n'aime pas faire les choses à moitié, je commencerai par vous parler de moi. Je suis née à Philadelphie ; Martha aussi. Nous avions respectivement cinq et quatre ans lorsque nos parents ont divorcé. Par la suite mon père s'est peu à peu fondu dans le lointain. Nous habitions à Chestnut Hill, il est parti avec ses costumes s'installer dans un appartement de standing du centre-ville. Lorsque nous lui rendions visite (au début toutes les semaines, puis tous les quinze jours), nous passions le week-end à regarder des dessins animés pendant qu'il compulsait des montagnes de dossiers. Un jour, nous avons trouvé l'un de ses caleçons sous son lit, avec une petite culotte en dentelle beige. Nous ne pouvions pas laisser ça là, mais nous ne savions pas quoi en faire. Quand il est sorti acheter des bagels et le journal, ce qui lui prenait en général trois ou quatre heures, nous avons mis les deux slips dans une soupière et nous l'avons enterrée dans le jardin, entre la grille en fer forgé et un arbre au tronc couvert de lierre.

J'avais neuf ans lorsque Daddy a déménagé à San Francisco. Là-bas, nous n'allions plus le voir qu'une fois par an. C'était chouette : il avait un appartement avec vue sur la mer et un balcon d'où on jetait à manger aux mouettes. Dès que ma mère a jugé que nous étions assez grandes pour prendre l'avion toutes seules, elle a cessé de venir avec nous. Nous n'y sommes plus allées qu'une année sur deux, puis tous les trois ans, puis seulement lorsque nous en manifestions le désir et que Muzzy, notre mère, était disposée à payer le voyage. Jusqu'à ce que Daddy s'envole pour Tokyo et nous envoie une photo de lui main dans la main avec une Japonaise.

Je crois que plus il était loin, mieux se portait Muzzy. Elle avait ainsi ses filles rien que pour elle. Elle nous a tellement couvées que nous n'avons jamais voulu d'enfant, ni l'une ni l'autre. Martha dit qu'elle se sentirait obligée de faire tout ce que Muzzy a fait pour nous, voire plus, et qu'elle n'a pas envie de sacrifier sa vie pour des mômes. À mon avis, nous avons toutes les deux secrètement conscience que nous ne serons jamais de bonnes mères.

Nos grands-parents maternels étaient quakers. Martha et moi n'avons jamais su ce qu'ils ont légué à leur fille : des céréales ? du pétrole ? des actions dans les chemins de fer ? Toujours est-il que Muzzy était à l'abri du besoin et nous a payé douze ans de scolarité dans une très bonne école quaker. Nous avons eu de très gentils professeurs, avec qui nous avons étudié les écrits de George Fox, assisté à des meetings et planté des tournesols dans les quartiers défavorisés.

Le bâtiment de l'école où se trouvaient les classes de septième et de huitième était un ancien refuge clandestin pour les esclaves noirs fugitifs. C'est là que j'ai eu ma première expérience amoureuse. Au grenier, il y avait une trappe dans le plancher d'un vieux placard. Parfois, je m'attardais quelques minutes dans les couloirs déserts avant de rejoindre les autres au réfectoire. J'écoutais les esprits de ces hommes et de ces femmes qui s'étaient réfugiés là sur le chemin de la liberté. En février 1980 (j'avais treize ans), Edward Roan-Tillinger est resté avec moi et il m'a embrassée, dans le coin-lecture. J'attendais ce moment depuis plusieurs années. J'étais un peu gênée par le portrait de George Fox et j'avais l'impression d'avoir un gros morceau de viande dans la bouche, mais pour un premier baiser ce n'était pas mal. La semaine suivante, Edward a jeté son dévolu sur Paige Hennessy, qui avait de beaux cheveux roux et lisses et qui habitait à la campagne. Pendant quelques semaines, je l'ai maudite, et puis nous sommes redevenues copines, sans rancune.

Je trouve ça bête que les femmes se positionnent toujours par rapport aux hommes de leur vie : le premier petit copain, le premier avec qui elles ont couché, etc. À croire que les femmes n'existent que par les hommes. Cela dit, j'ai à peine commencé mon histoire que je vous parle déjà d'un garçon...

Pourtant, il n'y avait pas que les garçons, dans ma vie de lycéenne. Il y avait Emily Brontë et la guerre de Sécession, les jardins botaniques, ma passion pour les épitaphes, *Le Paradis perdu*, le tricot, les crèmes glacées et ma copine Jenny (que j'ai accompagnée lorsqu'elle s'est fait avorter, alors que je ne m'étais même pas encore laissé tripoter les seins). J'ai fait de l'escrime, aussi – j'adorais les tenues blanches et l'odeur d'éponge humide de notre immense gymnase quaker, et j'aimais fouetter la veste de l'adversaire de la pointe du fleuret. J'ai fait du bénévolat au Chestnut Hill Hospital, où j'ai appris à transporter un bassin hygiénique sans le renverser. J'ai appris des tas de choses, à l'adolescence. À servir le thé, par exemple, ce que je faisais chaque fois que Muzzy organisait des réunions de charité, c'est-à-dire très souvent. « Tu as une fille adorable, Dorothy !, s'exclamaient ses charitables amies. Dis-moi, c'est de ta mère qu'elle tient ses cheveux blonds ? » J'ai appris à me mettre du fard à paupières et des tampons hygiéniques (avec une copine, car Muzzy ne nous parlait jamais de ces choses). J'ai appris à jouer au hockey et à faire du pop-corn. J'ai appris le français et l'espagnol, et la tapisserie à l'aiguille. J'ai appris à avoir de la sympathie pour les filles que je snobais. J'ai également appris à peindre, mais j'y reviendrai plus tard.

J'ai longtemps cru avoir appris beaucoup de choses par moi-même, ou grâce à mes professeurs. Je sais toutefois aujourd'hui que toutes figuraient au programme éducatif de Muzzy. Comme elle nous a appris à bien frotter avec le gant de toilette entre les doigts et les orteils, elle a aussi veillé à ce que ses filles, avant même qu'elles n'aient de la poitrine, sachent agrafer un soutien-gorge ; que la soie se lave à l'eau froide ; qu'au restaurant, il est de bon ton pour une jeune femme de commander une salade. (Pour être honnête, c'est aussi grâce à elle que nous connaissons les noms et les règnes des rois et des reines d'Angleterre, la géographie de la Pennsylvanie, le fonctionnement des marchés financiers.) Elle assistait aux réunions de parents avec un petit carnet en main ; tous les ans avant Noël, elle nous achetait une nouvelle robe du dimanche ; elle rapiéçait elle-même nos jeans, mais nous faisait couper les cheveux par un coiffeur du centre-ville.

À l'âge adulte, Martha est une pin-up et je ne suis qu'une fille quelconque, après avoir traversé une longue période où je ne portais que des vieilles fringues déchirées. Muzzy a subi une trachéotomie. Quand nous allons la voir – elle vit toujours chez elle, avec une auxiliaire de vie au premier étage, et un instituteur de maternelle qui loue l'appartement du second –, elle s'émerveille de sa voix rauque : « Oh, mes filles, vous êtes devenues si belles. Je suis si heureuse. » Martha et moi savons qu'elle se lance des fleurs à elle-même, mais lorsqu'elle nous dit des choses pareilles, dans son petit salon encombré d'antiquités, nous nous sentons importantes, gracieuses et accomplies, invulnérables, des Amazones.

Pour en revenir aux hommes, Muzzy ne nous parlait jamais de sexualité, et ses mises en garde contre les garçons étaient beaucoup trop gentillettes pour que nous en tenions compte. « Si un jeune homme vous invite à sortir, c'est qu'il attend quelque chose en retour », nous disait-elle.

Martha levait les yeux au ciel et ripostait : « On n'est plus dans les années 1950, Maman. Ouvre les yeux. »

« Je sais très bien en quelle année on est. C'est toi qui ferais bien d'ouvrir les yeux », répliquait Muzzy calmement. Et elle prenait le téléphone pour commander des tourtes, ou appeler une tante malade, ou elle partait chez l'électricien lui demander s'il réparait aussi les bougeoirs. Elle répétait souvent qu'elle aurait aimé travailler mais du moment qu'elle avait les moyens de subvenir à nos besoins (grâce aux céréales ou au pétrole de ses parents), je suis sûre qu'elle s'estimait plus utile au foyer.

Elle pouvait ainsi nous surveiller, mais comme elle ne nous posait jamais de questions sur nos fréquentations masculines, nous restions discrètes sur ce sujet. À part nos cavaliers au bal du lycée, nous n'amenions jamais de garçons à la maison. Et encore, ils venaient seulement nous chercher le jour J, en smoking et nœud papillon. « Quel jeune homme charmant, Mary », me disait ensuite Muzzy, pour peu qu'il lui ait donné du « Mme Bertison » en lui serrant la main. « Tu le connais depuis longtemps ? Ce n'est pas sa mère qui livre les légumes bio à l'école ? Ou est-ce que je confonds ? » Ce petit rituel me déculpabilisait un peu si, d'aventure, ledit jeune homme me caressait timidement le bas du dos à travers ma robe de bal. À un âge où j'en aurais pourtant eu besoin, je n'ai jamais pu me confier à ma mère. Quand j'ai connu Robert Oliver, je vivais déjà dans un monde qui n'appartenait qu'à moi, et que je partageais à l'occasion avec une amie, un petit copain ou un journal intime. Robert m'a dit qu'il s'était toujours senti très seul, lui aussi, même quand il était enfant. Je crois que c'est l'une des raisons pour lesquelles je me suis autant attachée à lui.

46

À la consternation de Muzzy, j'ai travaillé deux ans dans une librairie avant de me lancer dans un cursus universitaire, au Barnett College. Au moins, j'avais un peu d'argent de poche. Je pourrais dire que j'ai traversé une crise existentielle à la fac, que je me suis posé des tas de questions sur mon avenir, sur le sens de la vie – la gosse de riches gâtée, surprotégée qui se plonge dans les grands textes et se découvre d'une affligeante banalité. Mais je ne le dirai pas. J'aurais pu abandonner mes études et partir sur les routes avec mon sac à dos. Je ne l'ai pas fait.

Peut-être que je n'ai pas été assez gâtée – Muzzy nous avait fait clairement comprendre que les Quaker Oats ne nous payeraient pas de vacances au ski, ni de chaussures de marques italiennes. Peut-être que je n'ai pas non plus été surprotégée ; les quartiers pauvres, le foyer pour femmes battues, le sang et le vomi que j'épongeais au Chestnut Hill Hospital m'ont fait prendre conscience très tôt des souffrances de l'humanité. De surcroît, à Barnett, je travaillais à la bibliothèque afin de participer à l'achat de mes livres et de mes billets de train. Cela ne me dérangeait pas. En fait, je n'avais pas d'autres tracas que les garçons et les examens de fin de semestre. J'ai cependant eu durant ma première année d'études la révélation qui a fait de moi ce que je suis aujourd'hui.

J'aimais déjà les cours d'arts plastiques à l'école, j'aimais notre fringante petite prof et ses blouses mauves tachées, et elle-même aimait mes personnages en terre cuite peinte, les descendants directs des hippopotames que je fabriquais en quatrième et que Muzzy conserve précieusement dans son armoire à trésors. Pour autant, je ne faisais pas partie des « artistes » du lycée, ce petit groupe très fermé nous regardait de haut. Ce n'est qu'à Barnett que j'ai découvert que l'art faisait partie intégrante de moi.

Étrangement, tout a découlé d'une déception, d'une erreur de parcours, pour ainsi dire. Ma matière principale était l'anglais ; en option, il fallait prendre une discipline artistique. Je ne me rappelle plus ce que j'ai choisi initialement – Expression créative, peut-être. Au début du deuxième semestre, j'ai voulu passer en Poésie, parce que j'étais amoureuse d'un poète et que je ne voulais pas passer pour une ignare à ses yeux.

Or, la classe était complète et j'ai dû me rabattre sur la Compréhension visuelle. Barnett accueillait des artistes en résidence et, ce semestre-là, c'était Robert Oliver qui assurait ce cours. J'ai su plus tard qu'il le détestait et qu'il l'appelait « Incompréhension visuelle ». Il s'agissait d'une session très généraliste d'histoire de l'art et d'initiation aux techniques picturales, que la fac était très fière de proposer à des non-spécialistes.

Un matin de janvier, je me suis donc retrouvée dans l'atelier avec une bande d'étudiants l'air tous plus blasés les uns que les autres. Le prof était en retard. Nous avons pris place autour d'une longue table. Je ne connaissais personne, j'étais intimidée. Afin d'éviter de croiser les regards, je regardais tantôt par la fenêtre, tantôt autour de moi. Il y avait de la neige dehors. Des chevalets et des tabourets étaient dispersés dans l'atelier au sol taché de peinture. Un pâle rayon de soleil tombait sur une nature morte de chapeaux, de pommes flétries et de statuettes africaines. Des nuanciers et des posters de musée étaient punaisés aux murs. Je reconnaissais la chaise jaune de Van Gogh et un tableau de Degas, mais j'ignorais de qui étaient les carrés concentriques de couleurs vives. Robert nous a indiqué par la suite qu'il s'agissait de reproductions d'œuvres de Josef Albers. Mes camarades de classe discutaient entre eux ou griffonnaient sur des carnets en mâchonnant du chewing-gum. La fille assise à côté de moi avait les cheveux violets. Je l'avais déjà remarquée au restaurant universitaire.

La porte a fini par s'ouvrir sur Robert. Il n'avait que trente-quatre ans, ce que j'ignorais, bien sûr, à ce moment-là ; je lui en aurais donné au moins cinquante. Tous mes profs me paraissaient vieux, de toute façon. Il est entré dans l'atelier d'un pas énergique. Bien que grand et costaud, il avait le visage émacié. Il portait un pantalon en velours côtelé marron taché de peinture et râpé aux cuisses et aux genoux, une chemise jaune et une vieille veste en laine vert olive aux manches retroussées, que sa mère avait tricotée pour son père peu de temps avant qu'il ne meure.

J'en sais tellement sur Robert, aujourd'hui, que j'ai du mal à me souvenir de lui tel que je l'ai vu pour la première fois. Il me semble que j'ai trouvé qu'il avait l'air intéressant, mais pas commode. Il avait une grande bouche, des grosses lèvres, le teint mat, un long nez crochu, les cheveux bruns et frisés avec des reflets roux, pas coiffés, le front plissé, d'épais sourcils renfrognés. Il ressemblait à un homme des bois.

Il avait deux gros bouquins sous le bras. Il les a posés sur la table autour de laquelle nous étions assis et il nous a souri. Quand il souriait, il paraissait plus sympathique. Tous les regards étaient braqués sur lui. J'ai remarqué qu'il avait de longs doigts noueux ; il était peut-être encore plus vieux que ce que je pensais. Il avait des mains inhabituelles, larges et gracieuses à la fois. Il portait une grosse alliance en or terni.

– Bonjour ! a-t-il lancé d'une voix sonore et râpeuse. C'est moi qui vous ferai le cours de Compréhension visuelle. J'espère que vous êtes tous contents d'être là. Pour ma part, je le suis.

(Un mensonge éhonté, mais il était convaincant.)

Il a déplié une feuille de papier et fait l'appel, en lisant lentement le nom de chacun, en demandant à certains s'il prononçait correctement, en hochant la tête lorsque nous levions le doigt. Puis il s'est gratté les bras. Il avait des poils sur les mains et de la peinture sous les ongles.

– J'ai appelé tout le monde ? a-t-il demandé.

Une fille a levé la main. Elle s'était inscrite en Compréhension visuelle à la dernière minute, elle aussi, mais contrairement à moi elle ne figurait pas sur la liste de Robert et voulait savoir si elle pouvait rester. Il a réfléchi un instant, en se grattant le front sous ses cheveux. Il avait neuf étudiants, a-t-il dit, un effectif inférieur à ce qu'on lui avait annoncé. Oui, elle était la bienvenue dans sa classe. Il passerait régulariser la situation au secrétariat. Des questions ? Non ? Bien. Combien d'entre vous ont déjà pratiqué la peinture ?

Quelques mains hésitantes se sont levées. La mienne est restée scotchée sur la table. Robert m'a par la suite avoué qu'il avait trouvé cette prise de contact démoralisante. Il le cachait bien, devant les élèves, mais en fait il était aussi mal à l'aise que moi.

– Bon, ce n'est pas grave ; comme vous le savez, ce programme ne nécessite pas de bagage artistique. Il est important de savoir, également, que les peintres demeurent des débutants toute leur vie.

Il semblait ne s'adresser qu'aux garçons. S'il commençait comme ça, les féministes allaient lui mener la vie dure. Je m'incluais parmi elles ; toutefois, je ne me permettais pas de huer les profs, comme certaines.

Il s'est assis en bout de table et il a croisé les mains sur ses livres.

– Par où commencer ? a-t-il soupiré. L'homme peint depuis son apparition sur Terre, comme en témoignent les fresques rupestres d'Europe. Nous vivons dans un univers de formes et de couleurs, que nous avons toujours cherché à reproduire. Bien sûr, depuis l'invention de la couleur synthétique, le monde a revêtu des teintes artificielles beaucoup plus criardes que les teintes naturelles. Votre T-shirt, par exemple – il a adressé un petit signe de tête au garçon en face de moi. Ou, si vous me pardonnez de prendre cet exemple, vos cheveux.

Il a souri à la fille aux cheveux violets. Tout le monde a éclaté de rire. Elle s'est fièrement rengorgée. J'ai commencé à me détendre. Je sentais que j'allais aimer les cours de ce prof excentrique et frimeur offrant de nous initier aux mystères de la couleur, de la forme et de la lumière.

Je n'ai gardé qu'un vague souvenir de la suite de ce premier cours. Je suppose que Robert a poursuivi son histoire de la peinture et nous a présenté les techniques fondamentales. Peut-être qu'il a fait circuler ses livres, qu'il a commenté le poster de Van Gogh. Je crois que ce n'est qu'à la séance suivante que nous sommes passés aux chevalets, qu'il nous a montré comment presser un tube de peinture, racler une palette, esquisser une silhouette sur la toile.

Il trouvait cela à la fois ridicule et magnifique de nous faire peindre à l'huile alors que la plupart d'entre nous n'avaient aucune notion de la perspective ou de l'anatomie. Au moins, a-t-il affirmé, nous comprendrions la difficulté de ce médium et si nous ne devions garder qu'un seul souvenir de cette initiation, ce serait celui de l'odeur de la peinture. Nous avions parfaitement conscience qu'il se pliait à des directives du Département et s'efforçait de nous convaincre que l'expérience n'était pas complètement dénuée d'intérêt.

Ça m'a marquée qu'il parle de l'odeur de la peinture, parce que j'adorais cette odeur. C'est une odeur tenace, c'est vrai. Aucun savon ne la fait partir du premier coup. Au lycée, après les cours de dessin, je n'arrêtais pas de me sentir les mains : pendant les autres cours, à table, le soir dans mon lit avant de m'endormir... Finalement, je suis sortie avec le poète ; même quand je tenais sa tête contre moi, je ne pouvais pas m'empêcher de me renifler les doigts.

Ce plaisir olfactif n'avait d'égal pour moi que celui d'appliquer la peinture sur la toile. En dépit des cours d'arts plastiques du lycée, je n'avais pas beaucoup de facilité. M. Oliver nous faisait reproduire des vases, des branches, les statuettes africaines de l'atelier, des pyramides de fruits qu'il construisait lui-même. Quand je le regardais les empiler, précautionneusement, de ses mains prématurément vieillies, j'avais envie de lui dire que j'adorais l'odeur de la peinture et que ses cours me passionnaient, ce qui m'aurait sans doute valu les moqueries de la fille aux cheveux violets et du champion de course à pied qui enlevait ses baskets lorsque nous devions composer nous-mêmes nos natures mortes.

Alors en attendant d'avoir un truc intelligent à dire, je me taisais. M. Oliver n'était pas aussi indulgent que ma prof du lycée. Il pointait mes maladresses sans complaisance : la couleur de mes oranges était bien mélangée, mais il y avait une erreur de proportion dans la coupe. Et il passait aussitôt à un autre élève. Je me mordais les doigts de ne pas m'être davantage appliquée sur la coupe au lieu de me dépêcher de barbouiller les oranges. Mais je ne voyais pas de question pertinente à lui poser. Il fallait tout simplement que j'apprenne à dessiner.

Je m'y suis mise, avec un sérieux qui m'étonnait moi-même. J'empruntais des livres d'art à la bibliothèque et, le soir, à l'internat, je recopiais des pommes et des boîtes, des cubes, des croupes de cheval, des têtes de satyre affreusement difficiles. Quand je trouvais mes dessins médiocres, je m'y attelais autant de fois que nécessaire. Au grand dam de Muzzy, j'ai commencé à parler de m'inscrire dans une école d'art. Elle approuvait que je m'intéresse aux arts libéraux et que j'enrichisse ma culture générale en prenant tout le temps de nouvelles options (l'histoire de la musique, la science politique), mais elle espérait que tout cela mènerait au bout du compte à la médecine ou au droit.

Je dessinais aussi les objets de ma chambre d'internat : le vase que mon oncle m'avait rapporté d'Istanbul, la fenêtre à croisillons, les brins de forsythia que ma camarade naturaliste ramenait de ses promenades, la main de mon poète assoupi sur mon lit. J'achetais des carnets de croquis de différentes dimensions, des grands pour travailler sur mon bureau, des petits pour trimballer dans mon sac. Le musée de la fac possédait une collection étonnamment riche : j'y allais dès que j'avais un moment de libre et j'essayais de reproduire une lithographie de Matisse, un croquis de Berthe Morisot. Tout ce que j'entreprenais avait une saveur spéciale, une saveur plus forte chaque fois que j'accomplissais un nouvel effort dans le but de m'améliorer. Je faisais cela en partie pour moi et en partie afin d'avoir une question pertinente à poser à M. Oliver.

1878

Très chère Béatrice,

Je reçois ta lettre à l'instant et je suis si ému que j'y réponds de suite. Oui, comme tu le soulignes avec compassion, la solitude me pèse. Aussi étrange que cela puisse paraître, je regrette que tu n'aies pas connu mon épouse, quoique si cela avait été possible, nous aurions eu toi et moi des rapports bien différents de cet amour éthéré, si tu me permets de m'exprimer ainsi. Les veufs inspirent la pitié, tel est notre lot. Néanmoins, je ne ressens pas de pitié émanant de ta plume, seulement une peine sincère et généreuse à mon endroit, ce qui est tout à ton honneur, ma chère amie.

Tu as raison : je crois que je ne ferai jamais pleinement son deuil, car la façon dont elle a été emportée sera toujours pour moi la cause d'un vif tourment. Je ne peux pas parler ouvertement des circonstances de sa mort. Un jour, toutefois, je te raconterai ce triste événement, je te le promets.

Personne ne comblera jamais le vide qu'elle a laissé. Cependant, tu as de nouveau rempli mon cœur et je t'en suis infiniment reconnaissant. T'aimer m'apporte un immense réconfort et me rend goût à l'existence, bien plus que l'affection que tu me voues. Tu comprendras lorsque tu auras vécu aussi longtemps que moi. Pardonne-moi, si du haut de mon grand âge, je tiens parfois des propos qui te semblent obscurs.

Je suis heureux que tu aies accepté mon offre. J'espère seulement ne pas m'être montré trop insistant. Nous utiliserons donc le pseudonyme que tu suggères : Marie Rivière. Je porterai moi-même demain le tableau au jury, de la part d'une estimée consœur sur laquelle je garderai la plus complète discrétion.

Avec gratitude,

ton O.V.

Post-scriptum : Gilbert Thomas, l'ami d'Yves, est passé hier à l'atelier avec son frère Armand, un homme taciturne au possible ; je crois que tu l'as déjà rencontré. Nous avons conclu la vente de l'un de mes paysages de Fontainebleau. Gilbert s'est extasié devant ton portrait de la jeune fille aux cheveux d'or. Naturellement, je n'ai rien révélé du véritable auteur de ce tableau. À une ou deux reprises, il a fait remarquer que le style lui évoquait quelque chose de familier, sans toutefois parvenir à se remémorer quoi. Je crains qu'il n'ait guère de scrupules à tirer un maximum de profit des œuvres qu'il achète pour sa galerie. Mais puisqu'il a tant d'admiration pour ton talent (bien qu'il ignore que c'est de toi qu'il a chanté les louanges), peut-être pourrais-tu songer à lui vendre certaines de tes toiles...

47

Mary

Je n'avais toujours pas de question à poser à M. Oliver, mais au bout d'un moment j'ai réalisé que je m'étais en quelque sorte constitué un portfolio. J'avais un grand carnet de croquis rempli de satyres, de cubes et de natures mortes. J'avais toute une série de feuilles volantes sur lesquelles j'avais dessiné l'une des femmes de Matisse, dansant avec abandon sur la page (pourtant je n'arrivais pas vraiment à la faire danser). J'avais également cinq versions du vase de mon oncle et de son ombre sur la table. L'ombre tombait-elle au bon endroit ? Était-ce une question intéressante ? J'ai acheté un grand carton à dessins, rangé le tout dedans, et décidé qu'au cours suivant je demanderais un rendez-vous à M. Oliver.

Nous attaquions une nouvelle leçon. Avant de passer au modèle vivant, nous allions peindre une poupée, que nous devrions terminer en-dehors de la classe et rapporter afin d'en faire un examen critique. Je n'aimais pas l'idée de peindre une poupée, mais quand il l'a installée sur une petite chaise en bois, je me suis sentie plus inspirée. C'était une poupée ancienne en bois peint avec des tresses blondes et des grands yeux bleus observateurs et espiègles, vêtue d'une robe bleue ornée au col d'une fleur en soie rouge effilochée. Il a disposé ses mains sur ses genoux. Elle nous dévisageait d'un regard un peu défiant, presque vivante. M. Oliver s'est tourné vers nous.

– Elle appartenait à ma grand-mère, a-t-il dit. Elle s'appelle Irène.

Puis il a sorti un bloc et nous a montré comment procéder : l'ovale de la tête, les bras et les jambes articulés, le buste droit. Le plus délicat serait la pliure des genoux, nous a-t-il prévenus. Ils étaient cachés sous la robe, mais ils étaient là quand même ; nous devrions trouver un moyen de les rendre perceptibles. Cet exercice s'inscrivait dans l'art du drapé, que nous n'aurions pas le temps d'étudier plus en détail. Toutefois, nous pourrions ainsi commencer à réfléchir à l'influence du corps sur la forme des habits.

Il a retroussé la manche de sa chemise et poursuivi sa démonstration. Seuls son bras et ses yeux bougeaient. Ses cheveux étaient tout aplatis à l'arrière de son crâne, une mèche en tire-bouchon se dressait sur le devant. À l'évidence, il avait oublié de se peigner, ce qui manifestement ne le dérangeait pas le moins du monde. Concentré sur la poupée, il se fichait royalement de ce que nous pourrions penser. J'avais d'ailleurs l'impression qu'il nous avait oubliés. Je l'enviais d'être capable de s'abandonner ainsi, moi qui me souciais en permanence de l'image que je renvoyais. Une vague de découragement s'est abattue sur moi. Je ne deviendrais jamais une artiste si je continuais à être obsédée par le regard des autres. À force de fixer son profil au long nez, j'ai commencé à voir un halo de lumière autour de sa tête. Je ne pouvais pas lui apporter mon carton à dessins et mes non-questions, au risque de me couvrir de honte. Je ne connaissais rien à l'art, je n'étais qu'une dilettante qui découvrait grâce à lui la difficulté de la peinture : l'anatomie, le drapé, les ombres, la lumière, la couleur. Il nous répétait sans cesse qu'en un semestre, il ne pouvait pas nous apprendre à maîtriser toutes ces techniques complexes.

Tout le monde s'est mis au travail. Personne ne parlait, pas même les plus dissipés. J'ai esquissé un croquis à la va-vite et déposé de la peinture sur ma palette soigneusement nettoyée, uniquement pour ne pas rester les bras croisés devant les autres. Des larmes me brûlaient les yeux.

J'aurais pu définitivement renoncer à la peinture, ce jour-là, si Robert ne s'était pas arrêté devant mon chevalet. J'avais peur de me mettre à trembler. J'avais envie de le supplier de ne pas regarder ce que je faisais. Il a pointé son gros index sur la tête de ma poupée.

– Bravo, a-t-il dit. Vous avez fait de gros progrès.

– Merci, ai-je bredouillé. J'aimerais passer en filière artistique, l'an prochain. J'essaie de me préparer, je travaille beaucoup. Est-ce que je pourrais vous montrer ce que j'ai fait, un de ces jours ?

Il se tenait si près de moi que sa chemise jaune emplissait mon champ de vision. J'ai levé les yeux vers son visage. Je n'avais encore jamais remarqué que ses joues et son menton commençaient à s'affaisser.

Voilà ce que c'était quand on ne se souciait pas de son physique : on vieillissait plus vite. J'avais soudain conscience de la fermeté de ma peau, de la courbe gracieuse de mon menton et de mon cou, de la brillance de mes cheveux brossés avec soin et partagés par une raie au milieu. Il en imposait, mais il était vieux et décrépi. J'étais jeune et fraîche. Peut-être avais-je un avantage sur lui. Il m'a souri gentiment.

– Bien sûr. Passez à mon bureau quand vous voudrez. J'y suis tous les lundis et tous les mercredis de 10 à 12. Vous savez où se trouve mon bureau ?

– Oui, ai-je menti.

Il m'a fallu une bonne semaine pour rassembler mon courage. La porte de son bureau était entrouverte. Des cartes postales, des dessins humoristiques et un gant orphelin y étaient punaisés. Je voyais sa silhouette massive se déplacer dans une pièce minuscule. Je suis entrée sans frapper. Lorsque je m'en suis rendu compte, j'ai reculé. Trop tard, il m'avait vue.

– Oh, bonjour ! m'a-t-il lancé.

Il était en train de ranger des papiers dans un placard, ou plutôt de les fourrer en vrac sur les étagères. Son bureau disparaissait sous un fouillis de carnets, croquis, fusains, pastels, fils électriques, bouteilles d'eau vide, sachets en papier, tasses à café, documents administratifs.

Les murs étaient couverts de cartes postales, de dessins, de pense-bêtes et de citations, empiétant sur quelques grands posters, dont une affiche de l'exposition *Matisse à Nice*, que j'étais allée voir avec Muzzy à la National Gallery. Des Post-It étaient collés dessus.

Un bouquin traînait également sur son bureau, un recueil de poèmes de Czesaw Milosz dans une nouvelle traduction. J'ai été surprise qu'un peintre s'intéresse à la poésie. Mon petit copain poète m'avait mis dans l'idée qu'il fallait en écrire pour être autorisé à en lire. Le nom de Milosz m'était totalement inconnu. Robert l'adorait et m'en faisait parfois la lecture à voix haute. C'est toujours moi qui ai ce livre, l'un des seuls cadeaux de lui que j'ai gardés. Il donnait volontiers ses affaires, une caractéristique qui passait souvent pour de la générosité. Sauf qu'il prenait aussi celles des autres sans rien demander, qu'il oubliait systématiquement les anniversaires de ses proches et ne remboursait jamais les petites sommes qu'il empruntait.

– Entrez, je vous en prie.

Il a débarrassé une chaise qui se trouvait dans un coin. Des papiers étaient entassés dessus. Il les a casés dans un tiroir déjà plein à craquer.

– Tenez, asseyez-vous.

J'ai docilement pris place entre un gros aloès en pot et un tambour indien que nous avions peint en cours. Je connaissais par cœur les perles et les coquillages dont il était décoré.

– Je vous remercie de me recevoir, ai-je dit en prenant un air dégagé.

Sa présence physique était encore plus intimidante dans ce petit bureau encombré que dans l'atelier. Les murs semblaient s'incurver autour de lui. Sa tête touchait presque le plafond. En écartant les bras, il devait sans problème couvrir toute la largeur de la pièce. Je me suis souvenue d'un livre de mythologie grecque que j'avais quand j'étais enfant, où il était dit que les dieux ressemblaient étrangement aux mortels, en plus grands. Il a remonté les jambes de son pantalon kaki et s'est installé dans un fauteuil pivotant. Il me regardait avec une expression amicale, mais je sentais qu'il était ailleurs.

– Tout le plaisir est pour moi. Que puis-je faire pour vous, mademoiselle ?

Je tripotais nerveusement les bords de mon carton à dessins. Alors que j'avais maintes fois tenté d'imaginer ce qu'il allait me dire, curieusement, j'avais oublié de préparer mes répliques. J'avais néanmoins choisi mes vêtements exprès pour cette entrevue, et m'étais brossé les cheveux juste avant.

– J'aime beaucoup votre cours, ai-je timidement déclaré. Je n'avais pas l'intention de faire des études d'art, initialement, mais j'espère pouvoir me réorienter dans cette voie. Vous m'avez ouvert les yeux. Je veux dire... Je commence à voir les choses différemment. Tout ce qui m'entoure.

J'en prenais conscience en même temps que les phrases se formaient sur mes lèvres, comme indépendamment de ma volonté. Vu de près, il avait des yeux hors du commun, d'une forme magnifique, marron-vert, de la couleur des olives vertes. J'ai pensé que c'était dommage d'être aussi négligé et mal peigné quand on avait d'aussi beaux yeux.

– Je regarde les choses, maintenant, au lieu de juste les voir, ai-je poursuivi. Chaque matin, en sortant de l'internat, j'observe les arbres comme si je ne les avais jamais vus. J'en choisis un et le soir, je reviens dessiner ses branches.

Il m'écoutait attentivement. En classe, il donnait souvent l'impression de se moquer éperdument de tout ce que nous pouvions dire ou faire. Mais là, il me scrutait d'un regard pénétrant, ses grosses mains à plat sur ses cuisses. Il n'essayait pas de charmer la jeune fille qui s'était habillée et coiffée rien que pour lui. Non, il était captivé par mes paroles, comme si je lui avais offert une poignée de main secrète, ou comme si je m'exprimais dans une langue qu'il n'avait pas pratiquée depuis longtemps.

– C'est votre travail ? m'a-t-il demandé en arquant ses sourcils broussailleux et en tendant le doigt vers mon carton à dessins.

– Oui.

Je le lui ai remis, le cœur battant. Il l'a ouvert sur ses genoux et a examiné le premier dessin : le vase d'Istanbul, à côté d'une coupe de fruits volée au restaurant universitaire. Il le regardait à l'envers. À coup sûr, il allait le trouver terriblement mauvais. En cours, souvent, il retournait nos travaux, afin de nous montrer qu'il suffisait parfois de les observer sous un angle différent pour s'apercevoir de certaines erreurs flagrantes.

– J'ai conscience que j'ai encore beaucoup de progrès à faire.

Il n'a pas répondu. Il a approché puis éloigné la feuille de ses yeux, plusieurs fois.

– Ce n'est pas très bon, en effet, a-t-il enfin déclaré.

Ma chaise s'est mise à tanguer tel un navire secoué par les flots.

– Mais c'est vivant, a-t-il ajouté avant que j'aie pu dire quoi que ce soit. Et cela, ce n'est pas quelque chose qui s'apprend. C'est un don.

Il a rapidement jeté un coup d'œil aux autres dessins : les arbres, le torse nu de mon poète, les pommes de Cézanne, la main de la fille qui partageait ma chambre. Je savais exactement dans quel ordre je les avais rangés. Chacun appartenait à une série d'au moins dix, dont j'avais sélectionné celui qui me paraissait le meilleur. Il m'a de nouveau regardée. J'avais l'impression qu'il voyait à l'intérieur de moi.

– Vous avez fait du dessin, au lycée ? Ça fait longtemps que vous dessinez ?

– Oui et non, ai-je répondu, soulagée d'être capable de répondre à ses questions. Nous avions des cours d'arts plastiques, effectivement, dans mon lycée, mais ce n'était pas très sérieux ; chacun faisait ce qu'il voulait comme il pouvait. J'essaie d'apprendre à dessiner toute seule, avec des bouquins, depuis quelques semaines, parce que vous avez dit qu'on ne pouvait pas peindre si on ne savait pas dessiner.

– C'est exact, a-t-il marmonné en feuilletant de nouveau mes dessins. Vous dites que vous avez fait ça en quelques semaines ? (Il avait une façon déstabilisante de plonger son regard dans le mien au moment où je m'y attendais le moins.) Vous avez un certain talent. (Il a fermé le carton.) Vous aimez dessiner ?

– Plus que tout, ai-je affirmé, en réalisant que c'était vrai, que je ne disais pas cela seulement pour me faire mousser.

– Dans ce cas, dessinez. Faites cent dessins par jour, a-t-il dit farouchement. Mais je vous préviens, votre vie deviendra un enfer.

Dessiner m'emportait au paradis, et je n'aimais pas que l'on me donne des ordres. De sa part, toutefois, j'étais prête à accepter n'importe quoi.

– Merci, ai-je murmuré.

– Ne me remerciez pas, a-t-il répliqué tristement.

N'avait-il plus de joie à peindre ? Ça devait être terrible, de vieillir. Il me faisait de la peine. Quelle chance j'avais d'être jeune et optimiste ! Avec un sourire las, il a secoué la tête.

– Travaillez d'arrache-pied, c'est le seul conseil que je puisse vous donner, a-t-il ajouté. Pourquoi ne pas vous inscrire à l'atelier de peinture qui a lieu ici chaque été ? Le nombre de places est limité, mais je peux glisser un mot pour vous, si vous voulez.

Voilà qui plaira à Muzzy, ai-je songé.

– Je vous remercie, ai-je dit. Je vais y penser.

Je n'avais pas prévu de passer l'été sur le campus. Tous mes amis allaient chercher des jobs à New York, je comptais faire comme eux.

– C'est vous qui animez cet atelier ?

– Non, non, a-t-il répondu distraitement, comme s'il avait des choses urgentes à faire. Non, je ne suis là que jusqu'à la fin du semestre. Je repars chez moi, après.

J'avais oublié. Je me suis demandé où il habitait, s'il faisait autre chose que peindre et dessiner, ce qu'il pouvait faire n'importe où. Il était marié, puisqu'il portait une alliance. Sa femme devait être là avec lui, mais je ne l'avais jamais vue.

– Vous enseignez ailleurs ?

– Oui, au Greenhill College, en Caroline du Nord, une petite fac sympa. Je reprends mes cours à la rentrée. Ma fille a hâte de retrouver son papa.

J'ai été choquée. Je croyais que les artistes n'avaient pas d'enfant. Il avait donc une vie des plus ordinaire.

– Quel âge a-t-elle ? ai-je demandé par politesse.

– Un an et deux mois. Et déjà un don pour la sculpture.

Il a souri rêveusement.

– Votre femme et votre fille ne sont pas venues ici avec vous ?

Ça ne me regardait pas, mais je voulais le mettre mal à l'aise, pour le punir de sa banalité.

– Ça n'aurait pas été pratique, elles ont préféré rester à Greenhill. Nous avons une bonne crèche coopérative sur le campus, et ma femme vient juste de trouver un emploi à mi-temps.

Elles avaient l'air de lui manquer. De plus en plus décevant. Il valait mieux que je m'en aille avant qu'il ne descende davantage dans mon estime.

– Bon... Eh bien, je ne veux pas vous déranger plus longtemps... Merci d'avoir regardé mes dessins et... de vos encouragements.

– Il n'y a pas de quoi. Si vous voulez m'en montrer d'autres, n'hésitez pas. Et n'oubliez pas de vous inscrire à cet atelier. C'est James Ladd qui le dirige cette année. Vous verrez, il est formidable.

Peut-être, mais ce n'est pas vous, ai-je pensé.

Je me suis levé et je lui ai tendu la main, pressée de conclure cet entretien. Il s'est levé lui aussi. Je ne lui avais encore jamais serré la main. J'ai été grisée par ce contact. Ses doigts enveloppaient les miens complètement. Je n'avais pas envie de les lâcher.

Je l'ai encore remercié et me suis gauchement tournée vers la porte, mon carton à dessins sous le bras.

– À bientôt, m'a-t-il dit.

En partant, j'ai vu qu'il était touché, sans doute par la forte impression qu'il faisait sur moi. J'ai regagné l'internat les joues en feu. Et puis je me suis souvenu : *Faites cent dessins par jour*. Je n'ai jamais oublié cette phrase.

1878

Mon cher ami,

Je ne saurais commencer cette lettre autrement qu'en vous disant que la vôtre m'a profondément touchée. Si cela peut alléger votre fardeau de me parler de feu votre bien-aimée, soyez certain de trouver en moi une oreille attentive. Papa m'a un jour laissé entendre que vous l'aviez perdue subitement et aviez failli en tomber malade de chagrin. Je sais que vous êtes peu après parti à l'étranger. Votre deuil a dû être une grande épreuve de solitude. Grâce à Dieu, je n'ai pas connu de telle tragédie que la vôtre, mais je tâcherai d'être une bonne confidente. C'est bien la moindre des choses que je vous doive, après tout ce que vous avez fait pour moi, vos encouragements et la foi que vous avez en mon travail. Je peins désormais tous les matins avec un enthousiasme décuplé, depuis que je sais que mes tableaux ont au moins un fervent admirateur. En d'autres termes, vos compliments ont davantage de valeur à mes yeux que le verdict du jury, quel qu'il sera. Peut-être attribuerez-vous cela à la fronde d'une jeune artiste, et peut-être aurez-vous raison, en partie. Je suis néanmoins sincère.

Affectueusement vôtre,

Béatrice

48

J'ai eu de nouveau l'occasion de me retrouver en tête à tête avec Robert Oliver avant qu'il ne quitte Barnett, mais d'abord je voudrais vous raconter autre chose. À la fin du semestre, Robert a présenté quatre toiles à l'expo de printemps des profs, toutes quatre peintes durant son séjour à Barnett. Je suis, bien sûr, allée les voir, curieuse de savoir comment il appliquait lui-même les conseils qu'il nous donnait en classe. Avait-il fait pivoter ses peintures en cours de travail ? J'ai essayé d'y déceler des triangles verticaux, horizontaux. Ses tableaux étaient toutefois si forts et si vivants qu'il était difficile de les analyser en termes de composition, formes et couleurs.

L'un était un autoportrait (j'ai eu la chance de le revoir, des années plus tard, avant qu'il ne le détruise), dans une attitude à la fois enflammée et détachée. Deux paysages presque impressionnistes montraient deux hommes en tenue moderne se promenant dans une prairie de montagne. J'aimais le contraste entre la facture du XIXe siècle et les personnages contemporains. Robert se fichait pas mal que l'on pense qu'il ait un style ou non ; il considérait son travail comme une expérience au long cours et utilisait rarement la même technique pendant plus de quelques mois.

Quant à la quatrième peinture, je suis restée devant pendant un long moment, parce que je n'arrivais tout simplement pas à m'en éloigner. Il s'agissait d'un portrait de femme vêtue d'une robe de bal d'autrefois, coiffée d'un volumineux chignon de boucles brunes piqué de fleurs, un éventail fermé dans une main, un livre dans l'autre, fermé également. On aurait dit qu'elle hésitait : sortir ou rester lire dans son boudoir ? Elle avait une expression songeuse et intelligente, un peu méfiante. Je me souviens m'être demandé comment il avait réussi à saisir une expression aussi fugace.

Sans doute était-ce sa femme, ai-je pensé, posant en costume d'époque. Il y avait manifestement entre eux une certaine complicité. J'ai été désagréablement surprise : je l'imaginais beaucoup plus fade. Elle paraissait plus jeune que Robert, mais la différence d'âge n'était pas choquante. On avait l'impression qu'elle allait vous sourire. Ce portrait avait quelque chose d'inquiétant.

Elle était assise sur un grand sofa noir, le buste légèrement incliné en arrière. Au mur, derrière elle, un miroir renvoyait le reflet de sa coiffure et de son cou et, au second plan, celui de Robert à son chevalet, en vêtements actuels, aussi dépenaillé qu'à son habitude. Le miroir était si bien rendu que je m'attendais presque à y voir apparaître mon image. J'étais un peu jalouse de ne pas pouvoir pénétrer dans cette scène intimiste.

Robert se tenait devant une fenêtre à croisillons encadrée de pierre. Certains des bâtiments de Barnett dataient des années 1920 et 1930 et possédaient des fenêtres de ce genre. Peut-être s'en était-il inspiré. À travers les vitres, on distinguait une plage, des falaises, le ciel bleu se confondant à l'horizon avec la mer.

Portrait et autoportrait, acteur et observateur, miroir et fenêtre, paysage et architecture : c'était une peinture magistrale. Je ne me lassais pas de l'admirer, de tenter de la décrypter. Il l'avait sobrement baptisée *Huile sur toile*, alors que les trois autres avaient des titres plus parlants. J'ai formulé le vœu qu'il franchisse le seuil de la galerie, afin que je puisse l'interroger sur la signification de ce chef-d'œuvre, lui dire que je le trouvais magnifique et intriguant. Je ne parvenais pas à m'en détacher. J'ai consulté le catalogue de l'exposition : les responsables de la galerie avaient choisi de reproduire et de commenter une autre toile. Celle-ci était seulement mentionnée. Si je la quittais, je ne reverrais probablement jamais cette femme qui soutenait ardemment mon regard. Avant que l'expo ne soit décrochée, j'y suis retournée plusieurs fois. Si j'avais su...

49

Le semestre était quasiment terminé lorsque j'ai revu Robert seul à seul. Nous avions peint en tout et pour tout, plutôt mal que bien, trois natures mortes, une poupée et un étudiant en chimie aux muscles saillants pudiquement affublé d'un cache-sexe. Pour marquer la fin des cours, nous avons organisé une petite fête à l'atelier. Robert nous a confié que nous nous étions tous révélés capables de mieux que ce à quoi il s'attendait au départ. Rien de plus personnel.

Je me dirigeais vers la bibliothèque, quelques jours plus tard, durant la semaine des examens, lorsqu'au détour d'une allée je me suis retrouvée nez à nez avec lui, littéralement.

– Tiens, tiens, vous ici, a-t-il dit en tendant son long bras devant lui pour m'empêcher de lui rentrer dedans.

Je ne l'avais pas vu. J'ai sursauté, il a éclaté de rire. J'ai ri aussi. Nous sommes restés face à face un instant, sans rien dire, le sourire aux lèvres. C'était le printemps, il faisait beau, les vacances approchaient, mais nous n'avions rien à nous dire.

– Je me suis inscrite au stage d'été, ai-je enfin déclaré, rompant cet agréable silence. Merci de m'avoir donné un coup de pouce. Oh, et je suis allée voir l'expo des profs. J'ai adoré vos tableaux.

Je n'ai pas précisé que j'étais allée les voir trois fois.

– Merci, a-t-il dit.

Le bruit courait qu'il détestait commenter son travail.

– L'un d'entre eux m'a beaucoup intriguée, ai-je quand même continué. J'aurais aimé que vous soyez là pour m'éclairer.

Une expression étrange est passée sur ses traits, comme un nuage dans un ciel printanier, et il a légèrement tressailli. Savait-il de quelle peinture je voulais parler ou était-ce un frisson prémonitoire ? N'est-ce pas ainsi que l'amour se déclare ? Une parole, un geste vous émeut et vous fait frémir. Puis il a froncé les sourcils et m'a scrutée attentivement. Je n'étais pas sûre, toutefois, qu'il me voyait vraiment.

– Allez-y, posez-moi vos questions, a-t-il dit sur un ton bourru, avant d'esquisser un sourire. Vous voulez qu'on s'assoie un moment quelque part ?

Il a regardé autour de lui, moi aussi. Nous étions tout près du café du campus ; des tables étaient sorties sur la terrasse.

– Je vous offre une limonade ? a-t-il proposé.

Nous avons non seulement bu une limonade mais déjeuné ensemble, parmi les étudiants et leurs sacs à dos, certains révisant pour leurs examens, d'autres bavardant au soleil en remuant leur café. Robert a pris un énorme sandwich au thon avec des pickles et une portion de frites. J'ai commandé une salade. Il a insisté pour régler l'addition, j'ai insisté pour payer au moins les boissons. Nous avons commencé par manger en silence. Je n'osais pas parler de l'*Huile sur toile,* mais je me berçais de la présomptueuse illusion que nous étions déjà un peu amis, que nous n'avions plus seulement des rapports de prof à élève. Je ne m'étais pas encore aperçue que les oiseaux étaient revenus après l'hiver, ni que les arbres et les bâtiments de la fac avaient retrouvé des couleurs éclatantes. Les fenêtres à croisillons de la cafétéria étaient toutes grandes ouvertes.

Robert a allumé une cigarette, en s'excusant :

– Je ne fume pas d'habitude. Mais je m'achète un paquet tous les ans, pour célébrer le retour des beaux jours.

Il est entré dans le café pour chercher un cendrier, puis il s'est rassis en face de moi en me disant :

– Bien, je vous écoute, mais vous savez qu'en général je ne réponds pas aux questions à propos de mes tableaux.

J'avais envie de lui dire que je ne savais strictement rien de lui. J'ai rejeté mes cheveux derrière mes épaules. Il les a regardés avec un air amusé. Ils m'arrivaient à la taille, à cette époque, et ils étaient encore blonds, ma couleur naturelle.

– Ce qui signifie que ce n'est pas la peine que je vous en pose ?

– Posez-les toujours, mais je n'y répondrai pas forcément. J'estime qu'un tableau doit parler de lui-même, et qu'il doit recéler une part de mystère pour être intéressant.

J'ai terminé ma limonade. Il fallait que je me lance.

– Toutes vos toiles m'ont beaucoup plu. Vos paysages sont fabuleux.

J'étais encore trop jeune pour savoir comment m'adresser à un génie sans paraître ridicule ; j'avais cependant assez de bon sens pour ne pas risquer un commentaire maladroit sur l'autoportrait.

– Et j'ai adoré le grand portrait féminin. Je suppose que c'est votre femme. Pourquoi porte-t-elle cette robe d'un autre siècle ? Quelle est l'histoire derrière cette scène ?

Il me dévisageait d'un regard fixe, légèrement sur ses gardes.

– L'histoire ? a-t-il répété.

– Oui. Je veux dire... C'est un tableau si riche, et si vivant... Le miroir, la fenêtre... Avez-vous fait poser un modèle, ou avez-vous utilisé une photo ?

Son regard me transperçait. On aurait dit qu'il voyait à travers moi le mur de pierre du bâtiment abritant le syndicat étudiant.

– Ce n'est pas ma femme et je ne travaille jamais d'après photo, a-t-il murmuré en tirant sur sa cigarette.

Son autre main était posée sur la table. Il a fait craquer ses articulations et s'est massé les doigts. Il souffrait d'un début d'arthrite, ai-je appris par la suite. Puis il m'a regardée en plissant les yeux. Cette fois, il me voyait.

– Si je vous dis qui elle est, vous garderez le secret ?

Un froid m'a envahie, comme lorsque vous êtes enfant et qu'un adulte vous confie un tracas d'adulte : une peine de cœur, par exemple, ou un problème financier dont vous vous doutiez mais dont l'on aurait pu vous épargner les détails, ou, pire, quelque chose d'effrayant, en rapport avec le sexe. Allait-il me révéler qu'il trompait sa femme ? Les gens d'âge moyen me semblaient avoir le chic pour se mettre dans des situations sordides, alors que l'expérience aurait dû les en garder. Encore une fois, je me suis réjouie d'être jeune et libre. En règle générale, j'avais pitié des plus de trente ans et, cruellement, je ne faisais pas d'exception pour ce pauvre Robert Oliver et sa cigarette de printemps.

– Bien sûr, ai-je répondu, le cœur battant. Vous pouvez compter sur moi.

Il a fait tomber sa cendre dans le cendrier.

– La vérité, c'est que j'ignore qui elle est, a-t-il dit en clignant des paupières. Seigneur... Si seulement je le savais !

Il avait l'air désespéré. J'étais tellement abasourdie que je suis restée un instant sans voix. Cette femme avait tout de même posé pour lui. Il devait forcément la connaître un minimum... L'avait-il rencontrée dans la rue par hasard, comme Picasso ? Je n'osais pas lui poser la question, de crainte de passer pour une idiote. Puis j'ai soudain compris.

– Vous l'avez imaginée ?

Son visage s'est durci. Qu'avais-je dit de si stupide ? Il commençait à m'être de moins en moins sympathique. Ou alors, il était complètement dingue.

– Oh, elle est réelle, d'une certaine façon, a-t-il répondu en me souriant, à mon ineffable soulagement.

Il a sorti une deuxième cigarette de son paquet.

– Vous voulez une autre limonade ?

– Non, je vous remercie.

J'étais vexée. Il me proposait de me confier un secret, puis il s'exprimait par énigmes et me traitait comme si je n'étais pas capable de comprendre. M'avait-il invitée à déjeuner seulement parce que j'avais de beaux cheveux ? D'un côté, je me fichais de ses secrets ; de l'autre, j'avais l'impression que s'il voulait bien m'expliquer le sens de ses allusions sibyllines, j'aurais peut-être une illumination quant au miracle de l'art. J'ai rassemblé mon gobelet, mon assiette et ma fourchette en plastique blanc et je me suis levée, défiante dans mon jean et mes bottes.

– Je suis désolée, il faut que je retourne à la bibliothèque.

Il est resté assis. Pour une fois, je le dominais.

– Merci pour le déjeuner, ai-je ajouté. C'était très aimable de votre part.

– Vous êtes en colère ? a-t-il dit d'une voix étonnée. C'est de ma faute ? Vous êtes fâchée parce que je n'ai pas répondu à votre question ?

– Je ne peux pas vous en vouloir de penser que je n'aurais pas compris la réponse, ai-je rétorqué sèchement. Mais vous n'êtes pas obligé de vous moquer de moi. Soit vous connaissez cette femme, soit vous ne la connaissez pas...

Il a posé une main sur mon bras. Je n'ai pas osé la repousser. Il l'a d'ailleurs rapidement retirée.

– Excusez-moi, a-t-il murmuré. Je vous ai dit la vérité. Je ne sais pas qui est cette femme...

Je me suis rassise. Il a secoué tristement la tête en regardant une crotte d'oiseau collée sur le bord de la table.

– Je l'ai vue au Metropolitan Museum of Art, à New York, il y a des années, a-t-il poursuivi. C'est quelque chose dont j'ai beaucoup de mal à parler, même avec mon épouse. Je crois d'ailleurs qu'elle n'y tient pas. La salle était bondée... Je travaillais à une série de jeunes ballerines ; certaines n'étaient encore que des enfants, des petits oiseaux, si parfaites. J'allais souvent au Met pour m'inspirer des tableaux de Degas, le peintre des danseuses.

J'ai hoché fièrement la tête. Je connaissais les tableaux de Degas.

– Peu de temps après, nous sommes partis à Greenhill. Je n'ai jamais pu chasser cette image de mon esprit. Elle me poursuit. Tout le temps. Je ne peux pas l'oublier.

– Elle devait être très belle, ai-je hasardé.

– Oui...

Clairement, il la revoyait. Il était retourné au Met, il la suivait des yeux dans la foule. J'enviais cette romantique inconnue...

– Vous n'avez pas essayé de la retrouver ?

J'espérais que non.

– Si, bien sûr. Je l'ai revue deux fois, au musée. Puis, plus jamais. Une idylle irréalisée.

– Alors, depuis, vous l'imaginez...

– En quelque sorte, oui, a-t-il acquiescé en me souriant gentiment.

Il s'est levé, rassuré et rassurant. Je me suis levée aussi et nous avons fait quelques pas ensemble. Devant le bâtiment du syndicat, il s'est arrêté.

– Passez un bon été, Mary. Et bonne chance pour la continuation de vos études. Ne ménagez pas vos efforts et je suis sûr que vous réussirez.

– Bonne continuation à vous, ai-je dit en souriant pitoyablement. Vous repartez bientôt en Caroline du Nord ?

– La semaine prochaine.

Il s'est penché et m'a embrassée sur les deux joues, comme s'il disait au revoir à tout le campus, à tous ses étudiants, à notre région glaciale, comme si j'incarnais tout son séjour à Barnett. Ses lèvres étaient chaudes et sèches.

– Eh bien... Bon retour... Au revoir.

J'ai tourné les talons et me suis éloignée. Par fierté, je ne me suis pas retournée, mais je sais qu'il est resté planté là un moment, sans doute perdu dans ses souvenirs de la belle inconnue, ou anticipant de joyeuses retrouvailles avec sa famille. Il y avait néanmoins des choses dont il ne pouvait pas parler à sa femme, mais dont il m'avait parlé à moi... Il m'avait accordé ce privilège et cela m'est resté, comme lui était resté le visage de la mystérieuse inconnue.

50

Lorsque nous avons rompu, Robert et moi, j'ai pris l'habitude de dessiner dans un café que je fréquente encore parfois, à mi-chemin entre chez moi et l'université où j'enseigne, une adresse chic près d'une station de métro. Dans les cafés autour de la fac, il y avait de fortes chances pour que je tombe sur des élèves, ou des anciens élèves. J'avais besoin de tranquillité.

Ce n'est pas que je n'aime pas mes étudiants ; au contraire, ils sont désormais mon moteur, les enfants que je n'aurai jamais, mon avenir. J'adore leurs crises, leurs excuses bidon et leur égocentrisme. J'adore les voir transportés par une soudaine révélation sur la peinture, ou transcendés subitement par l'aquarelle, une histoire d'amour avec le fusain, une obsession pour l'azur – qui apparaît dans tous leurs travaux et dont ils doivent se justifier auprès du reste de la classe, ce dont ils sont en général incapables. Chaque fois qu'ils se découvrent une nouvelle passion, ils se jettent dedans à fond et perdent tout discernement. Lorsque ce n'est pas la peinture, c'est malheureusement parfois l'alcool ou la coke (ce dont ils ne me parlent pas, évidemment), ou bien une personne du sexe opposé, ou les répétitions pour une pièce de théâtre ; ils ont les yeux cernés, ils somnolent pendant les cours, ils s'enflamment lorsque je commente un Gauguin qu'ils adoraient quand ils étaient au lycée. En fin de semestre, ils m'offrent des boîtes à œufs peintes. Je les adore.

Il n'empêche que si l'on veut travailler pour soi, il faut prendre ses distances. Voilà pourquoi, pendant un certain temps, j'ai pris mes quartiers dans ce café. Chaque matin où mon emploi du temps me le permettait, j'y dessinais d'après nature : la rangée de théières sur l'étagère au-dessus du bar, le faux vase Ming, les tables et les chaises, le panneau de la sortie de secours, le poster de Mucha au-dessus du porte-revues, les bouteilles de sirop italien aux étiquettes toutes pareilles et toutes différentes, les gens. J'osais de nouveau dessiner des inconnus, comme lorsque j'étais étudiante : trois jeunes femmes asiatiques discutant dans leur langue, à toute allure, autour de scones et de gobelets en carton ; un type avec une queue-de-cheval à moitié endormi sur sa table ; une quadragénaire pianotant sur un ordinateur portable.

Je voyais de nouveau les autres, comment ils étaient habillés, ce qu'ils buvaient, leurs yeux de formes et de couleurs différentes, et je me sentais l'une des leurs. Je me consolais en me disant que tout le monde avait son Robert, ses drames, ses plaisirs et ses regrets. J'essayais de mettre du plaisir et du regret dans mes portraits. Certains étaient contents que je les dessine et me lançaient des petits sourires en coin. Ces séances de dessin matinales m'ont aidée à accepter ma solitude et à comprendre que je n'avais pas envie de regarder les hommes.

1879

Mon cher ami,

Je ne comprends pas pourquoi nous ne recevons plus de lettres ni de visites de votre part, ces dernières semaines. Vous aurais-je froissé par quelque maladresse ? Je pensais que vous aviez prolongé votre voyage, or Yves m'assure que vous êtes rentré à Paris. Mon tort est-il d'avoir présumé de l'affection que vous me portez ? Si tel est le cas, veuillez croire que j'en suis sincèrement navrée,

Votre amie,
Béatrice de Clerval

51

Marlow

Je suis parti de chez moi plus tard que d'habitude, le lendemain de mon dîner avec Mary Bertison. La circulation était dense. D'ordinaire, je tâche d'éviter l'heure de pointe et d'arriver à Goldengrove avant les réceptionnistes, histoire d'avoir la voie express, le parking et les couloirs de la clinique pour moi tout seul, de pouvoir faire un peu de paperasse tranquillement pendant une vingtaine de minutes. Or, ce matin j'avais traîné ; j'avais fait durer mon petit déjeuner solitaire, regardé le soleil se lever. Après notre fabuleuse soirée, j'avais mis Mary dans un taxi – je lui avais courtoisement proposé de la raccompagner en voiture, mais elle avait décliné mon offre. Le lendemain, mon appartement me semblait encore empli de sa présence. Je la revoyais assise sur le fauteuil, tour à tour agitée, hostile, confiante.

Je me suis servi une deuxième tasse de café, tout en sachant que je regretterais cet abus. J'ai contemplé les arbres derrière la fenêtre, le vert franc de leur feuillage d'été. Je me suis remémoré sa longue main qu'elle levait quand elle n'était pas d'accord avec moi. Au restaurant, nous avions discuté de littérature et de peinture ; elle m'avait fait clairement comprendre qu'elle ne voulait plus parler de Robert Oliver. J'entendais encore sa voix trembler lorsqu'elle m'avait dit qu'elle me raconterait leur histoire par écrit.

À mi-chemin de Goldengrove, j'ai éteint l'autoradio. Un autre jour, j'aurais probablement monté le son pour écouter ce passage de mon disque favori du moment, les *Suites françaises* de Bach interprétées par András Schiff, un glorieux torrent, un clapotis, puis de nouveau l'eau qui jaillit. Dans les embouteillages, je ne pouvais pas me concentrer sur la musique. Les automobilistes se faisaient des queues-de-poisson, stoppaient sans prévenir, des coups de Klaxon retentissaient de toute part.

Du reste, il n'y avait pas suffisamment de place dans ma voiture pour Bach et l'image de Mary, son visage transfiguré lorsqu'elle m'avait parlé de ses dernières peintures, une série de femmes en blanc. Je lui avais respectueusement demandé si je pourrais un jour les voir – après tout, elle avait vu le paysage de ma petite ville natale, loin d'être mon meilleur. Elle avait hésité, acquiescé sans conviction, maintenant ainsi une barrière entre nous. Non, il n'y avait pas de place dans ma voiture pour les *Suites françaises*, les bords de route verdoyants et le visage alerte et pur de Mary Bertison. Jamais je ne m'y étais autant senti à l'étroit. Jamais je n'avais autant ressenti le besoin d'un toit ouvrant.

J'ai procédé à ma tournée des patients en me réservant Robert pour la fin. Or, sa chambre était déserte. Une infirmière m'a indiqué qu'il se promenait dehors avec l'une de ses collègues. Je suis sorti sur la terrasse à l'arrière du bâtiment ; il n'était nulle part en vue. Je ne crois pas avoir encore précisé que Goldengrove, comme mon cabinet au Dupont Circle, est un vestige de la grande époque de Gatsby et de la MGM, un vieux manoir qui a été le théâtre de somptueuses réceptions. Je me demande souvent si les patients qui errent en pantoufles dans les couloirs sont sensibles à l'élégance Art déco qui les entoure, aux murs ensoleillés et aux frises égyptiennes. Je serais tenté de dire que ce faste leur remonte le moral et contribue dans une certaine mesure à leur traitement. Le bâtiment a été rénové de fond en comble quelques années avant mon arrivée. J'aime particulièrement la terrasse, son mur en serpentine et ses gros pots de géraniums blancs. De là, la vue porte jusqu'aux arbres bordant le Little Sheridan, un affluent du Potomac. Le parc a en partie été restauré ; hélas, faute de budget, nous ne pouvons pas entretenir toute sa superficie. Un petit lac s'étend en contrebas des jardins (pas assez profond pour que l'on puisse s'y noyer). Un pavillon d'été se dresse au bord (trop bas pour que l'on puisse se jeter du toit, et dont les poutres intérieures ont été dissimulées sous un faux-plafond afin que l'on ne puisse pas s'y pendre).

Tout cela fait bonne impression sur les familles qui nous confient leurs proches. Je les vois parfois sécher des larmes sur la terrasse et se rassurer les uns les autres : « Regarde comme c'est joli, et quel silence… » Ces familles ne connaîtront jamais les hôpitaux publics où l'on envoie les gens qui n'ont pas d'argent se battre contre leurs démons, ces établissements sinistres, aux murs crasseux, sans jardin, où le papier toilette est parfois rationné. J'y ai fait des stages, quand j'étais interne, et j'ai du mal à oublier ce que j'y ai vu. J'ai parfois des remords de travailler dans le privé, de n'avoir même pas essayé de faire changer les choses... Je crois que je n'avais pas l'énergie nécessaire. Cela dit, je me sens utile, à Goldengrove.

La terrasse forme un L. De l'autre côté, j'ai aperçu Robert. Il avait installé son chevalet sur une pelouse, face à la rivière, il peignait. Non loin de lui, une infirmière se promenait avec un patient en robe de chambre – si nous avions le choix, combien d'entre nous s'habilleraient ? J'ai été satisfait de constater que mes consignes étaient suivies : mon personnel gardait un œil sur Robert Oliver tout en veillant à ne pas l'oppresser.

Je l'ai observé un instant tandis qu'il scrutait le paysage. J'aurais pu parier que le grand arbre tordu, à droite, figurerait sur sa toile, et qu'il occulterait le silo apparaissant au-dessus des feuillages, sur l'extrême-gauche, de l'autre côté du Sheridan. Les épaules droites dans la vieille chemise jaune qu'il portait presque tous les jours (en dépit de celles que je lui avais procurées), il courbait la tête lorsqu'il peignait, bien que les pieds du chevalet fussent réglés à leur hauteur maximale. Malgré son disgracieux pantalon kaki, il y avait quelque chose d'élégant dans sa posture.

C'était extraordinaire de le regarder peindre. J'en avais déjà eu l'occasion, mais toujours à l'intérieur, où il était conscient de ma présence. Là, j'avais tout le loisir de l'observer sans qu'il le sache ; je ne voyais pas sa toile, toutefois. Je me suis demandé ce que Mary Bertison aurait donné pour être là. Puis je me suis souvenu : elle ne voulait pas revoir Robert. S'il reprenait un jour le cours de sa vie, en serait-elle à jamais exclue ? Lui garderait-elle de la rancune ? Était-ce mesquin de ma part de l'espérer ?

Je me suis nonchalamment dirigé vers lui, les mains dans le dos. Je l'ai interpellé. Il s'est brusquement retourné et m'a fusillé du regard – un lion en cage, derrière des barreaux qu'il ne pouvait pas secouer.

– Bonjour, Robert, l'ai-je salué cordialement.

Il s'est remis au travail, ce qui indiquait au moins une certaine confiance. Ou peut-être était-il trop concentré pour se laisser distraire par un psychiatre ? Je me suis approché et j'ai examiné sa toile, ostensiblement, dans l'espoir de susciter une réaction. En vain. Il peignait l'horizon sans se soucier de moi le moins du monde. Il devait travailler à ce paysage depuis deux ou trois heures, à moins qu'il ne soit incroyablement rapide. J'ai admiré la lumière à la surface du lac, le subtil mouvement des arbres à l'arrière-plan.

Je me suis toutefois gardé de le complimenter, redoutant de me heurter une fois de plus à un mur. C'était déjà un progrès qu'il peigne autre chose que sa sempiternelle muse au sourire triste, en l'occurrence la nature, quelque chose de vivant. Il avait deux pinceaux à la main, et il alternait avec dextérité. Devais-je lui dire que j'avais rencontré Mary Bertison ? Qu'elle m'avait parlé d'elle et de lui ? Que nous avions dégusté ensemble une bonne bouteille de vin et un poisson en papillote ? Qu'elle était prête, par amour pour lui, à m'en raconter encore davantage ? Que ses cheveux brillaient de reflets or et pourpre ; qu'elle ne pouvait pas prononcer son nom sans une note de défiance dans la voix ; que je savais comment elle tenait sa fourchette, comment elle s'adossait contre un mur, les bras croisés envers et contre tout ; qu'elle n'était pas le modèle dont il faisait sans cesse le portrait ; qu'elle détenait en revanche une part du secret de l'identité de ce modèle ; que j'étais décidé à retrouver cette femme qu'il aimait plus que tout au monde, et à découvrir pourquoi elle lui avait volé non seulement son cœur mais sa raison ?

Critères cliniques mis à part, si l'on s'en tenait à l'aspect purement humain, ne venais-je pas de mettre le doigt sur la définition de la maladie mentale ? ai-je pensé en le regardant déposer une touche de jaune cadmium au sommet de ses arbres. Ce n'est pas une maladie de laisser quelqu'un prendre possession de votre cœur. Perdre la tête pour quelqu'un, se remettre entre ses mains relève en revanche de la pathologie. Je regardais tour à tour Robert et son paysage, les espaces gris délavés du ciel, où il avait probablement l'intention de rajouter des nuages, la partie du lac inachevée qui se métamorphoserait sûrement en leur reflet. Il y avait longtemps que je n'avais pas remis en question mes idées sur les maladies que je traitais à longueur de journée. Ou sur l'amour.

– Merci, Robert, ai-je dit.

Et je me suis éloigné, sans me retourner pour voir s'il me suivait du regard.

Mary m'a appelé dans la soirée, ce qui m'a considérablement surpris. J'avais l'intention de lui téléphoner, mais je voulais attendre quelques jours. Sur le coup, je n'ai pas reconnu sa voix, cette voix de contralto qui m'avait tant charmé la veille. Elle avait réfléchi à la proposition qu'elle m'avait faite de rédiger ses souvenirs de Robert, m'a-t-elle dit sur un ton hésitant. Elle me les enverrait petit à petit, par la poste. Cet exercice d'écriture lui serait bénéfique. Je pourrais en tirer un roman, si je voulais, ou balancer tout ce papier dans un conteneur de recyclage, ou m'en servir de cale-porte. Elle avait déjà commencé. Elle a ri nerveusement.

Cet arrangement m'a déçu : je ne la reverrais donc pas en personne. Je ne savais pas toutefois pourquoi je voulais tant la revoir... Elle était libre, célibataire, mais elle était aussi l'ancienne compagne de mon patient. Elle a cependant suggéré que nous dînions de nouveau ensemble, un de ces jours ; c'était son tour de m'inviter. En dépit de ses protestations, j'avais réglé la totalité de l'addition. Quand elle m'aurait envoyé la première partie de ses mémoires, peut-être ? Elle ne se rendait pas compte du temps qu'il lui faudrait, mais elle se ferait une joie de me revoir ; elle m'avait trouvé sympa. Ce mot, « sympa », étrangement, m'a rempli de bonheur. Je lui ai dit que je serais moi aussi enchanté de la revoir, que j'attendais ses missives, qu'elle prenne toutefois tout le temps qu'il lui faudrait. Et j'ai raccroché en souriant malgré moi.

52
Mary

J'ai vu un jour un tableau qui exprime parfaitement, je crois, ce que c'est qu'être amoureux de quelqu'un d'inaccessible. Chaque fois que je vois une peinture qui me frappe, dans un musée, dans une galerie, dans un livre ou chez quelqu'un, je rédige une petite fiche à son sujet, avec le titre de l'œuvre, son auteur, la date et le lieu où je l'ai vue, une description succincte, parfois un croquis. Malheureusement, je fais cela depuis des années, mais je n'avais pas encore pris cette habitude lorsque j'ai vu le tableau dont je veux vous parler.

J'avais une vingtaine d'années quand je l'ai vue (je ne me rappelle pas quel âge exactement), probablement dans un musée. À cette époque, après la fac, je visitais tous les musées, partout où j'allais. La seule chose dont je suis certaine, c'est qu'il s'agit d'une peinture impressionniste. Elle représente un homme assis sur un banc, dans un jardin luxuriant. Le banc se trouve sous une tonnelle couverte de feuillage et de fleurs mauves. L'homme est assez grand, élégamment vêtu d'un manteau, d'une veste et d'un pantalon gris, coiffé d'un chapeau de couleur claire. Il arbore un air suffisant, mais semble légèrement sur ses gardes, comme s'il guettait un bruit. Il faut reculer de quelques pas pour bien saisir son expression. (Je me souviens m'être éloignée de la toile, ce qui signifie que j'ai vu ce tableau en vrai, pas dans un livre.)

Une femme est assise près de lui (sur un fauteuil de jardin, un autre banc, une balancelle ?), en robe blanche à rayures noires, très raffinée elle aussi, un petit chapeau au sommet de son chignon, sous une ombrelle. En reculant encore plus, on aperçoit une autre figure féminine entre les massifs de fleurs à l'arrière-plan, les teintes pâles de ses vêtements se fondant presque dans le jardin. Contrairement aux deux autres personnages, bruns, elle a les cheveux clairs et ne porte pas de chapeau, ce qui la fait paraître plus jeune.

Je ne crois pas avoir fait de rapprochement avec moi, quand je l'ai vue. Cette peinture m'est restée en mémoire, comme on garde parfois le souvenir d'un rêve. En fait, pendant des années, je l'ai cherchée sans la retrouver. Bien que son style s'apparente incontestablement à l'impressionnisme français, je n'ai aucune preuve qu'il s'agisse d'une œuvre française. La scène pourrait tout aussi bien se dérouler dans un jardin du XIXe siècle à San Francisco, ou dans le Sussex, ou pourquoi pas en Toscane.

En tout cas, le gentleman et ses deux femmes sont demeurés gravés dans ma mémoire, en une image qui dégage une certaine tension. Pourquoi la jeune fille blonde à l'arrière-plan n'est-elle pas assise avec les autres ? Pourquoi le gentleman ne se lève-t-il pas pour la rattraper et lui dire qu'il l'aime, elle aussi, qu'il l'a toujours aimée et l'aimera toujours ?

Je l'imagine se mettre en mouvement. La femme en robe rayée demeure immobile, imperturbable sous son ombrelle. L'homme se lève, résolu, il saisit la fille à la robe claire par le bras. Elle affiche une expression déterminée. Il n'y a entre eux que des fleurs, qui frôlent sa jupe et déposent des grains de pollen sur le bas de son pantalon. Il a la main hâlée, des doigts épais et noueux. Il la retient, d'une poigne ferme. Ils ne disent rien. Ils tombent dans les bras l'un de l'autre. Ils ne s'embrassent pas. Elle verse des larmes au contact de sa barbe contre son front. Je crois qu'il pleure, lui aussi.

1879

Ma chérie,

Excuse-moi de ne point t'avoir écrit ni donné signe de vie, inconvenante faiblesse de ma part. J'ai été absent, c'est vrai. Comme je t'en avais informé, je suis parti une dizaine de jours me reposer dans le Sud, suite à une indisposition bénigne. Cela, je dois l'avouer, n'était toutefois qu'un prétexte. Certes, j'avais besoin de bon air afin de me remettre d'un petit rhume, et je désirais peindre un paysage que je n'avais pas vu depuis de nombreuses années. Cependant, je souffrais également d'un mal plus profond. Je n'en suis pas guéri, comme tu peux le constater d'après la formule d'adresse de la présente. Tu étais constamment à mes côtés, ma muse, belle et charmante compagnie. J'entendais ton rire, je revoyais le moindre de tes gestes ; ta voix résonnait à mes oreilles. À chaque instant, ton image flottait dans mon esprit, soulevant en moi d'irraisonnables bouffées de tendresse.

Je suis ainsi revenu à Paris dans le même état de confusion que j'en étais parti et, à mon arrivée, j'ai décidé de me plonger à corps perdu dans le travail, afin de te laisser en paix. Je ne te cacherai pas le plaisir que ton billet m'a apporté. Non, non, je te rassure, tu ne m'as en rien offensé. Et puisque tu sembles t'être languie de moi, toi aussi, je ne peux donc que me résoudre à vivre dans ta proximité, en m'efforçant de dominer mes émotions.

Quelle frivolité, pour un vieil homme, de se laisser ainsi troubler, penseras-tu sans doute, même si tu es bien trop aimable pour me le dire. Tu auras raison, naturellement. Ne mésestime pas, cependant, le pouvoir que tu exerces sur moi. À l'avenir, je tâcherai toutefois de maîtriser mes transports. Je suis si heureux que tu ne sois pas fâchée...

Permets-moi ici de poser ma plume et de reprendre mon souffle, car je dois à présent m'acquitter de la promesse que je t'ai faite. Je t'avais dit que je te parlerais un jour de mon épouse, tu ne l'as certainement pas oublié. Je n'ai eu de cesse de regretter cette déclaration, cette tâche va m'être extrêmement pénible, mais puisque je t'avais donné ma parole, je ne puis maintenant me rétracter. Du reste, il me semble que tu ne peux me connaître vraiment sans connaître l'histoire de ma femme, une bien triste histoire, je dois te prévenir en préambule. C'est pourquoi je t'enjoins vivement de ne lire ce qui suit que dans un moment où tu te sentiras prête à entendre des choses terribles.

Lorsque tu seras parvenue au terme de cette lettre, tu en sauras un peu plus que mon frère et bien davantage que mon neveu. À part eux, je dois t'avertir que personne n'est au courant de cette affaire politique, car c'est bien d'une affaire politique qu'il s'agit. Par conséquent, ma sécurité reposera en partie entre tes mains. Pourquoi te faire une telle confession ? t'interroges-tu peut-être. Pourquoi te raconter des choses qui ne manqueront pas de te contrarier ? Telle est la nature de l'amour, très chère : brutale... Le jour où tu en prendras conscience, tu regarderas en arrière, tu me comprendras mieux et me pardonneras. Probablement aurai-je depuis longtemps quitté ce bas monde ; où que je sois, je t'en saurai néanmoins gré.

J'ai rencontré mon épouse assez tard dans la vie ; j'avais déjà quarante-trois ans, elle en avait quarante. Hélène était issue d'une bonne famille rouennaise et sans doute se serait-elle mariée plus tôt si le sens du devoir ne l'avait retenue auprès de sa mère, qui était veuve. Lorsque j'ai fait sa connaissance, elle vivait depuis deux ans à Paris, chez sa sœur aînée, dont la famille l'avait accueillie au décès de sa mère et au sein de laquelle elle avait su se rendre aussi indispensable qu'elle l'était à sa mère. Hélène était une personne d'une grande douceur, sérieuse mais non dénuée d'humour. Dès notre première rencontre, j'ai été séduit par sa dignité et sa considération pour autrui. Elle s'intéressait à la peinture, bien qu'elle ne possédât qu'un maigre bagage artistique. Plus férue de littérature, elle lisait l'allemand aussi couramment que le français, parfois aussi des textes latins, son père ayant mis un point d'honneur à pourvoir à l'éducation de ses filles. J'admirais la ténacité dont elle faisait preuve dans tout ce qu'elle entreprenait. Elle était également d'une piété exemplaire, à côté de laquelle je me sentais honteux de douter de la religion.

Nous avons été présentés par son beau-frère, un vieil ami à moi qui a intercédé en ma faveur malgré tout ce qu'il savait sur moi, et qui l'a également généreusement dotée. Notre mariage a été célébré en l'église Saint-Germain-l'Auxerrois, en présence de quelques proches et amis. Nous nous sommes installés à Saint-Germain, où nous menions une existence paisible. Je continuais à peindre et à exposer. Hélène était une excellente maîtresse de maison et mes amis étaient toujours chez nous les bienvenus. Je l'aimais beaucoup, d'un amour toutefois peut-être plus respectueux que passionnel. Nous étions trop âgés pour avoir des enfants, mais nous nous suffisions l'un à l'autre. Sous son influence, je me sentais m'assagir ; elle tempérait mon caractère rétif. Elle avait en moi une foi sans faille qui me poussait à rechercher la perfection dans mon travail.

Nous aurions pu ainsi couler de longues années de bonheur si l'empereur n'avait plongé la France dans cette lamentable guerre contre la Prusse. Tu n'étais encore qu'une enfant, ma chère, mais tu dois te souvenir du choc que fut le désastre de la bataille de Sedan, ainsi que du siège qui ravagea ensuite notre pauvre ville. Je comptais parmi ceux que cette intolérable situation enrageait. Je ne faisais toutefois pas partie de ces agitateurs barbares de la classe populaire, je me rangeais au côté des modérés, qui estimaient que

Paris et la France avaient déjà suffisamment souffert aux mains de despotes irréfléchis et dispendieux, et que cela devait cesser.

Tu sais que j'ai passé plusieurs années en Italie. Je ne t'ai jamais dit en revanche que j'y étais en exil. Partisan de la Commune, j'aurais couru dans notre pays de graves dangers, auxquels certains de mes camarades n'ont pas échappé. Grande est ma peine pour eux. Aujourd'hui encore, mes convictions demeurent cependant intactes. Pourquoi, en effet, les citoyens parisiens auraient-ils dû endurer sans broncher ce que nous n'avions pas sanctionné dès le début ? Je n'ai jamais renié mes opinions. Peut-être, toutefois, ne me serais-je pas engagé dans l'action si j'avais su ce que cela me coûterait.

La Commune a été proclamée le 26 mars. Dans les rues où mon bataillon était stationné, les combats ont éclaté début avril. Yves m'a dit qu'il ne te connaissait pas encore, mais que tu vivais déjà en banlieue. Hormis les privations qui n'ont été épargnées à personne, ta famille était ainsi à l'abri des pires calamités. Peut-être as-tu entendu des coups de feu dans le lointain, peut-être même pas. Durant les affrontements, je me chargeais de transmettre des messages entre les différentes brigades. Chaque fois que j'en avais l'opportunité sans risquer d'autres vies que la mienne, je réalisais des croquis de ces scènes historiques dont j'ai été témoin.

Hélène ne partageait pas mes sympathies. Elle conservait une foi inébranlable dans l'Ancien Régime. Jamais toutefois elle n'aurait voulu me causer du tort. Elle m'avait par conséquent prié de ne rien lui confier qui puisse me compromettre, au cas où l'un de nous serait arrêté. Conformément à son souhait, je ne lui avais pas dit où ma brigade bivouaquait, et je ne te le révélerai pas non plus aujourd'hui. Durant la nuit du 25 mai, nous avons dressé une barricade dans une ancienne ruelle, sachant que ce rempart serait d'une importance primordiale dans la défense du secteur si, comme nous nous y attendions, les Versaillais envoyaient la milice pour essayer de nous faire capituler.

J'avais promis à Hélène de ne pas rentrer tard. Or, dans la soirée, il a fallu relayer des messages à nos camarades de Montmartre. Comme je n'étais pas encore soupçonné par la police, je me suis porté volontaire. Je me suis rendu à destination sans encombre, mais au retour, je me suis fait arrêter. Je n'avais encore jamais eu affaire à la milice. J'ai subi un interrogatoire soutenu, sous la menace de violences, et n'ai été relâché que le lendemain à la mi-journée. À plusieurs reprises, j'ai cru que l'on allait m'exécuter sur-le-champ. Je ne m'appesantirai pas sur les détails de cette terrifiante expérience.

Ce que vais à présent te raconter est toutefois infiniment plus horrible. Dès les premières lueurs de l'aube, Hélène s'est mise à ma recherche. Folle d'inquiétude, elle a interrogé les voisins, jusqu'à ce que l'un d'entre eux finisse par l'accompagner à notre barricade. J'étais toujours emprisonné. Ils y sont arrivés juste au moment où les troupes versaillaises sont apparues et ont ouvert le feu, tirant sans distinction sur tout ce qui bougeait, communards et innocents. Le gouvernement a bien sûr nié ces incidents. Hélène est tombée, touchée au front. L'un de mes compagnons l'a reconnue et l'a traînée à l'écart des échauffourées, derrière un amas de décombres.

Lorsque je suis arrivé, après avoir couru chez nous et trouvé la maison vide, son corps était déjà froid. Je l'ai prise dans mes bras. Ses cheveux et ses vêtements étaient couverts de sang. Son visage n'exprimait que la surprise, bien que ses yeux se fussent instinctivement fermés. Je l'ai secouée, j'ai crié son nom, j'ai essayé par tous les moyens de lui faire reprendre conscience. Mon unique et piètre consolation est de savoir qu'elle est morte sur le coup.

Je l'ai enterrée au cimetière Montparnasse, dans la hâte. Quelques jours plus tard, la Commune fut écrasée et ses membres exécutés en masse. Avec l'aide d'un ami résidant près de l'une des portes de la ville, j'ai fui Paris et voyagé seul jusqu'à Menton et la frontière. Je ne pouvais plus rien faire pour ce pays qui avait rejeté son dernier espoir de justice et je ne voulais pas vivre dans la crainte d'une nouvelle arrestation.

Tout au long de cette épreuve, mon frère m'est demeuré fidèle, honorant la tombe et la mémoire d'Hélène, m'écrivant de temps à autre afin de m'informer de la situation, jusqu'au moment où il a pu m'annoncer que je pouvais enfin rentrer en France. N'ayant joué dans ce drame qu'un rôle dérisoire, je pouvais regagner Paris sans risque d'être inquiété. Tout était à reconstruire, le gouvernement avait d'autres chats à fouetter. N'eût-ce été par gratitude pour mon frère, je serais peut-être resté en exil, mon pays ne m'inspirant plus que chagrin et cynisme. Yves m'avait fait savoir que son père perdait la vue. Je me sentais le devoir de leur apporter à tous deux mon modeste soutien. Mon frère, mon neveu et la peinture furent jusqu'à ce que je te rencontre mes seules raisons de vivre. Je n'étais plus qu'une épave, sans femme, sans enfant, sans patrie. Moi qui rêvais de contribuer à l'amélioration de la société, j'avais perdu toute conscience politique. Mes nuits étaient hantées par le cauchemar du vain et cruel sacrifice de mon épouse.

Ta présence rayonnante, tes dons naturels, la délicatesse de ton affection et de ton amitié m'ont été d'un salut que les mots ne suffisent pas à exprimer. Je pense que je n'éprouverai plus désormais le besoin de te l'expliquer. Je ne te ferai pas l'affront d'insister sur la confidentialité de mon passé et avant de me sentir incapable de t'envoyer ces pages, je clos ici cette confession.

À toi, cœur et âme,

O.V.

53

Marlow

Grâce à Mary, j'étais à présent en possession d'une information qui m'intéressait au plus haut point : l'obsession de Robert était née de la vision d'une femme au Metropolitan Museum of Art. L'avait-il vraiment vue ? Ou s'agissait-il d'une apparition imaginaire – en d'autres termes, d'une hallucination ? Toujours était-il qu'elle accaparait depuis une grande partie de son esprit et constituait probablement le facteur déclenchant de sa maladie. Peignait-il maintenant de mémoire ou était-il toujours en proie à des hallucinations ? Je devais absolument élucider cette question, d'où découlerait peut-être un nouveau diagnostic, et par conséquent un traitement différent.

Lors de l'une de mes visites matinales, je me suis aventuré à demander à Robert d'où il connaissait cette femme qui semblait être l'une de ses principales sources d'inspiration. Il m'a jeté un coup d'œil, puis il s'est replongé dans le roman qu'il était en train de lire. Au bout d'un moment, je me suis excusé et lui ai souhaité une bonne journée. Depuis quelque temps, il s'était mis à lire, quand il ne peignait pas, des thrillers qu'il empruntait sur l'étagère du salon parmi les livres aux pages jaunies et cornées abandonnés à la clinique par les patients. Il en prenait environ un par semaine, exclusivement des histoires très noires de mafia et de meurtres sordides.

Éprouvait-il de la sympathie pour les criminels de cette littérature de gare, lui qui avait été arrêté un couteau à la main ? Notre bibliothèque n'est certes pas très riche. Il aurait pu néanmoins y trouver des lectures plus intéressantes. J'avoue que j'avais glissé sur les rayonnages quelques biographies d'artistes et d'écrivains, spécialement à son intention. Il ne les avait pas touchées. J'espérais que ces mauvais polars n'alimenteraient pas son goût pour la violence.

Robert demeurant toujours aussi insondable, j'avais rappelé Mary et lui avais demandé de me répéter de vive voix ce que Robert lui avait dit à Barnett de l'inconnue aperçue au Met. Bien qu'étonnée par cette requête, elle m'avait rapporté les propos qu'il lui avait tenus, en employant quasiment les mêmes termes que dans le texte qu'elle m'avait envoyé.

À force de réfléchir, je m'étais forgé une intuition toute holmésienne et il me semblait que, pour bien faire, je devais me rendre sur le lieu du crime, pour ainsi dire, en l'occurrence au Met. C'était idiot, je ne voyais pas ce que j'aurais pu y trouver. Néanmoins, j'ai décidé d'y aller, et de combiner cette mission avec une autre, plus importante : rendre visite à mon père, dans le Connecticut. À ma grande honte, je ne l'avais pas vu depuis près d'un an. Il paraissait en pleine forme, au téléphone et dans les lettres qu'il m'écrivait sur le papier à en-tête de sa paroisse (il fallait bien l'utiliser, disait-il, et il dédaignait le mail). Je me demandais toutefois s'il ne taisait pas des choses qu'il ne pouvait me confier par ces moyens de communication. Il commençait à se faire très vieux, je n'étais pas sûr qu'il ait toujours le moral au beau fixe.

J'ai donc demandé un week-end de congé et acheté deux billets de train : un aller-retour Washington - New York, et un aller-retour de New York à ma ville natale. J'ai également réservé une nuit dans un hôtel près de Washington Square où j'avais déjà séjourné avec une jeune femme que j'aurais volontiers épousée. Avec horreur, j'ai calculé à combien d'années remontait ce torride week-end que nous avions passé au lit et sur les bancs de Washington Square Park, où elle m'avait appris le nom de tous les arbres qui poussaient là. Je n'avais aucune idée de ce qu'elle était devenue. Elle avait dû se marier avec un autre. Elle était peut-être grand-mère.

L'idée m'a traversé l'esprit d'inviter Mary à m'accompagner, mais je n'ai pas réussi à trouver d'argumentation convaincante. J'ai également hésité à lui parler de mes plans, mais j'ai décidé de lui téléphoner seulement à mon retour.

De Penn Station, je suis allé directement à Grand Central, afin de prendre le train, direction New Haven. Je voulais d'abord passer une longue soirée avec mon père ; New York serait pour le lendemain.

Le trajet n'est pas désagréable ; de surcroît, j'ai toujours aimé le train, où je peux bouquiner et rêvasser. J'avais emporté *Le Rouge et le Noir.* J'en ai lu quelques pages, puis j'ai regardé par la fenêtre : les entrepôts en briques, les misérables logements bordant la voie ferrée, une ménagère étendant du linge, des gamins jouant dans une cour de récréation, les mouettes décrivant des cercles, tels des vautours, au-dessus d'une gigantesque décharge, les pylônes métalliques sortant de terre ici et là.

J'ai dû m'assoupir. Lorsque j'ai repris conscience, nous étions déjà au bord de la mer. C'est toujours pour moi un émerveillement que d'arriver sur la côte du Connecticut, lorsque l'on commence à apercevoir le Long Island Sound, les Thimble Islands, les marinas pleines de bateaux flambant neufs. C'est là que j'ai grandi, pour ainsi dire. Notre ville se trouve à une quinzaine de kilomètres dans les terres mais les samedis, quand j'étais enfant, nous allions pique-niquer sur la plage publique de Grantford, ou nous promener dans le parc de Lyme Manor, ou observer les oiseaux à la jumelle dans les marais salants. Je n'ai jamais vécu loin de la mer, ou d'un fleuve.

Notre ville est bâtie sur une rive de la Connecticut River que les Britanniques auraient mise à feu et à sang, en 1812, si les édiles ne s'étaient pas précipités à la rencontre du capitaine anglais, afin de négocier. Par le plus pur des hasards, il s'est trouvé que le maire était le cousin du père du capitaine. Ils ont échangé des nouvelles, puis le maire a assuré le capitaine de son allégeance à la Couronne, le capitaine a fait semblant de le croire et tout le monde s'est quitté bons amis. Le soir, tous les habitants se sont rassemblés dans l'église (pas celle de mon père, une beaucoup plus ancienne, juste au bord du fleuve) afin de remercier la Providence. Toutes les villes alentour sont tombées sous le feu britannique. Grand seigneur, mais peut-être aussi un peu honteux, le maire a accueilli leurs citoyens. Notre ville fait la fierté des conservateurs du patrimoine local ; dans sa partie ancienne, tous les édifices sont d'origine, en bois, amoureusement préservés de génération en génération : les églises, l'auberge, les maisons. Mon père adore raconter cette anecdote. Quand j'étais gamin, je ne supportais pas de l'entendre sans cesse. Aujourd'hui, je me la remémore avec émotion chaque fois que je revois le fleuve et les anciennes bâtisses en bois du centre historique, bien que celles-ci aient presque toutes été transformées en boutiques de luxe.

Le chemin de fer n'est arrivé que trente ans après le départ du conciliant capitaine. La première gare n'existe plus, elle a été reconstruite en 1895. La salle d'attente – cuivre, marbre et bois foncé – sent toujours exactement la même odeur que lorsque j'y attendais le train de New York avec mes parents, dans les années 1950, pour aller voir le spectacle de Noël au Radio City Music Hall. Mon père m'y attendait, parmi les passagers qui lisaient le *Boston Globe* sur les bancs de bois que j'avais appris à aimer avant que mes pieds ne touchent le sol.

Ses yeux bleus se sont illuminés en voyant mon visage. Son chapeau de tweed dans une main parcheminée, transparente, il m'a donné l'accolade, puis il s'est écarté pour me regarder, comme s'il s'attendait à ce que j'aie encore grandi. Je me suis demandé s'il avait conscience que j'étais devenu quinquagénaire. Je m'en voulais d'avoir laissé autant de temps s'écouler depuis ma dernière visite, et me suis promis de revenir au moins tous les six mois. Cet homme de presque quatre-vingt-dix ans représentait pour moi la preuve de la continuité de la vie, un tampon entre la mortalité et moi – l'immortalité, aurait-il dit avec un sourire narquois, l'ecclésiastique en lui tolérant le scientifique en moi. Je n'avais guère de doutes sur le fait qu'il irait au paradis en me quittant, bien que j'aie cessé de croire au paradis depuis l'âge de dix ans. En quel autre endroit pourrait aller une telle personne ?

Tandis qu'il me dévisageait, les mains sur mes épaules, j'ai songé que je connaissais déjà bien le traumatisme engendré par la mort d'un parent. Le décès de mon père me serait toutefois encore plus douloureux que celui de ma mère. Avec qui partagerais-je alors mes souvenirs d'elle ? Qui se soucierait de moi ? Je ne serais plus l'enfant de personne. J'ai eu souvent des patients ayant du mal à faire le deuil de leur deuxième parent. S'ils présentaient déjà une prédisposition pour la maladie mentale, cet événement pouvait faire basculer leur fragile équilibre et réduire à néant tous leurs mécanismes de défense.

Malheureusement, mon expérience professionnelle ne me servirait à rien lorsque disparaîtrait cet homme à la voix douce et aux cheveux blancs qui portait sur la nature humaine un regard à la fois cynique et plein d'optimisme, cet homme qui passait chaque année son test de vision avec succès en dépit du scepticisme des employés chargés du renouvellement des permis de conduire. Je ne sais pas ce qu'il voyait en moi, mais moi je voyais en lui à la fois sa présence et la menace de son absence. Aujourd'hui, à quatre-vingt-neuf ans, il était là à m'attendre à la gare, dans son plus beau costume d'été ; demain, il ne serait plus qu'un courant d'air.

À mon tour, je l'ai serré contre moi, fort, manquant de peu lui faire perdre l'équilibre. Il s'était tassé ; je faisais à présent une tête de plus que lui.

– Salut, mon garçon, m'a-t-il dit en me pressant le bras d'une main ferme. On y va ?

– Allons-y, papa.

J'ai mis mon sac de voyage sur l'épaule, refusant la main qu'il tendait pour le prendre. Devant sa voiture, je lui ai demandé s'il voulait que je conduise, ce dont je me suis aussitôt mordu la langue. Il m'a décoché un regard à la fois sévère et rieur, puis il a sorti ses lunettes de la poche intérieure de sa veste et les a essuyées avec son mouchoir avant de les chausser.

– Ça fait longtemps que tu as des lunettes pour conduire ? lui ai-je demandé.

– Des années, mais je ne les portais pas. J'en ai besoin, maintenant.

Il a mis le contact et nous avons magistralement quitté le parking. Il roulait plus lentement qu'avant, penché vers le pare-brise. Sans doute ses verres n'étaient-ils plus adaptés à sa vue. Inutile toutefois de lui dire de les faire refaire, il n'y avait pas plus buté que lui, à part moi peut-être. Là était l'une de nos rares ressemblances, une caractéristique qui faisait notre force, mais n'était-elle pas responsable aussi de notre solitude ?

54

Notre maison n'est qu'à quelques kilomètres de la gare, dans la partie historique de la ville, près du fleuve. Mon cœur s'est serré lorsque nous nous sommes garés devant. Il y avait si longtemps que ma mère n'était plus là pour m'ouvrir la porte en me voyant remonter l'allée. Je ne sais pas pourquoi, son absence m'a paru plus criante que les autres fois.

J'ai fait comme si de rien n'était – rien n'aurait davantage peiné mon père qu'un accès de mélancolie de ma part. J'ai admiré le jardin. Il m'a montré qu'il avait taillé les haies et tondu le gazon quelques jours plus tôt. J'ai retrouvé le parfum familier du buis, les pots d'impatiens de chaque côté de la porte. Le jardin de devant tient dans un mouchoir de poche : la maison a été construite par des marchands, au XVIIe siècle ; pour des raisons pratiques, elle ne devait pas être trop éloignée de la rue. À l'arrière, en revanche, nous avons plus de terrain, des arbres fruitiers qui ne donnent plus grand-chose, un potager que ma mère cultivait à ses heures perdues. Mon père y plante des tomates et du persil chaque année, mais il n'a pas la main verte.

En pénétrant dans la maison, j'ai été assailli, comme d'habitude, par les objets et les odeurs de mon enfance : le vieux tapis turc dans le hall d'entrée ; le chat en céramique, sur l'étagère d'angle, fait par moi en cours d'arts plastiques, vague imitation de ceux qui figuraient dans le bouquin d'art égyptien de ma mère. Elle avait été très fière de cette initiative, de mon œil. Tous les gamins fabriquent des trucs d'une esthétique douteuse, mais je ne suis pas sûr que toutes les mères les exposent de façon permanente. Le radiateur gargouillait et cliquetait, une odeur de tissu brûlé s'en dégageait.

– Je l'ai rallumé, ce matin, s'est excusé mon père. Il fait un froid de canard, pour la saison.

– Tu as bien fait.

J'ai posé mon sac dans le couloir et suis allé me laver les mains dans la cuisine. Elle était propre, bien rangée, le carrelage reluisait. Sur mes instances, mon père avait fini par prendre une femme de ménage l'année précédente, une Polonaise de Deep River qui venait toutes les semaines. Elle pensait même à nettoyer les tuyaux sous l'évier, disait-il. Voilà qui aurait plu à Maman, avais-je fait remarquer. Il avait approuvé.

Il s'est lui aussi lavé les mains, puis m'a proposé un potage en guise de déjeuner tardif. Il en a versé dans une casserole, avec des gestes un peu tremblants. Je lui ai dit que je m'occupais du reste. J'ai sorti des pickles et du pain de seigle, j'ai mis le potage à chauffer, ainsi que de l'eau et du lait pour du thé. Il s'est assis dans le fauteuil en osier acheté par ma mère pour meubler un angle mort de la cuisine, et m'a parlé de ses paroissiens sans les nommer, alors que je les connaissais presque tous. L'une avait perdu son mari dans un accident de voiture. Un autre avait pris sa retraite, après quarante ans de bons et loyaux services dans l'enseignement, et avait vécu une profonde crise mystique.

– Je lui ai dit que nous ne pouvions être sûrs de rien, à part du pouvoir de l'amour, et que peu importait qu'il doute de l'amour de Dieu, tant qu'il continuait à donner et recevoir de l'amour dans sa vie de tous les jours.

– Il a retrouvé la foi ? ai-je demandé en pressant les sachets de thé.

– Penses-tu !

Mon père avait les mains sereinement croisées entre ses genoux, ses yeux larmoyants fixés sur moi.

– J'en aurais été le premier étonné, a-t-il poursuivi. À mon avis, ça faisait des années qu'il ne croyait plus, mais tant qu'il travaillait il n'avait pas le temps de s'inquiéter de ce genre de choses. Maintenant, il vient me voir toutes les semaines et nous jouons aux échecs. Tu peux être sûr que je le bats à tous les coups.

Et que grâce à toi, il se sent aimé, ai-je ajouté en mon for intérieur. Mon père a toujours respecté mon athéisme naturel, même lorsque je faisais exprès de le provoquer, à l'adolescence. « Chacun est libre de croire en ce qu'il veut, du moment qu'il croit en quelque chose », me rétorquait-il invariablement en m'épluchant une poire ou en disposant les pions sur l'échiquier.

En me voyant terminer mon potage, il a sorti une tablette de chocolat, son petit péché de gourmandise, et il m'a demandé si tout se passait bien dans mon travail. Je n'avais pas l'intention de lui parler de Robert Oliver – de crainte qu'il ne trouve injuste vis-à-vis de mes autres patients l'intérêt que je portais à cet homme, de crainte aussi d'être incapable de justifier les démarches que j'avais entreprises. Dans la quiétude de la salle à manger, je me suis néanmoins retrouvé à lui raconter presque toute l'histoire. À l'instar de mon père, je n'ai pas mentionné le nom de mon paroissien. Tout en beurrant une tranche de pain, il m'a écouté avec beaucoup d'attention. Comme moi, mon père n'aime rien plus que les portraits humains. Je lui ai rapporté les conversations que j'avais eues avec Kate et Mary, omettant toutefois de lui dire que j'étais retourné chez la première un soir à l'improviste, et que j'avais invité la seconde à dîner. Peut-être m'aurait-il pourtant pardonné ces incartades. Ou tout du moins aurait-il pensé que j'avais agi ainsi dans l'intérêt de mon patient.

Quand je lui ai dit que Robert portait quasiment toujours les mêmes vêtements, sauf lorsqu'il était nécessaire qu'il les donne à laver, qu'il ne lisait que de la littérature de bas étage et qu'il s'obstinait à garder le silence, mon père a hoché la tête. Son couteau lui a échappé, heurtant l'assiette. Il l'a remis en position verticale.

– Pénitence, a-t-il déclaré.

– Comment ça ? ai-je demandé en prenant un dernier carré de chocolat.

– Cet homme fait pénitence, je crois, d'après ce que tu me décris. Il se punit en s'interdisant de parler de ses tourments. Il s'inflige des souffrances du corps et de l'âme afin de se racheter.

– De quoi ?

Mon père s'est resservi une tasse de thé, avec des gestes précautionneux. Je me suis retenu de l'aider.

– Tu es mieux placé que moi pour le savoir, non ?

– D'avoir abandonné sa femme et ses enfants ? Pour une autre ? Je ne crois pas que ce soit aussi simple que ça. D'après son ex, il n'a jamais été très présent auprès de sa famille, de toute façon. Et la deuxième lui reproche aussi un manque d'investissement. Quoi qu'il en soit, il est muet comme une carpe, et je n'ai aucun moyen de savoir s'il se sent coupable vis-à-vis d'elles.

– À mon avis, a enchaîné mon père en se tamponnant les lèvres avec une serviette en papier, toutes ces peintures font partie de sa pénitence. Peut-être que c'est une manière de lui présenter des excuses.

– À qui ? À la femme qu'il peint ? N'oublie pas qu'elle n'est peut-être que le produit de son imagination. Et si elle existe vraiment, il la connaît à peine. C'est en tout cas ce que prétend sa deuxième compagne.

– Tu ne crois pas que ça l'arrange de penser ça ?

Mon père s'est renversé contre le dossier de sa chaise, contemplant les restes de notre repas comme s'il surveillait ma reine sur l'échiquier.

– Ce serait sans doute affreux pour elle de découvrir qu'il peint sans cesse une femme qu'il a connue intimement, a-t-il ajouté, surtout s'il met dans ses portraits autant de passion que tu le dis.

– C'est vrai, ai-je admis. Il aurait donc quelque chose à se faire pardonner par son modèle ? S'il ne s'agit pas d'une personne en chair et en os, son cas serait encore plus grave que ce que je pense...

Étrangement, mon père m'a ressorti cette phrase qui m'était revenue en mémoire quelques instants plus tôt :

– Chacun est libre de croire en ce qu'il veut, du moment qu'il croit en quelque chose.

– Ouais... ai-je marmonné, soudain furieux contre Robert, qui me poursuivait jusque chez mon père. Il l'a élevée au rang de déesse, je te l'accorde.

– Peut-être qu'il était aussi un dieu pour elle, a dit mon père en rassemblant les assiettes. Tu as fait un long voyage, tu veux peut-être te reposer un peu ?

J'avais toujours sommeil, chez mes parents. Le tic-tac des horloges dans chaque pièce me berçait. « Dors, dors, dors », semblaient-elles me souffler. Il était si rare que j'aie l'occasion de faire la sieste, à Washington ; je n'aimais pas gaspiller mes week-ends à dormir. J'ai aidé mon père à débarrasser, puis je l'ai laissé avec une éponge savonneuse à la main et je suis monté dans ma chambre.

Mes parents n'y ont pas touché depuis que je suis parti de chez eux. Le portrait que j'ai fait de ma mère un an à peine avant sa mort était toujours là. Si j'avais su que ses jours étaient comptés, je l'aurais fait poser, au lieu de prendre une photo pour modèle, aussi incommode que cela eût été pour moi comme pour elle. Le résultat n'aurait pas été meilleur (je manquais de pratique, à l'époque), mais au moins nous aurions ainsi passé ensemble huit ou dix heures de plus. J'aurais pu mémoriser son visage d'après nature, en mesurer les petites imperfections, lui sourire en regardant ses yeux. Tel qu'il était, le tableau montrait une femme digne et grave, presque jolie, une expression pensive sur les traits. Il ne traduisait pas la force que je lui avais connue dans la vraie vie, ni son humour pince-sans-rire. Elle était vêtue d'un cardigan noir et de son col de pasteur, un sourire figé sur les lèvres. La photo avait dû être prise pour la lettre d'info de la paroisse.

Je regrettais de ne pas l'avoir représentée dans la robe rouge foncé que mon père lui avait offerte pour le Noël de mes douze ans, le seul vêtement qu'il ait jamais choisi pour elle, à ma connaissance, une modeste robe de lainage, parfaitement convenable pour l'épouse d'un pasteur, elle-même pasteur depuis peu. Quand nous l'avons vue descendre l'escalier dans cette robe, le soir de Noël, les cheveux relevés, le rang de perles qu'elle portait pour son mariage autour du cou, nous étions restés sans voix, mon père et moi. Il nous avait pris en photo, tous les deux, elle dans sa nouvelle robe et moi dans mon premier costume, dont les manches m'étaient déjà trop courtes. Qu'était devenue cette photo ? Il faudrait que je le demande à mon père.

La tapisserie à rayures marron et vertes n'avait presque plus de couleur. Le tapis paraissait lavé de frais. Le plancher était ciré – par la femme de ménage polonaise. Je me suis allongé sur mon lit et dans le silence je me suis endormi presque instantanément. Vingt minutes plus tard, j'ai vaguement ouvert un œil avant de replonger dans un sommeil plus profond.

55

Quand je me suis réveillé, mon père se tenait dans l'encadrement de la porte. Inconsciemment, j'avais dû entendre ses pas dans l'escalier.

– Je sais que tu n'aimes pas faire des siestes trop longues, m'a-t-il dit sur un ton d'excuse.

– En effet, ai-je acquiescé en me redressant sur un coude.

La pendule de ma chambre indiquait 17 h 30. J'avais quand même dormi plus d'une heure.

– Tu veux qu'on aille marcher un peu ? ai-je suggéré.

Nous allons toujours nous promener ensemble, lorsque je rends visite à mon père. Son visage s'est éclairé.

– Volontiers. Un petit tour du côté de Duck Lane, ça te dit ?

Je savais qu'il m'emmènerait sur la tombe de ma mère et je n'y avais pas le cœur, mais pour lui faire plaisir j'ai accepté. Tandis que j'enfilais mes chaussures, il est redescendu en se tenant à la rampe, et en posant les deux pieds sur chaque marche. Ça me rassurait qu'il soit prudent. Néanmoins, je n'ai pas pu m'empêcher de penser à la façon dont il dévalait l'escalier autrefois, à l'heure du petit déjeuner, ou dont il remontait en courant chercher un livre avant de partir à l'église.

Nous avons marché doucement le long de la route, son bras sous le mien et son chapeau sur la tête. Une légère brise faisait frémir les joncs dans les marais, une corneille s'est envolée sur notre passage. Le soleil de fin d'après-midi brillait au-dessus des maisons des voisins, portant au-dessus de la porte la date de leur construction, 1792-1814 (celle-ci n'avait pas connu l'invasion britannique, ai-je pensé, ni le civil refus du maire de voir sa ville partir en flammes).

Comme je m'y attendais, mon père s'est arrêté devant le portail du cimetière, exerçant une légère pression sur mon bras. Nous sommes passés devant les stèles couvertes de mousse des fondateurs de la ville, certaines couronnées d'une tête de mort ailée destinée à nous rappeler que nous sommes tous mortels. Parmi les tombes plus récentes, celle de ma mère se trouve à côté du caveau d'une famille du nom de Penrose, dont nous n'avons connu aucun membre. La concession est assez grande pour accueillir mon père, quand viendra pour lui le moment de rejoindre ma mère. Pour la première fois, je me suis dit qu'il fallait que je décide si j'achèterais une place auprès d'eux. Je tiens à donner mon corps à la science, puis à ce qu'il soit incinéré, mais peut-être pourrait-on caser une urne entre mes parents. J'ai essayé de nous imaginer dormant tous les trois dans ce grand lit pour l'éternité, mes restes réduits en cendres entre les leurs, protecteurs.

L'image n'était pas assez concrète pour m'effrayer. En revanche, ma gorge s'est nouée à la vue du nom de ma mère, de sa date de naissance et de celle de sa mort, gravés en lettres sobres dans le granite. Les années passaient trop vite. Un sonnet de Shakespeare m'est revenu en mémoire, dans lequel il refuse de comparer sa muse à l'été car « il est trop court et parfois le soleil brille trop fort ».

J'ai cité ce vers à mon père, qui s'était baissé pour enlever une branche de la tombe. Il a souri et secoué la tête.

– Il y a meilleur sonnet pour la circonstance, a-t-il répliqué en jetant la branche dans les taillis bordant l'enceinte du cimetière. « Mais si je pense à toi, cher ami, toutes mes pertes sont réparées et mes chagrins finis. »

C'était à moi, et à ma mère, qu'il adressait ce « cher(chère) ami(e) », et cela m'a fait chaud au cœur. Personnellement, j'avais du mal à imaginer ma mère reposant en paix. Ses derniers instants me hantaient, elle avait lutté avec acharnement pour rester auprès de nous. Je me demandais souvent si le pire était qu'elle soit décédée à cinquante-quatre ans, ou la façon dont elle avait été emportée. Ces deux tristes réalités étaient liées. Cependant, je ne me lassais pas de tenter de les dissocier. J'avais envie de passer un bras autour des épaules de mon père mais ne parvenais pas à m'y résoudre, si bien que j'ai été touché qu'il pose sa vieille main décharnée sur mon dos.

– Elle me manque terriblement, à moi aussi, Andrew, m'a-t-il dit, mais je sais qu'elle n'est pas si loin que ça. Tu verras, tu comprendras quand tu auras mon âge.

Je me suis abstenu de rétorquer que nous avions sur ce point des perspectives radicalement opposées. Si ma mère et moi devions un jour être réunis, ce ne serait à mon sens que dans des millions d'années, lorsque les atomes ayant formé nos corps se confondraient dans l'univers.

– Je la sens tout près de moi, moi aussi, parfois, ai-je murmuré.

Ma voix s'est étranglée et j'ai pensé à Mary, assise sur mon fauteuil, en jean et chemise blanche, me disant qu'elle ne voulait plus jamais revoir Robert Oliver. Tous les deuils ne se ressemblent pas ; ma mère ne m'avait jamais abandonné, ou alors malgré elle, dans ces dernières minutes qui avaient constitué son au-revoir.

Nous avons poursuivi notre balade le long de Duck Lane, jusqu'à ce que mon père me dise qu'il souhaitait faire demi-tour. Il était essoufflé, nous avons fait une petite pause, puis nous avons regagné la maison, en marchant encore plus doucement qu'à l'aller. Le quartier était resté tranquille, ai-je observé, en dépit de l'expansion de la ville. C'était grâce à la présence du fleuve, m'a dit mon père, que l'on n'avait pas construit une nouvelle voie d'autoroute. Nous n'avions pas croisé un seul voisin depuis le début de notre promenade. Était-ce bon pour mon père, de vivre dans une rue aussi peu animée ? Il ne semblait pas s'en plaindre. Parvenu devant chez nous, je me suis arrêté afin de lui dire quelque chose que je n'avais pas réussi à formuler au cimetière.

– Papa ? Tu sais, ce patient dont je t'ai parlé... Je ne suis pas sûr d'avoir bien agi...

Il a compris tout de suite.

– En interrogeant ses proches, tu veux dire ?

J'ai posé une main contre le tronc d'un thuya de l'allée. L'écorce avait une texture fibreuse familière.

– Oui. Il m'a dit que je pouvais, mais...

– Qu'est-ce qui te dérange : qu'il ne sache pas que tu l'as fait, ou les raisons pour lesquelles tu l'as fait ?

La perspicacité de mon père me sidérait toujours.

– Les deux.

– Eh bien, interroge-toi sur tes raisons et le reste coulera ensuite de source.

J'ai insisté pour préparer le dîner. Après le repas, mon père a allumé du feu dans la cheminée du salon, assis sur un petit tabouret. Puis nous avons commencé une partie d'échecs et il m'a parlé d'une femme, de dix ans plus jeune que lui, qui habitait dans l'Essex et lui rendait visite une ou deux fois par mois. Bien qu'il fût encore capable de lire tout seul, elle lui faisait la lecture à voix haute. Un peu surpris, je lui ai demandé d'où il la connaissait.

– Elle habitait ici, avant. Elle venait régulièrement à l'église, avec son mari. Après leur déménagement, comme ils n'étaient pas très loin, ils ont continué à venir écouter mes sermons de temps en temps. Et puis son mari est décédé et je n'ai plus eu de nouvelles pendant un bon bout de temps. Jusqu'au jour où elle m'a envoyé une lettre. Je l'ai invitée à venir me voir. Et voilà... Nous sommes devenus amis. Nous nous tenons compagnie... À notre âge, que voudrais-tu que nous fassions ?

Sa façon de me dire que personne ne remplacerait jamais ma mère. Il a fait mine de déplacer sa reine, puis il s'est ravisé.

– Et toi, tu as de la compagnie, en ce moment ? m'a-t-il demandé.

Ce n'était pas souvent qu'il me posait des questions sur ma vie sentimentale. J'étais content qu'il le fasse.

– Tu sais que je suis un célibataire endurci, Papa, ai-je répondu. Mais j'ose espérer que j'ai rencontré quelqu'un.

– La jeune femme que ton patient a plaquée récemment ?

– Décidément, on ne peut rien te cacher.

Il a bougé l'un de ses fous.

– Le problème, ai-je poursuivi, c'est qu'elle est non seulement beaucoup plus jeune que moi, mais qu'elle n'a pas encore tourné la page sur cette histoire.

Je n'ai pas précisé que ma relation avec elle était d'autant plus compliquée que je l'avais utilisée à des fins professionnelles. Ni que, même si elle était libre, elle avait été la compagne de mon patient et me posait par conséquent un cas de conscience éthique. Mon père savait combien j'étais attaché à la déontologie médicale.

– Les femmes qui viennent de vivre une rupture sont parfois compliquées, ai-je dit seulement.

– Elle n'est pas seulement compliquée, mais indépendante, belle, différente des autres.

– Naturellement.

J'ai fait semblant de m'inquiéter pour mon roi. Il ne s'est pas laissé duper.

– Ce qui te gêne, surtout, c'est qu'elle ait été amoureuse de ton patient.

– Exact.

– Quoi qu'il en soit, elle n'est plus avec lui.

J'ai hoché la tête.

– Quel âge a-t-elle, exactement ?

– Une petite trentaine. Elle est prof de peinture à l'université. Et elle peint beaucoup pour elle. Je n'ai pas encore vu ce qu'elle fait, mais je suis sûr qu'elle a du talent. Elle a fait tout un tas de petits boulots, avant d'entrer dans l'enseignement, afin de pouvoir se consacrer sérieusement à la peinture. C'est quelqu'un de courageux.

– Ta mère avait vingt ans quand je l'ai épousée. Elle était plus jeune que moi.

– Je sais, Papa, mais pas de beaucoup. Et vous étiez si bien assortis... Tout le monde n'a pas cette chance.

– Nous sommes tous faits pour vivre à deux, a-t-il répliqué avec un sourire de plaisir. Évidemment, il faut trouver sa moitié et ce n'est pas toujours facile. Demande à Platon. Tu sais comment on reconnaît la femme de sa vie ? Elle finit tes pensées et tu finis les siennes.

– Je sais, je sais.

– Tu n'as qu'à lui dire : « Madame, vous avez le cœur brisé. Permettez-moi de le réparer. »

– Je vois que tu sais y faire, Papa...

Il a ri.

– Oh, je n'aurais jamais osé dire une chose pareille à une femme.

– Tu n'en as pas eu besoin.

Il a secoué la tête, ses yeux plus bleus que d'ordinaire.

– Non. J'imagine bien la réaction que ta mère aurait eue... Elle m'aurait dit de reprendre mes esprits et de sortir la poubelle.

Et elle t'aurait embrassé sur le front.

– Papa, si tu venais à New York avec moi, demain ? J'ai prévu d'aller au musée, et j'ai réservé une chambre à deux lits. Ça fait longtemps que tu n'es pas allé en ville.

Il a soupiré.

– C’est un trop grand voyage pour moi, maintenant. Tu vas beaucoup marcher, je ne pourrai pas te suivre. Rien qu’une incursion à l’épicerie est devenue une odyssée.

– Je comprends.

Néanmoins, je ne voulais pas qu’il se coupe du monde.

– Tu viendras passer quelques jours à Washington, pendant l’été ? ai-je persisté. Je viendrai te chercher en voiture. Ou à l’automne, si tu préfères, quand il fera moins chaud.

– Je te remercie, Andrew. Je vais y réfléchir.

Il m’a mis en échec. Je savais qu’il ne viendrait pas.

– Tu feras au moins changer tes lunettes, Cyril ?

C’était une vieille boutade entre nous. Je l’appelais par son prénom chaque fois que j’avais quelque chose de délicat à lui demander.

– Ne commence pas à me chauffer les oreilles, mon grand, a-t-il riposté en observant l’échiquier avec un grand sourire.

J’ai décidé de le laisser gagner. Il n’en était qu’à un poil, de toute façon ; il n’avait certainement pas de problème pour voir les pions.

56

1879

Elle hurle dans son sommeil ; Yves lui secoue l'épaule. Elle a fait un cauchemar, lui dit-elle, encore haletante. En bonnet de nuit, il se lève et va lui chercher un petit verre de cognac. Qu'a-t-elle rêvé ? lui demande-t-il. Elle ne sait plus, c'était confus... Ce n'est pas grave, ce n'était qu'un mauvais rêve, la réconforte-t-il, les paupières lourdes de sommeil. Il a travaillé comme une bête de somme, ces dernières semaines ; consciente qu'il est éreinté, elle le laisse penser qu'elle a retrouvé son calme. Il se rendort, un souffle régulier s'échappe de ses lèvres. Elle allume une bougie et s'assoit sur le bord du lit, dans sa chemise de nuit bordée de dentelle rose.

Les premières lueurs du jour filtrent au travers des rideaux. Elle a besoin du pot de chambre. Silencieusement, elle le retire de sous le lit. En s'essuyant, elle découvre une trace de rouge cadmium. Sans faire de bruit, elle ouvre le tiroir supérieur de sa commode et en retire l'un des linges soigneusement pliés par Esmé. Encore un mois sans espoir. La vue du sang ravive dans son esprit les images terrifiantes de son rêve : un visage blanc ensanglanté, une mare de sang sur les pavés, le sang d'une femme se mêlant dans la poussière à celui des hommes assassinés pour leurs convictions.

De crainte qu'Yves ne se réveille, elle mouche la flamme de la chandelle, les yeux brûlants de larmes. Elle pense à Olivier. Elle ne pourra pas lui raconter ce rêve, il en serait trop peiné. Elle aimerait néanmoins qu'il soit là, assis dans le fauteuil de damas près de la fenêtre. Elle enfile un peignoir et s'y installe, les cheveux défaits, des larmes roulant dans son cou. S'il avait été là, elle se serait assise sur ses genoux et se serait pelotonnée contre son torse tel un petit enfant. Il l'aurait tenue contre lui, il aurait séché ses joues et ramené son peignoir autour de ses épaules. Il est la personne la plus tendre qu'elle ait jamais connue, cet homme qui quelques années plus tôt courait entre les balles un carnet de dessins à la main. Lui-même a cependant grand besoin de réconfort... Hantée par son rêve, elle se fait toute petite dans le fauteuil, les bras serrés autour de sa poitrine.

57

Marlow

Comme chaque fois que je reviens de chez mon père, je me régale du spectacle de la ligne d'horizon de New York : le World Trade Center, l'Empire State, le Chrysler Building se découpant au-dessus d'une forêt de gratte-ciel anonymes. Autant il m'est difficile d'imaginer la ville sans ces mégalithes, telle qu'elle était il y a seulement quarante ans, autant il m'est difficile, aujourd'hui, de me la représenter avec les Twin Towers.

Frais et dispos au lendemain d'une bonne nuit de sommeil, je savourais d'avance la journée de vacances que j'allais m'offrir dans les trépidations de Manhattan. Pour la centième fois, j'ai consulté mon portable : pas de message, ni de Goldengrove ni des patients de mon cabinet. J'étais libre comme l'air. J'espérais vaguement un appel de Mary, mais pourquoi m'aurait-elle téléphoné ? Je devais prendre sur moi, attendre son prochain envoi. Je regrettais qu'elle ne m'ait pas laissé l'interroger, comme je l'avais fait avec Kate. J'éprouvais néanmoins un immense plaisir à la lire. Son récit était sans doute plus candide qu'il ne l'aurait été si elle avait dû me le livrer face à face.

J'ai déposé mes bagages à l'hôtel, puis j'ai flâné dans le Village. Inconsciemment, j'avais choisi ce quartier parce qu'il avait été celui de Robert, et de Kate. Pendant quelques années, il était passé dans ces rues tous les jours ; il s'était attablé dans ces bars en compagnie des amis avec qui il échangeait des idées et des sweatshirts ; il avait exposé dans ces petites galeries. Dommage que Kate ne m'ait pas indiqué l'adresse à laquelle ils avaient habité. Je ne me serais toutefois certainement pas rendu au pied de l'immeuble pour me dire : *Robert Oliver a dormi là.* Étrangement, il m'était aisé de l'imaginer à vingt-neuf ans. Il n'avait pas dû beaucoup changer. En revanche, j'avais du mal à visualiser Kate en toute jeune femme.

Je me suis amusé à chercher dans la foule à qui ils auraient pu ressembler. Cette fille en jupe longue aux cheveux blonds coupés en brosse ? Cet étudiant avec un carton à dessins en bandoulière ? Non, Robert était plus grand et plus costaud que la majorité des hommes que je croisais. À New York, il devait toutefois passer inaperçu. *Et si sa dépression avait été engendrée par le dépaysement ?* me suis-je demandé pour la première fois. L'énergie de la grande ville lui était peut-être vitale. S'était-il peu à peu laissé abattre, loin de Manhattan ? C'était Kate qui avait voulu partir dans un endroit plus tranquille pour élever ses enfants. Cet exil avait-il renforcé sa détermination à poursuivre son sacerdoce ? Était-ce là une explication à la férocité que Kate avait observée lorsqu'il passait ses nuits à peindre dans le grenier et dormait ensuite au lieu d'aller donner ses cours ? Avait-il délibérément essayé de se faire virer du Greenhill College, afin de justifier un retour à New York ? Dans ce cas, lorsqu'il avait fini par s'enfuir, pourquoi avait-il choisi Washington ? Pour Mary, bien sûr. Mais peut-être aussi parce qu'il savait que sa maîtresse aux cheveux noirs n'était plus à New York. Si elle y avait jamais été...

Je suis passé à l'endroit où l'on avait ramassé Dylan Thomas dans le caniveau une dernière fois avant qu'il ne meure à l'hôpital, puis devant les demeures bourgeoises où se déroule le drame familial de *Washington Square*, le roman de Henry James. Mon père m'avait rappelé ce détail avant que je ne parte prendre le train. Il avait sorti le livre de sa bibliothèque et, en me regardant par-dessus ses lunettes inadaptées, il m'avait demandé : « Tu trouves toujours le temps de lire, n'est-ce pas, Andrew ? ».

Fin du XIXe siècle, encore ; j'ai pensé à la belle de Robert, avec ses robes à corsage cintré fermées par de minuscules boutons, à ses yeux sombres plus vivants que la peinture n'est censée l'être. Washington Square était tranquille, le matin. Des gens discutaient sur les bancs, au soleil, comme les générations précédentes l'avaient fait avant eux, comme moi, quelques années plus tôt, avec la femme que j'avais failli épouser. Le temps passait, nous ne faisions nous aussi que passer, mais la ville demeurait immuable. Il y avait là quelque chose de réconfortant.

J'ai mangé un sandwich dans un café, puis j'ai pris le métro de Christopher Street jusqu'à la 79e Rue Ouest, et poursuivi en bus jusqu'à Central Park. Des rollerskaters, des cyclistes et des joggers se croisaient dans les allées verdoyantes. Un samedi sublime, New York telle que je l'aimais et ne l'avais pas vue depuis des années. J'ai repensé à l'époque où j'étais étudiant à Columbia. New York était pour moi synonyme de jeunesse, comme sans doute pour Robert et Kate.

Les marches du Met étaient noires de monde. Entre les touristes qui se prenaient en photo, se délassaient les jambes ou mangeaient des hot dogs, je me suis frayé un chemin jusqu'aux portes.

Il y avait presque dix ans que je n'étais pas venu là. Comment avais-je pu laisser une telle longueur de temps s'étirer entre moi et cette miraculeuse entrée, le hall majestueux avec ses vases de fleurs fraîches, le brouhaha des visiteurs, le début de l'aile égyptienne sur un côté ? Ma femme est venue seule au Met, récemment ; elle m'a dit qu'une nouvelle salle avait été aménagée juste sous l'escalier principal, tellement petite que deux ou trois personnes seulement peuvent y pénétrer en même temps. Elle s'y est retrouvée seule, à admirer quelques objets d'art byzantin, sous un éclairage parfait. À la pensée qu'elle était un être humain lié à d'autres être humains, les larmes lui sont monté aux yeux, m'a-t-elle raconté. (« Mais tu étais toute seule dans la salle », lui ai-je fait remarquer. « Justement, a-t-elle répliqué, seule avec ces objets fabriqués par quelqu'un ».)

Je savais que si je m'écoutais, j'étais capable de rester tout l'après-midi au Met. Je me souvenais à présent de trésors à demi oubliés, des meubles coloniaux, des balcons espagnols, des dessins baroques, un grand Gauguin languide qui m'avait particulièrement plu. Je n'aurais pas dû venir un samedi ; trop de monde. Moi qui aimais regarder les œuvres de près, je risquais de ne pas en avoir le loisir. D'un autre côté, Robert avait aperçu sa muse dans la foule dans des conditions similaires... Le petit badge du Met fixé à la poche de ma chemise, ma veste sur le bras, j'ai gravi le grand escalier.

J'avais oublié de demander si la collection Degas était regroupée dans une même salle, et si elle se trouvait toujours au même endroit depuis les années 1980. Tant pis. Au besoin, je pourrais toujours retourner au guichet d'information. Les Impressionnistes n'avaient pas changé de place. Entre les badauds, j'ai entrevu des vergers, des jardins, des étendues d'eau, des bateaux, les falaises de Monet. La couleur verte dominait. Dommage que ces tableaux soient devenus des icônes ; à force de les voir, on finit par s'en lasser. Néanmoins, chaque fois que je parvenais à m'approcher d'une toile, je retrouvais ce qui en elle m'avait subjugué ; je sentais presque le parfum des prairies et de l'océan. Je me suis rappelé la pile de livres que Kate avait trouvés au pied du canapé de Robert, dans le grenier, les ouvrages dont il s'était inspiré pour peindre les murs et le plafond. Ces œuvres n'étaient pas mortes pour lui ; elles avaient conservé toute leur fraîcheur et leur vigueur, même en reproductions sur papier glacé ; elles étaient toujours porteuses d'un message révolutionnaire.

Les tableaux de Degas étaient répartis dans quatre salles ; quelques grands portraits se trouvaient également dans les couloirs de la galerie du XIXe siècle. Le Met devait posséder plus de Degas que n'importe quel musée au monde. J'ai pris note mentalement de vérifier. La première salle abritait l'une de ses sculptures les plus célèbres, *La Petite Danseuse de quatorze ans*, une statue en bronze portant un vrai tutu en tulle, coiffée de véritables cheveux et d'un ruban en satin rose. Le visage levé, les mains nouées dans le dos, le buste légèrement arqué, le pied droit en avant, tourné vers l'extérieur, elle semblait aveugle et soumise, perdue peut-être dans un univers de rêve inaccessible aux non-initiés.

Autour d'elle, les jeunes danseuses de Degas se partageaient les cimaises avec des portraits de femmes ordinaires, humant des fleurs dans leurs appartements, et quelques œuvres, ici et là, d'autres artistes. Les deux salles suivantes étaient presque uniquement consacrées aux ballerines : à la barre, laçant leurs chaussons, leur tutu se soulevant lorsqu'elles se penchaient en avant, tel le plumage de cygnes pêchant sous l'eau, sensuelles, absorbées dans leur travail, fatiguées, timides, ambitieuses, exquises.

Des nus étaient rassemblés dans la dernière et la plus petite des salles dédiées à Degas : des femmes bien en chair sortant du bain, s'essuyant avec de grandes serviettes blanches. Les petits rats de l'Opéra ayant pris de l'âge et du poids ? Aucune ne présentait la moindre ressemblance avec l'égérie de Robert. La femme qui l'avait ensorcelé était-elle une admiratrice de Degas, elle aussi ? Il l'avait entrevue dans la foule. S'il voulait dessiner, pourquoi était-il venu au musée à un moment d'affluence ? Les expositions étaient-elles seulement organisées de la même façon qu'aujourd'hui, à la fin des années 1980 ? Vérifier aurait relevé du fanatisme. C'était un pèlerinage ridicule que j'avais accompli. Du reste, je commençais déjà à en avoir assez d'être sans cesse bousculé.

Peut-être Robert avait-il fui la cohue, lui aussi, le jour où il avait aperçu cette inconnue qu'il n'avait jamais pu oublier ? J'ai essayé de me mettre à sa place, j'ai regardé les gens autour de moi, comme il l'avait peut-être fait, fatigué de peindre. Mes yeux n'ont rencontré qu'une femme aux cheveux gris tenant par la main une fillette à l'air las. Une idée m'est venue à l'esprit : il avait peut-être vu un mannequin en costume du XIXe posant pour des photos, ou une actrice jouant dans un film d'époque.

– Est-ce qu'il y a d'autres tableaux de Degas ailleurs ? ai-je demandé à un gardien posté près de la porte.

– De Degas ? a-t-il répété en fronçant les sourcils. Oui, deux autres, ici, m'a-t-il indiqué en me montrant du pouce la salle suivante.

Peut-être était-ce là que Robert avait eu son épiphanie, ou son hallucination. Il y avait moins de monde, probablement parce qu'il n'y avait pas ici un seul Monet. J'ai pu prendre le temps d'examiner longuement une danseuse s'étirant au-dessus de sa jambe, ainsi qu'une toile représentant trois ou quatre ballerines de dos, se tenant par la taille ou ajustant les rubans de leurs cheveux.

Ayant fait le tour des Degas, je me dirigeais vers la sortie lorsqu'elle m'est apparue : un portrait à l'huile d'environ 60 cm^2, ce visage au sourire évasif que je connaissais si bien, une bonnette attachée sous le menton. Alors que j'étais encore à quelque distance, ses yeux ont accroché mon regard. Plus je m'approchais d'elle, plus son sourire semblait s'élargir. Elle était saisissante de vie. Qui avait peint cette merveille ? Manet ? Non, il avait plus de génie. Un artiste de la même époque, en tout cas. Un impressionniste n'aurait pas apporté tant de soin aux épaules bleues de la robe, au col de dentelle et aux volumineuses boucles brunes. L'œuvre était antérieure. J'ai consulté la plaque : « *Portrait de Béatrice de Clerval,* 1879. Olivier Vignot ». Béatrice de Clerval ! Peinte par Olivier Vignot ! Ce n'était donc pas un être imaginaire. Mais il y avait belle lurette qu'elle n'était plus de ce monde.

Je suis descendu me renseigner au guichet d'information : le Met ne possédait aucune autre œuvre d'Olivier Vignot, ni aucun autre tableau ayant un titre en lien avec Béatrice de Clerval. La pièce avait été achetée en 1966, à un collectionneur privé parisien. Durant la période où Robert avait habité à New York, elle avait été prêtée pendant un an, pour une exposition itinérante sur les portraits français pré-impressionnistes.

Robert n'avait pas été victime d'une hallucination. Il avait bel et bien vu ce fascinant portrait, puis celui-ci était parti voyager à travers le monde, et Robert était, lui aussi, parti à Greenhill. Était-il possible qu'il n'ait pas cherché à savoir ce qu'il était devenu ? Peut-être s'en était-il enquis, peut-être pas. Cela devait lui convenir qu'elle ait disparu ; il avait pu ainsi se créer tout un mythe autour d'elle. Peut-être était-il retourné au Met, peut-être avait-il revu le portrait. Quoi qu'il en soit, il était capable d'en produire sa propre version. Probablement avait-il fait des croquis extrêmement détaillés du tableau de Vignot, pour que les siens ressemblent autant à l'original.

Ou bien en avait-il trouvé une reproduction dans un livre ? Manifestement, ni l'artiste ni son sujet n'étaient très connus, bien que la qualité de l'œuvre lui eût valu d'être exposée au Met. Je me suis rendu à la boutique de souvenirs, mais n'y ai pas trouvé le portrait, ni en carte postale, ni dans aucun des ouvrages où il aurait été susceptible de figurer. Je suis remonté dans la salle. Elle m'y attendait, rayonnante, souriante. Il ne lui manquait que la parole. Je l'ai longuement regardée dans les yeux. Puis j'ai sorti mon carnet de dessin et je l'ai dessinée, du mieux que je pouvais. Je ne pouvais pas la quitter sans rien emporter d'elle.

58

Mary

Après l'école d'art, j'ai accepté tous les jobs qui se présentaient, jusqu'à ce que je trouve un poste dans l'enseignement. J'exposais de temps en temps dans des expos collectives, j'ai obtenu quelques petites bourses ; quand je pouvais, je participais à des ateliers. Le stage dont je vais vous parler s'est déroulé il y a quelques années, fin août, sur la côte du Maine, une région que je rêvais de voir et de peindre. J'y suis allée dans mon petit pick-up Chevrolet bleu, qui a depuis fini à la casse. J'adorais ce camion. À l'arrière, j'avais mes chevalets, tout mon matériel dans une grande caisse en bois, mon sac de couchage et un oreiller, et le sac-paquetage que mon père avait rapporté de son service militaire en Corée.

En préparant mes bagages, j'ai réalisé combien je m'étais affranchie de l'éducation de Muzzy. Elle n'aurait jamais toléré que je parte quelque part, où que ce soit, avec des vêtements déchirés et des tennis usées. Elle aurait détesté mon vieux sweatshirt de Barnett aux lettres craquelées et mon pantalon de treillis à la poche arrière décousue. Je n'étais pas grunge. J'entretenais mes cheveux et ma peau avec soin, mes vêtements étaient toujours propres. Je portais une chaîne en or avec un pendentif de grenat et sous mes vieilles fringues j'avais toujours des dessous neufs, généralement en dentelle. C'était comme ça que je m'aimais : belle en secret. Depuis que j'avais quitté la fac, je ne cherchais plus à plaire aux hommes. Mes atouts, je me les gardais pour moi, pour ce moment, le soir, où j'enlevais ma chemise blanche tachée de peinture et mon jean troué aux genoux.

Je suis partie un jour à l'avance, de très bonne heure, par les petites routes, et j'ai passé la nuit à Rhode Island, dans un motel désert des années 1950, qui rappelait celui de *Psychose*. Par chance, il n'y avait pas d'assassin dans les parages. J'ai dormi sur mes deux oreilles jusqu'au lendemain 8 heures. Avant de reprendre la route, j'ai mangé des œufs sur le plat dans un snack enfumé, en dessinant les gens qui buvaient leur café, les rideaux crasseux, piquetés de chiures de mouche, et les pots de fleurs artificielles sur le rebord de la fenêtre.

À la frontière du Maine, il y avait un panneau « Attention, élans ! ». La route était bordée de forêts de sapins. Il n'y avait pas de maisons, pas de bifurcations, que des kilomètres et des kilomètres de grands sapins. Puis j'ai commencé à voir du sable au bord de la chaussée ; j'approchais de la mer. J'étais aussi excitée que lorsque Muzzy nous emmenait en vacances au cap May, dans le New Jersey. Je m'imaginais peignant la plage, le paysage maritime, ou m'asseyant sur les rochers au bord de l'eau, à la lueur de la lune, toute seule. Je trouvais la solitude romantique, à cette époque ; je ne savais pas encore qu'elle peut avoir un goût amer.

Le stage avait lieu dans une vieille propriété au milieu de nulle part. J'ai dû m'arrêter pour étudier le plan figurant sur le dépliant. Il fallait emprunter un chemin de terre qui s'enfonçait dans les bois, jonché d'aiguilles de pin. Au bout d'un moment, je suis arrivée devant une cabane en bois. Un écriteau était fixé dessus : « RETRAITE DE ROCKY BEACH ». Il n'y avait personne en vue. Un peu plus loin, au détour d'un tournant, je me suis retrouvée dans une clairière où se dressait une grande bâtisse en bois qui ressemblait à une maison en pain d'épices. Derrière, on apercevait l'océan. La maison était immense, peinte en rose, entourée de dépendances dans un jardin avec des tonnelles, un jeu de croquet, un kiosque, des grands arbres, un hamac. J'ai jeté un coup d'œil à ma montre ; j'étais largement en avance.

À l'heure du dîner, tout le monde a convergé vers la salle à manger, une ancienne écurie aux poutres apparentes et aux vitres opaques. Des filles et des garçons qui me paraissaient beaucoup plus jeunes que moi disposaient des pichets d'eau sur huit ou dix longues tables. Un buffet était dressé contre un mur, avec des bouteilles de vin, des verres, un bouquet de fleurs, des glacières remplies de bières. Je me sentais mal à l'aise, comme chaque fois que j'arrivais quelque part où je ne connaissais personne. Des petits groupes s'étaient formés près des boissons. Je suis allée prendre une bière, sans regarder personne, et en cherchant un ouvre-bouteille j'ai heurté quelqu'un du coude.

Il me tournait le dos, il discutait avec quelqu'un, mais ce ne pouvait être que lui : Robert Oliver. Quand je l'ai bousculé, il a fait un pas de côté, sans s'interrompre, sans me jeter un regard. Il était en grande conversation avec un homme à tête d'obus et à la barbichette grisonnante. Ses cheveux étaient un peu plus longs et commençaient à blanchir, mais c'était lui, j'en étais sûre et certaine. Il portait une chemise bleue trouée au coude. Son nom ne figurait pas sur la liste des intervenants. Que faisait-il là ? L'arrière de son pantalon beige était taché de peinture et de graisse, comme s'il s'était essuyé les mains sur les fesses, à la manière d'un petit enfant. Il était en sandales, pieds nus, alors que la soirée était fraîche. Il avait une bière à la main et faisait des grands gestes de l'autre.

Je suis restée pétrifiée, les yeux fixés sur son oreille. Sentant probablement un regard posé sur lui, il a tourné la tête, tout en continuant à parler, puis il l'a tournée une deuxième fois, en fronçant les sourcils. Il m'avait reconnue sans me reconnaître. J'aurais pu m'approcher et le saluer, mais je me suis éloignée. Je redoutais qu'il ne se souvienne pas de moi. *Excusez-moi mais je ne vous remets pas... Ah, oui ! Enchanté de vous revoir ! Qu'est-ce que vous devenez ?* Il avait dû avoir des centaines, des milliers d'élèves. Je préférais garder l'incognito plutôt que de ne lui évoquer qu'un vague visage parmi tant d'autres.

J'ai abordé la première personne dont j'ai croisé le regard, un grand maigre à la chemise déboutonnée jusqu'au milieu du torse sur un gros *peace and love,* bronzé, les cheveux clairs et courts, le nez pointu, des petits yeux marron.

– C'est cool, ici, m'a-t-il dit en clignant des paupières.

– Ouais... Bof... ai-je répondu dédaigneusement.

– À vrai dire, je n'aime pas trop ce genre d'endroit, moi non plus, a-t-il répliqué en riant.

Il devait avoir cinq ou six ans de moins que moi. Il était d'un abord amical, mais perversement, parce que j'étais vexée que Robert ne m'ait pas reconnue, je n'avais pas envie d'être sympa avec lui.

– Moi, c'est Frank, a-t-il déclaré en me tendant la main.

Je lisais dans son regard qu'il me trouvait sexy et qu'il aimait les femmes plus mûres que lui.

– Mary Bertison.

À la périphérie de mon champ de vision, Robert s'est déplacé. J'ai fait tomber mes cheveux sur le côté de mon visage.

– Enchanté. Tu fais quel stage ?

– Paysages.

– Ah, c'est cool ! s'est exclamé Frank avec un grand sourire. Moi aussi.

– Tu es étudiant ? lui ai-je demandé en buvant une gorgée de bière et en m'efforçant de ne pas tourner la tête pour suivre Robert des yeux.

– Plus. Je viens d'avoir le diplôme des beaux-arts de la SCAD.

Respect. Le Savannah College of Art and Design était un établissement prestigieux et ce type me paraissait bien jeune pour avoir déjà terminé ses études.

– J'ai eu une bourse pour faire ce stage, a-t-il poursuivi. Je commence à enseigner à l'automne. J'ai besoin de me perfectionner dans certains domaines.

J'ai tourné discrètement la tête. Robert avait disparu.

– Tu vas enseigner où ?

– À la SCAD.

Ce n'était pas banal d'être embauché dans le supérieur directement en fin de cursus. Il devait être brillant. Je n'ai pas fait de commentaire. Devais-je essayer de m'asseoir à côté de Robert, lorsque nous passerions à table, ou le plus loin possible ? Le plus loin possible, ai-je décidé. Frank me dévisageait avec intérêt.

– Tu as des super-beaux cheveux.

– Merci. Je les ai laissé pousser en troisième, pour être la princesse de la pièce de théâtre de fin d'année.

Il m'a décoché un coup d'œil sceptique.

– Alors comme ça, tu es venue faire le stage Paysages... Ça va être bien, je pense. On a du bol que Judith Durbin se soit cassé la jambe.

– Elle s'est cassé la jambe ?

– Ouais. Je sais que c'est une grande artiste et je ne veux pas me réjouir de son malheur, mais c'est vachement mieux qu'on ait Robert Oliver, non ?

– Hein ?

Malgré moi, je me suis complètement retournée dans la direction où Robert avait disparu. Il discutait avec un petit groupe d'étudiants, qu'il dépassait tous d'une bonne tête.

– Ah bon ? ai-je ajouté. On va avoir Robert Oliver ?

– J'ai appris ça en arrivant, tout à l'heure. Je ne sais pas s'il est déjà là. Durbin est tombée en faisant de la randonnée. Il paraît qu'elle a entendu son os craquer. Il a fallu l'hospitaliser. Robert Oliver a accepté de la remplacer. C'est un pote du directeur, d'après ce que j'ai compris.

Comme dans un film, je voyais Robert se promenant avec nous dans les champs et sur les flancs de ces collines bleues que j'avais aperçus en venant. *Bonjour,* lui dirais-je le premier jour. *Vous ne devez pas vous souvenir de moi, j'étais…* Toute la semaine, il serait là à mes côtés pendant que je peindrais. Un soupir m'a échappé. Frank me regardait bizarrement.

– Tu n'aimes pas ce qu'il fait ? Il est traditionaliste, c'est vrai, mais quel génie !

J'ai été dispensée de répondre par un coup de cloche annonçant le repas, un son que j'allais entendre deux fois par jour pendant cinq jours, un son qui me résonne encore dans le ventre chaque fois que j'y repense. Tout le monde s'est dirigé vers les tables. J'ai suivi Frank, puis quand j'ai vu où s'asseyait Robert je l'ai entraîné à l'autre bout de la salle.

Pendant le repas, il m'a parlé de ses études, de l'expo qu'il avait faite en fin de cursus, de ses amis de Savannah, qui s'étaient à présent dispersés dans tout le pays.

– Jason est parti à Chicago. J'irai le rejoindre l'été prochain. Chicago va devenir un haut lieu de la peinture, c'est évident.

Son bavardage me saoulait, mais au moins il me distrayait de Robert Oliver. Lorsqu'on nous a servi le dessert, une tarte aux fraises, et le café, je me suis un peu détendue. La soirée touchait à sa fin, je n'aurais pas à parler à Robert avant le lendemain. Frank était presque collé contre moi. Pendant que nous mangions le dessert, le directeur du stage s'est levé et a pris un micro pour nous dire combien il était heureux de nous accueillir et qu'il regrettait de n'avoir pu accepter toutes les demandes d'inscription. (« Et tout le pognon que ça lui aurait rapporté », m'a chuchoté Frank.)

Après son discours, les petits jeunes qui avaient fait le service se sont empressés de débarrasser les tables. Ils ne payaient pas le stage, m'a expliqué Frank, mais en contrepartie ils effectuaient toutes les tâches ménagères. Une femme en robe violette avec d'énormes boucles d'oreilles est venue nous dire que la soirée se poursuivait à l'extérieur, autour d'un feu de camp.

– C'est la tradition, le premier soir, a-t-elle précisé sur le ton d'une habituée de la maison.

Nous sommes sortis de la salle à manger. Le ciel était constellé d'étoiles. Un grand feu crépitait derrière les écuries. Je ne voyais pas la mer, mais je l'entendais, et je la sentais. Des lampions étaient accrochés dans les arbres. On se serait cru à un festival.

Je me sentais pleine d'enthousiasme, tout d'un coup. Ce stage allait être magique. À force de donner des cours de dessin dans des centres sociaux, je commençais à m'ennuyer. Je ne fréquentais plus d'artistes et ça me manquait de plus en plus. Je continuais toutefois à peindre et à dessiner. Ici, j'allais passer quelques jours de rêve, que même les petits commentaires prétentieux de Frank ne parviendraient pas à gâcher.

– Scène de liesse populaire, m'a-t-il soufflé à l'oreille en me prenant par le bras et en m'entraînant de l'autre côté du feu, où il y avait moins de fumée.

Robert était avec des gens de son âge, dont le directeur et la femme en robe violette. La lueur des flammes faisait rougeoyer la cannette de bière qu'il avait à la main. Le directeur était en train de lui parler. Il l'écoutait attentivement, la tête légèrement inclinée vers lui. Il avait enfilé un pull au col effiloché. Je me suis dit que nous partagions le goût pour les vieux vêtements.

J'ai songé un instant à m'approcher et essayer de capter son regard, puis j'y ai renoncé. Le face-à-face embarrassant attendrait le lendemain. Frank m'a tendu une bière.

– À moins que tu ne préfères quelque chose de plus fort...

– Non, non, merci.

Il se tenait tout près de moi, mais son contact ne me gênait plus, maintenant que j'avais un peu bu. Robert avait plus de rides que dans mon souvenir. Sa bouche était encadrée de profonds sillons qui s'estompaient lorsqu'il souriait. Je me suis tournée vers Frank.

– Je crois que je vais aller me coucher, lui ai-je dit en m'efforçant de ne pas y mettre le moindre sous-entendu. Bonne nuit. Ça va être une grande journée, demain.

J'ai regretté cette dernière phrase. Ce serait un moins grand jour pour lui que pour moi. Il m'a regardée par-dessus sa bière, déçu et trop jeune pour masquer son dépit.

– Ouais. Bonne nuit. Fais de beaux rêves, OK ?

Personne n'était encore couché dans le long dortoir des filles, une ancienne écurie, également, où avaient été aménagées deux rangées d'alcôves séparées par de minces cloisons. L'odeur des chevaux y était encore perceptible. Avec une pointe de nostalgie, je me suis souvenue des leçons d'équitation que Muzzy nous avait forcées à prendre pendant trois ans. « Tu te tiens si bien, sur une monture », me disait-elle, comme si cela justifiait tout ce temps et tout cet argent dépensé pour rien. Après être allée aux toilettes, glaciales, au fond du couloir, je me suis enfermée dans ma chambre. Un instant, je me suis sentie désemparée dans cet espace minuscule meublé d'un lit garni de draps blancs, d'un bureau suffisamment grand pour dessiner, d'une petite commode avec un miroir et d'un tableau d'affichage ne portant que des trous de punaises.

J'ai tiré les rideaux marron et déplié mon sac de couchage, puis j'ai rangé mes vêtements dans les tiroirs de la commode, mes carnets de croquis sur le bureau. J'ai accroché mon sweatshirt derrière la porte, posé mon pyjama et mon livre sur le lit. Des rires et des éclats de voix me parvenaient à travers la fenêtre fermée. Pourquoi ne pas être restée avec les autres ? me suis-je demandé mélancoliquement. La route avait été longue. J'étais fatiguée. Debout devant le miroir, j'ai procédé à mon rituel du déshabillage : j'ai enlevé mon T-shirt et mon jean, puis je me suis observée dans le miroir, en me tenant très droite dans mes dessous chics. Autoportrait, soir après soir. J'ai dégrafé mon soutien-gorge. Moi-même, rien que pour moi. Autoportrait, nue. J'ai ensuite enfilé mon pyjama difforme et me suis mise au lit. Les draps étaient froids. Au lieu de lire la biographie d'Isaac Newton que j'avais emportée, j'ai éteint la lumière.

1879

Très chère amie,

Je suis navré de t'avoir si cruellement tourmentée. Je n'aurais pas dû t'envoyer cette lettre. Je l'ai regretté aussitôt. Je suis humain, et je t'aime, mais je te jure que je ne voulais pas te mettre en tête des images hideuses (celles avec lesquelles je suis moi-même contraint de vivre), ni t'inspirer de la pitié. Je suis heureux que tu aies surmonté tes réserves à me raconter ton cauchemar ; ainsi, je puis à mon tour souffrir avec toi, aussi peiné et honteux que je sois d'avoir été la cause de cette nuit d'insomnie.

Jusqu'à ce matin, je déplorais que mon épouse n'ait pas rendu son dernier souffle entre mes bras. Après avoir lu ta lettre, je crois maintenant qu'il aurait été plus réconfortant, pour elle comme pour moi, qu'elle s'en fût allée accompagnée par un être aussi doux, charitable et courageux que toi. Elle se serait crue portée par un ange, ou par la fille qu'elle n'a jamais eue. Merci, mon ange, pour ta générosité de cœur. J'ai détruit ta lettre (à contrecœur), de façon que l'on ne puisse jamais t'impliquer dans mon dangereux passé. J'espère que tu détruiras aussi les miennes, celle-ci ainsi que la précédente.

Je sors à présent prendre l'air, de crainte, entre quatre murs, de ne point parvenir à me calmer.

Ton dévoué, O.V.

59

Le lendemain, je me suis réveillée de bonne heure, et ma première pensée a été pour l'océan. Il ne m'a fallu que quelques minutes pour enfiler un pantalon et un sweatshirt propres, puis me brosser les dents et les cheveux dans la salle de bains collective, en regardant les araignées courir au plafond. Dehors, l'herbe était encore mouillée de rosée. J'ai regretté de ne pas avoir emporté une paire de tennis de rechange ; j'allais avoir les pieds trempés. La brume matinale commençait à peine à se dissiper. Les sapins étaient pleins de corneilles et de toiles d'araignées. Les bouleaux avaient déjà quelques feuilles jaunes.

Juste derrière les restes du feu de camp, un chemin partait en direction de la mer. Je m'y suis engagée. Je n'entendais que le bruit de mes pas et les sons de la forêt. Rapidement, je me suis retrouvée sur une plage rocailleuse. Le brouillard était dense, au-dessus de l'eau. On ne voyait pas l'horizon. J'ai enlevé mes chaussures et remonté le bas de mon pantalon. L'eau était glaciale, mes pieds s'empêtraient dans les algues.

J'ai eu peur, soudain, dans ce silence brisé seulement par le ressac. Je n'ai pas osé m'aventurer plus loin dans l'eau. Et s'il y avait des requins ? Et si les algues m'entraînaient dans les profondeurs ? Des vieilles frayeurs de gamine. Face à la mer, il n'y avait rien où poser le regard, qu'une aveuglante immensité de brouillard. Je me suis demandé comment peindre le brouillard, et si j'avais déjà vu des tableaux représentant le brouillard. Turner avait peint des visions à travers le brouillard. Certaines estampes japonaises figuraient aussi des ambiances brumeuses. La neige, oui, et la pluie, et les nuages accrochés aux sommets des montagnes, mais je ne me souvenais d'aucun tableau dépeignant ce genre de brouillard. Je suis retournée sur le rivage et me suis assise sur un rocher, assez haut, assez sec, assez lisse pour ne pas déchirer les fesses de mon pantalon, avec un dossier. Trouver son trône : n'était-ce pas un plaisir d'enfant ? Je rêvassais, lorsque Robert Oliver est apparu.

Il était seul, perdu dans ses pensées, comme moi. Il marchait lentement en regardant ses pieds, et de temps en temps autour de lui. Il était pieds nus, en vieux pantalon de velours et chemise jaune froissée ouverte sur un T-shirt. Il y avait une inscription sur son T-shirt, mais je ne parvenais pas à distinguer les mots. J'allais être obligée de lui parler, que je le veuille ou non. J'ai commencé à me lever, puis j'ai réalisé que je ne devais pas encore être dans son champ de vision. Je me suis rassise, terriblement nerveuse. Peut-être allait-il seulement se tremper les pieds dans l'eau et retourner au camp. Peut-être qu'il ne me verrait pas. Je me suis faite toute petite contre la paroi du rocher.

Il s'est arrêté à quelques mètres de moi, et il a fait ce que je redoutais et espérais inconsciemment : il s'est déshabillé. Il ne portait pas de slip. Après avoir jeté tous ses vêtements par terre, il s'est dirigé vers la mer. J'étais paralysée. Au bord de l'eau, il s'est gratté la tête puis a posé les mains sur ses hanches. Il s'est retourné. Malgré moi, j'ai entrevu son sexe dans les poils noirs de son pubis. Et il s'est jeté à l'eau. Un frisson m'a parcourue à la pensée du froid qui avait dû le saisir.

Il a nagé vigoureusement sur une vingtaine de mètres puis il est revenu, encore plus vigoureusement. Dégoulinant et haletant, il s'est remis sur pied en s'essuyant le visage. Des gouttelettes scintillaient dans ses poils et ses cheveux. Ses yeux se sont posés sur moi. J'ai failli faire semblant de chercher des coquillages dans les rochers, mais comment ignorer Poséidon sortant de l'océan ? Il s'est immobilisé et m'a regardée. J'étais tétanisée. Il avait l'air un peu surpris ; il n'a toutefois pas fait le moindre geste pour cacher sa nudité.

– Bonjour ! m'a-t-il lancé.

– Bonjour, ai-je répondu aussi fermement que possible. Désolée...

– Oh, il n'y a pas de quoi.

Sans se presser, il s'est séché avec son T-shirt, puis il s'est rhabillé et s'est approché de moi.

– C'est moi qui devrais m'excuser, a-t-il dit. Vous deviez être tranquille. Je suis venu vous déranger.

Je lisais dans ses yeux que ma tête lui disait quelque chose, mais qu'il n'arrivait pas à me situer.

– On se connaît, ai-je dit.

Il a légèrement incliné la tête.

– Excusez-moi, mais je n'ai pas la mémoire des visages. Rappelez-moi d'où...

– J'étais l'une de vos élèves, à Barnett. En Compréhension visuelle. C'est grâce à vous que j'ai trouvé ma vocation. J'ai toujours voulu vous remercier.

– Attendez... Nous avons déjeuné ensemble, un jour, non ? Mais vous aviez les cheveux...

– Blonds, c'est exact. Je les teins, maintenant. J'en avais marre qu'on ne voie de moi que la couleur de mes cheveux.

– Désolé. Oui, je me souviens très bien de vous, en effet, mais pas de votre nom, par contre...

– Mary Bertison.

Je me suis levée et lui ai tendu la main.

– Enchanté de vous revoir. Robert Oliver.

– Je me souviens très bien de votre nom, ai-je répliqué d'un ton sardonique.

Il a ri.

– Vous êtes au stage ?

– Oui, de paysages. Je ne savais pas que c'était vous qui le dirigiez.

– Ce n'était pas prévu, mais Judith Durbin a eu un empêchement, a-t-il répondu en se frottant les cheveux. Belle coïncidence de vous retrouver ici. Je pourrai voir comment vous avez évolué.

– Vous êtes sûr de vous rappeler ce que je faisais à Barnett ?

Il a de nouveau éclaté de son rire enfantin, innocent et insouciant. Nous avons regagné le camp ensemble. Lorsque le chemin était trop étroit pour marcher côte à côte, il passait devant, ce qui n'était pas très galant mais me convenait très bien. Je n'aurais pas aimé sentir son regard dans mon dos.

– Je ne connais personne ici, à part vous, ai-je dit impulsivement en arrivant en vue de la clairière.

– Moi non plus, à part le directeur, un type incroyablement chiant.

Il s'est arrêté et m'a gratifiée de son plus charmant sourire. J'avais besoin d'être seule quelques minutes et je ne voulais pas entrer dans la salle à manger en compagnie d'un homme que je venais de voir dans le plus simple appareil. De son côté, il avait l'air d'avoir oublié cet incident. Je me suis souvenue combien il m'avait toujours paru bien dans sa peau, nature, à l'aise dans son corps, indifférent à ce que l'on pouvait penser de lui.

– Il faut que j'aille chercher quelque chose dans ma chambre, ai-je dit.

– OK. À tout à l'heure.

J'ai cru qu'il allait me donner une tape dans le dos ou sur l'épaule, comme il l'aurait fait d'homme à homme, mais il ne l'a pas fait. Je me suis dirigée nonchalamment vers les dortoirs et me suis enfermée un moment dans ma stalle aux murs blanchis à la chaux. Assise sur mon lit, j'ai repensé au couvent de San Francesco, que j'avais visité durant le voyage à Florence que je m'étais offert trois ans plus tôt. Profitant d'un moment où personne ne me regardait, je m'étais enfermée dans une cellule. Seule avec au mur un ange de Fra Angelico, aux ailes repliées dans le dos, j'avais essayé de me mettre à la place du moine qui avait vécu dans cet espace austère et minuscule. Un rai de soleil tombait sur la fresque rose, verte et or. Que pouvait-il désirer d'autre que d'être là ? Même Dieu devait lui sembler accessoire.

60

Marlow

En sortant du Metropolitan Museum, j'ai un peu marché dans Central Park, puis je me suis assis sur un banc et j'ai sorti mon portable. Que faisait Mary les samedis après-midi ? me suis-je demandé en composant son numéro. Je ne savais rien de sa vie actuelle, hormis que j'étais en train de m'y immiscer. Elle a répondu à la deuxième sonnerie.

– Allô ? a-t-elle dit d'une voix ferme.

J'entendais du brouhaha derrière elle. Elle devait être au restaurant, ou tout du moins dans un lieu public.

– Mary, c'est Andrew Marlow.

Cinq heures plus tard, elle me rejoignait à Washington Square, juste à l'heure du dîner, que nous avons pris ensemble au restaurant de mon hôtel. Elle était affamée, après ce voyage impromptu. Elle avait préféré le bus au train, pour des raisons de coût, j'en étais sûr, bien qu'elle ne l'ait pas dit. Elle était arrivée à la gare routière quelques minutes avant le départ, elle avait raconté une histoire rocambolesque pour obtenir le dernier billet. J'avais été surpris qu'elle tienne absolument à venir. Elle avait les joues rouges d'excitation, d'avoir fait quelque chose d'aussi spontané. Des petites barrettes retenaient ses cheveux derrière ses oreilles. Elle portait un fin pull turquoise et un gros collier de perles enfilées sur des cordes.

Je me suis efforcé de ne pas penser que ce n'était pas moi, mais Robert qui mettait ces exquises couleurs sur son visage. C'était pour lui qu'elle avait fait ce voyage, dans l'espoir de découvrir quelque chose qui expliquerait sa défection et justifierait l'adoration qu'elle lui avait vouée. Ses yeux étaient bleus, cette fois – j'ai pensé à Kate –, à cause de son pull. Apparemment, ils étaient aussi changeants que la mer ; leur couleur dépendait du ciel, du temps. Elle dévorait son couscous au poulet comme un ogre bien élevé. À sa demande, je lui ai décrit le portrait de Béatrice de Clerval dans les moindres détails.

– C'est dingue qu'en ne l'ayant vu qu'une ou deux fois, il en ait gardé un souvenir assez précis pour être capable encore de la peindre de mémoire des années après, ai-je ajouté.

Malgré ses protestations, j'ai commandé deux desserts et deux cafés.

– Non, non, a-t-elle répliqué en posant sa fourchette et son couteau en travers de son assiette.

– Non ? Vous ne trouvez pas cela étonnant ?

– Ce n'est pas ça. Il avait son portrait dans un livre.

Les bras m'en sont tombés.

– Et ce n'est que maintenant que vous me le dites ?

– Oui, je suis désolée, a-t-elle répondu sans sourciller. Je voulais attendre d'en arriver à cette partie de l'histoire. Je l'ai déjà écrite, d'ailleurs ; je vous la donnerai, tout à l'heure. Mais je ne savais pas que le tableau se trouvait au Met ; ce n'était pas précisé, dans le bouquin. Je pensais qu'il était en France. Vous verrez, j'ai noté tout ça.

– Kate m'a raconté que Robert avait lu tout un tas de livres sur l'impressionnisme, à une époque. Mais je ne crois pas qu'elle ait jamais vu le portrait de Béatrice de Clerval par Vignot. Elle me l'aurait dit.

Aussitôt, je me suis reproché de parler de Kate à Mary et me suis enjoint de ne plus le faire. Elle a haussé les sourcils.

– J'imagine aisément ce que Kate a dû vivre, a-t-elle dit sombrement en tripotant le pied de son verre de vin.

– Je vous emmènerai voir le tableau, demain, ai-je déclaré pour la dérider.

– Vous m'emmènerez ? a-t-elle répété avec un petit sourire. Vous croyez que je ne suis pas capable d'y aller toute seule ?

J'avais momentanément oublié qu'elle était encore à un âge où l'on se vexe pour un rien.

– Je me doute que vous n'avez pas besoin de moi. Je voulais dire que nous pouvons aller le voir ensemble, si vous voulez.

– Volontiers. C'est pour ça que j'ai fait tout ce voyage.

– Seulement pour ça ?

Décidément, je commettais maladresse sur maladresse. Je ne voulais surtout pas qu'elle s'imagine que je la draguais. La conversation que j'avais eue avec mon père m'est revenue : *Les femmes qui viennent de vivre une rupture sont parfois compliquées. Elle n'est pas seulement compliquée, mais indépendante, belle, différente des autres. Naturellement.*

– Quand Robert est parti en France, j'étais sûre que c'était pour revoir ce portrait.

– Il est parti en France ? ai-je demandé. Pendant qu'il était avec vous ?

– Oui. Il a pris l'avion sans rien me dire, et il ne m'a jamais raconté ce qu'il était allé faire là-bas. (Elle avait le visage crispé. Des deux mains, elle s'est lissé les cheveux.) Je lui ai dit que j'étais furieuse qu'il ait dépensé autant d'argent, alors qu'il ne m'aidait même pas à payer le loyer et les courses. Mais j'étais encore plus furieuse qu'il ne m'ait pas proposé de l'accompagner et qu'il fasse tout un mystère de ce voyage. Il me traitait comme Kate, il me cachait des choses. À son retour, on s'est disputés comme des chiffonniers. Et il est parti.

Elle avait les larmes aux yeux. Si j'avais eu Robert en face de moi, j'aurais été capable de lui coller mon poing dans la figure.

– Mary, puis-je vous poser une question ? ai-je demandé avec douceur. Est-ce vous qui l'avez mis dehors ? Ou est-il parti de son propre chef ?

Elle s'est essuyé les yeux.

– C'est moi qui l'ai fichu à la porte. Avant qu'il ne parte en me la claquant au nez. J'aurais perdu le peu de dignité qu'il me restait.

J'attendais depuis longtemps l'opportunité de lui poser ces questions.

– Saviez-vous qu'il avait sur lui un paquet de vieilles lettres de Béatrice de Clerval et d'Olivier Vignot, quand il a voulu taillader ce tableau ?

Elle a hoché la tête.

– Je savais qu'il avait des lettres d'elle, pas de lui.

– Vous avez les avez vues ?

– Oui. Je vous en dirai plus, mais pas maintenant.

Elle me regardait droit dans les yeux. Son visage n'exprimait aucune rancœur. Je lisais sur ses traits tout l'amour qu'elle avait éprouvé pour Robert Oliver. Je n'avais jamais rencontré de fille aussi fascinante, qui contemplait obliquement les toiles dans les musées, qui mangeait comme un ogre sans pour autant en oublier les bonnes manières et se lissait les cheveux telle une nymphe. À l'exception peut-être de celle que je ne connaissais qu'au travers de sa correspondance avec Olivier Vignot et les portraits de Robert Oliver. Je comprenais pourquoi ils les avait aimées toutes les deux, l'une vivante, l'autre morte.

J'avais envie de dire à Mary que je compatissais à sa peine, mais ne sachant comment le formuler je me suis contenté de la regarder gentiment. Elle a fini son café et enfilé sa veste. Notre repas était terminé. Restait toutefois un dernier problème à régler pour ce soir.

– J'ai demandé à la réception, il leur reste des chambres. Je serais heureux...

– Non, non, m'a-t-elle interrompu en posant quelques billets sur la table et en se levant. J'ai une amie qui habite dans la 28e Rue. Je lui ai téléphoné, elle m'attend. Je vous retrouverai ici demain, disons vers 9 heures ?

– D'accord. Nous prendrons le café ensemble avant d'aller au musée.

– Parfait. Et voilà pour vous.

Elle a fourré une main dans son sac et m'a tendu une grosse enveloppe. Elle avait repris contenance. Je me suis levé moi aussi. Difficile à suivre, cette jeune femme. N'eût-elle été aussi gracieuse, n'eût-elle esquissé un sourire, je l'aurais étiquetée « lunatique ». À ma surprise elle posa une main sur mon bras et m'embrassa sur la joue. Elle était presque aussi grande que moi. Elle avait les lèvres douces et chaudes.

Il était encore tôt lorsque je suis monté dans ma chambre. Qu'allais-je faire de ma soirée ? J'ai songé à passer un coup de fil à un vieil ami qui habitait New York, Alan Glickman, l'un de mes rares copains de lycée avec qui j'avais gardé le contact. Nous nous téléphonions deux ou trois fois par an. J'appréciais son humour caustique. Il y avait toutefois peu de chances pour qu'il soit disponible ; j'aurais dû le prévenir. Du reste, je ne pouvais pas laisser l'enveloppe de Mary toute seule, même pour quelques heures. J'aurais eu l'impression d'abandonner quelqu'un.

61

Mary

Je n'ai pu faire autrement que de prendre mon petit déjeuner avec Frank.

– Prête ? m'a-t-il demandé en se plantant devant ma table, un plateau entre les mains, chargé de deux bols de corn-flakes, une assiette d'œufs et de bacon et trois verres de jus d'orange.

Personne ne faisait le service, le matin – démocratie. J'avais pris un œuf sur le plat, une tasse de café, et m'étais installée dans un coin ensoleillé. Robert Oliver n'était pas dans la salle à manger. Peut-être ne déjeunait-il pas.

– Prête pour quoi ? ai-je demandé.

– Pour le premier jour.

Frank a posé son plateau en face de moi.

– Je t'en prie, ai-je dit sarcastiquement. J'avais justement envie d'un peu de compagnie.

Il a souri. J'avais beau être désagréable, il ne se laissait pas décourager. Il s'était fait une espèce de houppette. Il portait un jean délavé, un vieux sweatshirt, des vieilles baskets fatiguées et un collier de perles rouges et bleues. Penché au-dessus de son bol, il engloutissait ses céréales tel un gamin affamé. Il était beau gosse et il le savait. J'ai essayé de l'imaginer à soixante-cinq ans, maigre, les tendons saillants, avec des oignons aux pieds et probablement un tatouage fripé quelque part.

– La première journée va être longue, a-t-il dit en relevant la tête. C'est pour ça que je te demandais si tu étais prête. Oliver va nous faire bosser pendant des heures et des heures. C'est un acharné.

– C'est un atelier de peinture, pas un entraînement de foot, ai-je rétorqué.

– Oh, je ne sais pas. J'ai pas mal entendu parler de lui. Il paraît qu'il ne sait pas s'arrêter. Il s'est fait un nom comme portraitiste, mais il est à fond dans les paysages, en ce moment. Il bat la campagne du matin jusqu'au soir, chez lui, comme un animal.

– Ou comme Monet.

Immédiatement, j'ai regretté cette comparaison. Frank a détourné le regard avec dégoût, comme si je m'étais mis un doigt dans le nez.

– Monet ? a-t-il marmonné dédaigneusement, la bouche pleine de bacon.

Nous avons terminé notre petit déjeuner en silence.

Pour notre premier exercice, Robert Oliver nous a emmenés sur une hauteur au-dessus de la mer. Le brouillard s'était levé. Plusieurs petites îles rocheuses se découpaient non loin de la côte. Je me suis demandé comment il savait que l'on avait d'ici ce merveilleux panorama. Il a installé son chevalet. Nous nous sommes rassemblés autour de lui. Certains ont posé leur matériel dans l'herbe, d'autres l'ont gardé sous le bras. Il a commencé à crayonner, en nous indiquant que nous devions dans un premier temps nous focaliser uniquement sur les formes, sans nous soucier de ce qu'elles représentaient. Puis il nous a donné quelques conseils pour la couleur. Le fond devrait impérativement être gris, si nous voulions rendre la luminosité blafarde, mais nous aurions besoin de tons bruns plus chauds pour les arbres, l'herbe et la mer.

En classe, sa présentation avait été minimaliste : « Vous êtes tous des artistes accomplis, inutile que je vous fasse un long discours. Allons plutôt directement sur le terrain et voyons ce que nous pouvons faire. Nous discuterons plus tard, quand nous aurons matière à commenter. » Un minibus nous avait déposés sur un parking, puis nous avions marché à travers bois. Nous avions emporté des sandwichs et des pommes. Nous espérions qu'il ne pleuvrait pas.

Des tas de souvenirs de Robert Oliver me revenaient en mémoire : cette insistance sur les formes, l'importance primordiale qu'il attachait à la géométrie de la scène ; la façon dont il se tenait, tout son poids sur les talons, lorsqu'il examinait son travail. Il engageait le contact avec tout le monde. Plus que jamais, il cherchait à se montrer sympathique ; il nous traitait d'égal à égal, comme si nous étions une bande d'amis réunie autour d'un dîner et non pas une classe à un stage de peinture. Nous étions sous le charme. Il nous a montré différentes vues, et indiqué les formes qu'elles pouvaient prendre sur la toile, puis il a commencé à appliquer de la couleur sur la sienne, des ombres calcinées, un lavis marron foncé.

Chacun s'est mis à la recherche d'un endroit où poser son chevalet. Il aurait été difficile de faire un mauvais choix ; où que nous nous tournions, sur 180°, la nature ne nous offrait que des vues splendides. Je me suis finalement décidée pour une longue bande de pins descendant jusqu'au rivage, l'Isle des Roches à l'extrême-droite, la mer se fondant avec le ciel sur la gauche. La scène n'était pas équilibrée. J'ai déplacé mon chevalet de quelques pas afin de cadrer quelques arbres à l'extrême-gauche.

À peine m'étais-je installée que Frank a planté son chevalet à côté de moi. Les autres stagiaires avaient l'air sympathiques. Tous avaient au moins mon âge. Sur six personnes, il n'y avait que deux hommes, Frank et un vieux monsieur très timide dont Frank m'avait chuchoté qu'il avait exposé l'année précédente au Williams College. Il avait directement commencé à peindre, sans faire de croquis au crayon. Dans le minibus, j'avais discuté avec deux femmes qui se connaissaient pour avoir déjà fait ensemble un stage à Santa Fe. Elles étaient descendues un peu plus bas sur le flanc de la colline. Elles préparaient leur palette en bavardant.

Frank avait orienté son chevalet quasiment dans la même direction que le mien. Nous allions peindre des paysages à peu près similaires. Au moins, il paraissait absorbé dans son travail ; il ne me dérangerait pas. Il avait déposé quelques couleurs de base sur sa palette et traçait à la mine de graphite les contours de l'île et le bord de la côte au premier plan. Il avait des gestes vifs, sûrs ; son dos ondulait gracieusement sous sa chemise.

J'ai préparé ma palette : vert, ombre brûlée, un bleu clair mélangé à du gris, une noisette de blanc et une de noir. Je regrettais déjà de ne pas avoir remplacé deux de mes pinceaux : des pinceaux de très bonne qualité, mais que j'utilisais depuis si longtemps qu'ils avaient perdu pas mal de soies. À la fin du mois, il ne me restait pas grand-chose pour acheter du matériel de dessin. J'habitais dans un quartier que Muzzy aurait qualifié de mal famé (heureusement, elle ne venait jamais chez moi), mais le loyer n'était pas bon marché. Je ne demandais jamais d'argent à ma mère ; je l'avais trop déçue par mon choix de carrière. (« Tu pourrais reprendre des études de droit, me disait-elle régulièrement. Tu t'exprimes si bien, ma chérie ».) J'ai renouvelé le vœu que je faisais chaque jour : me constituer un portfolio, participer à un maximum d'expos, accumuler les références et postuler pour un vrai poste dans l'enseignement. Peut-être que Robert Oliver pourrait m'aider si je faisais mes preuves durant cet atelier. Discrètement, j'ai jeté un coup d'œil dans sa direction : il était concentré sur sa toile. Je ne la voyais pas, d'où j'étais. Elle était grande, il la couvrait d'amples coups de pinceau.

La couleur de l'eau changeait d'heure en heure ; il n'était pas facile de la saisir, et l'Isle des Roches s'est révélée un défi. La mienne ressemblait à un monticule de crème fouettée ; je n'arrivais pas à rendre la dureté du roc. J'avais également du mal à dessiner avec précision le petit village bâti sur la côte. Robert peignait sans relâche. Allait-il venir voir ce que nous faisions ? Je n'y tenais pas particulièrement.

Finalement, il s'est étiré les bras au-dessus de la tête et nous a annoncé qu'il était l'heure de la pause déjeuner. Il s'est assis au soleil et a sorti son casse-croûte d'une grande besace en toile. Nous nous sommes assis autour de lui avec nos sandwichs. Frank a engagé la conversation avec les deux femmes qui m'avaient parlé dans le minibus. Robert s'est penché vers moi et m'a demandé si mon paysage prenait forme.

– Laborieusement, ai-je répondu.

Il m'a souri.

– Mon île ressemble à une île flottante, ai-je ajouté.

Il a ri et m'a promis qu'il viendrait y jeter un coup d'œil.

62

Le pique-nique terminé, Robert s'est éloigné dans le sous-bois, sans doute pour aller au petit coin, ce que j'ai fait moi aussi dès que les trois hommes se sont remis au travail. J'avais un morceau de papier dans ma poche, je l'ai enterré sous les feuilles humides et les branches couvertes de lichen. La luminosité ayant changé, nous avons commencé de nouvelles toiles. Frank avait raison, Robert semblait captivé par la nature. Les heures passaient et il n'avait encore regardé le travail de personne. D'un côté, je redoutais ses commentaires ; de l'autre, j'étais un peu déçue.

Vers 16 heures, finalement, il a circulé parmi nous, émettant des suggestions, à l'écoute des problèmes des uns et des autres. J'avais mal aux jambes et au dos, je commençais à avoir faim et il m'était de plus en plus difficile de me concentrer sur la texture de l'eau et des pins. Robert a réclamé l'attention générale et nous a demandé ce que nous pensions de la différence entre la lumière du matin et celle de l'après-midi. Que l'on peigne une falaise ou une paupière, l'important était de garder à l'esprit que la lumière révélait la forme, nous a-t-il dit. Puis il s'est enfin posté devant mon chevalet et a observé ma toile, les bras croisés.

– Les arbres sont très bien, a-t-il déclaré. Vraiment très bien. Regardez, en ajoutant une ombre plus soutenue de ce côté de l'île... Vous permettez ? (J'ai hoché la tête, il m'a emprunté un pinceau.) N'ayez pas peur de foncer les ombres quand vous avez besoin de contraste, a-t-il murmuré.

Sous sa main, je voyais mon île prendre une réalité géologique.

– Voilà. Je ne vous embête pas plus, je vous laisse continuer.

Il m'a touché le bras et s'est éloigné. J'ai poursuivi avec application, jusqu'à ce que le soleil commence à décliner.

– Je crève la dalle, m'a chuchoté Frank en se penchant vers moi. Il est marteau, ce type. Tu n'as pas faim ? Cool, tes arbres. Tu dois aimer les arbres.

Je n'avais pas compris un mot de ce qu'il m'avait dit et ne parvenais même pas à articuler : « Quoi ? ». Tous mes muscles étaient endoloris. Malgré l'écharpe que je m'étais enroulée autour du cou lorsque la brise marine s'était rafraîchie, je grelottais. Je dessinais presque tous les jours, avant ou après le boulot, mais il y avait longtemps que je n'avais pas fourni un effort aussi soutenu. Maintenant que je m'étais concentrée sur les ombres, j'avais une question à poser à Robert. Il fallait que j'éclaircisse la scène par quelques touches de blanc. Devais-je attendre le lendemain, en espérant retrouver à peu près la même luminosité, ou le faire tout de suite, de mémoire ?

Je suis descendue jusqu'à son chevalet. Il nettoyait ses pinceaux et sa palette, tout en jetant alternativement des coups d'œil à sa toile et au panorama. J'ai pensé qu'il ne nous avait pas appris grand-chose ; sa toile l'avait accaparé quasiment toute la journée. Peut-être était-ce la meilleure leçon qu'il pouvait nous donner : nous montrer qu'un artiste devait se consacrer à son travail avec une attention qui confinait à l'obsession. J'ai observé son paysage. Comme la plupart des nôtres, il n'était pas terminé.

Tout un pan cependant était merveilleusement achevé : la plage hérissée de rochers et les falaises pâles qui se jetaient dans l'océan. Afin de bien marquer l'effet de surplomb, il avait dessiné une femme et un enfant se promenant main dans la main le long du rivage. L'enfant était accroupi, comme s'il ramassait quelque chose sur le sable. Son bonnet était tombé de sa tête, des rubans bleus le retenaient autour de son cou. Le vent gonflait les longues jupes de la femme. Robert a ajouté un dernier coup de pinceau à sa minuscule chaussure. J'avais oublié ce que je voulais lui demander.

Il s'est tourné vers moi avec un sourire.

– Vous avez passé un bon après-midi ?

– Formidable.

Je n'osais pas lui demander pourquoi il avait intégré ces deux personnages dans son paysage. J'espérais que quelqu'un poserait la question à ma place. J'espérais aussi que je le connaîtrais un jour suffisamment bien pour lui poser toutes les questions que je voulais. Il me regardait avec cette expression à la fois amicale et distante dont je me souvenais parfaitement : un visage indéchiffrable, une énigme. Des touffes de poils gris et noirs dépassaient du col de sa chemise. J'avais envie de les toucher, de voir s'ils étaient doux ou rêches.

– C'est vraiment magnifique, ici, non ? a-t-il dit. Malheureusement, je crois qu'il est l'heure que nous rentrions dîner.

C'est vraiment magnifique, en effet, mais il n'y a personne en costume du XIXe siècle qui se balade sur la plage, avais-je envie de répondre. Le paysage était on ne peut plus désertique. Le but de l'exercice n'était-il pas d'élever la nature au rang de sujet ?

63

1879

Fin mars, son portrait de la bonne aux cheveux d'or est accepté. Il sera présenté au Salon sous le nom de Marie Rivière. Olivier vient lui annoncer la nouvelle en personne. Avec Yves et Papa, on trinque à son succès. Elle a sorti ses plus beaux verres de cristal. Le sourire ne quitte pas ses lèvres. Elle évite de regarder Olivier. En fait, elle n'a pas trop de mal à se montrer naturelle : elle commence à avoir l'habitude que ses trois hommes soient réunis autour de sa table. Elle est tellement heureuse qu'elle n'en dort pas de la nuit. Le lendemain, elle écrit à Olivier qu'elle ne parvient pas à démêler tous les sentiments qui se bousculent en elle. Il lui répond que c'est normal. Tous les artistes qui ont été exposés ont connu cet état de joie intense et complexe. Elle doit tout simplement continuer à peindre.

Elle commence une nouvelle toile, les cygnes du bois de Boulogne. Les samedis, Yves l'accompagne dans le parc ; il ne veut pas qu'elle y aille seule. En semaine, elle s'y rend avec Olivier. Il l'aide à mélanger les couleurs. Un jour, il la peint assise sur un banc au bord de l'eau, un petit portrait en buste, de la dentelle de son col au sommet de sa bonnette, repoussée en arrière afin que l'on voie bien ses grands yeux. Il affirme que c'est le meilleur portrait qu'il ait jamais réalisé. Au dos de la toile, il inscrit au pinceau : *Portrait de Béatrice de Clerval*, 1879, et signe dans un coin.

Un soir, Gilbert et Armand Thomas reviennent dîner. Olivier n'a pas pu se libérer. Gilbert, l'aîné des deux frères, est un bel homme aux manières affectées, qui ne manque pas de conversation. Armand est tout aussi élégant, mais beaucoup plus réservé. Ils se complètent. Armand tempère l'exubérance de Gilbert, Gilbert donne un peu de relief à Armand ; sans son frère, ce dernier aurait tendance à s'effacer. Gilbert a ses entrées au Salon, il prétend avoir vu les œuvres sélectionnées, dont celle d'Olivier Vignot ainsi que le mystérieux portrait que celui-ci a soumis au nom d'une peintre inconnue, une certaine madame ou mademoiselle Rivière. C'est curieux, ce tableau lui rappelle quelque chose. Vignot est irritant, à refuser de révéler la véritable identité de cette Marie Rivière. Car ce ne peut être qu'un pseudonyme, n'est-ce pas ?

Gilbert regarde tour à tour Yves et Béatrice. La tête inclinée sur le côté, il leur demande s'ils connaissent cette artiste. Sans doute est-elle jeune et timide. Quel courage, pour une novice, de présenter une œuvre au Salon ! Yves secoue la tête, Béatrice détourne le regard ; Yves n'a jamais su mentir. Dommage que M. Vignot soit si secret, ajoute Gilbert. Il gagnerait pourtant à être connu ; il a paraît-il un passé intéressant... Gilbert s'exprime sur un ton fort obséquieux. Il s'interrompt et contemple le cadre qui orne le mur, une vue du jardin, peinte par Béatrice. Puis il se tourne vers elle en ajustant les manchettes de sa chemise. Pour la première fois depuis qu'elle a donné à Olivier la permission de soumettre son portrait, elle est saisie d'appréhension. Quel tort, toutefois, cela pourrait-il lui causer que Gilbert Thomas découvre qu'elle en est l'auteur, puisque la pièce a été acceptée ?

Il semble vouloir insinuer quelque chose et ses sous-entendus la mettent mal à l'aise. Ses allusions sont-elles des compliments déguisés ? Ou bien tente-t-il de lui laisser entendre qu'il pourrait bien vendre son œuvre si elle persiste dans son subterfuge ? Quoi qu'il en soit, elle préfère garder le silence. Autant Olivier lui a toujours paru bon et sincère, autant cet homme lui semble fourbe. Autant elle a une confiance aveugle en Olivier, autant Gilbert Thomas lui inspire de la méfiance. Yves le trouve intéressant ; il lui a acheté un tableau de Degas, une petite danseuse regardant ses camarades à la barre, les mains sur les hanches. Béatrice oriente la conversation sur cet achat. Gilbert enchaîne avec enthousiasme : ce Degas est sublime ; à coup sûr, il va prendre de la valeur. Armand approuve : Yves a fait un excellent investissement.

Enfin, ils prennent congé. Gilbert la salue d'un baisemain et charge Yves de transmettre ses amitiés à son oncle.

64

Mary

J'aimerais pouvoir vous raconter qu'une respectueuse amitié s'est nouée à partir de ce moment-là entre Robert et moi, qu'il est devenu mon mentor, le défenseur de ma peinture, qu'il m'a aidée à avancer dans ma carrière et que j'ai admiré la sienne en retour, et que nous sommes ainsi restés liés jusqu'à ce qu'il meure, à l'âge de quatre-vingt-trois ans, en me léguant deux de ses tableaux. Mais les choses ne se sont pas passées comme ça. Robert est toujours en vie et notre drôle d'histoire est maintenant derrière nous. Je ne sais pas quel souvenir il en a gardé. Je ne pense pas qu'il se rappelle de tout, je ne pense pas non plus qu'il ait tout oublié. Je présume qu'il se souvient un peu de moi, un peu de ce que nous avons vécu ensemble, et que tout le reste a coulé sur lui comme de l'eau sur les plumes d'un canard. Si tout s'était gravé en lui, de la même manière que tout s'est inscrit sous ma peau, je ne serais pas en train de raconter tout ça à un psychiatre, et peut-être ne serait-il pas devenu fou. « Fou »... Est-ce le terme adapté ? Il a toujours été fou, dans le sens où il n'était pas comme les autres. C'est pour ça que je l'aimais.

Le soir, après notre première séance de paysage, je me suis assise à côté de lui, au dîner. Évidemment, Frank s'est assis à côté de moi. J'avais envie de lui dire de boutonner sa chemise et de ne pas se faire d'illusions. Robert a longuement discuté avec une prof de fac d'au moins soixante-dix ans, une adepte du ready-made, d'après ce que j'ai compris. De temps en temps, il me lançait des sourires si directs que j'en étais gênée, jusqu'au moment où j'ai réalisé qu'ils étaient destinés aussi à Frank. Apparemment, il avait préféré le paysage de Frank au mien. En tout cas, il lui avait fait des remarques plus élogieuses. Si Frank s'imaginait qu'il allait me voler la vedette auprès de Robert, il se fourrait le doigt dans l'œil, me suis-je promis. Il a réussi à capter son attention et lui a posé tout un tas de questions techniques. Quand il a eu terminé, Robert m'a touché l'épaule.

– Vous êtes bien silencieuse, m'a-t-il dit.

– C'est que Frank est très bavard, ai-je répliqué.

Je voulais que Frank m'entende, mais ma voix était à peine audible. Robert a courbé le dos pour me regarder. Désolée d'employer ce cliché, mais nos yeux se sont rencontrés pour la première fois depuis que nous nous connaissions. (Certes, nous ne nous étions pas revus depuis plusieurs années.)

– Il n'est qu'au tout début de sa carrière, c'est normal, a répondu Robert. Si vous me parliez un peu de vous ? Vous avez fait une école d'art, finalement ?

– Oui.

Je lui chuchotais presque à l'oreille. Une touffe de poils noirs s'en échappait.

– Ma pauvre...

– Oh, ce n'était pas si horrible que ça. J'en garde même un très bon souvenir.

Je voyais son visage de si près que j'en étais effrayée. Ses dents avaient jauni. Il ne le savait peut-être même pas. Quelle chance ! Frank devait régulièrement blanchir les siennes. Le monde était plein de Frank, alors qu'il aurait dû être plein de Robert Oliver.

– Moi aussi, dans un sens, j'ai bien aimé mes études, a-t-il déclaré. Au moins, elles me donnaient une raison d'être en colère.

Je me suis risquée à hausser les épaules.

– Pourquoi se mettre en colère contre l'art ? Personnellement, je me fiche de ce que font les autres.

J'essayais de paraître aussi décontractée que lui, mais il devait voir que je n'étais pas naturelle. Il a froncé les sourcils.

– Vous avez peut-être raison, mais vous êtes encore jeune...

– Pas tant que ça.

Il a laissé courir son regard sur mon cou, mes seins, tel le macho moyen jaugeant chaque femme à son tour de poitrine, ce qui m'a déçu de sa part. J'ai pensé à sa femme. Il portait toujours son alliance.

– On sent une certaine maturité dans votre travail, en effet.

Il s'est tourné de l'autre côté pour faire un commentaire à propos de ce que quelqu'un venait de dire, si bien que je n'ai pas pu lui demander ce qu'il entendait par là. Je me suis concentrée sur mon assiette. Il y avait trop de brouhaha, je n'arrivais pas à suivre la conversation qui se déroulait autour de la table. Il y a pris part un moment puis il est revenu vers moi.

– Qu'est-ce que vous faites, maintenant ?

J'ai décidé de lui dire la vérité.

– Je donne des cours de dessin dans deux centres sociaux, à Washington. Il faut bien gagner sa croûte... Tous les trois mois, je vais voir ma mère à Philadelphie. Je peins la nuit.

– Vous peignez la nuit, a-t-il répété. Vous avez déjà exposé ?

– Jamais en solo. J'avoue que je ne cherche pas trop les opportunités. Ou peut-être que je ne me sens pas encore prête. Pour l'instant, je me contente de peindre chaque fois que j'ai un moment de libre.

– Vous devriez exposer. Il y a sans doute moyen de se faire connaître, avec un travail comme le vôtre.

J'aurais aimé qu'il développe le fond de sa pensée, mais je n'ai pas osé le lui demander. J'étais déjà contente qu'il ait trouvé mon paysage « mature ». Robert Oliver n'était pas du genre à faire des compliments gratuits, ni à caresser les gens dans le sens du poil pour se les mettre dans la poche. S'il m'avait dit cela, ce n'était pas pour me draguer. La peinture représentait pour lui quelque chose de trop important ; jamais il n'aurait menti sur la peinture. Par la suite, il m'a montré que lorsqu'il donnait son avis sur une toile, quel qu'il soit, il disait ce qu'il pensait.

Au dessert, on nous a servi des coupes de fraises fraîches. Je me suis levée pour aller me chercher une tasse de thé. J'avais sommeil, mais je savais que j'étais trop excitée pour dormir. Peut-être allais-je en profiter pour peindre. Vingt-quatre heures sur vingt-quatre, les stagiaires avaient accès à trois ateliers, des garages qui avaient dû abriter les premières Ford T de la région. Des grandes ouvertures vitrées avaient été percées dans les toits. Peut-être pourrais-je refaire mon paysage. Le lendemain, au petit déjeuner, je pourrais dire crânement à Robert Oliver : « Je suis crevée. J'ai peint jusqu'à 3 heures du matin. » Ou peut-être qu'en se promenant dans le noir, il m'apercevrait derrière les fenêtres des garages ; il entrerait et me dirait que l'on sentait une certaine maturité dans mon travail. Presque, mais pas tout à fait innocemment, je ne désirais qu'une chose : son attention.

Tandis que je finissais mon thé, il s'est levé de table en souhaitant une bonne soirée à la ronde. Frank l'a suivi. Son comportement de lèche-bottes me dégoûtait, mais au moins il me ficherait la paix. Je me suis toutefois sentie abandonnée. Je me suis drapée dans ma romantique solitude. J'allais peindre, c'était décidé, non pas pour attirer Robert Oliver, ni pour tenir Frank à distance, mais juste pour le plaisir de peindre. J'étais là pour ça, après tout, pour me ressourcer, pour savourer mes quelques précieux jours de vacances. Au diable les hommes.

Il était si tard lorsque Robert m'a trouvée dans le garage qu'il n'y avait plus que moi qui travaillais dans ce vaste espace où planait une odeur de renfermé. J'étais complètement dans le cirage. Je voyais du vert à la place du bleu. Je donnais des coups de pinceau que je regrettais et que j'étais obligée de gratter. J'avais conscience qu'il était grand temps que je m'arrête, mais je n'y arrivais pas. J'avais refait mon paysage sur une toile vierge, en y apportant quelques modifications. Je m'étais souvenue en particulier des marguerites que je n'avais pas eu le temps de dessiner l'après-midi. J'avais essayé de les faire flotter à la surface de la colline, sans grand succès. Mais ce n'était pas le principal changement. J'étais tellement fatiguée, quand Robert est entré et a refermé la porte derrière lui, que j'ai cru que mon imagination me jouait des tours. Il s'est posté devant moi, les bras croisés sur la poitrine, un petit sourire aux lèvres.

– Vous n'êtes pas encore couchée ? Vous travaillez pour votre future expo ?

Je l'ai regardé en clignant des paupières. Sous la lumière des ampoules qui pendaient au plafond, il était nimbé d'un halo surnaturel. J'ai songé malgré moi qu'il ressemblait à l'un de ces archanges des triptyques médiévaux, avec ses cheveux bouclés un peu longs, son auréole dorée, ses ailes repliées. Un être spirituel, supérieur à l'homme, porteur d'un message céleste. J'avais la sensation d'être au bord d'un monde trop humain pour être réel, ou trop réel pour être humain. Pour une fois, j'étais moi-même, vraiment moi-même, seule avec la peinture sur mon chevalet et cet homme immense qui se tenait à deux mètres de moi.

– Vous êtes un ange ? ai-je bredouillé.

Immédiatement, je me suis sentie ridicule. Il s'est gratté le menton en riant.

– Sûrement pas. Je vous ai fait peur ?

J'ai secoué la tête.

– L'espace d'un instant, vous étiez rayonnant, comme si vous étiez vêtu d'or.

Il a eu la grâce de paraître décontenancé, ou peut-être l'était-il vraiment.

– Vous êtes bien la seule à me trouver un air angélique.

Je me suis forcée à rire.

– Je dois être très fatiguée, alors.

– Je peux regarder ?

Avant que je n'aie pu dire non, il s'est approché de mon chevalet. Je ne voulais pas le regarder avec trop d'insistance, mais je ne pouvais pas m'empêcher de guetter une réaction sur son visage. Le profil sérieux, il examinait mon paysage. Il a décroisé les bras et les a laissés pendre le long de son corps.

– Pourquoi cet ajout ?

Il a tendu le doigt vers les deux personnages qui se promenaient le long de mon rivage revisité, une femme en robe longue accompagnée d'une fillette.

– Je ne sais pas, ai-je balbutié. J'ai aimé les vôtres.

– Il ne vous est pas venu à l'esprit qu'elles m'appartenaient ? m'a-t-il lancé sur un ton menaçant.

Sa question était un peu bizarre, mais je me sentais surtout très mal. Les larmes me sont montées aux yeux. Allait-il se mettre en colère contre moi ? Je me suis ressaisie.

– Certains artistes ont-ils le monopole de certaines choses ? ai-je répliqué.

Il a réfléchi un instant.

– Non, a-t-il enfin répondu. Mais il y a des images avec lesquelles je vis depuis si longtemps que j'ai l'impression qu'elles m'appartiennent.

Je me suis revue avec lui sur le campus, quelques années en arrière, quand il m'avait parlé de la femme entrevue au Met. Je lui ai posé une main sur le bras, présomptueusement peut-être.

– Vous savez, je crois que nous avons déjà eu cette discussion.

Il a froncé les sourcils.

– Ah bon ?

– Oui, le jour où nous avons déjeuné ensemble, à Barnett, à propos du portrait de la femme assise devant un miroir.

– Et vous vous demandez s'il s'agit de la même personne.

– Exactement.

Mon corps vibrait de fatigue et de l'attraction qu'exerçait sur moi cet homme étrange. J'avais du mal à croire qu'il était revenu dans ma vie, après toutes ces années. Il me dévisageait avec un air sévère.

– Que voulez-vous savoir ?

J'ai hésité. J'aurais pu dire plein de choses, mais dans cette situation irréelle, sans lendemain ni conséquences, je n'ai pas réfléchi. J'ai dit tout simplement ce que j'avais envie de dire :

– Il me semble que si je savais pourquoi vous peignez toujours la même chose depuis tant d'années, je vous connaîtrais. J'aimerais savoir qui vous êtes.

Mes paroles ont résonné dans la pièce. Robert Oliver me fixait, immobile, silencieux. Au bout d'un moment, il a pris une longue mèche sur mon épaule et l'a lissée du bout des doigts, un geste que faisait Muzzy. J'ai pensé aux mains de ma mère, guère plus vieilles que les siennes lorsque j'étais adolescente. C'était son geste le plus tendre, sa façon de s'excuser pour tout ce qu'elle attendait de moi, pour le moule dans lequel elle voulait me forcer à entrer et contre lequel je me suis rebellée jusqu'à ce que nous finissions par n'avoir plus que du ressentiment l'une pour l'autre. Elle me caressait une mèche de cheveux et me disait combien j'avais de beaux cheveux, brillants, soyeux.

J'avais peur de me mettre à trembler. Des deux mains, Robert a ramené mes cheveux derrière mes épaules, comme s'il les arrangeait en vue de me peindre. Il avait une expression songeuse, triste, pleine d'étonnement. Puis il a laissé ses bras retomber le long de son corps et il est resté là encore un moment. Il semblait vouloir dire quelque chose, puis sans un mot il s'est dirigé vers la porte et il est reparti.

J'ai nettoyé mes pinceaux, rangé mon chevalet dans un coin et éteint la lumière. La nuit était humide et dense. Il y avait encore plein d'étoiles dans le ciel, des étoiles qui manifestement n'existaient pas à Washington. Dans le noir, j'ai ramené mes cheveux devant mes épaules, puis je le ai embrassés.

65

1879

Par une belle journée de printemps, enfin, Béatrice, Yves et Olivier se rendent au Salon. Béatrice et Olivier y retourneront un autre jour tous les deux ; sa main gantée sous son bras, ils iront voir leurs deux tableaux, exposés dans deux salles différentes. Ils sont déjà venus là, les années précédentes, mais c'est la première fois (il n'y en aura qu'une autre) que Béatrice cherche l'une de ses œuvres parmi les centaines accrochées aux cimaises. Le rituel de la visite lui est familier ; il revêt cependant aujourd'hui une tout autre dimension. Tous les gens qu'elle croise ont peut-être vu son tableau ; ou peut-être l'ont-ils vu sans le voir ; peut-être ne l'ont-ils pas aimé. La foule n'est plus une masse confuse de tenues à la mode, mais un rassemblement d'individus capables de jugement.

Voilà donc ce que c'est, pense-t-elle, que d'être un peintre public, que d'être exposé. Elle est contente, à présent, de n'avoir point utilisé son propre nom. Des ministres sont probablement passés devant son tableau, peut-être aussi M. Manet, et son ancien professeur, M. Lamelle. Elle porte sa nouvelle robe et son nouveau chapeau, tous deux gris perle, la robe bordée d'un fin liseré de velours cramoisi, son petit chapeau incliné en avant au-dessus de son front, avec de longs rubans rouges qui lui pendent dans le dos. Ses cheveux sont ramenés dessous en un chignon serré, sa taille étroitement corsetée. Sa jupe, froncée dans le dos, se répand en cascade derrière elle. Elle lit l'admiration dans le regard d'Olivier. Heureusement,

Yves s'est arrêté pour regarder une peinture, son chapeau entre ses mains derrière son dos.

Un après-midi magnifique, mais la nuit elle refait cet affreux cauchemar : elle se tient devant la barricade ; elle est arrivée trop tard et l'épouse d'Olivier se vide de son sang entre ses bras. Elle ne racontera pas à Olivier que ce rêve est revenu, mais Yves l'a entendue crier dans son sommeil. Quelques jours plus tard, il lui dit fermement qu'elle doit voir un médecin. Elle est nerveuse, pâle. Le docteur lui prescrit des infusions, un bifteck tous les deux jours et un verre de vin au déjeuner. Le cauchemar demeure récurrent. Yves déclare qu'il a pris ses dispositions pour qu'elle parte se reposer sur la côte normande qu'ils aiment tant.

Ils sont assis dans son petit boudoir, où elle a passé toute la soirée avec un livre ; Esmé a allumé un feu dans la cheminée. Yves insiste : les tâches ménagères l'épuisent, alors qu'elle n'est déjà pas bien portante. Elle voit qu'il est inquiet, il a les yeux cernés ; quoi qu'elle dise, elle ne le fera pas revenir sur sa décision. Yves est un homme déterminé, c'est ce qui lui a valu son ascension professionnelle. Elle a oublié, depuis quelque temps, de chercher sur son visage la personne qu'elle connaît et admire depuis des années, ses yeux gris et francs, son air de prospérité, sa bouche empreinte de gentillesse, son épaisse barbe brune. Elle a oublié combien ce visage respire la jeunesse. Peut-être est-ce simplement parce qu'il est dans la fleur de l'âge, il n'a que six ans de plus qu'elle. Elle ferme son livre et lui demande :

– Pourras-tu quitter ton travail ?

Il époussette les genoux de son pantalon. Il ne s'est pas encore changé, en revenant de la ville. Les fauteuils bleu et blanc du boudoir sont trop petits pour lui.

– Malheureusement, je ne pourrai pas partir avec toi, répond-il à regret. Je prendrais volontiers quelques jours de vacances, moi aussi, mais le moment est vraiment inapproprié, avec les nouveaux bureaux qui viennent d'ouvrir. J'ai demandé à Olivier de t'accompagner.

Elle se raidit. Le sort a-t-il décidé de la poursuivre ? Elle aimerait révéler à son mari la cause de ses tourments, mais elle ne peut pas trahir la confiance qu'Olivier a placée en elle.

– Cela ne va-t-il pas l'ennuyer ? dit-elle enfin.

– Il a beaucoup hésité, mais j'ai réussi à le convaincre. Il sait que je lui en serai infiniment reconnaissant si tu me reviens avec de belles couleurs.

Un non-dit flotte entre eux : ils n'ont toujours pas d'enfant, et il y a plusieurs mois qu'ils n'ont pas fait l'amour ; Yves est constamment préoccupé ou fatigué. Elle se demande s'il ne lui propose pas une sorte de nouveau départ, pour lequel elle devrait au préalable recouvrer la santé.

– Je suis désolé de te décevoir, ma chérie, mais je ne peux vraiment pas m'absenter en ce moment.

Il croise les doigts autour de son genou, le visage soucieux.

– Une quinzaine de jours suffiront à te remettre d'aplomb, je pense, ajoute-t-il. Deux semaines seront bien vite passées.

– Qui veillera sur Papa ?

Il secoue la tête.

– Nous nous débrouillerons tous les deux, avec l'aide des domestiques.

Elle n'a pas d'autre choix que de s'abandonner à la fatalité. Elle revoit Olivier agenouillé auprès du corps de son épouse, derrière la barricade, écrasé de chagrin. Elle ignorait ce qu'était l'amour, il y a peu, en dépit des efforts de l'homme d'affaires assis en face d'elle. Elle lui sourit.

– Très bien, chéri. Je vais partir me reposer. Mais Esmé restera ici pour s'occuper de toi et de Papa.

– C'est stupide, voyons ! Nous n'avons pas besoin d'elle. Et toi, comment feras-tu ?

– J'aurai Olivier, répond-elle bravement. Sans moi ni Esmé, Papa serait complètement désorienté.

– Es-tu sûre de toi, mon cœur ? Je ne veux pas que tu fasses des sacrifices alors que tu n'es pas toi-même.

– Ne t'en fais pas pour moi, répond-elle fermement.

Puisqu'elle ne peut éviter l'inévitable, elle se sent exubérante, comme si elle n'avait plus besoin de regarder où elle met les pieds.

– Un peu d'indépendance me fera le plus grand bien, affirme-t-elle. Esmé est parfois agaçante, tu le sais. Et je me ferai beaucoup moins de souci en la sachant auprès de Papa.

Yves hoche la tête. Elle devine que le médecin lui a recommandé de ne pas la contrarier ; il n'y a rien de plus précaire que l'équilibre d'une femme, surtout lorsqu'elle essaie de concevoir un enfant. Sans doute devra-t-elle d'ailleurs se faire examiner de nouveau avant son départ. Afin d'être rassuré, Yves est prêt à débourser des sommes déraisonnables. Elle ressent un élan de tendresse pour cet homme si sérieux et si anxieux. Il aurait pu mettre sa nervosité sur le compte de sa soumission au Salon, pense-t-elle. Or, il n'a pas prononcé un seul mot en ce sens. Elle se lève, enfonce les pieds dans ses mules et traverse la pièce pour l'embrasser sur le front. Si elle parvient à redevenir elle-même, il en aura le bénéfice. L'entier bénéfice.

Paris, mai 1879

Chère Béatrice,

Quel dommage qu'Yves ne puisse nous accompagner à Étretat. J'espère que cela ne t'ennuie pas qu'il t'ait confiée à moi. Comme il m'en a prié, j'ai acheté les billets de train. Je viendrai te chercher en cab jeudi matin à 7 heures. Écris-moi d'ici là afin de me dire ce que je peux t'apporter comme matériel de dessin. La peinture, j'en suis persuadé, constituera le meilleur remède pour toi.

Olivier Vignot

66

Mary

J'appréhendais de croiser le regard de Robert, le lendemain matin. Par chance, il n'était pas encore venu prendre de petit déjeuner et Frank avait trouvé quelqu'un d'autre avec qui parler. Je n'avais dormi que trois heures, je n'arrivais pas à me réveiller, j'étais dans une espèce d'état de stupeur. Je m'étais attaché les cheveux et j'avais mis une chemise kaki décolorée à l'ourlet décousu, qui aurait fait hurler Muzzy. Le café m'a remis les idées en place. Je me suis dit que j'étais débile de me mettre dans tous mes états à cause de Robert Oliver. Il était célèbre, il était inaccessible, il était bizarre. Je ne devais plus penser à lui, ça ne servait à rien. Le ciel était d'une clarté déprimante, parfait pour une nouvelle leçon de paysage. Je n'avais pas envie de peindre. En me levant, j'avais croisé les doigts pour qu'il ne fasse pas beau et que la sortie soit annulée. À 9 heures, nous sommes montés dans le minibus. Robert conduisait. Une femme était assise à côté de lui, une carte routière étalée sur les genoux. Frank me donnait des petits coups de coude dans les côtes.

Nous nous sommes installés au bord d'un lac entouré de bouleaux blancs. Un vieux cottage délabré se dressait sur la rive opposée. Sur le ton de la plaisanterie, Robert nous interdit de rajouter des élans. Et des femmes en robe longue, on peut ? avais-je envie de lui demander à travers ma migraine. J'ai planté mon chevalet aussi loin que possible du sien et de celui de Frank. Je ne voulais surtout pas que Robert Oliver s'imagine que je lui courais après. Il semblait éviter de me regarder. De toute la journée, il n'est pas venu voir ce que je faisais. Une chance, ma toile était une catastrophe. Je n'arrivais pas à me souvenir de ce que je savais du traitement des arbres, ni des ombres ni de rien du tout ; j'avais l'impression de peindre une étendue d'eau trouble dans lequel laquelle je ne voyais que mon reflet, à la fois familier et effrayant.

Nous avons déjeuné autour de deux tables de pique-nique (je ne me suis pas assise à celle de Robert), et à la fin de la journée nous nous sommes tous rassemblés autour de la toile de Robert. Comment avait-il réussi à rendre le léger mouvement de l'eau ? Il nous a parlé de la forme du rivage et du choix de couleur qu'il avait fait pour les collines bleutées, au loin. La difficulté de cette scène résidait dans sa nature monochromatique – collines bleues, lac bleu, ciel bleu – et dans la tentation d'accentuer le blanc des bouleaux, pour faire ressortir les contrastes. En observant bien, nous dit Robert, on s'apercevait que ces teintes sourdes présentaient une incroyable variété de nuances. Frank l'écoutait en se grattant derrière l'oreille, avec un air de monsieur-je-sais-tout qui me donnait envie de le gifler. Pour qui se prenait-il ? Comment aurait-il pu en savoir plus que Robert Oliver ?

Au dîner, Robert est arrivé à la salle à manger après moi. Après avoir parcouru les tables du regard, il a pris place à un endroit d'où il me tournait le dos. Autour du feu de camp, ensuite, l'ambiance était beaucoup plus détendue que la veille. Des amitiés s'étaient nouées. Tout le monde riait et bavardait avec entrain. Il n'y avait que moi qui restais seule, plantée dans un coin. Les deux femmes de mon groupe avec qui j'avais un peu lié connaissance étaient assises sur un banc. J'ai failli les rejoindre, mais je savais d'avance de quoi elles allaient me parler : de la fac où elles avaient étudié, des expos collectives auxquelles elles avaient participé, de leur mari. Je n'étais pas d'humeur à faire semblant de m'intéresser à des choses aussi barbantes. Robert bavardait avec des stagiaires. Étonnamment, Frank n'était pas pendu à ses basques. Je me suis dirigée vers les écuries. Isaac Newton me serait de meilleure compagnie que ces gens qui s'amusaient si bien ensemble. Après une bonne nuit de sommeil, je serais moi aussi de meilleure compagnie.

Le dortoir était désert. Toutes les portes étaient fermées, à l'exception de la mienne. Apparemment, je l'avais laissée ouverte. Ce n'était pas très grave, je n'avais rien à voler, hormis mon portefeuille, que je gardais dans la poche de mon jean. Quand je suis entrée dans ma chambre, un petit cri m'a échappé. Frank était assis sur le bord du lit, sa chemise blanche ouverte jusqu'au nombril, un carnet de croquis sur les genoux. Penché au-dessus, il frottait un dessin du pouce. Il a levé les yeux et m'a souri.

– Qu'est-ce que tu fous ici ? lui ai-je lancé, les mains sur les hanches.

– Arrête de jouer les saintes-nitouches, a-t-il répondu d'une voix traînante. Je vois bien que je te plais.

– Je pourrais appeler les organisateurs et te faire virer du stage.

– Mais tu ne le feras pas. Ne te fais pas passer pour plus coincée que tu ne l'es.

– Je suis ce que je suis et tu ne m'intéresses pas, c'est clair ? J'imagine que tu n'as pas l'habitude de te faire rembarrer, mais c'est ce qui est en train de se produire, mon grand.

– Je suis un enfant gâté, c'est vrai, a-t-il rétorqué en se passant une main dans les cheveux avec un sourire enjôleur. Et toi ? Est-ce que tu es une fille capricieuse ?

Il était horripilant, mais force m'était d'admettre qu'il avait un charme fou. J'ai croisé les bras sur ma poitrine.

– Un sale gosse mal élevé, voilà ce que tu es.

– T'énerve pas. Je ne vais pas te sauter dessus. Je voulais juste discuter avec toi, au calme. Je vois bien que tu n'es pas à l'aise quand il y a trop de monde autour de toi.

– Ah ouais ? Je n'ai jamais vu personne plus soucieuse de son image que toi, jeune homme.

– Ah, enfin je te vois sous ton vrai jour. Une anti-snob. Mais n'oublie pas que tu as fait une école d'art, toi aussi, et pas la plus mauvaise.

Avec son sourire de séducteur, il m'a tendu son carnet.

– Regarde, j'ai essayé de faire mon autoportrait dans ton miroir. Il ne manque que quelques petites retouches. J'ai l'air d'un frimeur ?

Malgré moi, j'ai jeté un coup d'œil à son dessin : un visage mélancolique, serein, pensif, que je n'aurais pas associé à ce que Frank m'avait montré de lui jusque-là.

– Pas terribles, les ombres, ai-je dit. Et la bouche est trop grande.

– J'aime bien les grandes bouches.

– Casse-toi de mon lit, s'il te plaît.

– Viens donc d'abord m'embrasser.

J'aurais dû le gifler, mais je me suis mise à rire.

– Je pourrais être ta mère.

– Ça m'étonnerait.

Il s'est levé – il était exactement de ma taille – et a placé ses mains de part et d'autre de moi contre le mur, un geste probablement inspiré des pires navets hollywoodiens.

– Tu es jeune et belle. Tu ferais mieux de t'éclater au lieu de te prendre la tête. Eh, on est en colonie de vacances, ici.

– Si tu continues comme ça, je te promets que je vais te faire renvoyer de la colo, bébé.

– Voyons voir... Tu as quoi ? Huit ans de plus que moi ? Cinq ? Madame la maman. (Il a posé une main sur ma joue.) Tu aimes vraiment dormir toute seule ou tu fais semblant de te suffire à toi-même ?

– Les mecs ne sont pas autorisés dans le dortoir des filles, ai-je répliqué en enlevant sa main, dont le contact m'était pourtant plus agréable que je ne voulais me l'avouer.

Il a aussitôt recommencé à me caresser la tempe, puis le menton.

– En théorie.

Il s'est penché vers moi, lentement, comme s'il voulait m'hypnotiser. Il avait une haleine fraîche. Il est resté dans cette position jusqu'à ce que ce soit moi qui l'embrasse, humiliation suprême. J'aurais pu finir la nuit contre son torse duveteux, s'il n'avait soulevé une mèche de mes cheveux.

– Ils sont beaux... a-t-il murmuré.

Je me suis dégagée de sous son bras bronzé.

– Toi aussi, petit garçon, mais il ne se passera rien entre nous.

– Tu as raison, c'est mieux comme ça, a-t-il acquiescé avec un rire bon enfant. Au cas où tu changerais d'avis, fais-moi signe. Et ne reste pas toute seule comme ça. Ce n'est pas bon pour le moral.

– Dégage, maintenant, s'il te plaît.

Il a ramassé son carnet et il est parti aussi placidement que Robert Oliver avait quitté l'atelier la nuit précédente, en prenant même la peine de refermer la porte derrière lui, pour me montrer qu'il n'était pas si mal élevé que ça. Une fois sûre qu'il était loin, je me suis jetée sur mon lit et me suis essuyé la bouche en retenant des larmes de rage.

67

1879

Il fait nuit lorsque le train arrive sur la côte. Ils ont bavardé toute la journée, ils sont à présent silencieux. Elle est fatiguée. Sa voilette tachée de suie lui donne l'impression d'avoir des troubles de la vision. À Fécamp, ils se préparent à descendre. Un fiacre les conduira jusqu'à Étretat. Olivier se hisse sur la pointe des pieds pour attraper leurs petits sacs sur le porte-bagages au-dessus de la banquette. Les malles suivront. Elle remarque qu'il a le dos raide. Son corps est indubitablement vieux sous son costume de voyage parfaitement taillé. Ce n'est pas convenable de sa part de lui toucher le coude lorsqu'il lui parle. Non seulement il n'est pas son mari, mais ce n'est plus de son âge. Il se rassoit et lui prend la main. Tous deux portent des gants.

– Je te tiens la main, lui dit-il, parce que je peux le faire, et parce que c'est la plus belle du monde.

Elle ne trouve rien à répondre. Le train ralentit, il va bientôt entrer en gare. Elle retire sa main de la sienne, ôte son gant, et la lui rend. Il la soulève et l'examine. Dans la faible lumière du compartiment, elle essaie de l'observer elle-même objectivement. Ses doigts sont trop longs, sa paume trop large pour son petit poignet, elle a de la peinture bleue au bout de l'index et du majeur. Il penche la tête. Elle croit qu'il va l'embrasser. Non, il semble réfléchir. Le train s'immobilise. Il se lève, empoigne les sacs et lui cède poliment le passage dans le couloir.

Le conducteur l'aide à descendre sur le quai. Une odeur de charbon et d'herbe mouillée lui assaille les narines. La monstrueuse locomotive gronde encore et crache des nuages de fumée blanche dans le ciel noir. Le fiacre les attend. Ils s'y installent. Les chevaux se mettent en marche. Pour la centième fois, elle se demande pourquoi elle a consenti à ce voyage. Parce que Yves a insisté ? De crainte de blesser Olivier en refusant de partir avec lui ? Ou par curiosité, par faiblesse ?

Étretat, lorsqu'ils arrivent, n'est qu'un brouillard de becs de gaz et de rues pavées. Olivier descend de voiture et lui offre sa main. Elle rassemble sa cape autour d'elle et s'étire discrètement. Elle a les membres ankylosés, elle aussi, après ce long voyage. Le vent a le parfum de la mer. La Manche est là, tout près, dans le noir. On entend le ressac. Étretat a un air désolé, hors saison. Elle connaît cette mélodie, elle connaît la station balnéaire pour y être maintes fois venue. Ce soir, elle la voit toutefois d'un œil nouveau. Elle a l'impression d'être au bout du monde. Olivier donne des ordres quant à leurs bagages. Elle observe son profil, et le trouve distant, triste. A-t-il séjourné sur cette côte avec son épouse, il y a longtemps ? Peut-elle se permettre de lui poser la question ? Sous la lueur des réverbères, ses traits lui paraissent plus marqués que d'ordinaire, ses lèvres élégantes, sensibles, flétries. Au premier étage d'une grande maison surmontée d'une cheminée, quelqu'un a allumé des bougies ; elle distingue une forme se déplaçant derrière les fenêtres, peut-être une femme préparant les chambres avant l'heure du coucher. Elle se demande à quoi ressemble la vie dans cette demeure au bord de la mer. Elle songe à la sienne, à Paris. Le destin lui a joué un drôle de tour...

Une image choquante se forme dans son esprit et lui oppresse la cage thoracique : elle se voit nue entre les bras d'Olivier. Aura-t-elle la force de dire « non » ? Non, ce mot n'existe pas entre eux. Du reste, Olivier est sur la fin de sa vie, il n'a pas le temps d'attendre des réponses, et son désir éveille en elle un certain émoi. Elle est prête à affronter l'inéluctable.

– Tu dois être fatiguée, ma chère. Veux-tu que nous allions directement à l'hôtel ? Je suis sûr qu'ils nous donneront un petit souper.

– Aurons-nous de belles chambres ?

La question a une tonalité bizarre. Ce n'est pas tout à fait ce qu'elle voulait dire. Il la regarde, surpris, amusé.

– Très jolies, oui. Je crois que tu auras également un petit salon.

Elle se sent honteuse. Bien sûr, c'est Yves qui les a envoyés là tous les deux. Olivier a la grâce de ne pas sourire.

– J'espère que tu dormiras bien. Nous nous retrouverons demain en fin de matinée pour peindre, si tu le souhaites. Je pense que nous aurons beau temps.

Un homme s'avance dans la rue et transfère leurs bagages sur un chariot, leurs sacs et leurs boîtes, sa malle sanglée de cuir. Elle est ici seule avec l'oncle de son mari, au bord d'un autre monde, au bord d'une mer dissimulée dans les ténèbres. Elle ne connaît personne ici, à part lui. Elle a soudain envie de rire.

Elle pose sa sacoche contenant son précieux matériel de peinture et soulève sa voilette. Elle s'approche de lui et place les mains sur ses épaules. S'il est surpris par le visage qu'elle lève vers lui, il ne le montre pas. Elle se surprend elle-même en acceptant son baiser sans retenue. Ses lèvres sont chaudes, fortes de quarante ans d'expérience. Elle n'est que l'une des nombreuses amantes qu'il a eues dans sa vie, mais en ce moment elle est l'unique, et elle sera la dernière. L'inoubliable, celle dont il emportera le souvenir dans sa dernière demeure.

68

Mary

Le troisième jour me réservait une surprise. Je serais bien incapable de vous raconter les cinq cents journées que j'ai passées avec Robert Oliver, mais comment oublier les premiers jours d'une histoire d'amour ? J'en ai gardé un souvenir très net, parce qu'ils représentent tous les autres, et parce qu'ils expliquent pourquoi ça ne pouvait pas marcher entre nous.

J'ai pris mon troisième petit déjeuner à la même table que deux des profs du stage, deux femmes qui ne semblaient même pas s'apercevoir de ma présence. Par chance, j'avais emporté un livre. L'une dirigeait l'atelier de sérigraphie, je lui donnais la soixantaine. L'autre avait une coupe en brosse blond platine, environ quarante-cinq ans, elle était peintre. Les stagiaires n'avaient pas un aussi bon niveau que l'année précédente, était-elle en train de minauder quand je me suis installée à la table. J'ai ouvert mon bouquin. Mes œufs n'étaient pas assez cuits à mon goût.

– Je ne sais pas comment ça se fait, a-t-elle ajouté en sirotant son café. J'espère que le grand Robert Oliver n'est pas déçu.

– Bah, il s'en remettra, a répondu sa copine. Il enseigne dans une petite université, en ce moment, non ?

– Tout à fait. À Greenhill, je crois, en Caroline du Nord. Pour leur rendre justice, ils ont un très bon département artistique, mais il serait plus à sa place dans une vraie école d'art.

– Ses stagiaires ont l'air de l'apprécier, a déclaré la sérigraphe.

Manifestement, elle ignorait que j'étais dans son groupe. J'ai baissé la tête. Non que les gens idiots me rendent timide ; ils me donnent seulement envie de fuir.

– Tu m'étonnes ! Ce n'est pas tous les jours qu'un peintre qui a fait la couverture d'*Artnews* se déplace pour animer un stage au milieu de nulle part. Et pour ne rien gâcher, il a le physique de Jupiter.

Poséidon, ai-je corrigé en mon for intérieur. *Ou Neptune. Mais vous ne pouvez pas savoir, mesdames.*

– Les petites minettes ne doivent pas le lâcher, a fait observer la sérigraphe.

– Ça, c'est sûr, a acquiescé sa copine, visiblement contente d'embrayer sur ce sujet. D'autant plus qu'il a un faible pour les jeunettes, paraît-il. Enfin, c'est une rumeur, je ne sais pas si c'est vrai. Personnellement, j'ai l'impression qu'il se fiche pas mal de ce qui se passe autour de lui. Le genre de mec qui ne s'intéresse qu'à lui... Du reste, je crois qu'il est père de famille. Cela ne l'empêche pas d'être un coureur de jupons, tu vas me dire. Franchement, plus je vieillis, moins je suis attirée par les hommes de mon âge.

Si elle préférait les jeunes, je pouvais lui présenter Frank, par exemple.

– À qui le dis-tu... a soupiré la sérigraphe. J'ai été mariée pendant vingt et un ans et je n'ai jamais compris mon ex-mari.

– On va se chercher un autre café à emporter ? a suggéré la blondasse.

Et elles sont parties sans me jeter un regard. La plus jeune était plutôt pas mal, ai-je pensé en les suivant des yeux. Elle était habillée tout en noir avec une ceinture rouge. À quarante-cinq ans, elle était plus mince que bien des filles de vingt ans. Peut-être allait-elle entreprendre Robert Oliver. Ils pourraient comparer leurs press-books. Sauf que Robert n'était sûrement pas intéressé par ce genre de compétition. Il l'écouterait distraitement en se grattant la tête et en pensant à autre chose. Je me faisais de lui l'image d'un homme incorruptible. L'attitude qu'il avait eue envers moi, l'avant-veille, dans l'atelier, prouvait que je ne le laissais pas indifférent, mais rien ne s'était passé entre nous. J'ai terminé mon thé et je suis allée chercher mes affaires dans ma chambre.

Nous avions rendez-vous près des minibus ; Robert nous a toutefois annoncé que nous allions partir à pied, ce matin. Nous nous sommes engagés sur le chemin à travers bois que j'avais pris le premier jour pour aller voir la mer, et nous nous sommes arrêtés sur la plage caillouteuse où j'avais assisté à son bain dans l'eau glaciale. Nous avions jusqu'à midi pour peindre une première toile, puis nous retournerions déjeuner au camp et nous reviendrions attaquer une deuxième toile l'après-midi, au même endroit. Si ça ne le gênait pas de nous faire la classe ici, c'est qu'il n'attachait pas la moindre importance au fait que je l'avais vu là tout nu. J'étais idiote de penser que je lui plaisais. Je l'ai regardé circuler entre les stagiaires et les conseiller dans le choix de l'emplacement de leur chevalet.

J'ai attaché mes cheveux et me suis installée face au plus long des promontoires qui se détachaient de l'océan. Tout compte fait, ce n'était pas plus mal que je ne lui plaise pas. Ma romantique solitude me convenait très bien. Je me suis sentie redevenir libre de mes mouvements. Je savais d'avance que j'allais réussir mon paysage et passer une bonne matinée. J'ai crayonné les formes avec aisance, tout en préparant mentalement ma palette : des gris, des bruns, du vert pour les pins qui de loin paraissaient noirs. J'ai travaillé un long moment sans m'interrompre ni me soucier de Robert. Quand j'ai enfin regardé autour de moi, à l'heure de la pause, il m'a souri de façon tout à fait anodine, me confortant ainsi dans mes conclusions. Je me suis jointe au petit groupe qui s'était formé autour de lui. Je m'apprêtais à lui dire quelque chose à propos du panorama et des défis auxquels je me trouvais confrontée, mais il s'est tourné vers quelqu'un d'autre avant que je n'ouvre la bouche.

Nous avons continué à peindre jusqu'à midi et avons recommencé à 13 heures. J'ai mis mon paysage du matin à sécher contre un arbre. Il y avait des mois que je n'avais pas été aussi satisfaite de mon travail. Je me suis promis de le peaufiner. Il faudrait toutefois que je retrouve la même luminosité ; le matin du départ, peut-être, pendant que tout le monde plierait bagage, c'est-à-dire le surlendemain. J'aurais aimé que Robert y jette un œil, mais il n'avait regardé les toiles de personne. Il a passé l'après-midi loin de nous, à la lisière de la forêt, et n'est revenu que lorsqu'il a commencé à faire trop sombre pour peindre. J'étais moins contente de mon deuxième paysage, mais en passant devant il a fait une appréciation plutôt positive. Il nous a dit quelques mots à chacun, puis il nous a demandé de tous nous réunir pour que nous fassions le bilan de la journée. Personnellement, j'étais ravie de la mienne.

69

À la veillée, je me suis assise avec deux gars qui faisaient le stage d'aquarelle. Ils avaient une discussion intéressante sur les mérites relatifs de l'huile et de l'aquarelle dans les paysages, si bien que je suis restée avec eux plus longtemps que je n'en avais eu l'intention. Finalement, je me suis excusée en époussetant les fesses de mon jean, il était l'heure pour moi d'aller au lit. Frank parlait avec une fille jeune et jolie, je ne risquais pas de le retrouver devant mon miroir. J'ai quand même fait un grand détour pour éviter de passer à côté de lui.

Un homme se tenait tout seul au bord de la forêt, un homme de stature imposante qui se frottait les yeux, le dos tourné à l'assemblée festive autour du feu. Il s'est gratté la tête, puis il s'est engagé sur le chemin menant à la mer, « notre » chemin. Je l'ai suivi, tout en sachant que ce n'était pas bien. J'y voyais juste assez clair pour distinguer sa silhouette devant moi et m'assurer qu'il n'avait pas conscience d'être suivi. Plusieurs fois, j'ai failli faire demi-tour. S'il désirait être seul, je ne devais pas m'immiscer dans son intimité. Sans doute voulait-il revoir les formes que nous avions peintes dans la journée, même si elles n'étaient qu'à demi visibles, à cette heure-ci.

Au bout du sentier, je me suis arrêtée, sous le couvert des arbres, et je l'ai regardé s'avancer sur la plage. On n'entendait que le bruit des vagues et les cailloux s'entrechoquant sous ses pas. La mer scintillait. Des étoiles brillaient dans le ciel encore bleu, saphir, plutôt que noir. La chemise claire de Robert se découpait au bord du rivage. Il s'est baissé pour ramasser quelque chose, une pierre qu'il a jetée dans l'eau d'un geste vif, furieux, désespéré. Je l'observais sans bouger, légèrement effrayée par ses émotions. Il s'est accroupi, la tête entre les mains, dans une position de gamin, étrange pour un homme aussi grand et massif.

Je me suis demandé s'il était fatigué, irrité (comme moi) par le manque de sommeil et la présence constante de tous ces gens autour de lui. Pleurait-il ? J'avais du mal à imaginer ce qui aurait pu faire pleurer un homme comme Robert Oliver. Il s'est assis par terre – le sol devait être froid et humide, inconfortable –, la tête toujours entre les mains. Les vagues se déroulaient paisiblement, blanches dans le noir. Ses épaules et son dos paraissaient illuminés. Je me suis laissé guider par mon cœur. Bien que je sois une fille plutôt raisonnable, je me fie toujours à mon instinct. Ne me demandez pas d'expliquer ce paradoxe, j'en suis incapable. Je me suis avancée sur la plage, manquant de peu trébucher sur les rochers.

Il n'a pas bougé jusqu'à ce que je sois très près de lui. Je ne distinguais pas son expression. Il s'est levé. Je ne sais pas s'il m'a reconnue tout de suite. J'avais honte de venir le déranger. Nous sommes restés un instant face à face. Son visage était grave, troublé.

– Qu'est-ce que vous faites là ? m'a-t-il lancé platement.

Mes lèvres ont remué, mais il n'en est sorti aucun son. Je me suis approchée de lui et je lui ai pris la main. Elle était très large, très chaude, elle s'est refermée automatiquement sur la mienne.

– Vous devriez retourner avec les autres, Mary, a-t-il dit avec un trémolo dans la voix (m'a-t-il semblé).

Ça m'a fait plaisir qu'il m'appelle par mon prénom.

– Je sais. Mais je vous ai vu, et je me suis inquiétée pour vous.

– Ne vous en faites pas pour moi.

Ses doigts ont exercé une pression sur les miens, comme si c'était moi qui avais besoin d'être réconfortée.

– Ça va ?

– Non, a-t-il murmuré, mais ça n'a pas d'importance.

– Bien sûr que si. Il n'y a rien de plus important que l'état dans lequel on se sent.

Idiote, me suis-je sermonnée intérieurement. J'avais toutefois des circonstances atténuantes : sa main autour de la mienne.

– Vous croyez que les artistes sont des gens qui se sentent bien ?

Il a esquissé un sourire, j'ai cru qu'il allait rire de moi.

– Pourquoi pas ?

Je ne faisais que m'enfoncer, mais je m'en fichais.

Il a lâché ma main et s'est tourné face à la mer.

– Vous arrive-t-il de penser que les gens qui ont vécu dans le passé sont toujours réels ?

La question était tellement incongrue qu'un frisson m'a parcouru. J'ai pensé à Isaac Newton, puis aux personnages historiques, ou pseudo-historiques, que peignait Robert Oliver.

– Bien sûr.

– Lorsque vous voyez un tableau réalisé par quelqu'un qui est mort depuis longtemps, a-t-il continué sans me regarder, comme s'il s'adressait à la mer, vous savez sans l'ombre d'un doute que ce peintre a vraiment vécu.

– Absolument.

Il m'a passé un bras autour des épaules et m'a caressé les cheveux. Ce type était encore plus bizarre que je ne le pensais, ai-je pensé. Il était dans son monde, complètement déconnecté de la réalité. Ma sœur, Martha, lui aurait collé une bise sur la joue et serait retournée au camp, comme toute personne dotée d'un minimum de bon sens. J'ai attrapé sa main et je l'ai portée à mes lèvres. Embrasser la main de quelqu'un est un geste plus masculin que féminin, ou un signe de respect réservé aux rois, aux archevêques ou aux mourants. Robert m'inspirait un immense respect, il m'impressionnait et me faisait un peu peur. Il m'a attirée contre lui, il m'a caressé le visage et il m'a embrassée. Jamais on ne m'avait embrassée avec une telle passion. Il se donnait entièrement à ce baiser, il s'y abîmait, s'y oubliait. Peut-être même m'avait-il aussi oubliée. Sa main est descendue dans mon dos et il m'a serrée contre lui. Je sentais la chaleur de son torse à travers sa chemise, dont les petits boutons s'enfonçaient dans ma peau. Puis il m'a relâchée.

– Ce n'est pas dans mes habitudes, a-t-il dit.

Il avait l'air comme saoul. Son haleine ne sentait pas l'alcool, pourtant.

Il a placé ses mains de part et d'autre de mon visage et m'a de nouveau embrassée, rapidement, en ayant conscience de qui il embrassait, cette fois.

– Va-t-en, s'il te plaît.

– D'accord.

Moi que Muzzy trouvait rebelle, moi que mes professeurs de lycée trouvaient têtue, j'ai docilement tourné les talons et me suis éloignée en trébuchant sur les galets.

70

1879

Sa chambre donne sur la mer. Celle d'Olivier se trouve de l'autre côté du couloir, il doit avoir vue sur les toits de la ville. Le mobilier est simple, ancien. Un coquillage verni est posé sur la table de toilette. Des rideaux de dentelle voilent la nuit. L'aubergiste est montée lui allumer les lampes ainsi qu'une bougie. Elle lui a également laissé un plateau recouvert d'un linge : un ragoût de volaille, une salade de poireaux et une part de tarte aux pommes, froide. Après s'être lavé les mains et le visage dans la cuvette, elle mange de bon appétit. La cheminée est vide, peut-être abandonnée pour la saison, ou par souci d'économie. Elle pourrait demander qu'on y fasse du feu, mais Olivier risquerait de s'en mêler. Elle préfère se souvenir de leur baiser ; elle n'a pas envie de le voir, pour l'instant, avec son visage las.

Elle ôte sa robe et ses bottines de voyage. Elle ne regrette pas de ne pas avoir amené sa bonne. Pour une fois, elle fera tout par elle-même. Devant l'âtre froid, elle enlève son cache-corset, délace son corset et le pose sur une chaise. Sa chemise et son jupon prennent le même chemin. Elle enfile sa chemise de nuit, empreinte du parfum familier et réconfortant de la maison, en boutonne les premiers boutons, puis les déboutonne et retire ses bras des manches. Elle étale sa chemise de nuit sur le lit et s'assied devant la coiffeuse, vêtue seulement de son pantalon. La pièce est froide, sa peau se hérisse de chair de poule. Il y a au moins un an qu'elle n'a pas observé son buste nu. Sa peau est plus jeune que l'image qu'elle en a ; elle n'a que vingt-sept ans. Quand Yves lui a-t-il embrassé les seins pour la dernière fois ? Elle ne s'en souvient pas. Quatre mois ? Six mois ? Depuis le début du printemps, elle a oublié de le cajoler, même à la période du mois la plus propice. Elle a la tête ailleurs. Du reste, il est souvent en voyage d'affaires, ou fatigué, ou peut-être a-t-il tout ce qu'il veut ailleurs.

Elle pose les mains sur sa poitrine et contemple les reflets de ses bagues à la lueur de la chandelle. Elle en sait davantage sur Olivier, à présent, que sur l'homme qui partage sa vie. Olivier lui a confié ses secrets, tandis qu'Yves demeure un mystère, tantôt absent, tantôt présent, approbateur et admiratif. Elle presse ses seins l'un contre l'autre. Dans le miroir, elle détaille son long cou, ses joues pâles, ses yeux trop sombres, son menton trop carré, ses boucles trop lourdes. Elle n'est pas belle, pense-t-elle en retirant ses épingles à cheveux. Elle défait son chignon et ramène ses cheveux devant ses épaules. Elle se voit comme Olivier pourrait la voir et se plaît tout à coup davantage : autoportrait, nu, un sujet qu'elle ne peindra jamais.

71

Mary

Robert et moi ne nous sommes pas regardés, le lendemain. En tout cas, pour ma part, j'ai consciencieusement veillé à ne rien regarder d'autre que ma main et mon pinceau. S'il m'a regardée ou non, je n'en sais rien. J'aime toujours les paysages que j'ai dessinés pendant ce stage ; ils expriment une tension. Même moi, quand je les revois aujourd'hui, je sens qu'ils recèlent cette petite part de mystère qui fait l'intérêt d'un tableau. Ce dernier jour, j'ai donc ignoré Robert, Frank, les gens assis à ma table, le ciel et les étoiles et le feu de camp, et même mon corps enroulé dans les draps blancs de l'écurie. J'étais mentalement épuisée, j'ai dormi comme une masse. Je ne savais même pas si je reverrais Robert avant de partir et je ne voulais pas savoir si je désirais le revoir ou non. Ce qu'il adviendrait ensuite ne dépendrait que de lui.

Le matin du départ, le camp était en pleine effervescence. Nous devions quitter les lieux à 10 heures au plus tard. Un congrès de psychologues jungiens démarrait le lendemain, le personnel devait tout remettre en ordre pour les accueillir. J'ai méthodiquement emballé mes affaires. Au petit déjeuner, Frank m'a joyeusement tapé sur l'épaule ; clairement, il avait réussi à en lever une autre. Je lui ai solennellement serré la main. Les deux femmes sympas de mon groupe m'ont donné leur adresse mail.

Robert n'était nulle part en vue. J'en avais le cœur gros, mais en même temps j'étais soulagée. Peut-être était-il parti de très bonne heure ; la route était longue, jusqu'en Caroline du Nord. Une caravane de véhicules d'artistes s'est ébranlée sur le chemin carrossable : des voitures pour la plupart couvertes d'autocollants, deux énormes vieilles berlines pleines à craquer de matériel, un camping-car peinturluré d'un ciel étoilé à la Van Gogh. Des mains s'agitaient derrière les vitres, les gens se lançaient des derniers au-revoir. J'ai chargé mon pick-up et, en attendant que le gros des troupes se disperse, je suis allée me promener dans les bois, dans une direction que je n'avais encore jamais prise. Il y avait des sentiers bien tracés tout autour de la propriété. La lumière du soleil filtrait au travers des branches de sapin tapissées de lichen. J'ai fait une belle balade d'une quarantaine de minutes.

Lorsque je suis revenue au camp, il ne restait plus que trois ou quatre voitures. Robert était en train de charger une petite Honda bleue. Apparemment, il n'avait pas de sacs ni de caisses ; il entassait ses affaires dans le coffre : des vêtements, des livres, un tabouret pliant. Son chevalet et ses toiles étaient déjà rangés au fond. Il se servait du reste pour les protéger. Je ne voulais pas qu'il me voie, mais il s'est retourné juste au moment où je passais derrière lui, à une certaine distance.

– Mary ! m'a-t-il interpellée. Tu pars ?

– Comme tout le monde, ai-je répondu en m'approchant.

– Pas moi.

Il avait les cheveux mouillés. Il paraissait reposé et de bonne humeur.

– Je viens juste de me réveiller, a-t-il ajouté avec un grand sourire. Je vais aller peindre.

– Où ?

J'étais un peu jalouse et irritée d'être exclue de sa joie secrète. Mais à quoi m'attendais-je ?

– Il y a un superbe parc national, à environ quarante-cinq minutes d'ici, au sud, sur la côte. Près de Penobscot Bay. Je m'y suis arrêté un moment à l'aller.

– Vous ne retournez pas en Caroline du Nord ?

Il a roulé une polaire grise en boule et l'a coincée sous l'un des pieds de son chevalet.

– Si. Mais j'ai trois jours pour faire le voyage et deux me suffiront, si je roule bien.

Je me dandinais nerveusement d'un pied sur l'autre.

– Bon, eh bien... Bonne journée. Et bon retour.

– Tu ne veux pas venir avec moi ?

– En Caroline du Nord ? ai-je demandé bêtement.

Furtivement, je me suis vue arriver chez lui avec lui et faire connaissance avec sa femme aux cheveux noirs – ah non, ça c'était sa muse – et ses enfants. Je l'avais entendu dire à quelqu'un du groupe qu'il en avait deux, maintenant.

– Non, peindre, a-t-il répondu en riant. Tu es pressée ?

Je ne l'étais pas le moins du monde. Il me souriait chaleureusement, avec un naturel désarmant, dénué de tout sous-entendu.

– Non, ai-je articulé lentement. J'ai encore deux jours de vacances devant moi, moi aussi. Et il ne m'en faut qu'un pour rentrer, si je roule bien.

Je me suis sentie rougir jusqu'aux oreilles ; il allait croire que je voulais passer la nuit avec lui. Heureusement, il n'a pas semblé s'en apercevoir.

Voilà comment nous avons passé la journée ensemble à peindre sur une plage au sud de... Peu importe, c'est mon secret. Le littoral du Maine est pittoresque sur quasiment toute sa longueur, de toute façon. Robert avait repéré une crique splendide : une plage de cailloux jonchée de bois flotté, cernée d'escarpements tapissés de myrtilles et de fleurs sauvages. Des petites îles se découpaient dans la mer. Il faisait un temps magnifique, une petite brise soufflait de l'océan. Nous avons calé nos chevalets entre les galets gris, verts, bleu ardoise, à deux mètres d'écart l'un de l'autre, et nous avons peint la mer et les courbes du rivage. Robert trouvait que le paysage ressemblait au sud de la Norvège, où il était allé après son premier cycle d'études supérieures. J'ai rangé cette info parmi le peu de choses que je savais de lui.

Absorbés chacun dans notre travail, nous n'avons pas beaucoup parlé. Malgré ma difficulté à me concentrer, je peignais bien. Je me suis accordé trente minutes pour une première petite peinture, à titre d'expérience. J'essayais de manier le pinceau aussi rapidement et légèrement que possible : la mer bleu foncé, le ciel presque incolore, l'écume des vagues ivoire, une teinte riche et organique. Robert a jeté un coup d'œil à ma toile lorsque je l'ai mise à sécher contre un gros rocher rond. Il n'a rien dit, mais je n'en ai pas tiré de conclusions. Il n'était plus mon prof.

Pour ma deuxième toile, j'ai ralenti le rythme. Lorsque nous nous sommes arrêtés pour déjeuner, je n'avais terminé qu'une partie de l'arrière-plan. Les cuisiniers m'avaient gracieusement offert des sandwichs aux œufs et des fruits. Robert n'avait rien prévu. Sans doute n'aurait-il rien mangé si je n'avais pas partagé mon casse-croûte avec lui. Notre pique-nique terminé, je me suis mis de la crème solaire sur le visage et les bras. La brise était fraîche, mais je sentais que j'avais déjà attrapé des coups de soleil. J'ai tendu le tube à Robert. Il l'a refusé en riant.

– Je n'ai pas la peau aussi blanche que toi, a-t-il dit.

Du bout des doigts, il a touché mes cheveux, puis effleuré ma joue. Je lui ai souri et nous nous sommes remis au travail.

En fin d'après-midi, quand l'ombre est tombée sur les îles, j'ai commencé à me demander où nous allions passer la nuit, tout du moins moi. Si je prenais la route vers 18 ou 19 heures, je pouvais aller jusqu'à Portland et y trouver un motel pas trop cher. Je ne voulais pas savoir ce que Robert comptait faire. J'étais déjà heureuse d'avoir passé la journée à peindre à son côté. D'ailleurs, je soupçonnais qu'il ne savait pas lui-même où il allait dormir.

Je me suis tournée vers lui. Il paraissait fatigué. Ses gestes étaient beaucoup moins vifs.

– Tu as fini ? m'a-t-il demandé.

– Je ne vais pas tarder à m'arrêter. Je continue encore un petit quart d'heure, tant que les ombres et les couleurs sont encore fraîches dans ma mémoire, mais je n'ai plus assez de lumière.

Quelques minutes plus tard, il a nettoyé ses pinceaux.

– On va manger ? a-t-il proposé.

– Quoi ? Des baies d'églantier ?

J'ai indiqué le buisson qui se trouvait juste derrière nous. Les baies étaient superbes, je n'en avais jamais vu d'aussi grosses, des rubis dans un écrin de verdure entouré de ciel bleu. Pendant quelques secondes, nous avons admiré ensemble cet accord parfait de couleurs : rouge, vert, bleu, d'une clarté surréaliste.

– Ou des algues, a-t-il enfin répliqué. Ne t'en fais pas, on trouvera bien quelque chose.

72

1879

Étretat, un après-midi : la plage est baignée de lumière, mais sa peinture est ratée, bien qu'elle s'y soit reprise à deux fois. Afin de rendre la scène plus vivante (des bateaux de pêcheurs retournés sur la grève), elle y a intégré deux dames et un monsieur se promenant au pied des falaises, des citadines abritées sous des ombrelles de couleur claire. Un autre peintre est présent aujourd'hui, un homme corpulent à la barbe brune ; son chevalet a quasiment les pieds dans l'eau. Elle regrette de ne pas l'avoir choisi comme sujet. Elle échange un coup d'œil avec Olivier lorsque celui-ci passe près d'eux, silencieuse compagnie pour leur silence.

Elle a des difficultés avec le ciel. Elle y ajoute du blanc, un subtil mélange de beige. Olivier se penche vers elle et lui demande pourquoi elle secoue la tête. La lumière naturelle projette des taches ocre sur ses cheveux, sa moustache et sa chemise blanches. Instinctivement, sans réfléchir, elle lui pose une main sur la joue. Il lui prend les doigts et les embrasse. Une douce chaleur se répand en elle. Sous les fenêtres de la ville, à la vue de cet étranger peignant les falaises et des promeneuses sous leurs ombrelles, ils s'embrassent longuement, leur troisième baiser. La bouche d'Olivier est plus insistante, cette fois ; elle tente d'écarter la sienne, comme Yves n'ose parfois le faire que dans la pénombre de leur chambre. Sa langue est ferme, son haleine fraîche. Les bras noués autour de son cou, elle comprend qu'intérieurement il bouillonne de vigueur. Sa bouche est le passage vers sa jeunesse, un tunnel débouchant sur un gouffre de vitalité. Abruptement, il interrompt cette étreinte.

– Excuse-moi... murmure-t-il.

Il pose son pinceau et s'écarte de quelques pas, faisant rouler les pierres sous ses semelles. Il se campe face à la mer. Elle le rejoint et glisse sa main dans la sienne. Sa main est plus vieille que sa bouche.

– Ne t'excuse pas, c'est de ma faute.

– Je t'aime.

Une explication. Il garde les yeux rivés sur l'horizon, le visage sombre.

– Et alors ? Qu'y a-t-il là de si désespérant ?

Il se tourne vers elle et lui saisit l'autre main.

– Surveille tes paroles, très chère. L'espoir d'un vieil homme est plus fragile que tu ne l'imagines.

Il a retrouvé sa contenance. Elle résiste à l'envie de taper du pied sur les galets, un geste puéril.

– Crois-tu que je ne sois pas capable de le comprendre ? rétorque-t-elle.

Il serre ses mains et la regarde droit dans les yeux. N'importe qui pourrait les voir, mais elle n'en a que faire.

– Je ne sais pas...

Il esquisse un sourire, affectueux, grave, révélant des dents jaunies mais régulières. Lorsqu'il sourit, elle sait comment se sont formées ses rides ; un mystère éclairci à chaque fois. Elle sait en outre qu'elle l'aime, pas seulement pour ce qu'il est, mais pour ce qu'il a été longtemps avant qu'elle ne vienne au monde, et aussi parce qu'il mourra un jour avec son prénom sur les lèvres. Elle lui enlace la taille, glisse la main sous ses vêtements et se blottit contre lui, la tête sur l'épaule de sa vieille veste. Il referme ses bras autour d'elle, l'enveloppe de sa chaleur. Il n'a devant lui que quelques années, elle a encore toute la vie devant elle. Plus tard, il lui semblera que ce moment-là a scellé leur avenir à tous deux.

73

Mary

Nous nous sommes arrêtés quelques kilomètres plus au sud, dans un restaurant soi-disant italien avec des nappes et des rideaux à carreaux rouges et blancs, des bouteilles entourées d'un panier d'osier, une rose dans un soliflore au centre de notre table. Un lundi soir, la salle était quasiment déserte, à l'exception d'un autre… couple, ai-je failli écrire, et d'un homme dînant seul. Robert a réclamé une bougie.

– Comment appellerais-tu cette couleur ? m'a-t-il demandé une fois que le très jeune serveur l'eut allumée.

– La couleur de la flamme ?

Déjà, je ne comprenais pas toujours ce que Robert voulait dire. J'avais du mal à suivre le fil de ses pensées. En général, toutefois, j'aimais où il menait.

– Non, celle de la rose.

– Elle serait rose, s'il n'y avait pas autant de rouge et de blanc tout autour, ai-je hasardé.

– Correct.

Il m'a dit quelle teinte il utiliserait pour la peindre, quelle quantité de blanc il y ajouterait. Nous avons tous les deux commandé des lasagnes. Il a dévoré les siennes avec appétit. J'avais faim, mais je ne voulais pas paraître mal élevée. Je mangeai lentement.

– Parle-moi de toi.

– Tu en sais plus de moi que je n'en sais de toi, ai-je répliqué. Je n'ai pas grand-chose à raconter, tu sais. J'ai une douzaine d'élèves qui veulent apprendre à dessiner, de tous les âges, répartis dans deux structures différentes. Je fais ce que je peux pour les faire progresser.

Après le boulot, je rentre chez moi et je peins. Je n'ai pas de... famille, et ça ne me manque pas particulièrement. Voilà. Je n'ai pas une vie palpitante.

Il a bu une gorgée de vin rouge. C'était lui qui l'avait commandé. J'avais à peine touché à mon verre.

– Tu la voues à la peinture. C'est déjà énorme.

– À ton tour, maintenant, de me parler de toi, ai-je dit en me forçant à terminer mes lasagnes.

Il a posé sa fourchette et s'est renversé contre le dossier de sa chaise, détendu, en enroulant une manche de sa chemise qui s'était déroulée. Sa peau avait l'aspect d'un cuir de qualité porté. Sous l'éclairage du restaurant, ses yeux et ses cheveux paraissaient de la même couleur et brillaient d'un éclat sauvage.

– J'ai moi aussi une vie très ennuyeuse, mais sûrement moins organisée que la tienne. J'habite dans une petite ville, dont je m'échappe à l'occasion, mais que j'aime bien. Je donne des cours à des étudiants de premier cycle. La plupart n'ont pas beaucoup de talent, mais ils sont sympathiques, ils ont l'air de m'apprécier. J'expose de temps en temps, un peu partout. Je suis content de ne plus être un artiste new-yorkais, bien que New York me manque.

Je me suis abstenue de lui faire remarquer qu'exposer « un peu partout » témoignait d'une carrière extraordinaire.

– Tu as vécu à New York ? Quand ?

– J'y ai fait mes études d'art et j'y suis resté encore quelque temps après, huit ans au total.

Évidemment, il était diplômé de l'une de ces écoles new-yorkaises qui avaient refusé ma candidature.

– Je faisais du bon boulot, là-bas, a-t-il poursuivi, mais ma femme ne s'y plaisait pas. Alors on a déménagé. Je ne le regrette pas. Elle se trouve bien à Greenhill, les enfants aussi.

Il s'exprimait sur un ton très doux. J'aurais aimé que quelqu'un, quelque part dans un restaurant, parle ainsi de moi et des enfants dont je ne voulais pas.

– Où trouves-tu le temps de peindre ? ai-je demandé, préférant changer de sujet.

– Je ne dors pas beaucoup. Je n'ai pas besoin de beaucoup de sommeil.

– Comme Picasso, ai-je dit, en souriant pour montrer que je ne disais pas ça sérieusement.

– Exactement, comme Picasso, a-t-il acquiescé en souriant lui aussi. J'ai un atelier, chez moi. Quand j'ai envie de peindre, à n'importe quelle heure, je n'ai que quelques marches à monter. C'est plus pratique que si je devais retourner à la fac et me heurter à tout un tas de portes fermées.

Je l'ai imaginé fouillant dans ses poches à la recherche d'une clé. Il a terminé son verre et s'est reversé un peu de vin. Il buvait avec modération. Il devait avoir l'intention de reprendre le volant. De toute façon, il n'y avait pas de motel à proximité de notre havre italien.

– Au début, on avait un logement de fonction sur le campus, a-t-il repris, mais ça fait déjà quelque temps qu'on est partis s'installer en ville. On a beaucoup plus de place. L'inconvénient, c'est que je suis à vingt minutes en voiture de la fac, alors qu'avant j'y étais en quatre minutes à pied.

– Dommage.

J'ai fini mes lasagnes, afin de ne pas avoir faim plus tard dans la soirée. Je risquais d'avoir déjà suffisamment de regrets. Je n'avais pas encore terminé ma biographie d'Isaac Newton, qui se révélait beaucoup plus intéressante que ce à quoi je m'attendais. La raison contre les croyances.

Robert a pris un dessert et nous avons parlé de nos peintres favoris. Je lui ai confessé mon amour pour Matisse, et tenté d'imaginer à voix haute comment il nous aurait peints dans ce petit restaurant. Robert a ri. Il ne m'a pas avoué de prédilection pour les traditionalistes ni les impressionnistes. Peut-être était-ce une évidence, ou peut-être n'éprouvait-il plus le besoin de se justifier. Il avait le vent en poupe ; son succès dépassait celui de ses profs et de ses camarades de classe qui ne juraient que par l'art conceptuel et se moquaient de lui. Il ne le disait pas, mais je le devinais. Nous avons aussi parlé littérature. Il aimait la poésie, il m'a cité Yeats et Auden, que j'avais survolés au lycée, et Czesław Miłosz, dont j'avais lu l'œuvre complète après avoir vu un recueil de ses poèmes sur le bureau de Robert, à Barnett. Il n'aimait pas trop les romans. Je l'ai menacé de lui envoyer un colis piégé, un gros pavé victorien du genre *La Pierre de lune* ou *Middlemarch*. Il m'a juré en riant qu'il ne le lirait pas.

– Tu devrais pourtant aimer la littérature du XIXe, ai-je ajouté. Ou tout du moins les auteurs français, puisque tu aimes l'impressionnisme.

– Je n'ai pas dit que j'aimais l'impressionnisme, a-t-il objecté. J'ai dit que je faisais ce que je faisais pour des raisons qui me sont propres. Il se trouve que certains de mes tableaux s'apparentent au style impressionniste.

Il n'avait pas dit ça non plus, mais je ne l'ai pas fait remarquer. Il m'a également raconté qu'il avait failli être victime d'une catastrophe aérienne.

– Quand j'ai eu ce poste en résidence à Barnett, j'ai pris l'avion jusqu'à New York. Il y a eu une avarie dans l'un des moteurs. Le pilote a annoncé qu'il risquait d'être obligé d'atterrir d'urgence, bien que nous soyons presque à LaGuardia. Ma voisine a paniqué. Une femme quelconque, d'une cinquantaine d'années. Juste avant, elle était en train de me parler du boulot de son mari, ou d'un truc comme ça. L'avion s'est enfoncé dans un trou d'air, le signal des ceintures de sécurité s'est allumé. Elle s'est accrochée à mon cou.

Robert a enroulé sa serviette de table en un rouleau serré.

– J'avais peur, moi aussi, a-t-il continué, je n'avais aucune envie de mourir. Elle m'angoissait encore plus, à s'agripper à moi. Je l'ai repoussée. Je pensais être quelqu'un de naturellement courageux, du genre à aider les gens à sortir des flammes s'il m'arrivait un jour un truc pareil.

Il a baissé les épaules, redressé la tête.

– Pourquoi je te raconte ça, au fait ? Enfin bref, quelques minutes plus tard, l'avion s'est posé sans dommages. Elle tournait le dos, elle pleurait. Elle n'a même pas voulu que je l'aide à descendre son sac du compartiment à bagages, elle ne voulait pas me regarder.

Je ne savais pas quoi dire. Il avait une expression grave et sombre. J'ai repensé à la discussion que nous avions eue à Barnett à propos de la femme dont il ne pouvait oublier le visage.

– Je n'ai jamais pu raconter cet incident à ma femme. Elle me reproche déjà suffisamment de ne pas être assez attentif aux autres.

Il a souri.

– Regarde quelle confession ridicule tu m'as arrachée, a-t-il conclu.

J'étais contente.

Robert a étiré ses grands bras et insisté pour régler l'addition, puis il m'a laissée insister pour qu'on la partage et nous nous sommes levés. Il est allé aux toilettes. J'y étais déjà allée deux fois, surtout pour être seule quelques minutes et me regarder dans le miroir. La salle paraissait encore plus vide, sans lui. Sur le parking, où l'odeur de la mer se mêlait à celle du poisson frit, nous nous sommes arrêtés devant ma voiture.

– Bon, eh bien, je vais y aller, a-t-il dit. J'aime bien conduire la nuit.

Il semblait ne pas vouloir partir. Du coup, j'en avais le cœur un peu moins gros.

– Tu as un long voyage devant toi, j'imagine. Je vais y aller, moi aussi.

En vérité, j'avais l'intention de m'arrêter dans le premier motel décent et abordable que je trouverais. Il était trop tard pour aller jusqu'à Portland, ou j'étais trop fatiguée, ou trop triste.

– C'était chouette.

Le mot sonnait bizarrement, dans la bouche d'un homme. Il m'a tenue contre lui et m'a embrassée sur la joue. Je me suis laissé faire, sans un mouvement. Je voulais mémoriser cet instant.

– Ouais.

Il m'a lâchée, j'ai déverrouillé les portières de mon camion.

– Attends. Tiens, mon adresse et mon numéro de téléphone. Appelle-moi si tu descends dans le Sud.

Je n'avais pas de cartes de visite, mais j'ai trouvé un bout de papier dans la boîte à gants et je lui ai noté mon adresse mail et mon numéro de téléphone. Il y a jeté un coup d'œil.

– Je n'aime pas trop le courrier électronique, a-t-il déclaré. Je ne l'utilise que rarement, pour affaires, quand on ne me laisse pas le choix. Tu ne veux pas plutôt me donner ton adresse postale ? Je t'enverrai un dessin, un de ces jours.

Je lui ai noté mon adresse postale. Il m'a caressé les cheveux, comme si c'était la dernière fois.

– Tu comprends, je pense.

– Oh, oui, ai-je répondu en lui embrassant rapidement la joue.

Sa peau avait un goût piquant, le goût de l'huile d'olive extra vierge pressée à froid. J'en ai gardé le souvenir sur mes lèvres pendant des heures. Je suis montée dans mon pick-up et j'ai pris la route.

Son premier dessin est arrivé dans ma boîte aux lettres dix jours plus tard, un drôle de croquis ébauché à la hâte, sur une feuille de papier pliée en quatre, une sorte de satyre sortant de l'eau et une jeune fille assise sur un rocher. Il y avait joint un petit mot : il repensait souvent aux conversations intéressantes que nous avions eues ; il travaillait à une nouvelle toile d'après celle qu'il avait peinte sur la plage. Immédiatement, je me suis demandé s'il y avait inclus la femme et l'enfant. Il m'indiquait une boîte postale, à laquelle je pouvais lui envoyer un dessin meilleur que le sien, pour le remettre à sa place.

74

Notre relation épistolaire a duré longtemps et reste l'une des meilleures choses que j'aie jamais vécues. C'est drôle, à l'ère du courrier électronique et des messageries vocales et de tous ces trucs avec lesquels je n'ai pas grandi, une bonne vieille lettre sur papier revêt un caractère incroyablement intime. Lorsque je rentrai chez moi en fin de journée, j'avais une enveloppe de Robert avec une lettre ou un croquis, parfois les deux. Pas tous les jours évidemment, mais plusieurs fois par semaine. J'affichais ses dessins au-dessus de mon bureau. Je les voyais de mon lit, le soir quand je bouquinais et le matin en me réveillant. L'exposition s'étoffait peu à peu.

Curieusement, à partir du moment où il y a eu deux ou trois dessins au mur, j'ai cessé de me sentir célibataire. Un lien m'unissait à Robert, moi qui n'avais jamais voulu d'attaches. En revanche, je savais que son cœur n'était pas à prendre et je ne me sentais envers lui aucune obligation de fidélité. Simplement, je n'aurais pas aimé qu'une autre paire d'yeux se pose sur ces dessins que je voyais de mon lit. Il dessinait des arbres, des gens, des maisons, moi, de mémoire. Il se dessinait lui, aussi, « torturé » par son dernier projet. Je ne sais pas s'il faisait ces dessins tout spécialement pour moi ou s'il les aurait faits de toute façon, pour les fourrer dans un tiroir ou les laisser traîner sur le plancher de son bureau.

Un jour, il m'a envoyé un extrait d'un poème de Czesław Miłosz, l'un de ses préférés, précisait-il. Je me suis demandé s'il s'agissait d'une déclaration et je l'ai gardé plusieurs jours dans ma poche avant de le punaiser au mur.

Ô mon amour, où sont-ils, où vont-ils
Le tressaillement d'une main, un mouvement furtif, le tintement des cailloux.
Je ne suis pas triste mais songeur.

Je n'affichais pas les lettres de Robert. En général, qu'elles accompagnent ou non un croquis, elles étaient brèves, une pensée, une réflexion, une image. Je crois qu'au fond, Robert était – est – aussi un écrivain. Si quelqu'un rassemblait tous ces petits bouts de texte qu'il m'a envoyés, il pourrait en tirer une sorte de petit roman impressionniste sur la vie quotidienne d'un peintre amoureux de la nature. Je lui répondais à chaque fois. Je m'étais fixé une règle : s'il ne m'envoyait qu'un dessin, je ne lui envoyais qu'un dessin ; s'il ne m'envoyait qu'un petit mot, je ne lui envoyais qu'un petit mot ; s'il m'envoyait les deux, j'avais le droit de lui écrire plus longuement et de faire une illustration sur la lettre.

Se rendait-il compte de cet équilibre que je respectais ? Je n'en sais rien, c'est l'une des choses que je ne lui ai jamais demandées. Pour moi, c'était un garde-fou qui m'empêchait de lui écrire trop souvent. Après notre dernière dispute, j'ai brûlé toutes ses lettres. J'ai conservé les croquis, mais je les ai enlevés du mur, à l'exception du premier : le satyre et la jeune fille. Je l'ai collé sur du carton et teinté à l'aquarelle. J'ai également réalisé une série de trois petites peintures assorties. Mes larmes s'y sont peut-être mélangées.

J'imaginais souvent sa boîte postale. Je me demandais si elle était grande, s'il pouvait y rentrer la main entière ou seulement les doigts. Je l'imaginais tâtonner à l'intérieur, telle une Alice au pays des merveilles devenue géante et fouillant à l'aveuglette dans la cheminée afin d'attraper une petite créature, un lézard ou une souris. Robert avait mon adresse, il savait par conséquent où je vivais. Je n'ai jamais vu sa boîte postale, mais j'ai vu le Greenhill College, une fois. À peu près au mitan de notre correspondance, il m'a fait la surprise de m'envoyer une invitation au vernissage d'une exposition que lui consacrait la galerie de l'université. C'était la deuxième fois qu'il y exposait depuis qu'il enseignait là-bas. Je l'avais soutenu dans son travail, il me devait bien ça, me disait-il. Il me prévenait toutefois qu'il ne pouvait pas m'héberger. J'en ai déduit qu'il tenait à m'inviter, mais qu'il n'était sûr de vouloir que je vienne.

Je ne voulais pas le décevoir, mais je ne voulais pas non plus me décevoir. J'y suis donc allée, en voiture, et j'ai pris une chambre dans un motel aux abords de la ville. Je n'ai pas osé lui téléphoner. Quelques jours avant de partir, je lui ai envoyé un mot, qu'il n'a récupéré qu'après coup dans sa boîte.

Mes mains tremblaient lorsque je suis arrivée à la galerie, une bonne demi-heure après l'horaire figurant sur le carton d'invitation. Je n'avais pas revu Robert depuis le Maine. Je regrettais déjà d'être venue. Il risquait de croire que j'avais l'intention de semer le trouble dans sa vie, d'une manière ou d'une autre, ce qui n'était absolument pas le cas. Je voulais juste le voir, de loin peut-être, et voir les nouveaux tableaux dont il me parlait depuis des semaines. Je m'étais habillée de façon tout à fait ordinaire : jean et col roulé noir. Je l'ai repéré tout de suite, sa tête dépassait de la foule. Plusieurs personnes avec un verre de vin à la main lui posaient des questions. La salle était bondée. Il n'y avait pas seulement des étudiants et des profs de la fac, mais tout un tas de beau monde, des gens très chic qui ne faisaient certainement pas partie de cette petite université rurale, probablement des acheteurs potentiels.

Les tableaux de Robert étaient saisissants. Pour commencer, ils étaient beaucoup plus grands que toutes les toiles de lui que j'avais vues jusque-là. La fameuse femme aux boucles brunes était présente sur la plupart, dans une scène terrible, tenant dans ses bras le cadavre d'une autre femme plus âgée qu'elle. Sa mère ? La morte avait une horrible blessure au milieu du front. D'autres corps gisaient par terre, face contre les pavés, dans des mares de sang, des corps d'hommes, uniquement. L'arrière-plan était moins net que les figures : une rue, un mur, des piles de gravats ou de déchets. Tous les éléments indiquaient que l'on était au XIXe siècle. J'ai immédiatement songé à *L'Exécution de Maximilien*, la toile de Manet qui ressemble à un Goya. Les images de Robert étaient toutefois plus détaillées et plus réalistes.

Je ne savais pas à quel contexte les rapporter. Je ne sais qu'une chose, c'est qu'elles étaient poignantes. La femme était aussi belle que dans mon souvenir, malgré son visage blême et sa robe maculée de sang. Robert m'avait écrit qu'il était épuisé par l'étrangeté et la violence des toiles auxquelles il travaillait. Elles étaient effrayantes, en effet. Pendant quelques instants, je me suis sentie mal, choquée, comme si j'avais correspondu avec un assassin. Puis je me suis attachée à examiner la qualité sculpturale des personnages, la détresse et la compassion traduites par Robert, plus atroces encore que les effusions de sang. Je me suis rendu compte que j'étais face à des tableaux qui feraient date dans l'histoire de l'art.

J'ai failli partir sans aller voir Robert, en partie à cause de ce malaise, en partie afin de préserver le petit côté clandestin de notre relation, en partie aussi par timidité, je l'avoue. Mais j'avais fait un si long voyage (un jour de route, comme vous le savez) rien que pour lui que je me suis forcée à aller l'aborder, à un moment où il n'était pas entouré d'admirateurs. Il m'a vue me faufiler dans la foule, il s'est figé. Puis une expression joyeuse et étonnée s'est peinte sur son visage. Il est venu à ma rencontre et m'a chaleureusement serré la main en me murmurant qu'il était très touché que je sois là. J'avais presque oublié comme il était grand, beau, fascinant. Il a posé une main sur mon bras et m'a présentée à son entourage, sans rien préciser d'autre que mon nom, parfois que j'étais peintre.

Sa femme m'a serré la main aimablement, souhaité la bienvenue et a essayé d'engager la conversation. Par chance, une autre personne s'est jointe à nous dans la même seconde, si bien que je n'ai pas eu à répondre à sa question. J'aurais pu être jalouse, mais elle ne m'inspirait que de la sympathie. Elle était beaucoup plus petite que Robert (je l'imaginais marié à une chasseresse, une Amazone, une Diane plus grande que nature). Elle m'arrivait tout juste à l'épaule. Elle portait une robe verte. Avec ses taches de rousseur et ses cheveux couleur fauve, elle ressemblait à une fleur. Si nous avions été amies, j'aurais peint son portrait, juste pour le plaisir de choisir les couleurs.

J'ai senti la chaleur de sa main dans la mienne pendant tout le reste de la soirée, après avoir filé à l'anglaise sans reparler à Robert, afin de lui épargner d'avoir à me demander où je dormais et pour combien de temps j'étais là ; après avoir repris la route en direction de Washington ; après m'être couchée dans un lit de motel, en Virginie du Sud, des images de lui plein la tête. Des images d'eux – Robert et sa femme.

Mai 1879
Étretat
À l'attention de M. Yves Vignot
Rue de Boulogne, Passy, Paris

Mon cher mari,

J'espère que cette lettre vous trouvera en bonne forme, toi et Papa. As-tu beaucoup de travail ? Devras-tu retourner à Nice ou ton prochain voyage pourra-t-il attendre mon retour, comme tu en as manifesté le souhait auprès de ta hiérarchie ? Pleut-il toujours ?

Ici, tout se passe pour le mieux. Il a fait un temps splendide, aujourd'hui. Nous avons peint sur la promenade. Oncle a entrepris une grande toile de la mer et des falaises. Pour ma part, j'ai essayé de dessiner deux dames en robes ravissantes se promenant sur la plage avec un enfant. Je t'avoue que le résultat n'est pas très concluant. À présent, je me délasse avant le dîner. Bien que différent, en cette saison, le paysage est aussi magnifique que le souvenir que j'en ai gardé depuis la dernière fois. La nature est plus verte et l'horizon paraît gris-bleu sans le moutonnement des nuages d'été. L'hôtel est confortable, simple mais très propre ; ne t'inquiète pas à ce sujet. Ce matin, j'ai pris un copieux petit déjeuner ; tu seras content de l'apprendre, j'en suis sûre. Le voyage ne m'a pas du tout fatiguée. Je me suis couchée tout de suite en arrivant et j'ai dormi comme un bébé jusqu'à ce matin. Oncle a apporté des notes en vue de rédiger quelques articles. Il y travaille quand nous ne peignons pas. J'aurai donc suffisamment de temps pour me reposer, comme tu me l'as recommandé. J'ai commencé un livre de Thackeray. Il n'est pas utile que tu m'envoies quelqu'un. Je me débrouille très bien toute seule et je suis heureuse de savoir qu'Esmé trouve le temps, entre ses nombreuses besognes, de s'assurer régulièrement que Papa n'a besoin de rien. Porte-toi bien ; ne sors pas sans ton manteau, tant que la température ne se sera pas radoucie.

Ton épouse dévouée,
Béatrice

75

Un matin, j'ai réalisé que je n'avais pas reçu de courrier de Robert depuis cinq jours, un silence inhabituel. Le dernier dessin qu'il m'avait envoyé était un autoportrait humoristique : il s'était caricaturé avec les cheveux tout droits sur la tête, animés d'une vie propre, comme la chevelure de la Méduse. « Oh, Robert Oliver, quand reprendras-tu ta vie en main ? », avait-il écrit dessous. C'était la première fois qu'il s'autocritiquait. J'en ai été surprise. J'ai toutefois pris cette phrase comme une allusion à l'une de ces « mélancolies » qu'il me décrivait, ou comme une prise de conscience de la double vie qu'il menait à travers notre correspondance. En fait, je l'ai interprétée comme un compliment. Tout ce qu'il me disait me flattait, de toute façon. Après cinq jours sans nouvelle, j'ai enfreint ma règle et je lui ai écrit, en veillant à ne pas me montrer trop inquiète ni trop impatiente.

Il n'a jamais reçu cette lettre, j'en suis certaine ; à moins que la poste ou Kate n'aient vidé sa boîte postale, elle y est probablement encore, à attendre la main qui n'est jamais venue la chercher. Si c'est Kate qui l'a trouvée, je préfère penser qu'elle ne l'a pas lue. Le lendemain du jour où je l'ai envoyée, mon interphone a sonné à 6 h 30 du matin. Je me préparais à partir travailler. J'avais les cheveux mouillés, mais peignés. J'étais encore en peignoir. Personne ne sonnait jamais chez moi à cette heure-là. Comme je vous l'ai dit, mon quartier n'est pas très sûr. J'ai failli appeler la police, mais par curiosité j'ai quand même répondu.

– C'est Robert, m'a dit une grosse voix grave.

Une voix lasse, hésitante, mais je savais que c'était la sienne. Je l'aurais reconnue entre mille.

– Une minute, ai-je dit. Attends, une minute, j'arrive.

J'aurais pu lui ouvrir, mais j'étais tellement contente que je ne savais pas vraiment ce que je faisais. Je n'en croyais pas mes oreilles. J'ai enfilé les premiers vêtements qui me sont tombés sous la main, j'ai attrapé mes clés et j'ai couru pieds nus jusqu'à l'ascenseur. Il était planté derrière la porte vitrée de l'allée, un sac de voyage sur l'épaule. Il paraissait exténué, il était encore plus négligé que d'habitude ; une lueur s'est allumée dans son regard quand il m'a vue apparaître.

Comme dans un rêve, j'ai ouvert la porte et me suis élancée vers lui. Il m'a soulevée dans ses bras et serrée à me broyer, la tête enfouie dans mes cheveux. Nous ne nous sommes pas embrassés tout de suite. Je pleurais de joie. Je crois que lui aussi. Quand nous nous sommes écartés, nous avions les cheveux collés sur les joues l'un de l'autre par les larmes, la sueur perlait à son front. Il ne s'était pas rasé de plusieurs jours, il avait deux vieilles chemises superposées. On aurait dit un bûcheron égaré dans la ville.

– Que se passe-t-il ? ai-je réussi à articuler.

– Elle m'a fichu dehors.

Il a ramassé son sac, preuve de son exil.

– Pas à cause de toi, a-t-il ajouté devant mon expression choquée, en me passant un bras autour des épaules. À cause de mes peintures. Ne t'inquiète pas, ça va aller, je t'expliquerai.

– Tu as conduit toute la nuit ?

– Oui. Je peux laisser ma voiture ici ?

Il a tendu le bras vers la rue, ses poubelles, ses parcmètres et ses incompréhensibles interdictions de stationner.

– Bien sûr. La fourrière viendra la chercher à 9 heures.

Nous avons tous les deux éclaté de rire. Il m'a caressé les cheveux et m'a embrassée, embrassée, embrassée.

– Il est déjà 9 heures ?

– Non, nous avons encore deux heures.

Nous sommes montés chez moi avec son gros sac, j'ai fermé la porte derrière nous et j'ai téléphoné à mes employeurs pour dire que j'étais malade.

76

Robert ne s'est pas installé chez moi ; il est simplement resté, avec son gros sac et ce qu'il avait emporté dans sa voiture : ses chevalets, ses tubes de peinture, ses toiles, une paire de chaussures de rechange et une bouteille de vin qu'il avait achetée pour moi. Pour rien au monde, je n'aurais voulu qu'il se cherche un appartement. J'aimais trop me réveiller avec son bras doré en travers de mon oreiller, ses boucles brunes sur mon épaule. Quand je rentrais du travail, nous nous remettions au lit et y passions la moitié de l'après-midi.

Les samedis et les dimanches, nous nous levions à midi et allions peindre dans les parcs, ou en Virginie. S'il pleuvait, nous nous rabattions sur la National Gallery. Je me souviens très bien que nous avons visité au moins une fois la salle où se trouve *Léda* et cet autoportrait et cet incroyable Manet avec les verres de vin ; je me souviens aussi parfaitement que Robert a accordé plus d'attention à la nature morte de Manet qu'à *Léda*. Elle ne semblait pas l'intéresser ; tout du moins, en ma présence, il a fait comme si elle ne l'intéressait pas. Nous avons lu toutes les plaques, il a commenté le coup de pinceau de Manet, puis il s'est éloigné en secouant la tête, à court de mots pour exprimer son admiration.

À la fin de la première semaine passée chez moi, il m'a dit que je ne peignais pas assez. Il pensait que c'était à cause de lui. Lorsque je rentrais à la maison, il n'était pas rare qu'il m'ait apprêté une toile, en gris ou en beige. Sous sa houlette, je me suis mise à travailler plus sérieusement que cela ne m'était arrivé depuis longtemps. Il me stimulait, je m'essayais à des sujets de plus en plus compliqués.

Je peignais des portraits de Robert, par exemple, assis dans son pantalon kaki sur le tabouret de la cuisine, torse nu. Il s'est aperçu que j'évitais toujours, d'une manière ou d'une autre, de dessiner les mains, et m'a montré comment il procédait. Il m'a appris à ne pas dédaigner les fleurs et les compositions florales dans mes natures mortes. Combien de grands peintres les avaient-ils considérées comme un défi de taille ? m'a-t-il rappelé. Un jour, il a rapporté un lapin mort – j'ignore toujours où il se l'est procuré – et une grosse truite. Nous les avons disposés au milieu de fleurs et de fruits, et nous avons peint deux natures mortes baroques, chacun à notre façon. Nous en avons beaucoup ri. Robert a ensuite écorché le lapin, nous l'avons fait cuire, la truite aussi, et nous nous sommes régalés. Sa mère était française et très bonne cuisinière, m'a-t-il dit. Il avait appris beaucoup de choses en la regardant faire, mais il ne cuisinait jamais. La plupart du temps, nous nous contentions d'ouvrir une boîte de potage et de déboucher une bouteille de vin.

Nous lisions ensemble presque tous les soirs, parfois pendant des heures, habillés ou nus, couchés par terre au pied du canapé ou entortillés dans mes draps bleus. Il me lisait à voix haute ses poèmes préférés de Miłosw, de la poésie française, aussi, qu'il me traduisait strophe par strophe. Je lui lisais mes romans de référence, la collection de classiques de Muzzy, Lewis Carroll, Conan Doyle, Robert Louis Stevenson, qu'il n'avait jamais lus. Je lui prêtais ma carte de bibliothèque, il empruntait des livres sur Manet, Morisot, Monet, Sisley, Pissaro. Il aimait particulièrement Sisley et affirmait qu'il était meilleur que tous les autres réunis. De temps à autre, il copiait les effets de leurs œuvres, sur des petites toiles spécialement réservées à cet usage.

Il lui arrivait parfois d'avoir des accès de tristesse. Quand je lui caressais le bras, il me disait que ses enfants lui manquaient. Il sortait des photos d'eux, mais jamais il ne parlait de Kate. Je craignais qu'il ne puisse pas, ou ne veuille pas rester chez moi éternellement. J'espérais toutefois qu'il finirait par rompre légalement son mariage et se mettre officiellement en ménage avec moi. J'ignorais qu'il avait une nouvelle boîte postale à Washington, jusqu'au jour où il m'a annoncé que Kate lui avait écrit pour demander le divorce. Il avait pris cette boîte, m'a-t-il dit, afin qu'elle puisse le joindre en cas d'urgence. Il a décidé de retourner quelques jours à Greenhill régler les premières formalités et voir ses enfants. Il dormirait à l'hôtel ou chez des amis. Tout était fini avec Kate, m'a-t-il assuré, je n'avais pas à m'inquiéter sur ce point. Il y avait quelque chose qui me glaçait lorsqu'il parlait d'elle. Je ne pouvais pas m'empêcher de penser que s'il était aussi dur envers elle, il le serait un jour envers moi. J'aurais préféré qu'il ait des regrets de l'avoir quittée, ou tout du moins des sentiments ambivalents. Il prétendait qu'elle ne comprenait pas la chose la plus importante à comprendre de lui, sans préciser de quoi il s'agissait. Je ne voulais pas le lui demander, j'aurais eu l'air de ne pas le comprendre non plus. Il a passé cinq jours à Greenhill. À son retour, il m'a offert une biographie de Thomas Eakins (il disait toujours que mon travail lui rappelait celui d'Eakins, que mes peintures avaient une délicieuse saveur typiquement américaine.) Il m'a raconté les petites aventures qu'il avait eues sur la route, que ses enfants étaient adorables, qu'il avait pris plein de photos d'eux. Pas un mot à propos de Kate. Et puis il m'a dessinée dans la chambre, et il m'a fait l'amour avec une concentration intense, comme si nous nous retrouvions après une longue séparation.

J'étais sur un petit nuage. Aucun signe annonciateur n'aurait pu me préparer à le voir sombrer peu à peu dans l'abattement. L'automne est arrivé et son humeur a commencé à se dégrader. L'automne a toujours été ma saison préférée, la période des nouveaux départs, des nouvelles chaussures pour la rentrée scolaire, des nouveaux étudiants, des couleurs flamboyantes. Mais Robert semblait se flétrir, s'assombrir. La fin de l'été a marqué la fin de notre bonheur. Les feuilles des ginkgos de mon quartier ont pris l'apparence de fragments de papier crépon jaune ; les marrons se sont répandus sur les allées de nos parcs préférés. J'ai acheté un stock de nouvelles toiles. Un jour de semaine où je ne travaillais pas, nous sommes allés à Manassas. C'était moi qui avais pris cette initiative, le matin, au pied levé, dans l'espoir de dérider Robert. Pour la première fois, il a refusé de peindre. Il est resté assis sous un arbre. On aurait dit qu'il entendait les sons sinistres du carnage qui s'était déroulé là. Je l'ai laissé tranquille, j'ai peint le champ de bataille toute seule. Le soir, il s'est mis dans tous ses états à cause d'une broutille. Il a menacé de fracasser une assiette et il est sorti pendant plusieurs heures. Alors que je n'aime pas pleurer, j'ai sangloté comme une Madeleine ; c'était trop pénible de le voir dans cet état et de me sentir rejetée après cette merveilleuse idylle.

Néanmoins, il me semblait normal qu'il pâtisse du contrecoup de la séparation légale d'avec Kate – le divorce n'était pas encore prononcé, mais la procédure était lancée. Sans doute prenait-il conscience d'avoir tiré un trait définitif sur son ancienne vie. Par ailleurs, il fallait qu'il trouve un nouveau poste à Washington ; il n'avait encore entrepris aucune démarche, cette perspective devait le stresser. Il avait sûrement de l'argent de côté (grâce aux tableaux qu'il avait vendus), mais ses économies allaient finir par s'épuiser. Je ne voulais pas lui poser de questions sur sa situation financière. Il rapportait souvent de quoi manger, une bouteille de vin, des petits cadeaux utiles ; apparemment il n'était pas dans l'embarras, mais à aucun moment il ne m'a proposé de payer une partie du loyer, alors qu'il savait que j'avais du mal à joindre les deux bouts. Je ne voulais rien demander non plus à Muzzy. Lorsque je lui avais dit que je vivais avec un artiste en instance de divorce, elle avait eu une réaction mitigée. (« Je sais ce que c'est, l'amour », m'avait-elle dit de sa voix douce. Elle n'avait pas encore sa canule parlante ; sa tumeur n'avait même pas encore été diagnostiquée. « J'en sais plus que tu ne le penses, ma chérie, et j'aurais tellement aimé que tu te trouves un homme *attentionné*. ») Après le divorce, Robert devrait certainement verser une pension alimentaire pour ses enfants. Je n'osais pas aborder ce sujet quand je le voyais broyer du noir sur le canapé.

Les week-ends ensoleillés, son moral semblait parfois remonter. J'oubliais alors les jours précédents, je me disais que nous traversions une crise de croissance dans notre relation. Je ne pensais pas au mariage mais je voyais ma vie sur le long terme avec Robert, une vie dans laquelle nous louerions un appartement avec un atelier, unirions nos forces, nos ressources et nos projets. Nous partirions en pseudo-lune de miel en Italie et en Grèce, où nous peindrions les formidables sculptures, peintures et paysages que j'avais depuis longtemps envie de voir. Ce n'était qu'un vague rêve, mais peu à peu il prenait forme à mon insu, tel un dragon sous mon lit, s'installant à la place de la romantique solitude dans laquelle je m'étais complue. L'été indien nous a permis de faire quelques belles escapades, sur mes instances. Afin de ne pas dépenser trop d'argent, nous emportions des pique-niques. Nous avons notamment passé un week-end féerique à Harpers Ferry, dans une petite auberge bon marché.

Un soir, début décembre, Robert n'était pas là lorsque je suis rentrée du travail. Il n'est reparu que quelques jours plus tard, en pleine forme. Il m'a dit qu'il était allé rendre visite à un vieil ami, à Baltimore, ce qui avait l'air vrai. Une autre fois, il est parti à

77

1879

Elle regarde Olivier peindre.

Il a commencé une autre toile, sur la plage, dans la lumière de l'après-midi : les falaises et deux gros canots que les pêcheurs ont tirés sur la grève ; les rames sont rangées dedans ; les filets et les flotteurs de liège attrapent un soleil insaisissable. Il ébauche d'abord la scène à l'ombre brûlée, puis il s'attaque à la masse des falaises : terre d'ombre, bleu, gris-vert. Elle voudrait lui suggérer d'éclaircir sa palette, comme son professeur le lui a autrefois conseillé ; elle se demande pourquoi ce ciel changeant paraît si sombre à Olivier. Sans doute sa peinture reflète-t-elle son humeur. Elle se tient en silence près de lui, entre son tabouret pliant et son chevalet de bois portatif, retardant le moment de se mettre elle-même au travail. La brise est fraîche malgré le soleil. Elle porte une épaisse veste de tricot sur sa robe en fin lainage. Le vent agite sa jupe et les rubans de sa bonnette. Elle observe Olivier donnant vie à la mer. Pourquoi diable n'y met-il pas davantage de lumière ?

Elle boutonne sa blouse par-dessus ses vêtements. Les talons de ses bottines solidement campés sur les galets, elle s'efforce d'oublier la silhouette à ses côtés. Pour l'après-midi, elle a choisi une toile apprêtée en gris clair. Elle dépose une grosse noisette de bleu marine sur sa palette, du rouge cadmium pour les coquelicots sur les falaises à l'extrême droite et sur la gauche, ses fleurs préférées.

Elle consulte sa montre, pendue à une chaînette, et se donne trente minutes. Elle essaye de manier le pinceau aussi rapidement et aussi légèrement que possible, de peindre en ne bougeant que le poignet et l'avant-bras : les flots bleu-vert teintés de rose, le ciel presque incolore, les cailloux roses et gris sur le rivage, l'écume beige à la crête des vagues. Elle dessine Olivier, une figure en costume sombre, cheveux blancs, dos droit, motif mineur au bout de la plage. Elle peint les falaises avec de l'ombre naturelle, puis du vert, puis des taches rouges pour les coquelicots. Il y a des fleurs blanches, aussi, et des jaunes, plus petites. Elle voit les falaises à la fois de loin et de très près, au-dessus d'elle.

Les trente minutes sont écoulées.

Olivier se tourne vers elle, comme s'il avait senti qu'elle a terminé sa première esquisse. Pour sa part, il en est toujours à la mer, il n'a pas encore commencé les bateaux. Sa toile sera magnifique, extrêmement soignée, elle l'occupera certainement plusieurs jours. Il s'avance vers son chevalet afin de voir ce qu'elle a fait. Elle observe sa peinture en même temps que lui. Du coude, il lui effleure l'épaule. À travers ses yeux, elle voit les qualités et les défauts de son paysage : il est vivant, animé, mais trop brouillon à son goût ; elle a échoué dans son expérience. Elle aimerait autant qu'Olivier s'abstienne de commentaires. Grâce à Dieu, il n'interrompt pas le roulis des vagues sur les galets. Il hoche seulement la tête. Au bord de la mer, il a en permanence les yeux rouges, les paupières un peu lâches.

Le soir, ils soupent avec d'autres pensionnaires. Assis l'un en face de l'autre, ils se passent les sauciers et les plats. La patronne de l'hôtel, en servant du veau à Olivier, lui signale qu'un monsieur s'est présenté à la réception, dans l'après-midi. Il cherchait un ami à lui, un célèbre peintre parisien. Il n'a pas laissé de carte. Monsieur Vignot est-il célèbre ? s'enquiert-elle. Olivier secoue la tête en riant. Étretat est très prisée des grands artistes, en effet, ces derniers temps, mais lui-même n'est qu'un amateur, dit-il. Béatrice boit un verre de vin et le regrette.

Après dîner, ils s'installent au salon. Un Anglais moustachu y lit un journal londonien. Béatrice pose son livre et tente d'écrire une deuxième lettre à Yves, sans grand succès ; sa plume se refuse à courir sur le papier. Sur le manteau de la cheminée, l'horloge sonne 10 heures. Olivier se lève et s'incline devant elle en lui souriant de ses yeux irrités par le vent. Il semble sur le point de lui baiser la main mais il ne le fait pas.

Une fois qu'il est monté, elle comprend qu'il ne lui fera plus aucune invite. Il ne se permettra jamais de pénétrer dans sa chambre, il ne lui proposera pas de venir dans la sienne, il ne manifestera aucune intention indigne d'un gentleman ou d'un oncle envers l'épouse de son neveu. Il ne prendra aucune initiative. Le baiser qu'il lui a donné dans son atelier était le premier et le dernier, comme promis ; le soir de leur arrivée, et le lendemain sur la plage, c'est elle qui s'est permis de l'embrasser. Les deux fois, Olivier a été pris au dépourvu. La réserve dont il fait montre à présent est une preuve de son respect, elle en est certaine. La voilà cependant confrontée à un cruel dilemme. Il ne se passera entre eux que ce qu'elle désire et elle devra en assumer la responsabilité. Il a semé des miettes sur le chemin, comme dans les contes de son enfance ; à elle maintenant de se laisser ou non attirer.

Elle n'arrive pas à trouver le sommeil, dans son lit blanc. Elle regarde les rideaux voleter devant la fenêtre entrouverte, elle sent la ville autour d'elle, elle écoute la mer fouetter la digue.

78

Mary

À partir du moment où cette femme a reparu dans sa peinture, Robert n'a plus été que renfrogné, préoccupé, taciturne, susceptible. Il dormait la journée, il ne se lavait pas, il commençait à me répugner. Parfois, il passait la nuit sur le canapé. Plusieurs semaines à l'avance, je l'avais prévenu que ma sœur et son mari seraient de passage à Washington et que nous dînerions avec eux. Il n'est pas venu au rendez-vous. J'ai passé la soirée la plus humiliante de ma vie dans un petit restaurant provençal que Martha et moi avons toujours aimé, Le Lavandou. Même si j'en avais les moyens, je n'y retournerais jamais.

Il n'avait d'énergie que pour peindre, et il ne peignait que cette femme. Je ne lui demandais plus qui elle était. Je ne supportais plus ses réponses vagues et mystiques. Rien n'avait changé, ai-je un jour réalisé amèrement, depuis l'époque où j'étais étudiante et où il s'était délibérément montré mystérieux au sujet de ses tableaux.

Je serais sans doute restée à jamais persuadée qu'il la connaissait intimement – son visage, ses boucles brunes, ses robes et tout le reste – si je n'avais mis le nez dans ses bouquins, pendant qu'il était sorti acheter des toiles. Il n'avait pas quitté l'appartement depuis plusieurs jours. J'ai cru de bon augure qu'il ait de nouveau la volonté d'aller faire des achats. Pour une fois que le canapé était libre, je me suis assise dessus. Les coussins étaient imprégnés de l'odeur de ses cheveux, de ses habits. Le canapé était devenu sa tanière. Il y laissait traîner des bouts de papier, du matériel de dessin, des recueils de poésie, des vêtements sales, des livres de la bibliothèque, principalement sur l'art du portrait. Il ne faisait plus que des portraits de la sombre beauté. Lui autrefois si éclectique, il semblait avoir oublié son attachement pour les paysages, le plaisir qu'il prenait à composer des natures mortes et la facilité avec laquelle il les exécutait. Je me suis aperçu que les stores du salon étaient baissés depuis plusieurs jours.

Une évidence s'est abattue sur moi : Robert était déprimé. Ce qu'il appelait ses « mélancolies » n'était rien d'autre qu'une bonne vieille dépression, peut-être plus grave qu'il n'y paraissait. Je savais qu'il avait des médicaments dans ses affaires, et qu'il en prenait de temps en temps, pour dormir, me disait-il, quand il avait passé la nuit à peindre. À ma connaissance, il ne suivait pas un traitement régulier. Cela dit, il ne faisait jamais rien régulièrement. Assise sur le canapé, je contemplais tristement la transformation de mon petit appartement, plutôt que de penser à la transformation de mon âme sœur.

Et puis j'entrepris de faire le ménage. J'ai mis toutes les affaires de Robert dans un panier, empilé les livres nettement, plié les couvertures, redressé les coussins du canapé, emporté les verres sales et les bols de céréales dans la cuisine. Et soudain, j'ai eu une vision de moi-même : une grande personne ordonnée et responsable ramassant sur le tapis les assiettes d'une autre grande personne désordonnée et irresponsable. Je crois que j'ai compris à cet instant que notre couple était voué à l'échec, non pas à cause de Robert – il était comme il était – mais à cause de moi, qui étais trop consciente de moi-même. Je me suis senti rétrécir, mon cœur s'est serré. J'ai remonté les stores, essuyé la table basse, apporté un vase de fleurs de la cuisine dans la lumière revenue du soleil.

Triste, effrayée par le constat que je venais de faire, je me suis assise sur le canapé. Et juste parce que j'étais assise là, j'ai jeté un coup d'œil aux livres de Robert : trois ouvrages sur Rembrandt, un sur Leonard de Vinci – au moins, il s'intéressait à autre chose qu'au XIXe siècle ; un gros volume sur le cubisme, que je ne l'avais jamais vu ouvrir ; deux livres sur les impressionnistes, l'un sur les portraits des artistes réalisés les uns par les autres, le second, plus mince, abondamment illustré, sur les femmes impressionnistes, du rôle crucial de Berthe Morisot dans la première exposition impressionniste jusqu'aux représentantes moins connues du mouvement au début du XXe siècle. Ce livre ne provenait pas de la bibliothèque. Robert avait dû l'acheter, ce qui était tout à son honneur. D'après l'aspect des pages, il l'avait souvent consulté, il y avait même laissé des traces de peinture.

Je vous envoie ci-joint un exemplaire de ce livre, déniché tout spécialement pour vous le mois dernier chez un bouquiniste, Robert ayant emporté le sien. À la page 49, vous verrez ce que j'y ai trouvé en le feuilletant : un portrait de l'égérie de Robert et un paysage de la côte normande peint par elle. Béatrice de Clerval, ai-je appris, était une artiste de grand talent qui avait cessé de peindre lorsqu'elle était devenue mère, à l'âge tardif de vingt-neuf ans, à une époque où les femmes de son milieu social étaient censées se consacrer uniquement à leur vie de famille.

Son portrait était reproduit en couleur, j'étais certaine que c'était elle. Je reconnaissais sa robe vert pâle à col jaune, sa bonnette, le carmin de ses joues et de ses lèvres, son expression à la fois joyeuse et méfiante. D'après l'auteur, elle avait eu un début de carrière extrêmement prometteur. À partir de l'âge de dix-sept ans et pendant plusieurs années, elle avait pris des leçons particulières avec le professeur d'académie Georges Lamelle. Elle n'avait exposé qu'une seule de ses œuvres, au Salon de Paris, sous le pseudonyme de Marie Rivière. Elle était morte de la grippe en 1910. Sa fille, Aude, était devenue journaliste ; elle était décédée en 1966. Le mari de Béatrice de Clerval occupait une fonction haut placée dans les Postes, il a contribué à l'établissement des bureaux de poste modernes de quatre ou cinq grandes villes françaises. Ils fréquentaient les Manet, les Morisot, le photographe Nadar ainsi que Mallarmé. Les œuvres de Clerval sont aujourd'hui réparties entre le musée d'Orsay, le musée de Maintenon, la galerie d'art de Yale, celle de l'université du Michigan et diverses collections privées, dont notamment celle de Pedro Caillet, à Acapulco.

Vous lirez tout cela vous-même. J'essaie simplement de vous expliquer l'effet que m'ont fait ces images et cette biographie. Tous les artistes ont des obsessions, je le sais. J'ai néanmoins été profondément choquée de découvrir que celui que j'aimais était obnubilé par une femme qu'il n'avait jamais connue de son vivant. Je ne pouvais la considérer comme une rivale : elle était morte. Pourtant, le fait qu'elle ait vécu soulevait en moi un sentiment dangereusement proche de la jalousie et me causait un très désagréable malaise, comme si j'avais surpris Robert en plein acte de nécrophilie.

Certes, il n'est pas rare que les vivants continuent à aimer les défunts ; qui critiquerait un veuf chérissant la mémoire de son épouse ? Ce qui me dérangeait, c'est que Robert n'avait pas connu cette femme. Elle était morte plus de quarante ans avant sa naissance. Jamais je n'aurais cru que sa folie avait atteint ce paroxysme.

J'ai relu plusieurs fois la biographie, afin de m'assurer que rien ne m'avait échappé. Manifestement, on ne savait pas grand-chose de Béatrice de Clerval ; ou alors, du fait qu'elle ait cessé de peindre pour assumer sa condition féminine, les historiens de l'art ne s'étaient pas intéressés à elle. Apparemment, à partir du moment où elle avait eu sa fille, elle n'avait plus rien accompli de remarquable jusqu'à sa mort. Dans les années 1980, le musée de Maintenon lui a consacré une rétrospective, principalement grâce à des prêts de collectionneurs privés. J'ai de nouveau observé son portrait. Elle souriait rêveusement, une fossette dans la joue gauche, près de la commissure des lèvres. Même sur papier glacé, son regard suivait le mien.

N'y tenant plus, j'ai refermé le livre et l'ai remis à sa place dans la pile. Puis je l'ai repris et j'ai relevé son titre, l'auteur, la maison d'édition, la date de publication, ainsi que toutes les informations qu'il contenait à propos de Béatrice de Clerval, et j'ai caché mes notes dans mon bureau. Je suis allée dans notre chambre, et me suis allongée un moment. Je me suis relevée, j'ai fait le ménage dans la cuisine. Puis j'ai préparé le repas avec ce que j'ai trouvé dans mes placards. Il y avait longtemps que je n'avais pas cuisiné. J'aimais Robert et j'étais prête à faire tout ce que je pouvais pour l'aider. Il avait l'air content, quand il est rentré. Nous avons dîné aux chandelles, puis fait l'amour sur le tapis du salon (il n'a pas semblé s'apercevoir que j'avais mis de l'ordre sur le canapé). Il m'a prise en photo enveloppée dans une couverture. Je n'ai mentionné ni le livre ni les portraits.

La semaine suivante s'est un peu mieux passée, au moins en apparence, jusqu'à ce qu'il m'annonce qu'il était obligé de retourner à Greenhill. Il devait aller chez l'avocat avec Kate et régler quelques questions financières. Il en aurait pour une semaine, m'a-t-il dit. Je n'avais pas envie qu'il parte, mais j'ai pensé qu'une fois toutes ces démarches derrière lui il retrouverait peut-être sa bonne humeur. Il est parti en avion. Je n'ai pas pu l'accompagner à l'aéroport parce que je travaillais. Il est revenu une semaine plus tard, comme prévu, extrêmement fatigué, sale, empreint d'une drôle d'odeur, et il a dormi pendant deux jours.

À son réveil, il est sorti faire des courses. J'en ai profité pour fouiller dans son sac de voyage, qu'il n'avait pas encore déballé. J'avais quelques scrupules, mais je flairais anguille sous roche et je voulais en avoir le cœur net. J'ai trouvé des notes de restaurants parisiens, la facture d'un hôtel parisien, des tickets de caisse de l'aéroport Charles-de-Gaulle ; dans la poche de sa veste, un billet Air France chiffonné, et son passeport, que je n'avais jamais vu. La plupart des gens ont des sales tronches sur les photos d'identité ; Robert était superbe. Au milieu de ses vêtements, j'ai découvert un paquet enveloppé de papier kraft et à l'intérieur une liasse de lettres attachées par un ruban, des très vieilles lettres, en français. Quand j'ai vu la signature au bas de la première, j'ai été prise de vertige. Je l'ai repliée et j'ai remis le paquet où je l'avais trouvé.

Il fallait que nous ayons une conversation. Qu'allais-je lui dire ? *Qu'est-ce que tu es allé faire en France ? Pourquoi tu ne m'as pas dit que tu partais en France ?* Je ne pouvais pas lui poser ces questions, au risque d'écorner ma fierté, au demeurant déjà bien atteinte, comme aurait dit Muzzy. Alors nous nous sommes disputés, à cause d'une peinture. C'est moi qui ai commencé à le contredire, à propos d'une nature morte à laquelle nous avions travaillé tous les deux, et je l'ai fichu dehors. Cela dit, il n'a pas rechigné à prendre la porte. J'ai téléphoné à ma sœur, en larmes, et je lui ai juré que même s'il revenait, tout était fini entre nous. Voilà. J'ai essayé de tourner la page, mais j'étais inquiète de n'avoir aucune nouvelle. Je n'ai su qu'après coup, des semaines plus tard, qu'en partant de chez moi il était allé essayer de détruire ce tableau à la National Gallery. Cela ne lui ressemblait pas. Pas du tout.

79

Marlow

Mary m'a rejoint à l'hôtel pour le petit déjeuner, dans la salle de restaurant à moitié vide. Elle était moins volubile que la veille. Elle avait de nouveau des cernes violets, pareils à des ombres sur la neige. Ses yeux étaient sombres, voilés. Je me suis aperçu pour la première fois qu'elle avait des taches de rousseur sur le nez, minuscules, complètement différentes de celles de Kate.

– Vous avez mal dormi ? lui ai-je demandé, au risque de m'attirer ses foudres.

– Oui. Je n'ai pas arrêté de penser à tout ce que je vous ai raconté sur Robert, sur sa vie privée, et à vous en train de vous le remémorer dans votre chambre d'hôtel.

Je lui ai tendu la corbeille de pain grillé.

– C'est vrai, j'ai beaucoup pensé à Robert hier soir. Pour tout vous dire, je pense à lui constamment. Vous m'avez été d'une aide inestimable, vous m'avez permis de voir en lui. Grâce à vous, je crois que je vais pouvoir l'aider. (Je me suis interrompu, cherchant mes mots tandis qu'elle attendait que son toast refroidisse.) Je comprends aussi pourquoi vous l'avez attendu aussi longtemps, quand il n'était pas disponible.

– Pas accessible, a-t-elle corrigé.

– Et pourquoi vous l'aimez.

– *Aimiez*. Je ne l'aime plus.

Je me suis concentré sur mes œufs Benedict, de façon à ne pas rencontrer son regard. Nous avons terminé notre petit déjeuner en silence, mais au bout d'un moment le silence est devenu confortable.

Au Met, elle a longuement examiné le *Portrait de Béatrice de Clerval*, 1879, cette image qu'elle avait déjà vue dans l'un des livres de Robert.

– Vous savez, je crois que Robert est revenu ici et l'a retrouvée, a-t-elle dit.

J'observais son profil, comme je l'avais déjà fait à la National Gallery, à Washington.

– Comment ça ?

– Il est allé à New York au moins une fois pendant qu'il habitait chez moi, je vous l'ai écrit. À son retour, il était étrangement euphorique.

– Mary, vous aimeriez voir Robert ? Je pourrais vous emmener à la clinique, un de ces jours. Un lundi, si vous voulez.

Je n'avais pas l'intention de lui faire cette proposition tout de suite.

– Pour que j'essaie de lui tirer les vers du nez à votre place ? a-t-elle répliqué sans me regarder.

Elle se tenait très droite, tendue, face au visage de Béatrice. J'ai été choqué par sa remarque.

– Non, non, ai-je répondu. Jamais je ne vous demanderais une chose pareille. Vous m'avez déjà beaucoup aidé. Je voulais dire que je ne veux pas vous empêcher de le revoir, si vous en avez envie.

Elle a tourné la tête puis elle s'est approchée de moi, et subitement elle a glissé sa main dans la mienne.

– Non, je ne veux pas le voir, a-t-elle déclaré. Je vous remercie.

Elle a retiré sa main et fait le tour de la salle, contemplant les ballerines et les nus de Degas. Quelques minutes plus tard, elle est revenue vers moi.

– On y va ?

À l'extérieur du musée, j'ai acheté deux hot dogs à la moutarde. Il faisait beau, pas trop chaud.

– Comment savez-vous que je ne suis pas végétarienne ? m'a-t-elle demandé, alors que nous avions déjà dîné deux fois ensemble.

Nous les avons mangés sur un banc de Central Park. Mary a eu un geste surprenant : après s'être essuyé les doigts avec sa serviette en papier, elle a pris les miens et me les a essuyés. J'ai pensé qu'elle aurait fait une adorable maman ; évidemment, je me suis abstenu de formuler cette réflexion à voix haute.

– Mes mains sont beaucoup plus fripées que les vôtres.

– Forcément, vous avez vingt ans de plus que moi, si vous êtes né en 1947.

– Je ne vous demanderai pas d'où vous connaissez ma date de naissance.

– Élémentaire, mon cher Watson.

Les chênes et les bouleaux projetaient des taches d'ombre sur son chemisier blanc à manches courtes et dans son décolleté.

– Vous êtes très belle.

– Ne me dites pas des trucs comme ça, a-t-elle murmuré en baissant les yeux.

– C'était un compliment, en tout bien tout honneur. Vous ressemblez à un tableau.

– C'est idiot, a-t-elle rétorqué en roulant sa serviette en boule pour la lancer dans une poubelle. Aucune femme ne voudrait ressembler à un tableau.

Nos regards se sont rencontrés, les paroles que nous venions tous deux de prononcer résonnant à nos oreilles. C'est elle qui a détourné les yeux la première.

– Vous avez été marié ? m'a-t-elle demandé.

– Non.

– Pourquoi ?

– Je n'ai pas encore rencontré la femme de ma vie.

Elle a croisé ses jambes vêtues de jean.

– Vous avez été amoureux ?

– Plein de fois.

– Récemment ?

– Non. (J'ai réfléchi un instant.) Enfin si, peut-être. Presque.

Elle a haussé les sourcils jusqu'à ce qu'ils disparaissent sous sa courte frange.

– Oui ou non ? Il faudrait savoir.

– J'essaie, ai-je dit sur un ton aussi neutre que possible.

J'avais l'impression de dialoguer avec un chevreuil, un animal sauvage qui risquait de détaler d'un instant à l'autre. J'ai tendu un bras sur le dossier du banc, sans la toucher, et laissé mon regard courir dans le parc, sur les allées, les gros rochers ronds, les buttes verdoyantes, les arbres centenaires, les promeneurs et les cyclistes. Son baiser m'a pris au dépourvu ; sur le coup, j'ai seulement compris que son visage était tout près du mien. Elle était douce, hésitante. J'ai posé les mains sur ses tempes et je l'ai embrassée avec tendresse, en veillant à ne pas l'effaroucher davantage, le cœur battant. Mon vieux cœur.

Je savais d'avance ce qui se produirait ensuite : elle s'écarterait de moi, sangloterait silencieusement sur mon épaule, je la tiendrais contre moi jusqu'à ce qu'elle ait fini, puis nous nous séparerions sur un baiser plus passionné et repartirions chacun de notre côté. Elle me dirait quelque chose du genre : « Je suis désolée, Andrew... Je ne suis pas encore prête. » Je n'en prendrais pas ombrage. Ma profession m'avait enseigné la patience, et j'avais dans mon jeu quelques cartes maîtresses : je savais qu'elle aimait aller passer la journée à peindre en Virginie, comme moi ; qu'elle avait besoin de manger souvent ; qu'elle voulait se sentir libre de ses décisions. *Madame*, lui ai-je dit en silence, *vous avez le cœur brisé. Permettez-moi de le réparer.*

81

Marlow

De retour à Goldengrove, j'ai tenté une expérience : partager pendant une heure le silence de Robert. J'avais apporté un carnet de croquis. Je me suis installé dans le fauteuil de sa chambre et je l'ai dessiné tandis qu'il dessinait Béatrice de Clerval. L'envie me démangeait de lui dire que je savais qui elle était ; je me suis toutefois retenu. Il aurait été dommage de le braquer alors que j'avais encore besoin d'en savoir plus sur elle et sur lui. Après m'avoir jeté un premier regard irrité, puis un second par lequel j'ai compris qu'il était conscient d'être le sujet de mon croquis, Robert m'a ignoré, mais une ambiance de camaraderie s'est peu à peu installée entre nous ; tout du moins est-ce l'impression que j'ai eue. On n'entendait que le son de nos crayons sur le papier, je me sentais serein, ce qui à Goldengrove ne m'arrive que rarement.

Robert avait un profil intéressant. J'étais agréablement étonné qu'il me laisse le dessiner sans manifester de colère. Peut-être s'était-il retiré encore plus loin au dedans de lui-même et s'en fichait-il purement et simplement. J'avais cependant le sentiment qu'il tolérait mon geste. Quand j'ai eu terminé, j'ai rangé mon crayon dans ma poche, arraché la page de mon carnet et l'ai laissée au bord de son lit. Mon portrait n'était pas mauvais, bien que largement moins expressif que les siens. Il n'a pas levé les yeux de son travail lorsque je suis sorti de la chambre, mais deux ou trois jours plus tard j'ai vu qu'il avait affiché mon cadeau dans sa galerie.

Comme avertie par un sixième sens de ce moment privilégié que j'avais passé en compagnie de Robert, Mary m'a téléphoné, ce soir-là.

– Je voudrais vous demander une faveur.

– Je vous en prie. Ce ne sera que justice.

– J'aimerais lire les lettres de Béatrice et d'Olivier.

Je n'ai hésité qu'un bref instant.

– Bien sûr. Je vous ferai des copies des traductions de mon amie. Elle n'a pas tout à fait terminé. Je vous ferai passer le reste dès que je l'aurais reçu.

– Merci.

– Comment allez-vous ?

– Bien. Le semestre est presque terminé. Je peins beaucoup.

– Ça vous dirait d'aller passer un après-midi en Virginie, ce week-end ? J'ai l'intention d'y aller moi-même de toute façon. Ce serait l'occasion de vous donner les lettres.

Elle a réfléchi quelques secondes.

– Pourquoi pas ? D'accord.

– Je voulais justement vous appeler. Vous faisiez la morte...

– Oui, je sais, excusez-moi.

Elle avait l'air sincèrement désolée.

– Ce n'est pas grave. Je peux comprendre que vous n'ayez pas envie de parler, après tous les moments douloureux que vous avez traversés dernièrement.

– En tant que professionnel ?

– Non, ai-je soupiré. En tant qu'ami.

– Merci, a-t-elle répondu d'une voix étranglée. Je crois que j'ai grand besoin d'un ami.

– Moi aussi.

Six mois plus tôt, jamais je n'aurais dit une chose pareille à quiconque.

– Samedi ou dimanche ?

– Disons samedi, à condition qu'il fasse beau.

– Andrew ? a-t-elle dit avec douceur.

Je devinais le sourire au coin de ses lèvres.

– Oui ?

– Non, rien. Merci.

– Merci à vous. Je suis content de vous revoir bientôt.

Le samedi, elle portait une grosse veste rouge et un chignon entortillé retenu par deux piques à cheveux. Nous avons peint ensemble une bonne partie de la journée. En début d'après-midi, nous avons pique-niqué sur une couverture. Le soleil était chaud pour la saison.

Elle avait les joues rouges. Quand je me suis penché vers elle pour l'embrasser, elle a noué ses bras autour de mon cou afin de m'attirer contre elle. Elle n'a pas pleuré, cette fois. Nous avons dîné dans la campagne aux abords de Washington, puis je l'ai déposée devant son immeuble, dans une rue de Northeast jonchée de détritus. Elle avait les copies des lettres dans son sac. Elle ne m'a pas invité à monter, mais avant de disparaître dans l'allée elle est revenue sur ses pas pour m'embrasser.

82

1879

À l'attention d'Yves Vignot
Passy, Paris
Mon cher mari,

Merci pour ta gentille lettre. J'espère que tu te portes bien et que Papa est moins souffrant. Je me fais beaucoup de souci et regrette de ne pas être là pour m'occuper de lui. Transmets-lui mes affectueuses pensées, s'il te plaît. Des compresses tièdes lui font en général du bien, mais je suppose qu'Esmé y a pensé.

Pour ma part, je ne peux pas dire que je m'ennuie, bien qu'Étretat soit très calme en cette saison. J'ai déjà réalisé une toile ainsi qu'un pastel et deux petits croquis. Oncle me donne beaucoup de conseils. Bien sûr, nous avons tous deux des styles très différents et je dois veiller sans cesse à ne pas me laisser influencer par le sien. Ses suggestions me sont toutefois très utiles. Il m'encourage à entreprendre une très grande toile, sur un sujet ambitieux, que je pourrais soumettre l'an prochain au Salon, sous la signature de Marie Rivière, à nouveau. Je ne sais pas encore si j'en ai le courage.

Après deux nuits de sommeil paisible, je me sens beaucoup mieux.

Elle pose sa plume et laisse courir son regard sur le papier peint de la chambre. La première nuit, épuisée par le voyage, elle a dormi comme un loir ; la deuxième aussi. La troisième, elle a somnolé par intermittences, hantée par l'image des lèvres fermes et sèches d'Olivier s'approchant de son bras.

Elle sait parfaitement ce qu'il conviendrait de faire : dire à Olivier qu'elle ne se sent pas bien ici – les nerfs, pourrait-elle alléguer, éternelle excuse – et qu'elle souhaite rentrer à la maison. Or c'est justement parce qu'elle avait les nerfs fatigués qu'Yves l'a envoyée ici. Olivier percera son jeu. Du reste, l'air marin la revigore. À Paris, elle étouffe. Au bord de la mer, elle se sent revivre. Elle adore travailler sur la plage, emmitouflée dans sa cape chaude. Elle adore la compagnie d'Olivier, sa conversation, les longues soirées qu'ils passent ensemble à lire. Il lui a ouvert des horizons insoupçonnés. Si elle prétend vouloir rentrer, il saura qu'elle ment ; il pensera qu'elle se dérobe. Il en sera blessé. Lui qui est déjà si vulnérable, elle ne peut pas lui infliger cet affront.

Elle se lève et ouvre la fenêtre. De l'étage, elle a une vue oblique sur l'étendue gris-beige de la plage et la mer grise. Une légère brise agite les rideaux et la robe du matin qu'elle a posée sur une chaise. Elle essaie de penser à Yves, mais lorsqu'elle ferme les yeux elle ne voit qu'une image grotesque, pareille à ces caricatures politiques dans les journaux qu'il lit : un homme en haut-de-forme et redingote, avec une tête énorme, disproportionnée, sa canne sous le bras, embrassant son épouse à la hâte en enfilant ses gants avant de quitter la maison. Il lui est plus facile de se représenter Olivier : debout sur la plage avec elle, grand et droit, subtil, avec ses cheveux argentés, ses joues roses, ses yeux bleu délavé, son seyant costume marron, ses mains d'artistes, ses doigts au bout carré, légèrement enflés, refermés sur le pinceau. Cette image la rend triste, alors qu'elle n'est pas triste lorsqu'il est à ses côtés.

Elle la chasse de son esprit et observe la rue, les façades de brique, les nouvelles boutiques qui lui cachent en partie la plage. Une question la taraude : combien de nuits sera-t-elle capable de passer dans cet état d'esprit ? Cet après-midi, ils iront peindre au bord de la mer, puis ils regagneront chacun leur chambre, ils s'habilleront pour le dîner, qu'ils partageront avec les autres pensionnaires. Ils s'assiéront ensuite dans le salon commun encombré de meubles et discuteront de leurs lectures. Elle aura l'impression d'être déjà dans ses bras, spirituellement. Cela ne devrait-il pas lui suffire ? Dans sa chambre, elle cherchera en vain le sommeil.

Accoudée au rebord de la fenêtre, elle se pose une autre question : le désire-t-elle ? Ni les flots ni les bateaux retournés sur le rivage ne lui apportent le moindre indice de réponse. Elle referme la fenêtre, les lèvres pincées. Advienne ce qu'il adviendra, les dés sont sans doute déjà jetés. Une réponse dictée par la faiblesse, mais elle n'en a pas d'autre, et il est l'heure qu'elle le rejoigne pour peindre.

83

Marlow

Un soir, en rentrant chez moi, j'ai trouvé une lettre de Pedro Caillet, brève mais courtoise, inespérée. Après l'avoir lue, je me suis surpris moi-même en prenant le téléphone pour appeler une agence de voyage.

Cher Dr Marlow,

Je vous remercie de votre lettre, que j'ai reçue il y a déjà deux semaines. Bien que vous en sachiez probablement davantage que moi sur Béatrice de Clerval, je serais heureux de vous prêter mon assistance. Je pourrai vous recevoir entre le 16 et le 23 mars, s'il vous est possible de vous libérer. Je serai ensuite à Rome. En réponse à votre deuxième question, non, je ne connais pas de peintre américain ayant entrepris des recherches sur l'œuvre de Clerval ; une telle personne ne m'a jamais contacté.

Sincères salutations,

P. Caillet

J'ai ensuite téléphoné à Mary.

– Que dirais-tu d'un petit voyage à Acapulco, pas la semaine prochaine, mais celle d'après ?

Elle avait la voix pâteuse, comme si je l'avais réveillée, alors que nous n'étions qu'en fin d'après-midi.

– Hein ? Qu'est-ce que tu me racontes ? On dirait... Je ne sais pas quoi. Une petite annonce matrimoniale.

– Tu dormais ? Tu sais quelle heure il est ?

– Mêle-toi de tes oignons, Andrew. Je ne travaille pas, aujourd'hui, et j'ai peint une bonne partie de la nuit, hier soir.

– Jusqu'à quelle heure ?

– Quatre heures et demie.

– Ah, ces artistes ! J'étais à Goldengrove à 7 heures ce matin. Enfin, bref, tu veux venir à Acapulco ?

– Tu es sérieux ?

– Oui. Pas en vacances. J'ai des recherches à faire là-bas.

– En rapport avec Robert ?

– Non. Avec Béatrice de Clerval.

Elle a ri. Ça m'a fait plaisir d'entendre son rire alors qu'elle venait juste de prononcer le prénom de Robert. Peut-être commençait-elle à se remettre de la rupture.

– J'ai rêvé de toi, la nuit dernière.

Mon cœur a fait un bond, ridiculement.

– De moi ?

– Oui. Un très beau rêve. J'ai rêvé que j'apprenais que tu étais l'inventeur de la lavande.

– La plante ou la couleur ?

– Le parfum, je crois. C'est mon préféré.

– Merci. Que faisais-tu, dans ton rêve, en apprenant ça ?

– Peu importe.

– Il faut que je te supplie ?

– Je t'embrassais, pour te remercier. Sur la joue. C'est tout.

– Bon, tu veux venir avec moi à Acapulco, ou pas ?

Elle a de nouveau ri. Elle était à présent parfaitement réveillée.

– Bien sûr que je veux venir. Mais tu sais que je n'ai pas les moyens de me payer le voyage.

– Je les ai, moi, ai-je répondu avec douceur. Ça fait des années que je mets de l'argent de côté. Mes parents m'ont appris à être économe. (Je n'ai pas ajouté que je n'avais personne à qui faire de cadeaux.) Tu seras en vacances, non, dans quinze jours ? Tu ne crois pas que c'est un signe ?

Il y a eu un silence sur la ligne, comme lorsque l'on s'arrête, dans les bois, l'oreille aux aguets. J'entendais sa respiration, comme on entend les oiseaux dans les branches, un écureuil bondir sur les feuilles mortes.

– Bien, a-t-elle dit lentement.

Il m'a semblé détecter dans sa voix que sa mère lui avait aussi appris à être économe, mais qu'elle n'avait pas grand-chose à mettre de côté, et qu'elle était trop fière et trop méfiante pour emprunter. En m'orientant vers la médecine, je m'étais préservé de cette précarité. Le revers de la médaille, c'est que je n'avais à mon actif qu'une dizaine de peintures qui me plaisaient vraiment. Monet avait peint soixante vues d'Étretat rien que dans les années 1860, pour la plupart des chefs-d'œuvre ; j'avais vu des dizaines de toiles calées contre les murs dans l'atelier de Mary, et des centaines de gravures et de croquis sur ses étagères.

De combien d'entre eux était-elle satisfaite ?

– Bien, a-t-elle répété d'une voix plus claire. Je vais réfléchir.

Je l'imaginais assise sur un lit que je n'avais jamais vu, vêtue de l'une de ses amples chemises blanches, repoussant ses cheveux derrière ses oreilles.

– Mais il y a un autre problème si je viens avec toi, a-t-elle ajouté.

– Je t'épargne le trouble de me l'énoncer. Tu ne seras pas obligée de dormir avec moi, si tu acceptes mon invitation, ai-je dit, plus sèchement que je ne l'aurais voulu. Je réserverai deux chambres.

– Oh non, ce n'est pas ça, a-t-elle répliqué en retenant un petit rire. Le problème, c'est justement que je risque d'avoir envie de coucher avec toi, mais je ne veux pas que tu croies que ce sera pour te remercier de m'avoir payé le voyage.

– Que puis-je dire à cela ?

– Rien. (Elle riait presque, j'en suis certain.) Ne dis rien, s'il te plaît.

À l'aéroport, deux semaines plus tard, après une rare tempête de neige sur Washington, nous étions tous les deux empruntés. J'ai commencé à me demander si cette aventure était une bonne idée ou si elle ne serait pas seulement source d'embarras pour elle comme pour moi. Nous nous étions donné rendez-vous à la porte d'embarquement. La salle d'attente était pleine d'étudiants qui auraient pu être ceux de Mary, en tenue d'été, alors que derrière les vitres les avions roulaient entre des monticules de neige sale. Mary m'y a rejoint avec un porte-toiles sur l'épaule et son chevalet portable à la main. Elle s'est penchée vers moi pour m'embrasser, gênée. Elle avait les cheveux relevés et un long pull bleu marine sur une jupe noire. À côté des adolescents tapageurs en shorts et T-shirts de couleurs vives, elle avait l'air d'une bonne sœur. J'ai pensé que je n'avais pas pensé une seconde à emporter ma valise de peinture. Que m'arrivait-il ? Je devrais me contenter de la regarder peindre.

Dans l'avion, nous avons discuté à bâtons rompus, comme si nous avions l'habitude depuis des années de voyager ensemble, puis elle s'est endormie, très droite sur son siège, mais sa tête est peu à peu tombée sur mon épaule. *J'ai peint une bonne partie de la nuit.* De temps en temps, elle se redressait, sans se réveiller. En veillant à ne pas la déranger, j'ai ouvert un livre sur le traitement des troubles de la personnalité. Depuis que je m'occupais de Robert et de Béatrice, mes lectures professionnelles en souffraient.

Je n'arrivais pas à lire plus de deux ou trois phrases sans me déconcentrer. J'imaginais sa tête sur l'épaule de Robert, sur son épaule nue. Était-il vrai qu'elle ne l'aimait plus ? Ou la vérité était-elle plus compliquée ? Robert finirait peut-être par aller mieux, un jour ou l'autre, grâce à mes soins. Et si je n'avais plus envie de l'aider, au vu de ce qu'il risquait de se produire s'il reprenait le cours de sa vie ? J'ai distraitement tourné une page. Dans la lumière qui filtrait au travers des nuages, Mary avait les cheveux châtain clair, dorés en surface sous la faible lueur de la veilleuse de lecture, plus foncés lorsque sa tête roulait de l'autre côté du hublot ; ils brillaient comme du bois sculpté. Avec une infinie douceur, j'ai caressé du doigt la raie qui les partageait au milieu ; elle a bougé et marmonné quelque chose dans son sommeil. Ses paupières étaient rosées. Elle avait un petit grain de beauté près du coin de l'œil gauche. J'ai pensé à la galaxie de taches de rousseur de Kate, au visage émacié de ma mère, à ses grands yeux encore pleins de compassion alors qu'elle était au seuil de la mort. Lorsque j'ai tourné la page suivante, Mary s'est calée contre le hublot en resserrant son pull autour d'elle.

84

1879

Devant l'armoire, elle hésite entre deux robes, une bleue et une marron clair. Elle opte finalement pour la beige, avec des bas épais et des chaussures robustes. Elle ajuste son chignon et prend sa longue cape ainsi que sa bonnette bordée de soie cramoisie et ses vieux gants. Il l'attend dans la rue. Elle lui sourit sans retenue, heureuse de son air réjoui. Rien d'autre n'importe, peut-être, que cette étrange joie qu'ils se donnent l'un à l'autre. Il porte leurs deux chevalets, elle insiste pour prendre les sacoches. Olivier range son matériel dans une vieille *musette de chasse* en cuir qu'il a depuis l'âge de vingt-huit ans – l'une des nombreuses choses qu'elle sait maintenant de lui.

Sur la plage, ils déposent leur équipement contre la digue et partent d'abord se promener, d'un accord tacite. Le vent est fort mais moins frais que la veille, chargé d'un parfum d'herbes ; les falaises sont couvertes de coquelicots et de marguerites. Lorsqu'elle a besoin d'aide pour franchir un passage difficile, elle lui prend la main. Ils grimpent sur un plateau, d'où ils ont une vue spectaculaire sur l'arche de roc à l'extrémité de la plage. Sujette au vertige, elle se tient à distance du vide. Olivier s'approche de l'à-pic et se penche en avant : il lui rapporte que les vagues sont hautes, aujourd'hui ; elles fouettent le pied de la falaise.

Ils sont complètement seuls. Dans ce cadre grandiose, elle se sent toute petite et ses préoccupations lui paraissent insignifiantes : son désir de maternité, la culpabilité qui la ronge... Au côté d'Olivier, petite note humaine dans ce paysage sublime, elle se sent bien, tout simplement. Lorsqu'il revient vers elle, elle se blottit contre lui. Il lui enlace les épaules. Une vague de bonheur mêlé de désir la submerge. Le vent leur cingle le visage. Il lui dépose un baiser dans le cou, juste à la base de son chignon. Peut-être parce qu'elle ne le voit pas, elle oublie la différence d'âge qui les sépare.

Dans le noir, songe-t-elle, il n'y aura plus entre eux aucune barrière. Cette pensée fait surgir en elle une onde de chaleur. Il la serre plus fort. Elle connaît la courbe de ses jupes, le renflement de ses jupons ; elle sent ce qu'il doit sentir sous sa main. Au milieu de cette immensité, la mer et l'horizon, ils s'appartiennent. Ils demeurent ainsi un long moment, elle en perd la notion du temps. Quand le vent commence à les transpercer, ils redescendent en silence sur la plage et y installent leurs chevalets.

85

Marlow

J'avais si souvent vu Acapulco dans les films que j'avais l'impression d'y être déjà venu. Je n'arrivais pas à croire qu'en cinquante-deux ans je n'avais encore jamais traversé la frontière. La route qui menait en ville était exactement telle que je l'imaginais, bordée de maisons délabrées, éternellement en construction, des tiges métalliques sortant du béton, décorées de bougainvilliers et de pièces automobiles rouillées ; de petites gargotes aux façades de couleurs vives ; de dattiers ployant sous le vent, également couleur rouille. Le chauffeur de taxi nous parlait dans un anglais approximatif. Il nous a montré la vieille ville, où j'avais rendez-vous le lendemain avec Pedro Caillet.

J'avais réservé une chambre dans un hôtel-club dont John Garcia m'avait assuré qu'il n'y avait pas de meilleur endroit au monde pour une lune de miel. Il y avait lui-même séjourné durant son voyage de noces. Il m'avait dit cela sans ironie ni curiosité, quand je l'avais appelé pour lui demander conseil et lui avais confié que j'étais tombé amoureux. Je ne lui avais pas dit qui elle était, évidemment ; j'aurais le temps, plus tard, de lui donner des explications. « Voilà une bonne nouvelle, Andrew », m'avait-il seulement dit. Je me doutais des conversations qu'il avait dû avoir avec son épouse : *Marlow n'est plus tout jeune... Tu crois qu'il va finir par se trouver quelqu'un, le pauvre ?* Ils devaient se féliciter d'être mariés depuis si longtemps, lorsqu'ils parlaient de moi. Toujours est-il qu'il n'avait fait aucun commentaire. Il m'avait simplement indiqué le nom de l'hôtel, La Reina.

Je l'ai remercié silencieusement en regardant Mary s'avancer dans le hall de réception, ouvert de tous côtés sur les palmiers, la mer.

Le vent chaud s'y engouffrait, chargé d'une odeur tropicale que je n'arrivais pas à définir, une odeur de fruits mûrs auxquels je n'avais jamais goûté. Elle avait enlevé son long pull de nonne. Dessous, elle portait un fin corsage. Les courants d'air faisaient frémir sa jupe. Au centre de cette vaste cour intérieure, elle s'est arrêtée pour lever la tête vers les rangées pyramidales de balcons drapés de lianes.

– On dirait les jardins suspendus de Babylone, a-t-elle dit.

J'avais envie de m'approcher derrière elle et de nouer confortablement mes bras autour de sa taille, mais j'ai pensé qu'elle n'apprécierait pas cette familiarité dans un endroit inconnu. J'ai moi aussi levé la tête. Puis nous nous sommes dirigés vers le long comptoir de marbre noir où l'on nous a remis deux clés pour une même chambre. Elle a eu un instant d'hésitation avant d'accepter la sienne ; je l'avais prise au mot. Nous sommes montés en silence dans l'ascenseur. La cabine était entièrement vitrée. Sous nos pieds, le patio s'est éloigné à toute allure. J'ai pensé – et ce ne serait pas la dernière fois – qu'il n'était pas décent de séjourner dans un établissement aussi luxueux alors que des millions de Mexicains se bousculaient aux portes de notre nation dans l'espoir d'y trouver de meilleures conditions de vie que dans leur pays. Mais ce n'était pas pour moi que j'avais choisi cet hôtel, me suis-je dit ; c'était pour Mary, qui coupait le chauffage la nuit et dormait dans une pièce à 12 °C afin de réduire ses notes d'électricité.

Notre chambre était spacieuse, sobrement meublée. Mary en a fait le tour en effleurant le stuc des murs, la lanterne carrée en marbre translucide. Le lit était immense – je me suis détourné –, couvert d'un jeté de lin beige. Une baie vitrée s'ouvrait sur un balcon garni de plantes grimpantes et de chaises en bois noir. J'ai regretté de ne pas avoir réservé une chambre avec vue sur la mer, en dépit du supplément de prix. J'avais déjà dépensé tellement d'argent, je n'en étais plus à quelques dollars près. Mary s'est tournée vers moi avec un sourire embarrassé.

– Ça te plaît ?

Elle a ri.

– Oui. Tu n'aurais pas dû, mais c'est magnifique. Je crois que je vais bien me reposer ici.

– J'y veillerai.

Je l'ai enlacée et embrassée sur le front. Elle m'a embrassé sur la bouche puis elle a aussitôt entrepris de défaire ses bagages. Nous sommes ensuite redescendus. Sur la plage, elle a enlevé ses chaussures. Main dans la main, nous avons marché au bord de l'eau. Les vagues étaient aussi chaudes que du thé laissé dans une théière. La plage était bordée de gigantesques palmiers et de petites huttes en palmes tressées. Des éclats de voix retentissaient en anglais et en espagnol. De la musique s'échappait de postes de radio. Des enfants bronzés couraient sur le sable. Il y avait des années que je ne m'étais pas promené au bord de l'océan, au moins six ou sept ans, ai-je réalisé avec étonnement, et je n'avais pas vu le Pacifique depuis l'âge de vingt-deux ans ! Mary a remonté sa jupe et les manches de son corsage.

– Tu viendras avec moi, demain ? lui ai-je demandé suffisamment fort pour couvrir le bruit du vent.

– Chez... Comment s'appelle-t-il déjà ? Caillet ? Tu veux que je vienne ?

– À moins que tu ne préfères rester ici à peindre.

– J'aurai tout le reste du temps pour peindre, a-t-elle répondu en se baissant pour tremper sa main dans l'eau.

Tandis que nous regagnions les jardins de l'hôtel, j'ai vu que l'accès à la plage était surveillé par un garde en uniforme armé d'un M16.

Nous avons déjeuné sur la véranda attenante à la réception. Mary s'est levée une ou deux fois pour aller voir le lagon et la cascade artificiels où s'ébattaient un couple de flamants roses – sauvages ? appartenant à l'hôtel ? Nous avons bu de la tequila dans des petits verres épais, après avoir trinqué en silence à notre présence en ce lieu. Nous avons mangé du ceviche, du guacamole et des tortillas, le goût du citron vert et de la coriandre s'attardant dans ma bouche comme une promesse. Le vent chaud, le bruissement des palmiers, le souffle du Pacifique me rappelaient la jungle et l'océan tels que je les fantasmais dans mon enfance à la lecture de *L'Île au trésor* et de *Peter Pan*. Oui, c'était ce que ce genre d'endroit était censé évoquer, une version magique et aseptisée des tropiques. Le lieu me faisait cependant penser aussi aux périlleuses aventures de *Lord Jim*, et au voyage de Kurtz, dans *Au cœur des ténèbres*. Et à Gauguin.

– On partira vers 9 heures, demain, ai-je dit pour chasser les effets soporifiques de la tequila. Caillet m'a demandé de venir le matin, avant qu'il fasse trop chaud. Il habite dans la partie ancienne de la ville. Ça nous fera une balade.

– Il peint ?

– Oui. Il est critique et collectionneur, mais je crois qu'avant tout il doit avoir une âme d'artiste, d'après l'interview que j'ai lue.

De retour dans notre chambre, je me suis senti gagné par la fatigue du voyage. J'espérais à demi que Mary aurait envie de faire une sieste, elle aussi, que nous nous allongerions côte à côte sur le grand lit et surmonterions peu à peu notre gêne. Mais elle a pris son chevalet et son sac.

– Ne t'éloigne pas trop, lui ai-je dit malgré moi en me souvenant du garde armé.

Je me suis aussitôt mordu la langue. Ce n'était plus une gamine inconsciente. Elle ne s'est toutefois pas hérissée.

– Je sais, a-t-elle répliqué. Je vais m'installer dans le jardin près de la réception. Sur la droite face à la plage, si tu me cherches.

Sa douceur m'a surpris. Je me suis assis sur le lit, n'osant pas enlever ma chemise devant elle. Elle s'est penchée au-dessus de moi et m'a embrassé, de la même manière que sur ma couverture de pique-nique, avec un désir contenu. Je lui ai rendu son baiser avec intensité, sans toutefois la retenir puisqu'elle voulait sortir.

J'ai sombré dans un sommeil peuplé d'arbres enchevêtrés et de soleil, vaguement conscient du bruit de la mer au loin. La lumière déclinait quand mon réveil a sonné. Une fraction de seconde, j'ai cru que j'avais loupé un rendez-vous, probablement avec Robert Oliver, et je me suis redressé en sursaut, la poitrine étreinte par l'angoisse. Mais non, Robert était toujours en vie et à peu près bien portant, pour autant que je sache. Du reste, j'avais laissé à Goldengrove le numéro de téléphone de l'hôtel. Je suis allé à la fenêtre et j'ai tiré les rideaux. En bas, à la réception, au fond du puits vertigineux, des lampes étaient allumées.

Nouvel accès de panique : où était Mary ? Je n'avais dormi que deux heures mais je regrettais de l'avoir laissée seule aussi longtemps. J'ai trouvé et enfilé mes sandales de plage. Dans le jardin, le vent secouait les palmiers avec une force menaçante. Les vagues se fracassaient brutalement sur la plage. Mary était exactement là où elle m'avait dit qu'elle serait, le pinceau en suspens face à sa toile, tout son poids sur une hanche. Elle a ajouté une touche à son paysage. Je voyais qu'elle se dépêchait avant de manquer de lumière. Il lui a fallu un moment pour s'apercevoir de ma présence.

– Il commence à faire trop sombre.

Je me suis approché de son chevalet.

– C'est superbe.

J'étais sincère. Sa scène était poignante – l'éclat incolore de la fin de journée à la surface bleue de la mer. Je ne sais pas ce qui donne parfois du pathos à un paysage, ce petit quelque chose qui vous retient devant un tableau, quelle que soit la qualité de son exécution. Elle avait saisi la dernière pulsation d'une journée parfaite, parfaite parce qu'elle se terminait. Ne sachant comment formuler cela, ni si elle désirait que j'en dise plus, j'ai gardé le silence et observé son visage tandis qu'elle contemplait son travail.

– Pas mal, a-t-elle dit au bout d'un moment en raclant sa palette avec un couteau et en récupérant les copeaux de peinture dans une petite boîte.

J'ai tenu la toile pendant qu'elle pliait son chevalet et rangeait son matériel.

– Tu as faim ? Ce serait bien qu'on ne se couche pas trop tard. On doit se lever tôt, demain.

Ma maladresse me désespérait. Elle allait croire que j'étais pressé de l'avoir dans mon lit, et en même temps que je la considérais comme une enfant.

À ma surprise, elle a virevolté dans la pénombre et m'a embrassé en riant et en évitant de toucher la toile.

– Tu vas arrêter d'angoisser ? Arrête d'angoisser.

J'ai moi aussi éclaté de rire, soulagé, un peu honteux.

– Je vais essayer.

86

1879

Le soir, dans le salon, au lieu de s'asseoir en face de lui, elle s'installe à ses côtés. Ses mains ne parviennent pas à se concentrer sur la broderie. Elle pose son ouvrage sur ses genoux et le regarde. Il lit, sa tête coiffée avec soin penchée au-dessus de son livre. L'ottomane qu'il a choisie est trop courte pour ses longues jambes. Il lève les yeux vers elle et lui offre avec un sourire de lui faire la lecture à voix haute. Elle accepte. *Le Rouge et le Noir ;* elle l'a déjà lu deux fois, pour elle-même et pour Papa. Elle a été émue, parfois aux larmes, par ce pauvre Julien. Aujourd'hui, elle est incapable d'écouter.

Elle regarde fixement les lèvres d'Olivier. Au bout d'un moment, il pose le roman.

– Tu ne suis pas, ma chère.

– Non, j'ai bien peur que non.

– Je suis sûr que ce n'est pas la faute de Stendhal, c'est donc la mienne. Aurais-je commis quelque bévue ? Oui, je le sais.

– C'est absurde ! s'exclame-t-elle. Arrête !

– Bien... acquiesce-t-il.

– Excuse-moi.

Elle baisse la voix. Ils ne sont pas seuls dans la pièce.

– C'est juste que tu n'as pas idée de l'effet que tu as sur moi, murmure-t-elle en tripotant le lacet de sa robe.

– Je t'ennuie, peut-être ? réplique-t-il avec un sourire confiant. (Il sait qu'il a capté son attention.) Laisse-moi donc te lire autre chose.

Il déloge l'un des volumes de la bibliothèque.

– Quelque chose qui élève l'esprit, *Les Mythes grecs*.

Elle reprend son ouvrage de broderie.

– *Léda et le Cygne*, commence-t-il. Léda était une jeune fille d'une rare beauté. Pour la séduire, le puissant Zeus se métamorphosa en cygne.

Olivier lève les yeux par-dessus le livre. Il n'a pas choisi cette légende par hasard.

– Pauvre Zeus, il n'a pas pu se maîtriser, commente-t-il.

– Pauvre Léda, rétorque-t-elle posément. Elle n'avait rien demandé.

La paix est revenue entre eux. Elle coupe le fil de ses petits ciseaux à bec de cigogne.

– Crois-tu que Zeus se plaisait sous la forme d'un cygne ? Bah... Il prenait certainement du plaisir à tout ce qu'il faisait, à part peut-être lorsqu'il devait discipliner les autres dieux.

– Je ne sais pas, répond-elle, pour le plaisir de la discussion. Peut-être aurait-il préféré se présenter à la charmante Léda sous l'apparence d'un être humain. Peut-être aurait-il aimé être un mortel pour quelques heures, goûter à la vie ordinaire.

– Non, je ne pense pas, déclare Olivier en posant le livre ouvert sur ses genoux. Imagine quelle joie il a dû éprouver en étant cygne : survoler le paysage, découvrir la belle endormie...

– C'est vrai.

– Cette scène ferait un merveilleux tableau, ne crois-tu pas ? Exactement le genre de chose que le jury du Salon acclamerait. Certes, le sujet a déjà été traité. Mais l'on pourrait songer à une nouvelle approche. Un mythe vieux comme le monde revisité au goût du jour, dans un style naturaliste, par exemple...

– Bonne idée, en effet. Pourquoi ne t'y essaierais-tu pas ?

Elle pose ses ciseaux et le regarde. Son enthousiasme, sa présence l'emplissent d'amour.

– Non, dit-il. Voilà une œuvre pour un peintre plus hardi que moi, un artiste qui aimerait les cygnes et manierait le pinceau avec audace. Toi, par exemple.

– Tu n'y songes pas, voyons ! Comment pourrais-je peindre pareille scène ?

– Avec mon aide.

– Oh, non. Je n'ai jamais réalisé de toile si compliquée. Du reste, il faudrait un modèle pour Léda, et un décor.

– Tu pourrais l'exécuter en extérieur. Pourquoi pas dans ton jardin ? Pour le cygne, tu t'inspirerais de ceux du bois de Boulogne. Tu les as déjà dessinés, remarquablement bien. Et tu pourrais prendre ta bonne pour modèle. Ce ne serait pas la première fois qu'elle pose pour toi.

– C'est que... Je ne sais pas... C'est un sujet osé pour moi, pour une femme... Comment Marie Rivière pourrait-elle soumettre une telle œuvre ?

– Ce serait son affaire, pas la tienne.

Olivier sourit légèrement. Une étincelle brille dans ses yeux. Il est sérieux, néanmoins.

– Aurais-tu peur, si j'étais là pour t'aider ? poursuit-il. N'aimerais-tu pas prendre un risque ? Te montrer courageuse ? Certaines choses ne méritent-elles pas que l'on passe outre la censure publique ?

La voilà au pied du mur. Le défi qu'il lui lance, la panique, le désir lui oppressent la cage thoracique.

– Tu m'aiderais ?

– Oui. Auras-tu peur quand même ?

Elle se force à plonger son regard dans le sien. Elle a du mal à respirer. Il sait qu'elle comprend le double sens de cette conversation, même si elle feint d'en ignorer l'ambiguïté.

– Non, articule-t-elle lentement. Si tu es là pour me soutenir, je n'aurai pas peur. Avec toi, je crois que je n'aurais peur de rien.

Il soutient son regard, il ne sourit plus. Elle lui sait gré de ne point afficher son triomphe, rien qu'elle ne puisse imputer à de la vanité. Il semble même au bord des larmes.

– Je t'aiderai, murmure-t-il d'une voix à peine audible.

Elle ne dit rien. Les larmes lui montent aux yeux.

Il la regarde encore une longue minute, puis il reprend le livre.

– Veux-tu entendre l'histoire de Léda ?

87

Marlow

Pour le dîner, nous avons choisi une table près du bar de la réception, là où la salle s'ouvrait sur le dehors. On entendait les vagues se briser sur la plage, et l'on voyait les palmes des cocotiers danser sans relâche. Le vent malmenait et froissait les arbres au point de les rendre aussi bruyants que la mer – ce qui me fit de nouveau penser à *Lord Jim.* Comme j'ai demandé à Mary ce qu'elle lisait, elle m'a décrit un roman contemporain dont je n'avais jamais entendu parler, signé par une jeune Vietnamienne. Mon attention dévia de cet exposé pour se fixer sur les yeux de Mary, sur la façon curieuse dont la chandelle lui faisait des paupières tombantes, et encore sur ses pommettes douces et étroites. Des serveurs grimpaient sur un tabouret pour allumer des torches perchées dans deux grandes coupes en pierre, en surplomb des étagères de verres et de bouteilles, ce qui donnait au bar l'aspect d'un autel antique – une astuce de décorateur pour assurer la touche maya ou aztèque.

Je m'aperçus que Mary avait elle aussi la tête ailleurs, même pendant qu'elle me décrivait les *boat people* de son bouquin. Je remarquai aussi que nous étions peu nombreux dans la salle. Un seul autre couple dînait, et quelques mètres plus loin trois gosses empêchaient un ara rouge de se lisser les plumes en paix. Des touristes allaient et venaient dans le vent, comme cet homme en fauteuil roulant, poussé par une femme plus jeune qui devait se courber pour lui parler, ou cette petite famille au cheveux soyeux que l'on voyait flâner sur la terrasse, séduite par les fontaines en pierres de turquoise et les cris de l'oiseau râleur.

Je me sentais écartelé, entre la présence envoûtante de Mary – les duvets blonds de ses avant-bras et celui quasi invisible de sa joue dans la lueur de la bougie – et la nouveauté stupéfiante de ce lieu, avec ses parfums, ses espaces remplis d'échos et ses passants destinés à je ne sais quelles ivresses. Je m'étais rarement trouvé dans un endroit conçu exprès pour le plaisir. Mes parents n'avaient jamais été tentés par ce type d'expériences futiles et onéreuses, et ma vie d'adulte tournait presque exclusivement autour du travail, hormis d'occasionnelles escapades pour parfaire ma culture générale ou peindre au grand air. J'étais désorienté, d'abord par la douceur du vent, par l'éclat de chaque surface, par les odeurs de sel et de palmier, mais aussi par l'absence d'architecture ancienne ou de parc national, de choses à étudier ou à explorer – en un mot, d'une justification. On ne connaissait ici qu'une seule devise, la détente.

– En fait, cet hôtel est entièrement dédié à l'océan, dit Mary.

Ça alors... Elle venait d'abréger son compte-rendu de lecture pour compléter ma pensée. Ce synchronisme n'était sans doute qu'une coïncidence, mais il m'a suffoqué. J'ai eu envie de me coucher sur la table pour embrasser cette fille, et dans la foulée j'aurais même pu verser quelques larmes – pour les proches que j'avais perdus et qui rataient ce décor, ou pour tous ceux qui n'avaient pas la chance d'être moi-même en cet instant, avec toutes les promesses que le ciel me faisait miroiter.

J'ai approuvé d'un hochement de tête que j'espérais judicieux, puis nous avons mangé en silence. Bien que subjugué par les saveurs de la goyave et du poisson fondant, j'observais toujours Mary, ou je la laissais m'observer. Moi aussi, je me voyais, comme si l'on avait placé une glace dans son dos. Andrew Marlow : la fleur de l'âge un peu fanée, les épaules larges mais un peu voûtées, les cheveux encore épais quoique grisonnants, les rides reliant les narines aux lèvres accentuées par le clair-obscur, et la taille (cachée sous ma serviette de lin) aussi fine qu'elle le serait jamais. Cela faisait longtemps que ce corps et moi vivions ensemble : c'était une relation harmonieuse, sans grands heurts ni grandes exigences, ma seule demande étant qu'il m'emmène et me ramène du travail et s'entretienne dans la semaine. Je l'habillais, le lavais, le nourrissais, lui administrais des vitamines. Et d'ici une heure ou deux je le mettrais entre les mains de Mary, si elle était toujours partante.

À cette idée, je fus pris d'un frisson. Ses doigts dans ma nuque, puis entre mes jambes ; mes mains sur ses seins dont je connaissais seulement les reliefs à travers le chemisier. Puis mon excitation fit place à une honte anticipée : les affronts de l'âge exposés à la lumière d'une lampe de chevet, ma longue absence de l'amour, le risque d'une défaillance et la déception certaine de Mary. Je devais à tout prix chasser Kate de ma tête, ainsi que cette vision de Robert les prenant l'une et l'autre, Kate et Mary. Mais qu'est-ce que je fabriquais ici, avec une de ses femmes ?

Pour ma défense, Mary représentait désormais tout autre chose pour moi. Elle était elle-même, à part entière, et je ne pouvais plus imaginer ma vie sans elle.

– Seigneur, ai-je soupiré à voix haute.

Mary me considéra, sa fourchette entre ses lèvres, une rangée de cheveux glissant de son épaule.

– C'est rien, ai-je ajouté.

Elle a bu une gorgée d'eau sans chercher à comprendre, et je l'ai secrètement bénie de ne pas être de ces femmes qui vous demandent sans arrêt : « À quoi tu penses ? ». Mais au fond, n'était-ce pas à cela, sonder les cerveaux, que l'on me payait si grassement ? Cette réflexion m'a fait sourire, mais Mary est restée stoïque. Et alors j'ai compris, dans une bouffée d'affection, qu'elle n'avait même pas *envie* de tout savoir. Son univers lui suffisait, d'où son adorable réserve.

Le dîner terminé, nous sommes remontés sans un mot, comme si l'on nous avait ôté l'usage de la parole, et je fus incapable de la regarder pendant que je déverrouillais la porte de notre chambre. J'ai hésité à attendre dans le couloir le temps que Mary passe à la salle de bains, puis je me suis dit qu'une telle proposition serait encore plus gênante pour elle que de me voir entrer spontanément. Je l'ai donc suivie dans notre espace commun et me suis allongé sur le lit avec un vieux *Washington Post* tandis qu'elle allait se doucher derrière une porte fermée. Quelques minutes plus tard, elle est ressortie enveloppée dans l'un des peignoirs de l'hôtel. Ses cheveux mouillés tombaient en éventail sur le coton blanc et moelleux, et son cou paraissait aussi empourpré que son visage.

Nous nous sommes regardés, immobiles.

– Moi aussi, je vais me doucher, ai-je déclaré tout en essayant de replier mon journal avec flegme.

– D'accord.

Son ton distant valait tous les discours. *Elle regrette*, me suis-je dit. *Elle regrette d'être venue, de s'être embarquée dans cette galère. Elle se sent prise au piège.* M'étais-je montré trop dur, trop froid ? Quelle importance ? Maintenant que nous étions coincés dans cette chambre, il s'agissait de limiter la casse. Je me suis levé sans un mot et me suis déchaussé. Mes pieds m'ont paru squelettiques sur la moquette claire. J'ai sorti ma trousse de toilette tandis que Mary libérait le passage. Comment avais-je pu croire que ça allait marcher ? J'ai gagné la salle de bains et tourné le verrou derrière moi. L'homme que je vis dans le miroir avait un défaut rédhibitoire : il n'était pas Robert Oliver. Mais Robert Oliver pouvait aller au diable, lui aussi ! Je me suis déshabillé en m'interdisant de regarder autre chose que le carré de mousse argentée entre mes pectoraux. Au moins, j'avais gardé la ligne et mes muscles de jogger – des muscles qu'elle ne palperait jamais, désormais. Tout bien réfléchi, autant en rester là avec elle. Nul ne pouvait inverser l'histoire de Mary. Et je me sentais idiot d'y avoir seulement songé.

Je me suis savonné sous un jet violent et brûlant, sans négliger les parties intimes, malgré le peu de chances qu'elles me servent ce soir. Puis j'ai rasé mon menton de quinquagénaire avant d'enfiler le second peignoir fourni avec la chambre. (« Si vous adorez votre peignoir, disait un écriteau, vous pouvez en emporter un chez vous ! Demandez-le à la boutique de l'hôtel, dans le hall », suivi d'un montant en pesos propre à vous foudroyer sur place.) Enfin, je me suis brossé les dents et donné un coup de peigne. De toute façon, passé un certain âge, il n'était plus possible d'accueillir quelqu'un dans sa vie. Pas de manière sérieuse, en tout cas. Ce n'était même plus à démontrer. Une fois coiffé, je me suis demandé comment nous allions réussir à dormir sans avoir fait l'amour. Il était peut-être encore temps de prendre une chambre simple, pour moi. Je laisserais le lit double à Mary et m'éclipserais avec ma valise, pour la laisser dormir en paix. J'espérais que nous pourrions régler ces questions d'intendance – et tout ce qu'elles impliquaient – avec calme et dignité, sans acrimonie. Et au moment opportun, je lui dirais que je comprendrais qu'elle veuille quitter Acapulco plus tôt que prévu.

Après avoir combiné ce plan avec moi-même et serré mon poing quelques secondes pour dompter ma respiration, je fus capable de rouvrir la porte sans le moindre regret, sinon celui de devoir quitter ce sauna pour une conversation pénible.

Sauf que, à ma surprise, la chambre était plongée dans le noir. J'ai cru un instant que Mary avait pris les devants en changeant elle-même de chambre, puis j'ai discerné une forme blanche dans un coin. Mary était assise au bout du lit, épargnée de justesse par la lumière de la salle de bains. Sa chevelure était sombre comme la pièce, et ses courbes indistinctes. D'un doigt glacé, j'ai éteint derrière moi, puis fait deux pas vers elle avant de penser à retirer mon peignoir. Je l'ai jeté sur la chaise du bureau – du moins là où celle-ci se situait dans mon souvenir – et j'ai gagné le lit en quelques foulées timides. Alors que j'hésitais encore à toucher Mary, je l'ai sentie se redresser. La chaleur de son souffle est venue caresser ma bouche, et celle de sa peau se presser contre la mienne. J'avais l'impression de me réveiller après de longues années d'hibernation. Les mains de Mary se sont posées tels deux oiseaux sur mes épaules nues et froides. Puis elle a comblé une à une toutes mes autres carences : ma bouche mutique, le vide dans ma poitrine, et enfin mes mains désœuvrées.

C'est avec George Bo, à l'Art League School, que j'ai appris à dessiner l'anatomie humaine. J'ai suivi ce cours assidûment avant de le compléter par des leçons de peinture du corps. J'avais en effet compris que le seul moyen d'améliorer mes portraits serait de connaître les muscles cachés sous le visage, dans le cou, dans les bras et les mains… Mes camarades de classe et moi passions ainsi des heures et des heures à dessiner des muscles – ceux qui nous font marcher, plier, sauter, saisir – que nous ne revêtions de peau qu'à la toute fin du processus. Nous en savons si peu sur le corps humain… Même les plus fins observateurs ignorent tout ce qui se cache en chacun de nous.

En me remettant ainsi à l'anatomie, que j'avais étudiée des années plus tôt mais sous l'angle médical, j'ai craint que mon rapport à la chair ne redevienne purement clinique. Mais il n'en a rien été, bien sûr. Savoir quels muscles creusent la double fossette en bas des reins n'a jamais entamé mon envie de la caresser, de même que l'épine dorsale, qui se déroule dans le dos comme une division sur un cahier d'écolier, a toujours gardé à mes yeux son caractère exquis. Je suis capable de dessiner les muscles qui creusent la taille, même si je préfère représenter mes sujets à partir du sternum afin de mettre l'accent sur les épaules et le visage. Mais cet os-là aussi, je le connais bien ! Tout comme les muscles qui en rayonnent, ou le S étiré de la clavicule et la chair souple tout autour. Quand il le faut, je sais rendre le goulet qui traverse la cuisse contractée, la longue piste qui court du genou à la fesse, ou le renflement charnu à l'intérieur de la jambe. En laissant deviner les muscles sous la peau ou les vêtements, le peintre apporte un élément aussi insaisissable qu'immuable : la chaleur du corps, la pulsation qui l'anime, la vie. Et donc, par extension, ses mouvements, ses petits bruits et la marée qui le submerge lorsque, abreuvé d'amour, l'esprit peut enfin s'oublier.

Peu avant l'aurore, Mary a niché sa tête dans mon cou et s'est endormie. L'enveloppant de mes bras si longtemps vides, j'ai sombré moi aussi, ma joue dans ses cheveux.

88

1879

Ce soir-là, à la lueur de la bougie de sa chambre, elle lit longtemps, mais sans tourner la moindre page ni assimiler un seul mot. Aux douze coups de la pendule d'en bas, elle dénoue ses cheveux et suspend ses vêtements dans l'armoire. Elle passe sa seconde chemise de nuit – la plus belle, avec ses fines manchettes, son collet et ses millions de plis sur les seins –, puis noue son peignoir par-dessus. Elle se lave le visage et les mains au bassin, chausse ses silencieuses mules brodées d'or, empoche sa clef et souffle la chandelle. Agenouillée au pied du lit, elle récite une courte prière. Elle rend hommage à la grâce dont elle s'est détournée, et demande pardon à l'avance pour ce qu'elle s'apprête à commettre. Malgré elle, c'est Zeus qu'elle voit lorsqu'elle ferme ainsi les yeux.

Sa porte ne grince pas. Et quand elle essaie sa porte à lui, tout au fond du couloir, et qu'elle s'aperçoit qu'il ne l'a pas verrouillée, son cœur saisi de certitude se met à palpiter. Elle entre, referme avec une infinie douceur et tourne le verrou. Lui aussi lisait, dans le fauteuil près de la fenêtre. Les rideaux tirés, une unique bougie sur le bureau. Dans cette lumière spartiate, ses traits âgés évoquent subitement un crâne, et elle se fait violence pour ne pas tourner les talons. Puis elle trouve son regard, à la fois grave et tendre. Il porte une robe de chambre écarlate qu'elle ne lui connaissait pas. Il repose son livre, souffle la bougie et se lève pour entrouvrir les rideaux. Tous deux peuvent maintenant s'entrevoir dans la lueur des becs de gaz, sans être vus de la rue.

Elle n'a pas bougé. Il s'approche d'elle et pose doucement les mains sur ses épaules, tout en cherchant ses yeux dans la pénombre. « Ma chérie », chuchote-t-il avant de prononcer son prénom.

Il embrasse sa bouche, en commençant par le coin. Vaincus, le doute et la peur qui la tenaillaient laissent poindre un horizon, une route au soleil, une contrée qu'il a dû fouler bien avant de la connaître – peut-être même des années avant qu'elle ne vienne au monde. Une route bordée de sycomores. Tandis qu'il explore ses lèvres à coups de petits baisers, elle lui prend les épaules. Ses os sont noueux sous l'étoffe de soie, comme les rouages d'une horloge robuste, ou la branche d'un arbre séculaire. Il déguste sa bouche, boit la jeunesse qui s'en exhale tout en offrant lui-même ce que l'amour lui enseigna voilà des lustres, comme s'il lançait un caillou dans le puits de sa poitrine.

La sentant essoufflée, il se redresse et déboutonne sa chemise de nuit, en commençant par la première perle du col, jusqu'à pouvoir y glisser une main. Alors il lui caresse les épaules, et la chemise s'affaisse. Sur le moment, elle craint qu'il ne s'agisse pour lui que d'une leçon d'anatomie parmi d'autres, lui, l'homme du monde, le vieux maître des pinceaux, le grand ami des modèles. Mais lorsqu'il lui pose un doigt sur la bouche et laisse son autre main descendre, elle remarque des traces luisantes et salées sur son visage. Ce n'est pas elle mais lui qui accomplit sa mue. Et qui se blottira dans les bras aimés jusqu'au seuil du matin.

89

Marlow

La maison de Caillet dominait la baie d'Acapulco, dans un quartier en gradins haut perché sur la colline. C'était un de ces coins peuplés d'élégantes bâtisses en pisé, avec des lauriers-roses à profusion et des murs d'enceinte en stuc tapissés de bougainvilliers. Nous fûmes reçus à la grille par un moustachu en veste blanche, de celles que portent les serveurs. À l'intérieur de la propriété, un deuxième homme, en chemise et pantalon bruns, arrosait la pelouse et un oranger. Il y avait des oiseaux dans les arbres et des roses sur les volets. Postée à mes côtés en jupe longue et corsage clair, Mary contempla ce beau décor – pour ses couleurs, aurais-je parié. Sa main crânement nichée dans la mienne, je la sentais à l'affût, alerte comme une chatte. J'avais appelé Caillet en début de matinée pour m'assurer qu'il m'attendait toujours, et lui demander s'il ne voyait pas d'inconvénient à ce que j'amène mon amie peintre, ce qu'il avait approuvé d'un ton grave. Il avait au téléphone une voix profonde et mélodieuse, avec un bel accent français.

Une porte s'est ouverte au milieu des fleurs, et un troisième homme est apparu – Caillet en personne, devinai-je. Il n'était pas grand, mais sa présence en imposait. Veste noire à col officier et chemise bleu saphir, il tenait un cigare dont la fumée s'élevait dans l'entrée, auréolant son buste. Il avait des cheveux blancs et drus, en bataille, et une peau couleur de brique, à croire que le soleil mexicain ne lui avait jamais réussi. De près, son sourire était franc, et ses yeux bruns un peu délavés.

– Bonjour, dit-il avec le même timbre suave qu'au téléphone.

Je lui ai serré la main. Il a fait le baisemain à Mary, de manière purement courtoise, puis nous a tenu la porte.

La climatisation et les murs épais créaient un havre de fraîcheur. À la suite de Caillet, nous avons franchi des portes aux couleurs vives pour déboucher dans une vaste pièce plantée de colonnes. J'ai aussitôt été frappé par la qualité des tableaux ornant les murs. S'élevant jusqu'au plafond par rangées de quatre ou cinq, ils formaient comme un kaléidoscope géant derrière le mobilier moderne et discret. La collection couvrait un large éventail de styles et de périodes, d'une poignée de toiles du XVIIe siècle hollandais ou flamand jusqu'à des compositions purement abstraites, en passant par un portrait glauque qui ne pouvait être que d'Alice Neel. Mais la part belle revenait aux thèmes impressionnistes : champs ensoleillés, jardins, peupliers, cours d'eau… C'était comme si nous étions passés du Mexique à la France – et d'une lumière à l'autre – en un claquement de doigts. Certaines de ces toiles pouvaient venir du XIXe siècle anglais ou californien, mais j'ai tout de suite senti que nous découvrions là le patrimoine intime de Caillet, les paysages qu'il avait lui-même connus et aimés.

Mary s'était éloignée pour examiner une grande toile près de la porte d'entrée. Une scène d'hiver montrant une berge enneigée, des buissons dorés par leur fardeau crémeux, une rivière gelée dans une patine argentée, et quelques trouées d'eau vert olive. Ces couches et ces traits si typiques, ce blanc qui n'était jamais blanc mais mêlé d'or ou de lavande, le nom et la date barbouillés en noir dans le coin droit… Pas de doute, c'était un Monet.

Je me suis retourné vers Caillet qui nous observait tranquillement, debout à côté de son sofa minimaliste, répandant sans vergogne sa fumée de tabac au milieu de tous ces trésors.

– Oui, dit-il comme pour devancer ma question. Je l'ai acheté à Paris en 1954. (Malgré l'accent rugueux, sa voix demeurait onctueuse.) C'était très cher, déjà à l'époque. Mais je ne l'ai jamais regretté, pas une seule minute.

Il nous fit signe de nous asseoir sur les fauteuils gris clair, de part et d'autre d'une table basse en verre. Celle-ci soutenait une plante épineuse en fleurs ainsi qu'un ouvrage de peinture : *Antoine et Pedro Caillet : une rétrospective double*. La couverture glacée mettait en regard deux œuvres en tous points dissemblables, mais réunies pour la circonstance en un improbable diptyque, et j'y décelai des parentés avec certaines toiles abstraites exposées ici. Il me démangeait de feuilleter ce livre, mais j'ai préféré me tenir tranquille, d'autant que l'homme habillé en serveur venait de réapparaître avec un plateau richement garni – verres, glaçons, citrons, jus d'orange, eau gazeuse et bouquet de fleurs blanches.

Caillet remplit lui-même les verres. Alors que je commençais à le trouver presque aussi taciturne qu'Oliver, il tendit le bouquet à Mary :

– Pour votre prochaine composition, jeune demoiselle.

Je m'attendais à ce qu'elle se raidisse, comme elle l'aurait fait si je lui avais moi-même tenu de tels propos, mais elle s'est contentée de sourire et de poser le présent sur sa jupe noire. Caillet tapota son cigare dans un cendrier de verre, le temps que son domestique rabatte les volets sur l'un des murs. Lorsque la moitié des tableaux eut ainsi disparu dans la pénombre, il entra dans le vif du sujet :

– Vous cherchez donc des informations sur Béatrice de Clerval. J'ai effectivement possédé quelques-unes de ses œuvres de jeunesse, mais comme vous le savez peut-être, il n'y eut *que* des œuvres de jeunesse. On pense que Clerval cessa de peindre à l'âge de vingt-huit ans. Monet, lui, raccrocha les pinceaux à quatre-vingt-huit ans, Renoir à soixante-dix-neuf, et Picasso travailla jusqu'à sa mort, à quatre-vingt-onze ans. (Caillet indiqua dans son dos quatre corridas signées du maître.) En règle générale, les artistes ne renoncent jamais à leur art, ce qui fait de Clerval un cas à part. Mais il est vrai que l'on encourageait beaucoup moins les femmes en ce temps-là. Quoi qu'il en soit, elle était immensément douée. Elle aurait pu faire partie des très grands. Après tout, elle n'avait que quelques années de moins que les premiers impressionnistes – onze de moins que Monet, par exemple.

Caillet écrasa son cigare dans le cendrier. Ses ongles étaient impeccables, comme manucurés. Je n'avais jamais vu d'aussi belles mains chez un vieil homme, a fortiori chez un vieux peintre.

– Elle aurait pu devenir l'égale d'une Morisot ou d'une Cassatt, assura-t-il avant de se redresser sur son coussin.

– Vous disiez avoir possédé certaines de ses toiles. Dois-je comprendre que vous ne les avez plus ?

Mary et moi ne pouvions nous empêcher de scruter les murs autour de nous.

– Si, si, il m'en reste quelques-unes. Mais j'en ai revendu la majeure partie en 1936-1937, pour éponger mes dettes. (Il se lissa les cheveux de sa paume. La séparation qu'il évoquait là ne semblait nullement l'affecter.) J'avais acheté ces tableaux à Henri Robinson – qui est toujours de ce monde, soit dit en passant. Le vieux bougre vit à Paris. Nous avons perdu contact, mais je suis tombé sur son nom dans un magazine, tout dernièrement. Il continue d'écrire sur la littérature, le mobilier et la philosophie. Son éternel bric-à-brac.

Je m'attendais à ce qu'il ponctue ces mots d'un reniflement dédaigneux. Mais Pedro Caillet n'était pas homme à renifler.

– Et qui est Henri Robinson ? demandai-je.

Il me considéra un instant, puis baissa les yeux sur le cactus de Noël, ou Dieu sait quelle était cette plante.

– Robinson est un critique et collectionneur réputé, qui fut le compagnon d'Aude de Clerval jusqu'à la mort de celle-ci. Aude n'était autre que la fille de Béatrice. Elle a légué à Henri ce qui est sans doute la plus belle œuvre de sa mère, *Les Voleurs de cygnes*.

J'ai hoché la tête pour l'encourager à poursuivre, bien que ce titre n'apparût nulle part dans ma documentation. Malheureusement, Caillet semblait avoir tout dit. Il farfouilla silencieusement dans sa poche intérieure et sortit un nouveau cigare, mais plus court et plus fin, comme le bébé du précédent. Quelques palpations supplémentaires produisirent un briquet en argent, et ses vieilles mains magnifiques accomplirent leur petit rituel, l'une à la mollette et l'autre en paravent. Caillet tira sur la flamme et libéra de nouvelles volutes.

– Et vous-même, relançai-je, avez-vous connu Aude de Clerval ?

Je craignais de n'obtenir de cet esthète que des informations sommaires…

Caillet se renversa contre son dossier, son coude droit calé sur son poing gauche.

– Oui, répondit-il. Oui, j'ai connu cette femme. Elle m'a volé mon amant.

S'ensuivit un long silence. Caillet fuma lentement son cigarillo tandis que Mary et moi réprimions l'envie d'échanger un regard. À la recherche d'une phrase qui ne compromettrait pas notre enquête, j'ai fini par recourir à mes vieilles ficelles de psychiatre :

– Cela n'a pas dû être facile pour vous.

Caillet sourit.

– Oh ! sur le moment ce fut douloureux, bien entendu. J'étais jeune et je croyais encore que ces choses-là comptaient. Quoi qu'il en soit, j'ai toujours apprécié Aude de Clerval. C'était une femme formidable dans son genre, et je crois qu'elle a rendu mon ami heureux. Et puis elle lui a permis de racheter la moitié de ma collection, ce qui, par ricochet, nous a permis à mon frère et moi (il montra le catalogue posé sur la table) de nous consacrer pleinement à la peinture. Que voulez-vous, la vie est faite d'arrangements. Aude souhaitait récupérer les tableaux de sa mère, notamment *Les Voleurs de cygnes*, si bien que ce dernier, en définitive, ne sera pas resté longtemps chez moi. Je l'avais acquis à Paris lors de la vente de la succession Armand Thomas, le frère cadet. (Sa main fit un aller-retour vers le cendrier.) D'après Aude, cette œuvre était la plus réussie de sa mère, et aussi la toute dernière, ce dont je suis moins sûr. Et au bout du compte, tout le monde était content, n'est-ce pas ? Puis Henri a perdu Aude en 1966. Lui comme moi étions condamnés à la longévité, et il est encore plus vieux que moi, le pauvre. Aude avait vingt-deux ans de plus que lui. L'inverti et l'amortie, vous voyez un peu la paire ! Hélas, le cœur ne peut revenir en arrière ; seul l'esprit a ce privilège…

Cette pensée l'absorba si profondément que j'en vins à me demander s'il ne consommait pas d'autres drogues que le tabac et la tequila. Ou était-ce seulement l'habitude de ruminer tout seul ?

Cette fois, c'est Mary qui rompit sa rêverie, avec une question assez inattendue :

– Aude parlait-elle souvent de sa mère ?

Caillet la considéra. Il fouilla dans sa mémoire, ce qui ranima son visage rougeaud.

– Oui, cela lui arrivait. Je vais vous dire ce dont je me souviens, même si ça ne pèse pas bien lourd. Je n'ai pas côtoyé Aude longtemps, car après qu'elle m'eut volé Henri j'ai quitté Paris pour Acapulco. Pourquoi Acapulco ? Parce que c'est ici que j'avais passé mon enfance, en tant que rejeton d'un ingénieur français et d'une institutrice mexicaine. Pour en revenir à Aude, je la revois nous expliquant un jour que sa mère était restée une grande artiste toute sa vie durant. « On ne cesse jamais d'être artiste », disait-elle, à quoi j'ai rétorqué qu'un peintre qui arrête de peindre n'a plus rien d'un peintre. Que c'est l'acte qui définit l'homme – ou en l'occurrence la femme. Oui, cela me revient : c'est dans un café de la rue Pigalle que nous avions eu cette discussion. Une autre fois, elle nous a confié que sa mère avait été sa plus grande amie dans la vie, ce que Henri a d'ailleurs assez mal pris. Aude elle-même ne peignait pas, elle collectionnait uniquement les œuvres de sa maman. Après m'avoir racheté *Les Voleurs de cygnes*, elle a protégé ce tableau comme s'il s'agissait d'un trésor menacé, et tout porte à croire que Henri a perpétué ce culte, car à ma connaissance personne n'a jamais écrit une ligne sur cette œuvre, ni même mentionné son existence. Je crois que Henri s'est épris d'Aude parce qu'il la trouvait si complète, si accomplie, si *parfaite**... Cette femme n'avait besoin de personne. Henri avait un peu de sang anglais, par les parents de son père, et de fait, il y avait toujours chez lui un je-ne-sais-quoi d'étranger, alors que son Aude adorée était française jusqu'aux ongles. Ils ont traversé la guerre ensemble, et connu de terribles privations. Et il lui aura été fidèle jusqu'au bout, jusqu'à ce qu'elle s'éteigne d'une mort lente.

Caillet épousseta son cigarillo et le pointa vers le plafond dans le prolongement de son avant-bras. Une fois lancé, cet homme savait être disert.

– À en juger par le petit portrait de Béatrice laissé par Olivier Vignot, Aude n'était pas la beauté que fut sa mère. Elle était grande et elle avait des traits, disons... intéressants. Ce qu'on appelle en français une *jolie laide** : tantôt vilaine, tantôt magnétique. J'ai d'ailleurs eu l'honneur de la peindre, peu après notre rencontre. Cette toile est restée chez Henri. D'une manière générale, croquer les visages m'intéresse peu, et je me méfie des autoportraits. Et vous, mademoiselle? Vous pratiquez l'autoportrait ?

– Pas du tout, répondit Mary.

Caillet l'observa quelques instants, la joue calée dans sa main, comme si elle venait d'une tribu qu'il aurait étudiée jadis. Puis il retrouva le sourire, et son regard s'emplit d'une telle bonté que je me surpris à penser qu'il aurait fait un merveilleux grand-père – ce qu'il était peut-être.

– Enfin bon, soupira-t-il. Vous êtes ici pour voir les toiles de Béatrice de Clerval, pas pour écouter radoter un vieux Mexicain. Allez, suivez-moi.

---

* En français dans le texte. (*N.d.T.*)

90

Nous nous sommes levés sur-le-champ. Malgré notre impatience, Caillet ne nous a pas directement présenté le travail de Béatrice. Il nous a offert une visite complète, la visite flâneuse du collectionneur amoureux qui présente chacune de ses pièces comme s'il s'agissait d'une personne. D'abord une toile de Sisley datant de 1894, qu'il expliqua avoir achetée à Arles pour une bouchée de pain, ayant été le premier à l'authentifier. Puis deux autres de Mary Cassatt montrant des femmes en train de lire, et un paysage au pastel de Berthe Morisot : cinq touches de vert, quatre de bleu, un soupçon de jaune. Mary était conquise :

– C'est tellement simple! La perfection même…

La splendeur du tableau suivant imposait une halte. Un château émergeait d'une luxuriance verte, avec palmiers et lumière dorée.

– L'île de Majorque, précisa Caillet. La mère de ma mère vivait là-bas, et je lui rendais régulièrement visite quand j'étais enfant. Elle s'appelait Elaine Gurevich. Elle n'habitait pas le château, bien sûr, mais nous allions souvent nous promener au pied de ses remparts. C'est elle qui a peint cette merveille, et qui m'a donné mes premières leçons. Elle était férue de musique, de littérature et d'art. Elle me faisait dormir dans son lit, et lorsque je me réveillais à 4 heures du matin je le retrouvais immanquablement plongée dans un livre. J'aimais cette femme comme j'aurai aimé peu de gens… (Il se détourna de la toile.) Si seulement elle avait pu pratiquer davantage… Au fond de moi, j'ai toujours eu le sentiment de peindre aussi pour elle.

Le XXe siècle était également présent avec un Kooning, un Klee de petite taille, et les compositions abstraites des deux frères Caillet.

Pedro montrait un goût surprenant pour la couleur et le mouvement, tandis qu'Antoine privilégiait les lignes blanches et argentées.

– Mon frère est mort, dit Caillet. Il y a six ans, à Mexico. Après trente années d'une intense collaboration, c'est une moitié de moi-même que j'ai perdu. Et pour tout vous dire, l'œuvre d'Antoine m'inspire davantage de fierté que la mienne. C'était un être profond, réfléchi, admirable, et son travail fut une immense source d'inspiration pour moi. Je vais bientôt me rendre à Rome pour exposer ses œuvres, et ce sera mon ultime voyage. (Il se lissa de nouveau les cheveux.) À la mort d'Antoine, j'ai décidé d'arrêter la peinture. Pourquoi s'acharner à tout prix ? Parfois, les artistes gagnent à ne pas trop durer. Même si cela signifie que je ne suis plus artiste. J'ai brûlé ma dernière œuvre avec la dépouille de mon frère. Saviez-vous que, sur la fin, Renoir était obligé d'attacher les pinceaux à ses doigts ? Et ce malheureux Dufy…

La retraite artistique de Caillet suffisait à expliquer les ongles immaculés, la mise parfaite et l'absence d'odeurs d'atelier. Il m'aurait plu de lui demander ce qu'il faisait désormais de ses journées, mais l'aspect de son intérieur, aussi soigné que sa personne, rendait la réponse évidente : il ne faisait rien. Il avait l'air de celui qui attend stoïquement l'heure d'un rendez-vous, du patient qui arrive en avance chez le médecin, sans livre ni journal, mais qui ne peut s'abaisser à feuilleter les revues criardes étalées devant lui. Ne rien faire semblait occuper Pedro Caillet à plein temps. Il pouvait se le permettre, et ses toiles lui procuraient une douce compagnie. Je notais qu'il ne nous avait posé aucune question, sauf pour savoir si Mary s'adonnait à l'autoportrait. Il ne cherchait même pas à savoir pourquoi nous nous intéressions à ses anciens camarades. Il s'était affranchi de tout, même de la curiosité.

Caillet nous fit quitter son salon caverneux par la porte rouge et jaune, pour nous accueillir cette fois dans la salle à manger. Les richesses accumulées ici relevaient d'un tout autre domaine : l'art traditionnel mexicain. Au-dessus d'une longue table verte entourée de chaises bleues était suspendue une lampe d'étain en forme d'oiseau. Le vieux buffet en bois massif ne semblait guère attendre de convives. L'un des murs était orné d'une tapisserie noire sur laquelle de petits personnages magenta, émeraude et orange vaquaient à leurs occupations d'hommes ou d'animaux. Sur le mur opposé s'alignaient (un choix pour le moins déroutant) trois nouvelles toiles impressionnistes, ainsi qu'un portrait au crayon de facture plus XXe que XIXe. Caillet leva la main comme pour saluer l'ensemble.

– Aude guignait tout particulièrement ces trois huiles, mais j'ai refusé de les lui céder. Autrement, je me suis montré très correct en lui vendant tout le reste de ma collection – qui n'était pas si grande, en fait, de l'ordre d'une douzaine de pièces, puisque la production de Béatrice fut somme toute assez réduite.

Ces tableaux frappaient d'emblée par leur qualité, preuve d'un incontestable et puissant talent impressionniste. L'un d'eux campait une fille aux cheveux d'or installée devant son miroir. Dans le reflet de la chambre, une gouvernante à peine visible lui apportait ses vêtements, ou bien sortait quelque chose de la pièce, ou bien se contentait de l'observer. Cette présence fantomatique créait un effet à la fois exquis, sensuel et inquiétant. C'était le premier Béatrice de Clerval que je voyais de mes propres yeux, et dans tous ceux que j'ai découverts depuis, j'ai perçu un malaise du même ordre. En bas à droite, une imposante marque noire flottait comme un ornement, semblable à un caractère chinois, jusqu'à ce l'œil déchiffre les trois lettres *BdC*.

La plus grande des trois huiles montrait un homme assis sur un banc, dans l'ombre de buissons fleuris peints à gros traits. J'ai aussitôt pensé au jardin décrit dans les lettres de Béatrice. Je me suis reculé d'un pas, en veillant à ne pas bousculer les chaises bleues, afin de mieux embrasser la scène. Chapeau, veste ouverte et foulard, l'homme lisait un livre. Au premier plan, des fleurs criantes de vérité flamboyaient de rouge, de jaune et de rose au milieu des feuilles vertes, alors que l'homme n'était qu'une silhouette floue et finalement assez secondaire. Béatrice de Clerval jugeait-elle son mari plus terne que son jardin, ou n'était-ce qu'une façon de jeter un voile pudique sur leur intimité ?

Planté de l'autre côté de la table, Caillet valida certaines de mes hypothèses :

– Cet individu est Yves Vignot, le mari de Béatrice, ainsi que me l'a confirmé leur fille Aude. À la mort de sa mère, Aude Vignot a choisi de devenir Aude de Clerval. Pour lui jurer sa loyauté, peut-être, ou bien parce qu'elle mesurait toute la puissance de l'œuvre maternelle et qu'elle voulait sa part de gloire. Elle était excessivement fière de sa mère.

Caillet s'est éloigné au fond de la pièce pour contempler un bougeoir en forme de canard sur un cabinet d'étain ciselé. Mary et moi nous sommes intéressés à la troisième toile signée Béatrice de Clerval, qui représentait une mare dans un parc. Le vent ridait la surface de l'eau, brouillant le reflet des arbres ployés au-dessus de la mare. Cette composition virtuose était égayée par un jardin floral près de la mare, ainsi que par des silhouettes d'oiseaux aquatiques, notamment celle d'un cygne qui déployait ses ailes pour s'envoler. Le résultat était saisissant, et le rendu de la lumière sur l'eau digne d'un Monet. Comment pouvait-on renoncer à peindre quand on possédait un tel talent ? Ce cygne exécuté en trois coups de pinceau était la quintessence du vol, de la soudaineté, de la liberté de mouvement.

– Elle a dû passer beaucoup de temps à observer les cygnes, dit Mary.

– C'est tellement vivant, ajoutai-je avant de me tourner vers Caillet, accoudé au dossier d'une chaise. Savez-vous où ce tableau a été peint ?

– Quand elle m'a demandé de le lui vendre, Aude m'a dit que sa mère l'avait réalisé au bois de Boulogne, près de leur domicile de Passy – en juin 1880, juste avant que Béatrice ne mette un terme à son art. Elle l'avait baptisé *Le Dernier Cygne*, du moins à en croire l'inscription au dos de la toile. C'est somptueux, n'est-ce pas ? Henri aurait tué pour rapporter ce tableau à Aude. Il m'a écrit trois lettres à ce sujet lorsqu'elle était mourante, et la troisième débordait de colère – pour qui connaît un peu l'animal. (Caillet agita une main, comme s'il avait décidé que ladite colère ne l'atteindrait jamais.) Je pense qu'il s'agit là de l'ultime tableau de Béatrice de Clerval, bien que je n'en détienne aucune preuve. Cela expliquerait et le titre, et le fait que je n'aie jamais trouvé la moindre référence à une œuvre postérieure. Mais évidemment, Henri n'est pas d'accord : pour lui, c'est *Les Voleurs de cygnes*, c'est-à-dire son tableau à lui, qui marque les adieux de Béatrice à la peinture. Il s'appuie sur le fait qu'il n'y avait aucune toile plus récente lors de la toute première rétrospective Clerval qui s'est tenue à Paris, au musée de Maintenon, dans les années 1980. En aviez-vous entendu parler ? J'avais moi-même prêté la grande toile que voici, celle avec le mari. Mais quelle importance ? (Il posa son deuxième coude sur le dossier de la chaise.) Qu'il soit le dernier ou non, ce tableau est magnifique. C'est l'un des plus beaux de ma collection, et il restera ici jusqu'à ma mort.

Il ne précisa pas ce qu'il en adviendrait ensuite, et je me suis abstenu de poser la question.

– Qui est cette femme ? ai-je demandé en indiquant l'esquisse crayonnée.

Ce portrait de femme aux cheveux courts et ondulés, façon actrice des années 1930, accusait quelques maladresses, mais les yeux pleins de vie et la bouche fine et sensuelle étaient particulièrement réussis. Le sujet semblait nous observer sans un mot, comme s'il avait fait vœu de silence, ce qui attisait d'autant l'intensité de son regard. Ce n'était pas à proprement parler une jolie femme, mais il y avait chez elle quelque chose d'élégant, pour ne pas dire troublant. Comme le refus assumé de ne pas être belle.

Caillet pencha la tête sur le côté.

– Il s'agit d'Aude. Elle m'a offert ce portrait à l'époque où nous étions encore amis, et je l'ai conservé en sa mémoire. J'ai pensé qu'elle aurait aimé le voir accroché à côté des toiles de sa mère. Oui, je suis persuadé que cette idée lui plaît, où qu'elle se trouve désormais.

– De qui est ce dessin ?

Dans le coin ne figurait qu'un date, 1936.

– De Henri. Il l'a réalisé six ans après leur rencontre. L'année précédant mon départ. Il avait trente-quatre ans, moi vingt-quatre, et Aude cinquante-six. Ainsi je possède le portait que Henri a fait d'Aude, et lui celui que j'ai fait d'elle. Plaisante symétrie, n'est-ce pas ? Comme je vous le disais, Aude n'était pas très belle, contrairement à lui.

Sur ces paroles, Caillet se dirigea vers la porte, comme si la discussion avait atteint sa conclusion logique. J'ai profité de cette nouvelle pause pour me figurer leur petit trio. Caillet était parti au Mexique juste avant le début de la guerre, loin de ses peines de cœur mais aussi du désastre qui allait ravager l'Europe. Il avait dix ans de moins que Henri, et pour un artiste pas même trentenaire, cette Aude de cinquante-six ans (à peine quatre de plus que mon âge actuel, ai-je songé avec un pincement) devait lui paraître drôlement vieille. Le visage croqué ici n'avait pourtant rien d'âgé, et d'ailleurs il ne ressemblait nullement à celui de Béatrice, si l'on se fiait au portrait laissé par Vignot. Le seul point commun était l'éclat du regard.

Une autre question me traversa l'esprit : où et comment le couple Aude-Henri avait-il vécu la guerre, puisque tous deux en avaient réchappé ?

– Alors, Henri Robinson est toujours vivant ? n'ai-je pu m'empêcher de demander tandis que le maître des lieux nous reconduisait vers son salon-galerie.

– Il l'était l'an dernier, fit Caillet sans se retourner. Il m'a écrit un petit mot le jour de son quatre-vingt-dix-septième anniversaire. Ce doit être un âge propice à se rappeler ses anciennes amours…

De retour près des sofas, Caillet ne réitéra pas sa charmante invite à s'asseoir et resta figé au milieu de la pièce. Si j'avais bien compté, cet homme svelte aux cheveux fournis et au costume aussi original qu'impeccable devait avoir quatre-vingt-huit-ans. Un homme parfaitement préservé, mais qui se lassait de tout, même de l'éternité.

– Je suis un peu fatigué, dit-il, bien qu'il parût pouvoir tenir debout jusqu'au soir.

– Je ne sais vraiment pas comment vous remercier, monsieur. Si je puis toutefois me permettre une dernière requête, j'aimerais écrire à Henri Robinson pour glaner quelques informations supplémentaires sur l'œuvre de Clerval. Accepteriez-vous de me communiquer son adresse ?

– Bien sûr, répondit-il tout en croisant les bras, son premier signe d'impatience depuis notre arrivée. Je vais vous retrouver ça.

Il quitta la pièce et héla calmement l'un de ses serviteurs. Il reparut bientôt, muni d'un vieux carnet d'adresses en cuir, et flanqué de l'homme qui nous avait apporté à boire. Après quelques palabres à mi-voix, le domestique griffonna un billet à mon intention sous l'œil vigilant de son maître. Une adresse parisienne assortie d'un numéro d'appartement.

– Vous lui transmettrez mes amitiés, dit Caillet tout en vérifiant l'adresse par-dessus mon épaule. D'un vieux Français à un autre…

Il eut un sourire, comme s'il revoyait en esprit une image familière, et je m'en voulus de lui avoir demandé un chose aussi personnelle.

Caillet se tourna vers Mary :

– Adieu, très chère. C'est bon de revoir une jolie femme.

Elle lui offrit sa main, qu'il embrassa sans chaleur.

– Adieu, mon ami, fit-il ensuite en me saluant d'une poigne franche, comme à notre arrivée. On ne se reverra sans doute jamais, mais je vous souhaite bonne chance dans vos recherches.

Il nous raccompagna en silence et nous tint la porte. Le domestique avais disparu.

– Au revoir, au revoir, fit Caillet d'une voix fluette.

À mi-chemin de la grille, je me suis retourné pour agiter la main, et Mary m'a imité. Encadré par ses roses et ses bougainvilliers, droit comme un I, élégant, apprêté et seul, Caillet garda les bras baissés.

Ce soir-là, alors que nous faisions l'amour pour la deuxième fois seulement – mais de manière plus détendue, la première nuit ayant suffi à faire de nous de vieux amants –, j'ai trouvé les joues de Mary inondées de larmes.

– Qu'y a-t-il, ma chérie ?

– C'est juste… cet homme.

– Caillet ?

– Non, Henri Robinson. Cet amour inextinguible pour la vieille dame de son cœur…

Et elle laissa courir ses doigts le long de mon épaule.

91

1879

Elle descend tard pour le petit déjeuner, mais fraîche et lavée, ne concédant à la fatigue que ses paupières lourdes. Son corps lui est complètement nouveau, méconnaissable, ses cheveux coiffés au plus simple comme lorsque Esmé n'est pas là. Son âme lui tiraille la poitrine. Voilà peut-être la réalité du péché : sentir la forme de l'âme et ses frottements en soi-même. Sauf qu'elle a le cœur honteusement léger, ce qui rend le matin clément. La mer derrière les vitres devient un miroir géant, et la mousseline de ses jupons agréable au toucher. Elle demande à la vieille aubergiste des nouvelles d'Olivier, en s'efforçant de la regarder droit dans les yeux, innocemment. La femme lui répond que Monsieur est sorti se promener de bonne heure mais qu'il lui a laissé une enveloppe sur la console de l'entrée. Béatrice s'y rend mais ne trouve pas le pli. Olivier l'aura peut-être repris pour le lui remettre en mains propres. Il faudra qu'elle lui pose la question à son retour.

La patronne dispose sur la table café fumant et petits pains, ainsi qu'une tartelette à la confiture. *Cette vieille femme épaisse, aux épaules voûtées et aux reins brisés sous sa robe bleue, est du même âge qu'Olivier*, songe Béatrice. Il pourrait tout à fait l'épouser et la rendre heureuse, sauf qu'il ne la regarde même pas. Puis Béatrice repense à certain moment de cette nuit, à une caresse particulière qui n'aura pas duré plus de deux ou trois minutes, mais qu'elle sent encore lui électriser la peau. Comme elle demande humblement s'il reste du beurre, l'hôtelière aspire un « oui » et lui pose une main sur l'épaule. Béatrice s'étonne d'éprouver davantage de remords vis-à-vis de cette inconnue avec son tablier et son air satisfait que vis-à-vis d'Yves, son mari accablé de travail et désormais trompé. Et pourtant c'est bel et bien le cas.

Puis soudain le voilà, Yves Vignot, et cet instant restera l'un des deux plus étranges de la vie de Béatrice. Yves s'avance dans la salle à manger, telle une hallucination. S'étant débarrassé dans l'entrée de son chapeau et de sa canne, il finit d'ôter ses gants. Maintenant qu'il est devant elle, Béatrice se rappelle avoir entendu battre la porte d'entrée. Yves paraît emplir l'hôtel à lui seul, y répandre l'ombre de sa belle veste noire, la couronne de son sourire barbu, l'écho de son « Eh bien ! ». La surprise est plus que réussie, puisque Béatrice manque de s'évanouir. L'espace de quelques secondes, ce décor provincial à la fois rustique et neuf se fond avec les chambres de Passy, comme si le plaisir et la culpabilité de Béatrice avaient ramené Yves à elle, ou elle à lui.

– C'est que je t'ai vraiment effrayée !

Yves lâche ses gants et se précipite pour embrasser son épouse, qui se relève de sa chaise au prix d'un immense effort.

– Je suis navré, mon ange. Moi et mes idées idiotes ! Alors que tu n'es même pas tout à fait remise…

Il l'embrasse amoureusement sur la joue, comme si cela devait suffire à la revigorer.

– C'était une frayeur délicieuse, parvient-elle à articuler. Comment t'es-tu libéré ?

– J'ai expliqué que ma tendre épousée était souffrante et que je devais me rendre à son chevet. Rassure-toi, je n'ai invoqué aucune maladie grave. Le superviseur s'est montré compréhensif, et comme les autres sont sous mes ordres…

Béatrice n'ose plus parler, persuadée que sa voix tremblera ou sonnera faux. Par chance, Yves est si heureux de la revoir et de se retrouver ici qu'il n'attend pas d'avoir rejoint son épouse devant sa tasse de café froid pour décréter qu'elle a meilleure mine que prévu, que cette ligne ferroviaire fonctionne mieux que dans son souvenir, et que fuir le bureau lui procure une joie indescriptible. Après un saut aux toilettes, deux cafés et de copieuses portions de pain, de beurre et de tarte, il demande à visiter les quartiers de sa femme. Il a déjà retenu une chambre pour lui-même – pour ne pas empiéter sur le petit royaume de Béatrice, explique-t-il tout en lui massant l'épaule.

Elle est impressionnée par sa carrure, et par sa prestance à la fois digne et enjouée, avec sa barbe drue et finement taillée. Elle est impressionnée, en un mot, par sa jeunesse.

Sitôt dans les escaliers, il lui enserre la taille. Elle lui a manqué, murmure-t-il, encore plus qu'il ne l'aurait cru. Devant tant d'enthousiasme, Béatrice a envie de pleurer. Elle avait oublié combien ses bras étaient rassurants et robustes. Yves referme derrière eux la porte de la chambre, avant d'admirer, gai comme un vacancier, les petits aménagements réalisés par son épouse : l'assortiment de coquillages sur la coiffeuse, le bureau en bois poli où elle dessine par temps de pluie. Béatrice fait durer les explications, et il lui sourit tout du long.

– Maintenant que je te vois mieux, tu m'as l'air en pleine forme, chérie. Ce sont d'authentiques roses que tu as sur les joues !

– C'est-à-dire que j'ai passé l'essentiel de mes journées à peindre dehors, répond-elle tout en décidant de lui montrer ses toiles.

– J'espère qu'Olivier t'accompagne, dit-il en fronçant les sourcils.

– Bien sûr qu'il m'accompagne. (Elle lui présente la scène de bateaux issue des premières séances.) Il m'encourage même à travailler tous les jours, quitte à me vêtir chaudement. Mais je n'omets jamais de me couvrir.

– C'est magnifique, dit Yves.

Il tient la toile à bout de bras pour mieux la contempler, et Béatrice se rappelle qu'il l'a toujours encouragée, bien avant qu'Olivier n'entre dans sa vie. Puis Yves repose le tableau – délicatement, car l'huile n'a pas fini de sécher – et il lui prend les mains.

– Quant à toi, tu es radieuse…

– Je suis encore un peu fatiguée, répond-elle, mais merci pour le compliment.

– Fatiguée, dis-tu ? Et ce joues qui rosissent, alors ? C'est ma Béatrice des bons jours !

Il resserre l'étau sur ses mains et l'embrasse longuement. Elle connaît ses lèvres par cœur, et elle les redoute. Puis il lui caresse les joues et l'embrasse de plus belle, avant d'ôter sa veste en marmonnant qu'il n'a pas pris de bain. Il tourne le verrou de la chambre, tire les rideaux. Cette escapade loin du bureau le régénère, affirme-t-il. C'est du moins ce qu'elle croit entendre sous ses cheveux lâchés cependant qu'Yves la déboutonne, la déboucle et la dégrafe, puis qu'il se couche sur son corps nu et la prend comme d'habitude, avec lenteur et décontraction. Elle-même réagit comme à l'accoutumée, et peu à peu elle sent qu'entre eux le fossé se referme, en dépit des images qui se bousculent sous ses paupières. Cela faisait des mois qu'Yves ne l'avait pas touchée, mais sans doute n'était-ce que pour ménager sa santé. Comment avait-elle pu s'imaginer autre chose ?

Enfin il s'endort sur son épaule, pour quelques minutes, cet homme épuisé et si jeune, au compte en banque florissant, cet homme qui a mis son existence entre parenthèses pour sauter dans un train et la rejoindre.

Cher monsieur Robinson,

Je me permets de vous écrire bien que nous ne nous connaissions pas. J'exerce la psychiatrie dans une clinique de Washington, et l'on m'a confié voilà peu un peintre américain reconnu. Son cas est assez inhabituel, puisqu'une partie de ses troubles tient à son obsession pour la peintre impressionniste française Béatrice de Clerval. Comme j'ai appris que vous aviez entretenu des rapports tant personnels que professionnels avec cette artiste, et que vous aviez collectionné nombre de ses œuvres, notamment la toile intitulée Les Voleurs de cygnes, *je souhaiterais vous rencontrer.*

Accepteriez-vous de me consacrer ne serait-ce qu'une heure de votre temps à Paris, dans le mois qui vient ? Je vous serais extrêmement reconnaissant de m'apporter votre éclairage sur la vie et l'œuvre de cette femme, car cela pourrait se révéler décisif pour le traitement de mon patient.

Dans l'attente de votre réponse,

Bien cordialement,

Dr Andrew Marlow

92

Marlow

Nous étions vendredi. Pour me distraire un peu comme pour voir ce qu'il fabriquait, j'ai eu la très mauvaise idée de rendre visite à Robert. J'étais déjà passé dans sa chambre le matin, et lorsque j'y suis retourné l'après-midi, je l'ai trouvé planté devant le chevalet que je lui avais offert. J'avais eu une semaine éprouvante, et je dormais peu la nuit. Je regrettais que Mary ne me rejoigne pas plus souvent, car c'était encore dans ses bras que je dormais le mieux. Comme d'habitude, c'était à elle que je pensais en pénétrant dans la chambre de Robert, et je n'en revenais pas qu'il puisse me regarder dans le blanc des yeux sans y lire mes vilains secrets. Puis je me rappelais combien je peinais moi-même à déchiffrer cet homme. Je ne percevais nul écho de son vécu dans ses vieux habits tout propres, dans cette chemise jaune élimée ou ce pantalon taché de peinture, pas plus que dans le hâle de son visage ou de ses avant-bras, ou que dans le mouvement de ses cheveux veinés d'argent. Même les yeux rouges et las qu'il tournait vers moi étaient impénétrables. Comment pouvais-je le relâcher si j'en savais si peu ? D'autant que, en le libérant maintenant, je ne connaîtrais jamais le fin mot de sa passion pour une femme morte en 1910.

Il était justement en train de la peindre. Jusqu'ici, rien d'anormal. Quand je me suis installé dans le fauteuil, il n'a pas bougé le chevalet – sans doute une façon de me défier, comme avec ses silences. Son sujet n'avait pas encore de visage : Robert finissait de remplir le rose de la robe et le noir du canapé où elle était assise. J'enviais cette aptitude à peindre sans modèle. Était-ce l'un des dons que son idole lui avait légués ?

J'ai soudain perdu patience. Bondissant de mon siège, je me suis avancé d'un pas. Le bras dressé vers sa toile, Oliver maniait son pinceau en m'ignorant superbement.

– Robert !

Il m'a observé du coin de l'œil pendant une fraction de seconde, puis il a poursuivi sa besogne.

Sans avoir la grâce massive et désinvolte de Robert, je suis, comme je vous le disais, plutôt grand et bien bâti. Aussi ai-je sérieusement envisagé de lui flanquer un coup de poing. Kate avait dû en rêver. Mary également. Je pourrais toujours dire : « Je l'ai fait pour elles ! Je n'ai rien à me reprocher ! ».

– Regardez-moi, Robert.

Il a baissé son pinceau pour me fixer d'un œil à la fois moqueur et blasé, le même que j'opposais à mes parents lorsque j'étais ado. En soi, le fait qu'il réagisse marquait plutôt un progrès, et pourtant ce regard m'a paru plus odieux que n'importe quel esclandre. Il avait la tête de celui qui attend qu'on le laisse tranquille.

Je me suis raclé la gorge pour ne pas perdre mon sang-froid.

– J'essaie seulement de vous aider, Robert. Vous n'avez pas envie de reprendre une vie normale, loin de ces murs ?

J'ai illustré le propos en secouant la main vers la vitre, mais je savais que je m'étais grillé en prononçant le mot « normale ».

Il s'est retourné vers son chevalet.

– Je souhaite sincèrement vous venir en aide, mais je ne peux rien sans votre coopération. Je me suis déjà donné beaucoup de mal, vous savez, et si vous pouvez peindre, vous pouvez parler!

Mais rien à faire, son visage doux se refermait.

Alors, j'ai attendu, en silence. Qu'y a-t-il de pire que de crier sur un patient (à part peut-être coucher avec son ex) ? La colère montait en moi, et le plus insupportable était de savoir qu'Olivier n'était pas dupe : il sentait que je cherchais davantage que son simple rétablissement.

– Allez au diable, Robert, ai-je lâché d'une voix contenue mais chevrotante.

Je ne m'étais encore jamais conduit de cette façon avec un patient. J'ai quitté la pièce en gardant les yeux braqués sur lui. Non que j'eusse peur qu'il se jette sur moi ou me lance des objets au visage – c'était plutôt moi qui risquais de devenir violent ! Quoi qu'il en soit, j'ai eu tort de le dévisager comme ça, car du coup j'ai vu son expression changer. Lorsqu'il a relevé les yeux de sa palette vers sa toile, un sourire est venu sur ses lèvres. Il savourait sa victoire. C'était un triomphe dérisoire, certes, mais dans son état il ne pouvait en espérer de plus éclatants.

93

1879

Yves reste un peu plus de trois jours, une demi-semaine. Il longe la plage, sa main sur l'épaule d'Olivier, embrasse Béatrice dans la nuque lorsqu'elle s'attache les cheveux. Il s'offre là de vraies vacances – une lune de miel, dit-il dans l'intimité – et raffole de la vue sur la Manche qui le repose énormément. Mais il faut bien rentrer un jour, et il s'excuse de devoir les abandonner si vite. De tout le temps de son séjour, Béatrice n'ose croiser le regard d'Olivier, sauf à table pour lui passer le sel ou le pain. C'est une situation intenable, et pourtant il lui arrive, lorsqu'elle se mire dans la glace ou qu'elle voit les deux hommes se promener ensemble, de se sentir cernée d'amour et chérie de toutes parts, comme une solution idéale. Le jour du départ d'Yves, ils prennent un fiacre jusqu'à la gare de Fécamp. Olivier renâcle à venir, mais Yves insiste pour éviter à Béatrice de rentrer seule. Puis le train siffle et les roues se mettent en branle tandis qu'Yves agite son chapeau.

Ils rentrent à l'hôtel et s'assoient sur la véranda en parlant de choses ordinaires. Ils peignent sur la plage et dînent comme un vieux couple maintenant que le troisième pensionnaire est reparti. D'un commun accord, aucun des deux ne se rendra plus dans la chambre de l'autre. Les murs qui les séparaient sont d'ores et déjà tombés, et puis elle ne souhaite pas rejouer le passé. Ils se contenteront d'être reliés par ce souvenir silencieux, par cet instant où elle a senti sur son visage des larmes qui n'étaient pas à elle, des larmes de surprise et de plaisir. Elle s'était dit qu'il lui appartiendrait pour toujours après une telle transgression, mais elle comprend maintenant que cela marche dans les deux sens.

Dans le train qui les ramène à Paris, il profite de leurs instants seuls pour capturer sa petite main dans son grand gant, et la lui embrasser avant qu'il ne faille descendre récupérer les bagages. Ils se parlent à peine, mais elle sait qu'il viendra dîner le lendemain soir. Ils raconteront à Papa la quasi-totalité de leur séjour, et ils s'attelleront ensemble à leur grande toile commune. Jusqu'à sa mort elle se souviendra de lui, de son grand corps lisse, de ses cheveux argentés, et du jeune amoureux en lui. Il sera toujours auprès d'elle, comme un esprit de la Manche.

94

Marlow

La réponse de Henri Robinson fut un choc.

Monsieur le Docteur *,

Merci pour votre lettre. M'est avis que votre patient est un certain Robert Oliver. Cet homme est venu me voir à Paris voilà bientôt dix ans, puis une seconde fois plus récemment, et j'ai de bonnes raisons de croire qu'il m'a dérobé certaines choses lors de sa seconde visite. Je n'irai donc pas jusqu'à dire que je souhaite l'aider, mais si vous pensez pouvoir faire un peu de lumière sur cette affaire, je serai ravi de vous rencontrer. Quant à vous montrer Les Voleurs de cygnes, *je ne l'exclus pas. Sachez toutefois que ce tableau n'est pas à vendre. La première semaine d'avril vous conviendrait-elle, de préférence le matin ?*

Cordialement,

Henri Robinson

---

* En français dans le texte. *(N.d.T.)*

95

Je rêvais d'emmener Mary à Paris, mais elle avait ses étudiants. Cependant, vu la manière dont elle a décliné l'invitation, j'ai compris qu'elle ne serait pas venue de toute façon, même si je m'étais débrouillé pour caler ce voyage sur ses prochains congés. Après Acapulco, un tel cadeau lui semblait démesuré. Deux beaux voyages coup sur coup, cela devenait une dette. En désespoir de cause, j'ai exhumé un livre sur le musée d'Orsay, qu'il lui tardait de visiter, et elle a tourné les pages avec délectation. Il n'empêche, elle a quand même secoué la tête, debout dans ma cuisine, ses longs cheveux baignés de lumière. C'était un non ferme et définitif, mais moins de rejet que de lucidité sur elle-même.

Nous discutions de tout cela pendant qu'elle s'adonnait à un exercice bigrement conjugal : mitonner un petit déjeuner complet. Les nuits qu'elle passait dans mon appartement se comptaient encore sur les doigts de la main, et nous en étions seulement à la quatrième. Le matin, elle partait plus tôt que moi – pour peindre dans son atelier, dispenser ses cours ou dessiner dans son café préféré si son agenda le permettait – et lorsque je sortais à mon tour, je laissais le lit défait et refermais la chambre afin de retenir son odeur.

Puis voilà qu'aujourd'hui Mary nous concoctait bacon et œufs sur le plat.

– À défaut de t'accompagner en France, dit-elle en me servant, je peux te préparer des œufs. Mais dis-toi bien que c'est exceptionnel.

J'ai rempli deux tasses de café.

– Si tu m'accompagnais là-bas, tu aurais droit à ces délicieux œufs mollets servis dans de petits raviers, et surtout à un café bien meilleur qu'ici.

– *Merci*, fit-elle en français, mais je t'ai donné ma réponse.

– Ah oui ? Et que répondras-tu quand je te demanderai en mariage, si tu te sens incapable d'embarquer pour Paris ?

Je l'ai vue se décomposer. J'avais formulé la chose de manière désinvolte, presque involontaire, mais j'ai soudain compris que le projet couvait en moi depuis des semaines.

Puis elle s'est mise à jouer avec sa fourchette, et les écailles me sont tombées des yeux. L'obstacle sur mon chemin, c'était Robert Oliver. Inutile de demander à Mary ce qu'elle regardait comme ça, de lui dire qu'il n'y avait personne derrière mon épaule, ni de lui rappeler que son cher Robert n'était plus qu'un zombi occupé à griffonner sur un lit d'hôpital. Lui avait-il parlé de mariage, lui aussi, fût-ce sur le ton de la plaisanterie ?

La réponse semblait inscrite dans les rides de sa bouche, dans le fond de ses pupilles, dans le tombant de ses cheveux.

Mais ensuite elle a ri :

– Si j'ai survécu tout ce temps sans me marier, docteur, c'est que je n'en ai pas besoin.

Et elle m'a surpris en citant un crooner peu connu de sa génération, le grand Cole Porter :

– *Car les maris sont des gars rasoir qui n'apportent que des emmerdes...*

– *Embrasse-moi, Kate !* ai-je embrayé en claquant ma main sur la table, en référence au final de cette célèbre comédie musicale. De toute façon, Mary, tu es trop jeune pour te marier sans la permission de ta mère. Je n'ai rien d'un voleur d'enfants, moi, ni d'un Humbert Humbert…

Elle pouffa.

– Trêves de flagorneries, dit-elle avant d'entamer ses œufs. Quand tu auras quatre-vingts ans, mon pote, j'en aurai…

– Plus que moi aujourd'hui, mais regarde comme je suis vert ! *Embrasse-moi, Kate, embrasse-moi !*

Elle partit d'un nouveau rire, plus spontané celui-ci, et fit le tour de la table pour s'installer sur mes genoux. Derrière notre hilarité planait un écho encombrant. Celui du prénom Kate, comme la Kate de Robert. Peut-être pour mieux l'assourdir, Mary m'a embrassé avec fougue. Puis je lui ai cédé ma dernière tranche de bacon et nous avons fini le petit déjeuner dans cette position, juchés l'un sur l'autre, à nous serrer fort pour tenir les mauvais esprits à distance.

La veille de mon départ, j'ai consacré le gros de la matinée à dépoter de la paperasse. À midi, je suis allé m'asseoir dans la chambre de Robert, dans notre silence habituel. Je n'allais pas lui dire que je me rendais chez Henri Robinson. Il remarquerait sans doute mon absence, mais puisqu'il refuserait de demander aux autres où j'étais passé, je n'avais aucun scrupule à m'éclipser sans préavis.

Mes préparatifs étaient terminés, à un près. Sur le coup de 16 heures, je suis retourné chez Robert. Je savais qu'il était en train de peindre sur la pelouse, et par chance il avait laissé sa porte ouverte. Ainsi j'eus un peu moins l'impression d'entrer par effraction, même si je me retournais régulièrement vers le couloir. J'ai trouvé les lettres sur le premier rayon du placard, regroupées en liasse. Ce fut un plaisir de tenir à nouveau ces originaux entre mes doigts. Le papier jauni, l'encre brune, l'élégante écriture de Béatrice, tout cela m'avait manqué. Ce larcin risquait de contrarier Robert, et il saurait immédiatement que j'en étais l'auteur. Mais tant pis, c'était un risque à prendre. J'ai glissé la liasse dans ma sacoche avant de ressortir à pas de loup.

Ce soir-là, Mary est restée chez moi. Au hasard d'un réveil nocturne, je me suis aperçu que ses grands yeux me fixaient dans la pénombre. Je lui ai caressé le visage.

– Pourquoi tu ne dors pas, trésor ?

Elle soupira et m'embrassa les doigts.

– Je me suis réveillée en sursaut. Et là j'ai commencé à t'imaginer en France.

J'ai attiré son crâne soyeux contre mon cou.

– Comment ça, trésor ?

– Je crois que je suis jalouse.

– Tu étais invitée, pourtant.

– Non, ce n'est pas ça. Je n'avais pas envie de venir. Je me dis juste que… tu vas la voir, *elle*.

– Allons, je ne suis pas…

– Je sais que tu n'es pas Robert. Mais tu n'as pas idée de ce qu'ils m'ont fait endurer, ces deux-là.

Je me suis redressé sur un coude.

– Qui ça, *eux* ?

– Robert et Béatrice. (Sa voix était nette et précise, sans traces de sommeil.) C'est sûrement parce que tu es psychiatre que j'arrive à te dire ça…

– Et c'est sûrement parce que tu es l'amour de ma vie que j'arrive à l'entendre ! (Ses dents tracèrent un trait laiteux, qui guida mon baiser.) N'y pense plus, mon amour, et rendors-toi.

– Mais tu la laisseras mourir, d'accord ? Qu'elle repose enfin en paix, cette pauvre femme.

– Oui, Mary, promis.

Son front a trouvé une place sur mon épaule. J'ai déployé ses cheveux autour de sa tête, elle est retombée dans les bras de Morphée, et bientôt je me suis rendu compte qu'elle m'avait passé son insomnie. Je pensais à Robert – endormi, éveillé ? – dans son lit étriqué de Goldengrove. Quel avait été le motif de ses deux séjours en France ? S'était-il demandé, comme moi, qui était le véritable auteur de *Léda* ? Un tel sujet pouvait être lourd à assumer pour une femme de 1879 dans un pays catholique. Mais si Robert attribuait ce tableau à Mademoiselle Mélancolie, pourquoi s'y serait-il attaqué ? Était-il en quelque sorte *jaloux* de ce cygne ? J'étais à deux doigts de me relever, de m'habiller en vitesse, d'attraper mes clefs de voiture et de filer à Goldengrove. Je connaissais les codes de l'alarme, les procédures d'accès et le personnel de nuit. Je frapperais à la porte de Robert, j'entrerais dans sa chambre sans attendre de réponse, et je le secouerais jusqu'à ce qu'il ouvre les yeux. Ce réveil brutal lui délierait enfin la langue : *Je me suis rendu au musée en dissimulant un couteau, et je me suis jeté sur Léda parce que…*

J'ai collé ma joue contre la tête de Mary et j'ai attendu que ça passe.

96

L'aéroport Charles-de-Gaulle était plus bruyant que dans mon souvenir, mais aussi plus vaste, me sembla-t-il, et moins chaleureux. Trois ans plus tard, à l'occasion d'un voyage de noces longtemps repoussé, je verrais la police évacuer ce même terminal afin de détruire une valise suspecte. La détonation nous ferait frémir, comme une évocation de la bombe que ce bagage révélerait ne pas renfermer. Mais à l'heure qu'il était, en l'an 2000, les esprits étaient moins à cran et je voyageais en solitaire.

Un taxi m'a déposé devant l'hôtel recommandé par Zoé. Ma chambre se résumait à une boîte de béton avec une fenêtre donnant sur une cheminée d'aération et un lit aussi dur que grinçant. Mais elle était située à quelques pas de la gare de Lyon, tout près d'un bistrot coiffé d'un de ces stores que l'on baisse et remonte à la manivelle. C'est là, après avoir posé mes bagages, que j'ai dévoré le premier d'une longue série de repas, avec un café noir et brûlant que j'ai noyé de lait. J'ai ensuite retrouvé ma chambre pour dormir une petite heure, malgré la caféine. À mon réveil, le jour était bien avancé. J'ai ronronné de plaisir sous une douche bien chaude, je me suis rasé, puis je suis sorti muni d'un guide touristique de poche.

Henri habitait Montmartre, mais nous n'avions rendez-vous que le lendemain matin. Une bonne demi-heure après avoir quitté mon hôtel, j'ai vu poindre les dômes blancs du Sacré-Cœur. J'avais visité cette église douze ou treize ans plus tôt, et le bouquin me rappela qu'elle avait été érigée pour symboliser le pouvoir de l'État après l'écrasement de la Commune. Je suis resté dans le centre de Paris pour flâner jusqu'au soir, ne rouvrant mon guide qu'une fois, afin de retrouver mon chemin depuis un étal de bouquiniste en bord de Seine. Il faisait un temps humide mais relativement doux, et le soleil illuminait l'eau par intermittences. Dire que toute cette splendeur n'était qu'à quelques heures d'avion de Washington… À se demander pourquoi je ne venais pas plus souvent ! Quand mes jambes ont réclamé une pause, j'ai déplié mon mouchoir pour m'asseoir sur un escalier de pierre menant droit au fleuve, et j'ai dessiné la péniche-restaurant arrimée au quai d'en face.

J'ai ensuite décidé d'aller voir les œuvres de Béatrice de Clerval exposées au musée d'Orsay. Celles du musée de Maintenon attendraient le lendemain, après ma rencontre avec Henri Robinson. J'ai donc suivi la Seine jusqu'à ce monument que je n'avais pas eu le temps de visiter lors de mon précédent séjour, alors qu'il venait d'ouvrir ses portes. Je n'essaierai pas de décrire l'effet que produisirent sur moi son immense hall coiffé de verre, ses alignements de sculptures, et le majestueux fantôme de ce qui fut longtemps – notamment pour la génération des Clerval – une gare ferroviaire. C'était tout bonnement renversant, au point que je n'en suis ressorti qu'après plusieurs heures.

J'ai tout d'abord cherché Manet, pour le frisson de soutenir le regard de son *Olympia*. Puis je suis tombé sur une surprise délicieuse : un Pissaro montrant une maison de Louveciennes en hiver. De mémoire, je n'avais jamais vu cette toile, avec cette bâtisse roussâtre, ces branches sinueuses lestées de neige, le sol blanc sous les semelles de la femme et de la fillette qui marchaient main dans la main, emmitouflées de pied en cap. Cela me fit penser à Béatrice et à sa fille, bien que ce tableau fût peint en 1872, bien avant la naissance d'Aude. D'autres scènes hivernales peuplaient la galerie, signées de Monet, de Sisley et à nouveau de Pissaro, avec ses « effets d'hiver », ses barrières, ses charrettes et ses arbres soumis aux rigueurs lumineuses du froid. Des ciels menaçants roulaient au-dessus des villages d'adoption de l'impressionnisme – Louveciennes, Marly-le-Roi –, et d'autres sur les grands jardins publics parisiens.

Les Sisley et les Pissarro côtoyaient deux huiles de Béatrice de Clerval : l'une représentait une fille aux cheveux dorés en plein travail de couture – sans doute la bonne décrite dans ses lettres –, l'autre un cygne nageant pensivement sur une eau brune, mais un cygne ordinaire, sans attributs divins. Béatrice avait beaucoup étudié ce thème, peut-être en préparation de la toile qu'allait me montrer Henri Robinson. J'ai également découvert un paysage d'Olivier Vignot, une scène bucolique composée d'un champ, de vaches, de peupliers et de gros nuages paresseux. Avais-je sous-estimé le respect de Béatrice pour le travail de l'oncle ? Cette toile dénotait une grande maîtrise technique, en dépit de son manque d'originalité. Elle datait de 1854, l'année des trois ans de Béatrice.

Ma visite achevée, j'ai avalé un steak-frites dans une brasserie et regagné mon hôtel. Malgré mes efforts pour lire quelques pages d'un excellent ouvrage sur la guerre franco-prussienne, j'ai sombré et dormi treize heures d'affilée, pour me réveiller le lendemain à une heure avancée, preuve que le jeune voyageur ne l'était plus du tout.

97

La rue de Henri Robinson était pentue et pittoresque, avec ses hautes portes cochères et ses balcons en fer forgé. J'ai patienté quelques minutes devant l'immeuble avant de sonner à l'heure dite. J'ai entendu l'interphone ululer dans l'appartement, depuis les fenêtres entrouvertes du premier étage. La porte du bas s'est débloquée et j'ai enfilé un escalier sombre et poussiéreux tout en me demandant comment un homme de quatre-vingt-dix-huit ans pouvait affronter de telles marches. L'unique porte du deuxième étage s'est ouverte avant que j'aie pu la toucher. Une vieille dame se tenait dans l'entrée, en robe marron, tablier, bas épais et chaussures souples. L'espace d'un étrange instant, j'ai cru regarder Aude de Clerval. La femme me gratifia d'un bref sourire puis prononça quelques mots incompréhensibles tout en m'indiquant le salon. Eût-elle été encore en vie, Aude aurait juste cent-vingt ans…

Henri Robinson vivait dans une jungle de plantes vertes, mais une jungle très bien entretenue. Le soleil inondait la salle depuis la rue à travers des voilages de soie rose. Les murs et les portes étaient d'un jade clair. Il y avait des peintures absolument partout, jusque dans les moindres recoins de la pièce, ce qui changeait des accrochages aérés de son vieil ami Caillet. Près du fauteuil d'Henri se dressait un portrait à l'huile : le visage allongé et vieillissant d'une femme aux yeux bleus, coiffée à la mode des années 1940 ou 1950. Aude de Clerval, très certainement. S'agissait-il du portrait que Pedro Caillet disait avoir réalisé lui-même ? Je n'apercevais aucune signature de là où je me trouvais. Hormis cette toile et quelques petits tableaux de Seurat – ou de je ne sais quels disciples pointillistes –, l'ensemble des œuvres semblait dater de l'entre-deux-guerres. Rien de Béatrice de Clerval, donc, ni rien qui pût avoir pour titre *Les Voleurs de cygnes*. Les étagères et les niches qui ne croulaient pas sous les livres accueillaient une collection de poteries vert céladon, probablement issues de l'antiquité coréenne.

Henri Robinson occupait un fauteuil presque aussi fatigué que lui. Malgré mes protestations dans un français approximatif, il s'est levé péniblement pour me tendre une main diaphane. Un peu plus petit que moi, il était frêle et décharné, mais une fois déplié il se tenait encore très droit. Il portait une chemise à rayures, un pantalon foncé et un gilet rouge à bouton dorés. Ses derniers cheveux étaient peignés en arrière, son nez paraissait aussi transparent que ses mains ; il avait le teint irrité et ses yeux bruns jaunissaient sous ses lunettes. Jeune homme, il avait dû avoir un visage saisissant, un regard ténébreux, des pommettes hautes et un nez effilé. Ses membres tremblaient, mais sa poignée de main restait ferme, et j'ai pensé que ces doigts cramponnés aux miens avaient touché ceux d'Aude de Clerval, qui avaient eux-mêmes touché ceux de Béatrice.

– Bonjour, me dit Henri en anglais. Entrez donc et asseyez-vous.

Il avait un fort accent mais semblait maîtriser la langue. Son index noueux me désigna un fauteuil couvert de revues.

– Tous ces journaux, soupira-t-il.

Son sourire révéla des dents trop parfaites pour être vraies.

J'ai déblayé le fauteuil et attendu qu'il se soit rassis pour l'imiter.

– Merci de me recevoir, monsieur Robinson.

– Mais c'est un plaisir. Même si, comme je vous l'expliquais, votre patient n'est pas quelqu'un que je porte dans mon cœur.

– Robert Oliver est malade, monsieur. Et je pense qu'il l'était déjà quand il vous a dérobé ceci (j'ai sorti l'enveloppe de ma veste), car les troubles dont il souffre sont de type cyclique et chronique. Mais j'imagine combien vous avez dû être furieux.

L'enveloppe contenait les lettres que j'avais chipées à Robert. Je les ai mises dans les mains du vieil homme, et il a ouvert de grands yeux.

– Ces lettres vous appartiennent, n'est-ce pas ?

– Oui, oui, elles sont à moi. (Son nez frémit et sa voix se lézarda, comme si les larmes menaçaient.) En fait, elles appartenaient à Aude de Clerval, qui a partagé ma vie pendant plus de vingt-cinq ans. Sa mère les lui a offertes lorsqu'elle était mourante.

J'ai tâché d'imaginer Béatrice en femme mûre, minée par la maladie à une période de sa vie qui aurait pu marquer le sommet de sa carrière. Elle était morte dans la cinquantaine, c'est-à-dire mon âge actuel. Sauf que moi, je n'avais même pas d'enfant à qui dire adieu.

Que la disparition de ces lettres eût affecté Henri n'avait rien de surprenant, et j'ai hoché la tête en signe de compassion. Il conservait un regard pénétrant derrière ses lunettes à monture dorée.

– Je pense que mon patient, Robert Oliver, ne se rendait pas compte du mal qu'il vous faisait. Je ne vous demande pas de lui pardonner, monsieur, mais juste de comprendre la situation. Cet homme est amoureux de Béatrice de Clerval.

– Je sais, répondit-il plutôt sèchement. Moi aussi, j'en connais un rayon sur l'obsession, si c'est ce que vous avez en tête.

– Je me suis permis de lire ces lettres, ai-je avoué. Et comment ne pas aimer cette femme, devant un tel texte ?

– Oui, elle était visiblement très douce, très tendre. Et je l'aimais à travers sa fille. Mais vous, Dr Marlow, d'où vous vient cet intérêt pour Béatrice ?

Il avait donc enregistré mon nom.

– C'est à cause de Robert Oliver, monsieur.

Je lui ai raconté toute l'histoire : l'arrestation de Robert, son admission dans mon service, mes efforts et mes ruses pour tenter de le cerner, le visage qu'il peignait sans arrêt, son mutisme et mon besoin de saisir la nature de son fantasme. Henri Robinson m'écouta d'un bout à l'autre, les mains jointes et le dos avachi, tel un singe hypnotisé. De loin en loin ses paupières clignaient, mais il ne m'a pas interrompu. J'ai évoqué ma rencontre avec Kate – ce qui me procura un étrange soulagement – ainsi que la manière dont mon patient représentait Béatrice sur ses toiles, sans oublier Mary et la curieuse confidence que Robert lui avait faite en jurant avoir vu le visage de Béatrice dans une foule. Je me suis toutefois gardé de mentionner ma visite chez Pedro Caillet. Je transmettrais ses amitiés plus tard, si la situation s'y prêtait.

Tout en parlant, je me suis mis à penser à mon père – un jeunot à côté de ce Henri, avec sa petite amie et sa belle voiture. Mais les deux hommes avait en commun ce silence affûté, cette perspicacité redoutable. J'admirais l'anglais de Henri, moi qui n'essayais même pas de composer une phrase simple en français. Je veillais à bien articuler, mais il me suivait sans problème. Mon laïus terminé, il tapota son trésor et déclara :

– Je vous suis infiniment reconnaissant de m'avoir restitué ces lettres, Dr Marlow. J'étais sûr qu'elles m'avaient été dérobées par Robert Oliver, car leur disparition coïncidait avec sa seconde visite. Mine de rien, il les aura conservées plusieurs années, le saligaud.

Un nom jaillit dans mon esprit, celui que j'avais déchiffré sur le mur du bureau chez Kate. *Étretat*.

– Mais ça non plus, poursuivit Robinson, Oliver n'a pas dû vous le dire, s'il refuse d'ouvrir la bouche. Ce monsieur est venu pour la première fois au début des années 1990, après avoir lu un article sur ma relation avec Aude de Clerval. Il m'a écrit, et j'ai été si touché par son enthousiasme et par son évidente culture artistique que j'ai accepté de le recevoir. Nous avons eu un long échange, et je vous assure qu'il était causant, à l'époque ! Il écoutait très bien, aussi. En fait, je le trouvais très intéressant.

– Et sauriez-vous me dire de quoi vous aviez parlé ?

– Mais absolument, fit Robinson en posant les mains sur les accoudoirs.

Il émanait de ce nez droit, de ce menton volontaire et de ces cheveux en toile d'araignée une curieuse impression de force.

– Je le revois encore entrer ici. Ce n'est pas à vous que j'apprendrai que Robert est très grand, avec sa stature de chanteur d'opéra, et j'admets que j'étais un peu intimidé – d'autant que je vivais seul, en ce temps-là. Mais bon, il s'est montré tout à fait charmant. Il a pris un fauteuil, celui où vous êtes installé en ce moment même, et nous avons commencé à parler peinture. Il revenait tout juste du musée de Maintenon, auquel j'avais cédé tous mes Clerval à l'exception d'un seul, et il avait été très marqué.

– Je n'y suis pas encore allé, mais j'en ai bien l'intention.

– Bref, nous avons causé un bon moment, puis il a voulu que je lui parle de Béatrice de Clerval. J'ai donc retracé les grandes étapes de sa vie et décrit son travail, mais il connaissait déjà tout ça. Non, Robert voulait surtout savoir en quels termes Aude parlait de sa mère. Je voyais bien qu'il était obnubilé pas les tableaux de Béatrice, mais il y avait de la chaleur dans sa manière d'être, une sorte de charme irrésistible. (Robinson s'éclaircit la voix.) Alors bon, je lui ai dépeint Béatrice telle qu'Aude me l'avait décrite : une mère douce et pleine de vie, passionnée par l'art jusqu'à la fin de ses jours, mais entièrement dévouée à sa fille. Aude ne l'aura jamais vue peindre ou tenir un crayon, par exemple. Pas une seule fois. Quant à sa carrière avortée, Béatrice n'en parlait jamais avec regret, et lorsque Aude abordait le sujet, elle répondait en riant que sa fille était à ses yeux sa plus belle réalisation et qu'elle suffisait amplement à son bonheur. Lorsque, à l'adolescence, Aude s'est elle-même essayée à l'art, Béatrice fut prodigue en encouragements et en conseils, mais jamais elle ne joignit le geste à la parole. Un jour qu'Aude la suppliait de venir dessiner avec elle, elle lança : « Mes dessins sont derrière moi, ma fille, et ils t'attendent. » Hélas, elle n'a jamais voulu préciser sa pensée, et Aude n'aura eu de cesse de s'interroger sur le sens de ces paroles.

Henri Robinson me dévisagea. Ses yeux sombres paraissaient vitreux, comme enduits d'eau savonneuse. Un début de cataracte, peut-être, ou juste un reflet de ses lunettes.

– Ma vie est derrière moi, Dr Marlow, et Aude de Clerval en aura été le grand amour. Ce Robert Oliver semblait tellement attiré par son histoire et par celle de sa mère que j'ai décidé de lui lire ces lettres. Oui, je lui en ai fait la lecture, et je persiste à penser qu'Aude m'aurait approuvé. Nous-mêmes, à deux ou trois reprises, nous nous étions lu ces lettres l'un à l'autre. Aude estimait néanmoins qu'il fallait posséder certaines clés pour les apprécier à leur juste valeur, et c'est pourquoi je ne les ai jamais publiées ni n'ai écrit quoi que ce soit à leur sujet.

– Vous en avez fait la lecture à Robert Oliver ?

– Eh oui. J'ai sans doute eu tort, mais j'estimais qu'il en était digne.

J'imaginais Robert appuyé sur ses gros coudes, absorbé par les mots de Béatrice et d'Olivier.

– Et il comprenait quelque chose ? ai-je demandé.

– Vous voulez parler de la langue ? Je lui traduisais les passages obscurs, mais son français était plutôt bon. Après, sur le fond, j'ignore ce qu'il en a retenu.

– Comment a-t-il réagi ?

– Quand j'ai reposé la dernière page, je lui ai trouvé un air, comment dit-on... maussade. J'ai presque cru qu'il allait pleurer. Puis il a prononcé cette phrase, mais comme pour lui-même : « Ils ont vécu, n'est-ce pas ? ». J'ai répondu que oui, en effet, de telles lettres nous rappelaient que les artistes n'étaient pas des créatures légendaires mais des êtres de chair et de sang, et que j'avais moi-même été très ému en lui faisant cette lecture. Mais je l'avais mal compris : ce que Robert entendait par là, c'est qu'eux avaient *vraiment* vécu, contrairement à lui. J'ai trouvé ça bizarre, mais après tout, il y a toujours une part d'excentricité chez l'artiste. (Il se tut pour reprendre son souffle, et le fil de ses pensées.) Avant de repartir, Robert m'a déclaré que ces lettres lui avaient permis de mieux comprendre ce que Béatrice aurait voulu le voir peindre. Et qu'il allait se consacrer corps et âme à peindre la vie de Béatrice, à honorer sa mémoire et à faire vivre son nom. Il parlait comme un homme épris d'une morte – mais là ce n'est pas moi qui lui jetterai la pierre.

À observer Robinson, je devinais l'homme frétillant qu'il avait dû être. Vingt ans plus tôt, il aurait agrémenté son monologue en arpentant la pièce la pièce de long en large, pour caresser la tranche de ses livres, redresser un tableau, débarrasser une plante de ses feuilles mortes… Si je me fiais aux deux portraits que j'avais vus d'Aude, elle et Henri se complétaient finalement très bien : lui le beau garçon plein d'allant et d'initiative, et elle la femme fière, posée et quelque peu distante, à laquelle il vouait une passion sans bornes.

– Et Robert n'a rien dit d'autre ? demandai-je.

Robinson haussa les épaules :

– Pas que je me souvienne. Mais ma tête n'est plus ce qu'elle était. Je me rappelle qu'il est reparti assez vite après la lecture des lettres. Il m'a chaudement remercié, et il a quitté l'appartement en disant que cette visite resterait comme un événement charnière dans son art. Mais très honnêtement, je ne pensais pas le revoir un jour.

– Et pourtant, il est revenu…

– Oui, mais la seconde fois fut plus brève. Cela remonte à un ou deux ans. Oliver n'avait pas pris la peine de m'écrire, et j'ignorais qu'il se trouvait à Paris. Un beau jour, coup de sonnette, Yvonne va ouvrir. Qui vois-je entrer ? Robert Oliver. Il m'explique qu'il est à Paris pour des recherches et qu'il en profite pour me rendre une visite de courtoisie. Seulement, je n'étais plus aussi vaillant qu'autrefois. J'avais du mal à marcher et ma mémoire commençait à avoir des ratés. Je viens de fêter mes quatre-vingt-dix-huit ans, vous savez.

– Félicitations.

– Oh ! je n'en tire aucune fierté, Dr Marlow. Seul le hasard décide de ces choses-là. Quoi qu'il en soit, j'ai accueilli Robert et nous avons bavardé. Puis, à un moment donné, il a fallu que je me rende aux toilettes, et il m'a prêté son bras car Yvonne était au téléphone dans la cuisine. Lui n'avait guère changé en dix ans : toujours aussi costaud. Si me je rappelle tous ces détails, voyez-vous, c'est parce que sept ou huit jours plus tard j'ai voulu me replonger dans ces lettres, et elles n'étaient plus là.

– Où les rangiez-vous, d'habitude ?

– Dans ce tiroir, dit Robinson en pointant un doigt blême vers le buffet. Vous pouvez regarder, si vous voulez. Il n'y a quasiment plus rien là-dedans. (Il caressa les lettres posées sur ses genoux.) Ah ! Je vais enfin pouvoir les remettre à leur place... Je me doutais que c'était un coup d'Oliver, parce que je reçois très peu, et puis Yvonne n'aurait jamais pris la liberté de les déplacer sans ma permission – elle sait combien j'y tiens. Comme je vous le disais, j'ai cédé mes œuvres de Béatrice de Clerval au musée de Maintenon, voilà quelques années, toutes à l'exception des *Voleurs de cygnes*. Aude voulait qu'on garde ces tableaux, mais également qu'on les protège, alors j'estime avoir bien fait. Quant au sort des *Voleurs de cygnes*, je n'ai encore rien décidé. Lors de la première visite de Robert, l'idée m'avait effleuré de lui offrir cette toile un jour. Puis je me suis ravisé, Dieu soit loué. Ces lettres sont tout ce qu'il me reste de l'amour qu'Aude portait à sa mère. C'est dire si elles me sont chères...

Je sentais sa rage plus que je ne la voyais, enrobée dans ces mots choisis.

– Et vous n'avez jamais essayé de les récupérer ?

– Bien sûr que si. J'ai écrit à Oliver, à l'adresse qu'il m'avait laissée la première fois. Mais ma missive m'est revenue un mois plus tard. « N'habite pas à l'adresse indiqué », avait-on écrit sur l'enveloppe.

Ce « on » n'était peut-être que Kate, rongée de colère elle aussi.

– Et ensuite, vous n'avez plus jamais entendu parler de lui ?

– Si, justement. Et j'en ai été malade. Il m'a envoyé un mot. Le mot qui se trouve dans ce tiroir, à la place des lettres.

98

Sous le regard bienveillant d'Henri Robinson, j'ai traversé la pièce jusqu'au buffet. Si l'on m'avait dit, quand je suis devenu psychiatre, que je me retrouverais un jour dans l'appartement surchargé d'un Parisien quasi centenaire, à fouiller dans le passé d'un homme qui attaquait les œuvres d'art et volait le courrier, je ne l'aurais sans doute pas cru. Et pourtant je n'arrivais toujours pas à blâmer Robert. Déphasé par le décalage horaire, j'ai soudain pensé aux bras de Mary, et j'ai voulu rentrer chez nous. Puis je me suis souvenu qu'il n'y avait pas de chez nous, mais juste un chez elle et un chez moi. Que valaient cinq nuits et un petit déjeuner aux yeux d'une jeune femme indépendante ?

C'est avec des doigts ramollis que j'ai ouvert le tiroir. Il recelait une enveloppe datée d'avant l'assaut de Robert contre *Léda*. Pas d'adresse de retour, cachet de Washington, tarif international. À l'intérieur, une feuille de papier à lettres pliée en deux.

Cher monsieur Robinson,

Ne m'en veuillez pas d'avoir emprunté vos lettres. Je PROMETS *de vous les rendre un jour, mais pour l'heure je travaille sur un projet capital, et je dois les lire tous les jours. Ce sont des lettres magnifiques qui reflètent si bien Béatrice, et j'espère que vous partagez cet avis. Mon geste demeure inexcusable, mais en définitive il se peut que ces documents soient plus en sécurité ici, avec moi. Je m'en souvenais suffisamment pour réaliser une première série d'œuvres, que je considère comme mes plus réussies à ce stade, mais pour la suite,* IL FAUT QUE JE PUISSE *les relire chaque jour. Parfois je me lève en* *pleine nuit pour m'en imprégner. Ma nouvelle série de toiles, d'une importance majeure, prouvera à la face du monde que Béatrice de Clerval était l'une des plus grandes femmes de son temps et l'une des plus grandes artistes du XIX*e *siècle. Elle a cessé de peindre trop tôt, alors je dois prendre le relais. Il faut la venger, car elle aurait pu continuer pendant des dizaines d'années encore si elle n'en avait pas été aussi cruellement empêchée. Vous et moi savons qu'elle était un génie ; vous pouvez concevoir l'amour et l'admiration qu'elle a éveillés en moi. Et vous savez peut-être ce qu'on éprouve à ne pas pouvoir peindre quand on le désire, même si vous-même n'êtes pas artiste.*

Merci pour votre aide et pour ces textes, et veuillez pardonner ma décision. Je vous récompenserai au centuple.

Amicalement,

Robert Oliver

Mon dépit était immense. C'était la première fois que j'entendais la voix de Robert développer un semblant de discours – sa voix d'alors, en tout cas. Mais ces répétitions, cette irrationnalité, la conviction d'être investi d'une mission extravagante étaient d'authentiques troubles maniaques. La justification de son vol était navrante d'égocentrisme, et il semblait incapable d'en saisir la gravité. Robert avait perdu le sens de la réalité, et cette perte allait connaître son point d'orgue avec l'attentat contre *Léda*. Comme je replaçais l'enveloppe dans le tiroir, Henri Robinson lança :

– Vous pouvez la garder, si vous voulez.

– C'est assez consternant, dis-je tout en glissant la lettre dans une poche intérieure. Mais ne perdons pas de vue que Robert Oliver est malade et que, de fait, ces lettres vous sont revenues. Et je ne dis pas ça pour le défendre – honnêtement, je ne m'en sens plus capable.

– Je suis heureux d'avoir retrouvé mes lettres, répondit simplement Robinson. Il s'agit d'une correspondance tout à fait privée, et c'eût été trahir Aude que de les publier. C'était ma grande hantise : que Robert Oliver les confie à un éditeur.

– Dans ce cas, vous devriez peut-être les détruire, ai-je suggéré, bien que cette pensée me fît horreur. Tôt ou tard, un historien d'art les trouvera et voudra les faire connaître.

– J'y réfléchirai, dit Robinson en croisant les mains.

Ne tardez pas trop, brûlais-je d'ajouter.

– Mon Dieu, fit-il en ouvrant de grands yeux, mais j'en oublie les bonnes manières ! Désirez-vous un café ? Un thé, peut-être ?

– Merci, ça ira. Je vous ai assez pris de temps comme ça. Puis-je tout de même vous demander une dernière faveur ? Pourrais-je… pourrais-je voir *Les Voleurs de Cygnes* ?

Robinson me considéra d'un air absorbé, comme s'il se repassait le contenu de notre échange. M'avait-il donné des informations inexactes, ou inventées ?

– Je n'ai jamais montré cette toile à Robert Oliver, dit-il en se caressant le menton. Et je m'en félicite.

– Il n'a pas demandé à la voir ? m'étonnai-je.

– Je pense qu'il en ignorait l'existence. C'est une œuvre confidentielle, dans tous les sens du terme. Mais vous, au fait, comment êtes-vous au courant ?

Je n'avais plus le choix : je devais citer mes sources, quitte à rouvrir de vieilles blessures.

– Je souhaitais vous en parler plus tôt, monsieur, mais j'hésitais. Voilà, je suis allé voir Pedro Caillet, au Mexique. Il m'a reçu très gentiment, lui aussi, et il m'a parlé de vous. Je suis d'ailleurs chargé de vous transmettre ses amitiés.

– Ah ! Pedro et ses amitiés…

Je vis à son sourire espiègle qu'il subsistait une certaine complicité entre les deux hommes, malgré leur longue et ancienne rivalité transatlantique.

– Pedro a dû vous dire qu'il avait vendu *Les Voleurs de cygnes* à Aude, et bien sûr vous l'avez cru…

– En effet.

– C'est qu'il en est vraiment convaincu, ce vieux matou ! En vérité, c'est lui qui voulait acheter cette peinture à ma compagne. Ils la trouvaient tous les deux extraordinaire. Aude l'avait acquise lors de la vente de la succession Armand Thomas, un galeriste parisien. La toile n'avait curieusement jamais été exposée, et elle ne l'a jamais été depuis. Quoi qu'il en soit, Aude ne l'aurait jamais vendue à quiconque, pas même à Pedro puisque sa mère la désignait elle-même comme la seule toile vraiment importante de sa carrière. Ce que je n'ai jamais su, c'est comment Armand Thomas se l'était procurée. *Les Voleurs de cygnes* était l'un des rares tableaux rescapés de la faillite des Thomas. Le frère aîné d'Armand, Gilbert, était un bon peintre mais un piètre homme d'affaires. Vous aurez croisé les Thomas çà et là dans la correspondance entre Béatrice et Olivier. Personnellement, ils m'ont toujours fait l'effet de vulgaires marchands. Ils n'avaient pas cet amour des peintres qui a fait le succès de Durand-Ruel. Et puis ils n'avaient pas son flair.

– Oui, j'ai vu deux tableaux de Gilbert à la National Gallery. Dont *Léda*, bien sûr, celui que Robert a voulu taillader.

Henri Robinson hocha la tête.

– Allez donc jeter donc un œil sur *Les Voleurs de Cygnes*, et moi je vous attends ici. Je vois cette merveille plusieurs fois par jour, après tout.

Il m'indiqua une porte fermée au fond du salon, et je m'y rendis aussitôt. La porte s'ouvrait sur une petite chambre – celle de Robinson, à en juger par la quantité de médicaments sur le bureau et sur la table de chevet. Le lit à deux places était recouvert d'un dessus en damas vert assorti aux rideaux de la fenêtre. Il y avait, comme au salon, des étagères remplies de livres. Puisque le soleil n'entrait pas dans cette pièce, j'ai allumé la lumière. Je sentais que Robinson m'observait depuis son fauteuil, mais je ne voulais pas lui faire l'affront de m'enfermer. J'ai cru un instant qu'il y avait une deuxième fenêtre au-dessus du lit, donnant sur un jardin, avant d'y déceler l'image figée d'un cygne. Il s'agissait en fait d'un miroir, dans lequel se réfléchissait l'unique toile de la pièce, accrochée au mur opposé.

Accordez-moi un instant, que je reprenne mon souffle. *Les Voleurs de cygnes* ne se laisse pas facilement décrire, et je m'étais préparé à sa beauté, mais pas à sa violence. Cette grande toile d'environ 120 centimètres sur 90 reprenait la vaste palette colorée des impressionnistes. Représentés de face, deux hommes bruns vêtus d'habits grossiers, dont l'un affublé de lèvres rouge sang, fondaient sur un cygne qui s'envolait en catastrophe. Comme une inversion de la frayeur de Léda : ici, l'oiseau n'était plus l'agresseur mais l'agressé. Béatrice avait rendu le mouvement des ailes par des coups de pinceaux vifs et baveux, et l'effet était confondant de vérité. Les nénuphars et les remous dans l'eau grise étaient à peine suggérés, tout comme la silhouette de l'animal, un galbe blanc virant au gris autour d'un œil sombre et hagard. Les deux braconniers se trouvaient déjà tout près, et les mains du plus grand allaient se refermer sur le long cou tendu tandis que l'autre s'apprêtait à saisir le corps. J'avais déjà croisé le visage du premier type à la National Gallery, sous les traits d'un marchand d'art occupé à compter ses pièces – suivez mon regard. Or, si cet homme était Gilbert Thomas, son acolyte ne pouvait être que son frère Armand.

J'avais rarement vu une telle maîtrise formelle, et un tel désespoir. Je n'aurais su dire si ce travail avait pris trente minutes ou trente jours à Béatrice, mais on sentait l'exécution fébrile et ardente d'une scène longuement mûrie. Après quoi elle avait, selon Henri, définitivement posé ses pinceaux.

J'ai dû m'attarder longuement devant cette toile, car j'ai soudain senti monter la fatigue – ou peut-être n'était-ce qu'une bouffée de désolation. Cette femme avait peint un cygne et ce cygne revêtait une signification particulière, mais nous ne saurions jamais laquelle. Cela n'avait du reste pas grande importance, au regard de la puissance visuelle du tableau.

Béatrice était morte et nous allions tous mourir un jour, mais elle, elle laissait cette peinture.

Puis j'ai pensé à Robert. Lui n'avait jamais posé les yeux sur cette œuvre, ni frémi devant son énigmatique violence. À moins que… Combien de temps le vieil Henri s'était-il éclipsé, lors de la seconde visite de Robert ? Je n'avais repéré qu'un seul cabinet de toilette, près de l'entrée, et aucune salle de bains ne jouxtait cette chambre. Henri absent, une simple porte fermée allait-elle arrêter la curiosité de Robert ? Bien sûr que non. Robert avait forcément vu *Les Voleurs de cygnes*. Comment expliquer autrement la rage qui suintait de sa lettre, puis son coup d'éclat, peu après, à la National Gallery ? Je songeai au portrait qu'il avait fait de Béatrice à Greenhill : le sourire, la main fermant un peignoir de soie. Il voulait la voir heureuse, quand *Les Voleurs de cygne* évoquait au contraire la menace, le piège, voire la vengeance. Robert interprétait le chagrin de Béatrice d'une manière dont, Dieu merci, lui seul était capable. Et il n'avait pas attendu de voir ce tableau pour comprendre sa détresse.

Je me suis soudain rappelé que Robinson m'attendait, cloué à son fauteuil. J'ai regagné le salon en sachant que je ne reverrais jamais ce fameux tableau. Cinq minutes à son contact, et je ne voyais plus le monde comme avant.

– Je vois que vous êtes impressionné, se délecta Robinson.

– En effet.

– Alors, s'agit-il de sa plus grande œuvre ?

– Vous êtes plus à même d'en juger.

– Je suis un peu fatigué, dit le vieil homme. (Exactement la même phrase que Caillet au Mexique…) Mais je serais ravi de vous revoir demain, après que vous aurez vu ma collection au musée de Maintenon. Vous pourrez alors me dire si j'ai gardé le bon tableau.

Je me suis avancé vers lui.

– Désolé de m'être imposé aussi longuement, monsieur. C'est avec grand plaisir que je repasserai demain. Quelle heure me proposez vous ?

– Je fais la sieste à 15 heures. Venez donc en matinée.

– Je ne sais comment vous remercier.

Nous nous sommes serré la main et son sourire blanc était étincelant.

– J'ai apprécié cette conversation, dit-il. Qui sait ? Il se pourrait que je pardonne à Robert Oliver, en fin de compte.

99

Le musée de Maintenon était situé à Passy, près du bois de Boulogne. Ce quartier était jadis celui des Clerval, mais je n'avais aucun moyen de localiser leur ancien domicile sur un plan, et j'avais omis de poser la question à Henri. De toute façon, je doutais que la brève carrière de Béatrice eût suscité ne fût-ce qu'une plaque sur une façade. J'ai pris le métro et fini à pied en coupant par un parc où des enfants aux blousons colorés mettaient à l'épreuve des balançoires et des cages à poules modernistes. Le musée était un haut bâtiment crème du XIXe siècle, aux plafonds richement moulés. J'ai musardé dans une galerie abritant des Manet, des Renoir et des Degas, que je découvrais pour la plupart, avant de monter dans une salle plus modeste dédiée à la donation Robinson, autrement dit aux œuvres de Béatrice de Clerval.

Celle-ci avait été plus prolifique que je ne le pensais, et elle avait commencé tôt : la pièce la plus ancienne datait de sa dix-huitième année, alors que Béatrice vivait encore chez ses parents et suivait les cours de Georges Lamelle. Le résultat était prometteur, mais il y manquait la virtuosité des dernières œuvres. La jeune femme avait travaillé dur – aussi dur que Robert Oliver dans sa fièvre obsessionnelle. J'avais imaginé l'épouse, la jeune maîtresse de maison, et même l'amante Béatrice, mais jamais le peintre assidu et acharné, celle qui avait dû suer sang et eau pour produire autant et parfaire sa technique d'année en année. Il y avait là des portraits de sa sœur, avec ou sans bébé dans les bras, et des bouquets de fleurs somptueux. Il y avait de petites esquisses au fusain ainsi que deux aquarelles, l'une montrant des jardins, l'autre la côte normande, ainsi qu'un portrait riant d'Yves Vignot en jeune marié.

J'ai dû me faire violence pour tourner les talons. Le second étage du musée était peuplé d'immenses huiles de Monet, pour la plupart des nymphéas exécutés au soir de sa carrière, d'une facture quasi abstraite. Monet avait peint des hectares entiers de nénuphars, aujourd'hui disséminés aux quatre coins de Paris. Après avoir acheté une poignée de cartes postales, dont quelques-unes pour égayer l'atelier de Mary, j'ai quitté le musée pour me promener dans le bois. À l'approche d'un petit lac, un bateau-navette est venu apponter devant moi, comme affrété spécialement à mon intention. Il desservait une île où se dressait une belle bâtisse. J'ai acheté un ticket et suis monté à bord, talonné par un couple et leurs deux enfants, tous tirés à quatre épingles. La cadette m'a épié quelques instants avant de me rendre mon sourire et de se cacher dans les jupes de sa mère.

La maison sur l'île était un restaurant avec de larges parasols, des glycines en fleurs et des prix exorbitants. J'ai dégusté un café et une pâtisserie tout en cédant aux feux apaisants du soleil sur l'eau. Aucun cygne en vue, notai-je, alors qu'il y en avait très certainement à l'époque de Béatrice. J'imaginais Béatrice et Olivier au bord de l'eau avec leurs chevalets, lui dans le rôle du tuteur taciturne, elle s'échinant à capturer le mouvement d'un cygne s'élevant des roseaux…

Malgré cet instant de détente, j'étais épuisé quand j'ai atteint la gare de Lyon. La brasserie voisine de mon hôtel était ouverte et le garçon m'a accueilli comme si j'étais un vieil habitué – preuve que tous les Parisiens ne sont pas d'affreux xénophobes. Il m'a souri comme s'il savait quelle longue journée j'avais eue, et à quel point j'avais besoin d'un bon verre de vin rouge. Enfin, mon dîner avalé et payé, j'eus droit à un bel « *Au revoir, monsieur* » tandis qu'on me tenait la porte.

J'avais l'intention de chercher une cabine pour appeler Mary avec ma carte téléphonique toute neuve, mais j'ai eu la mauvaise idée de repasser d'abord par ma chambre. Sitôt là-haut, je me suis écroulé sur le lit. J'ai rêvé d'Henri, de Béatrice, et à un moment je me suis réveillé en sursaut, hanté par le visage d'Aude de Clerval. De l'autre côté de l'Océan, Robert attendait ; c'était lui que je devais appeler en priorité. J'ai fini par me rendormir, pour refaire surface bien plus tard.

100

Un matin de juin 1892, de bonne heure. Les deux personnes debout sur ce quai de province ont le regard éveillé des voyageurs levés avant l'aube. Elles patientent dans leurs beaux habits, indifférentes à l'agitation du village alentour. La plus grande est une femme dans la fleur de l'âge, la seconde une fillette de onze ou douze ans portant un panier à son bras. La première est vêtue tout de noir, sa bonnette nouée sous sa gorge ; son voile recouvre le monde d'une poussière charbonneuse et elle aimerait le relever pour rendre ses couleurs au paysage : l'ocre de la gare, le vert doré de l'herbe par-delà les rails, le jaune cadmium des premiers pavots de l'été. Mais elle garde sagement ses mains sur son sac, et son voile sur son visage. Le village est très conservateur, notamment vis-à-vis des femmes, et elle doit tenir son rang de dame.

Elle se tourne vers sa jeune compagne :

– Tu n'as pas pris ton livre ?

Toutes deux sont plongées depuis quelques soirs dans *Les Grandes Espérances* de Dickens.

– Non, maman. Mais j'ai ma broderie à finir.

D'une main gantée de dentelle noire, la femme touche la joue de la fillette, à l'orée d'une bouche identique à la sienne.

– Alors elle sera prête pour l'anniversaire de Papa, finalement ?

– Si tout se passe bien, soupire l'enfant en jetant un regard à son panier, comme si son ouvrage était vivant et réclamait un soin de tous les instants.

– Je suis sûre que tu t'en tireras haut la main.

Une vague d'émotion parcourt la femme. Le temps est un vertige, qui du jour au lendemain a fait de sa petite fleur, de son plus beau joyau, cette jeune fille vive et élancée. Elle sent encore son petit corps de bébé s'agiter entre ses bras, et ses jambes robustes et potelées gigoter sur sa jupe. Ces souvenirs-là peuvent être convoqués à tout moment, et lui procurent un mélange doux-amer de plaisir et de nostalgie. Aujourd'hui, à quarante ans passés, elle est une femme au cœur solitaire, malgré le mari amoureux qui l'attend à Paris. Une femme mûre et endeuillée, orpheline du vieil homme doux et aveugle qu'elle considérait comme un père.

Elle se dit malgré tout que la vie ne fait que suivre son cours normal : un enfant qui grandit, une mort qui soulage en même temps qu'elle attriste, la couturière qui lui confectionne des tenues plus actuelles que celles arborées des années plus tôt, après la mort de sa mère, la coupe des jupes ayant sensiblement changé depuis. Tout cela, sa fille le connaîtra bien assez tôt. Pour l'instant, ce qui intéresse l'enfant, c'est son panier de broderie, ses rêves pour son anniversaire, et bien sûr son père, l'homme qu'elle aime le plus au monde. Béatrice n'a pas voulu lui imposer le noir du grand deuil : la fillette porte aujourd'hui une robe blanche à col et revers gris, avec une écharpe noire autour de sa taille pas encore marquée. Béatrice prend la main de sa fille et l'embrasse à travers son voile, un geste qui les surprend l'une comme l'autre.

Le train pour Paris est rarement en retard, et ce matin il a même un peu d'avance. L'entendant s'annoncer au loin, mère et fille se lâchent la main pour se rajuster. L'enfant imagine toujours la locomotive foncer droit sur le village, rasant les maisons, pulvérisant les vieilles pierres, renversant les poulaillers et brisant les étals tandis que de vieilles femmes se sauveraient avec leurs énormes sabots de bois, comme sur l'une des illustrations de son vieux livre de comptines. Puis la poussière retomberait et les gens comme maman monteraient à bord en silence, comme si de rien n'était. Maman fait toujours tout en silence, comme lorsqu'elle lit un livre, qu'elle vous tourne légèrement la tête pour vous coiffer, ou qu'elle vous caresse la joue.

Maman a aussi certaines impulsions bizarres, de petits élans qu'Aude ressent elle aussi parfois, mais dont elle ignore qu'ils sont chez l'adulte les derniers vestiges de l'enfance. Embrasser une main, agripper gaiement la tête et le chapeau de Papa quand il lit son journal au jardin… Maman est si belle, même lorsqu'elle porte le deuil comme en ce moment – à cause de la mort de Grand-Père, puis de celle de l'oncle de Papa, celui qui était parti vivre tout là-bas en

Algérie. Mais parfois Maman reste plantée derrière la vitre face au jardin, à regarder la pluie tomber sur la prairie, et ses yeux semblent alors remplis d'une infinie tristesse. Leur maison se trouve à l'extrémité du village, de sorte que le jardin se répand directement dans les champs. Derrière ces champs commencent des bois où Aude n'a pas le droit de s'aventurer sans ses parents.

Dans le train, après que le contrôleur a rangé leurs bagages, Aude s'installe fièrement à côté de sa mère. Mais elle ne l'imite pas longtemps : elle a tôt fait de sauter sur ses pieds pour regarder deux chevaux s'engager sur le quai, conduits par son cocher préféré, Pierre le Triste. Celui-là vient chaque jour livrer les commerçants du village, et il a parfois un colis pour Maman. Après tout ce temps, ils commencent à bien le connaître. Papa a acheté la maison à la naissance d'Aude, en cette année parfaite et ronde de 1880. Aussi loin que remontent ses souvenirs, Aude n'a jamais connu de longue période sans séjours réguliers ici, dans ce petit village niché entre Marly-le-Roi et Louveciennes, où le train s'arrête trois fois par semaine. L'été, Aude et Maman y passent plusieurs semaines d'affilée, dont une partie avec Papa.

Pierre le Triste vient de sauter à terre ; on dirait qu'il s'entretient avec le chef de gare au sujet d'un paquet accompagné d'une lettre. Son visage est un festival permanent de sourires, ce qui lui a valu ce sobriquet gentiment ironique. Aude l'entend à travers la vitre du compartiment, mais pas assez bien pour distinguer ses paroles.

– Qu'y a-t-il, trésor ? demande sa mère tout en ôtant ses gants.

– C'est Pierre.

Reconnaissant la fillette, Pierre s'approche de la voiture et agite ses grandes mains pour lui faire baisser la vitre. Maman se lève, ouvre la fenêtre, réceptionne le paquet et le confie à Aude en l'autorisant à l'ouvrir. C'est un cadeau de Papa, un petit châle ivoire aux coins ornés de marguerites. Aude le plie en deux et l'étale sur ses genoux d'un air ravi. Maman tire une épingle de ses cheveux pour ouvrir la lettre jointe au colis, également de Papa, mais dont s'échappe soudain une seconde enveloppe, remplie celle-ci d'une écriture inconnue. Maman l'ouvre d'une main tremblante, déplie l'unique feuille, la lit, la replie, la relit une deuxième fois puis la range lentement dans son enveloppe. Après quoi elle se renverse contre son dossier et rabat son voile. Malgré le tulle noir, Aude voit les yeux de sa mère se fermer, sa bouche se courber vers le bas, et son menton frémir comme lorsqu'on s'interdit de pleurer. La fillette ramène son attention sur le châle, tout en se demandant ce qui peut bien chagriner sa mère à ce point. Faut-il tenter de la réconforter ? Lui dire quelque chose ?

Aude se tourne vers la vitre mais n'y trouve aucune réponse. Pierre décharge une caisse de vin qu'un garçon emporte aussitôt sur une charrette à bras, puis le chef de gare salue Pierre et le train se met à siffler. Un coup, deux coups. Rien d'inhabituel dans le village qui reprend vie peu à peu.

– Maman ? risque-t-elle d'une voix timide.

Les yeux assombris se rouvrent. Ils scintillent de larmes, ainsi que le redoutait Aude.

– Oui, mon amour ?

– Est-ce que… Il y a une mauvaise nouvelle ?

Maman la considère longuement.

– Non, pas de mauvaise nouvelle, répond-elle d'une voix fragile. Juste une lettre d'un vieil ami ; elle aura mis beaucoup de temps à me parvenir.

– Une lettre d'oncle Olivier ?

Maman retient son souffle, puis le relâche.

– Oui, d'Olivier. Comment as-tu deviné, trésor ?

– Eh bien, parce qu'il est mort. Et c'est très triste, ça.

– Oui, très triste, répond Maman en posant ses mains sur l'enveloppe.

– Il parle de l'Algérie et du désert, dans sa lettre ?

– Oui, mon cœur.

– Et elle est arrivée trop tard ?

– Il n'est jamais vraiment trop tard, dit Béatrice, mais ces mots trébuchent sur un sanglot.

Aude s'alarme. Elle n'a encore jamais vu pleurer sa mère. Maman est la personne la plus souriante qui soit après Pierre le Triste. Surtout quand elle s'adresse à sa fille.

– Vous l'aimiez énormément, Papa et toi ?

– Oui, énormément. Ton grand-père aussi l'aimait.

– Dommage que je ne me souvienne pas de lui.

– Oui, c'est fort dommage.

Maman semble avoir repris contenance. Elle tapote la banquette à côté d'elle et Aude se rapproche avec joie, munie de son nouveau châle.

– Je l'aurais aimé, moi, l'oncle Olivier ?

– Oh oui. Et lui aussi, il t'aurait beaucoup aimée. Tu m'as toujours fait penser à lui.

Aude adore ressembler aux gens.

– Ah bon ? Pourquoi ?

– Parce que tu es pleine de vie, curieuse de tout. Et habile de tes mains.

Maman se tait quelques instants pour dévisager sa fille. Si intensément qu'Aude ne sait bientôt plus où se mettre. Puis elle ajoute :

– Tu as ses yeux, mon amour.

– Ah bon ?

– C'était un peintre.

– Comme toi, alors ! Et il était doué, lui aussi ?

– Oh ! il était bien meilleur, répond Béatrice en palpant distraitement la lettre. Il avait bien plus d'expérience à mettre dans ses toiles. D'expérience de la vie. C'est un ingrédient essentiel, ce que je ne savais pas à l'époque.

– Et tu vas la garder, cette lettre ?

Aude sait qu'il serait vain de demander à la lire – et c'est dommage, car elle aimerait bien voir ce que l'oncle raconte sur le désert.

– Peut-être. Je la mettrai avec les autres. Avec toutes celles que j'ai réussi à conserver. Certaines d'entre elles te reviendront quand tu seras une vieille dame.

– Et je ferai comment, pour les avoir ?

Maman relève son voile, sourit et tapote la joue de sa fille du bout de l'index.

– C'est moi qui te les donnerai. Ou tout du moins, je penserai à t'indiquer leur cachette.

– Tu le trouves beau, le cadeau de Papa ? demande Aude en dépliant le châle pour le partager avec sa mère.

– Oui, très beau, répond Béatrice. (Elle fait disparaître sous l'étoffe ivoire l'enveloppe aux gros timbres étranges). Et ces marguerites sont presque aussi jolies que celles que tu brodes. Mais presque seulement, car les tiennes paraissent réellement vivantes.

101

Marlow

Robinson me salua chaleureusement depuis son fauteuil. Il avait revêtu un pantalon de flanelle gris, un col roulé noir et un blazer bleu marine, comme si nous devions déjeuner dehors. Après m'avoir ouvert, Yvonne s'était retirée dans la cuisine d'où s'échappaient à présent des bruits de casseroles et des odeurs d'oignons frits. D'entrée de jeu, Robinson me proposa de rester à déjeuner, ce que j'acceptai avec plaisir. Puis je me suis assis et lui ai narré ma visite au musée de Maintenon. Il m'a fait réciter les noms des tableaux qu'il avait offerts – mon score fut honorable –, puis il a souligné combien notre Béatrice était bien entourée, là-bas.

– C'est sûr, ai-je opiné. Monet, Renoir, Vuillard, Pissarro…

– Vous verrez, lança-t-il avec optimisme, ce nouveau siècle saura l'apprécier à sa juste valeur.

L'idée de nouveau siècle semblait une pure vue de l'esprit dans cet appartement où les bouquins et les tableaux étaient les mêmes depuis cinquante ans. Même les plantes vertes semblaient avoir au moins l'âge de Mary.

– Vous rendez-vous compte, ajouta Robinson, qu'Aude se souvenait très bien du changement de siècle précédent ? 1900, c'était l'année de ses vingt ans !

Alors que lui, en 1900, il n'était même pas né. Ils avaient passé leurs enfances respectives sous deux ères différentes.

– Je peux vous poser une dernière question ? Votre réponse pourrait m'aider à soigner Robert.

Il a haussé les épaules d'un air philosophe. J'avais son feu vert.

– Pourquoi Béatrice a-t-elle cessé de peindre, selon vous ? Robert Oliver est un homme sagace, et je suis persuadé qu'il a son avis sur la question. Mais vous, quelle est votre théorie ?

– Je ne fais pas dans la théorie, docteur, répondit Robinson avec une pointe d'agacement. J'ai partagé la vie d'Aude de Clerval, et elle me disait tout. C'était une femme formidable, tout comme sa mère, et le fait est que cette question la tourmentait beaucoup. Le psychiatre que vous êtes se doute bien qu'elle se sentait coupable du renoncement de sa mère. Toutes les femmes ne sont pas prêtes à sacrifier leur carrière pour un enfant, mais ce fut le choix de Béatrice, et Aude a traîné cela comme un poids toute sa vie durant. Comme je vous le disais, elle s'était elle-même essayée à la peinture et au dessin, mais ses dons résidaient ailleurs. Aude n'a jamais rien écrit de personnel sur sa mère, ni sur sa propre vie. C'était une journaliste pure et dure, très professionnelle, et aussi très courageuse. Durant la guerre, elle s'est investie à fond dans la Résistance parisienne – mais c'est une autre histoire. Tout cela pour dire que je n'ai aucun témoignage écrit sur ses rapports avec sa mère, mais seulement le souvenir de ce qu'elle m'en disait parfois.

S'ensuivit un silence, le plus long que nous eussions partagé ensemble. Puis le vieil homme reprit la parole :

– Votre venue reste une énigme pour moi, Dr Marlow, comme celles de Robert avant vous. Je n'ai pas l'habitude de discuter avec des inconnus. Je vais néanmoins vous confier un secret que je n'ai jamais révélé à personne, et certainement pas à Robert Oliver. Voilà. Quand Aude était mourante, elle m'a remis ces lettres que vous m'avez si gentiment rapportées. Sauf que celles-ci étaient accompagnées d'une autre lettre, de Béatrice à sa fille, qu'Aude m'a demandé de lire et de brûler aussitôt – ce que j'ai fait. De vous à moi, j'ai été meurtri de découvrir cette correspondance si tardivement, car j'avais toujours cru qu'Aude et moi n'avions aucun secret l'un pour l'autre. Quoi qu'il en soit, dans ce mot que j'ai détruit, Béatrice disait deux choses à Aude. D'abord, qu'elle l'aimait plus que tout, car elle était le fruit de son plus grand amour. Ensuite, qu'elle avait laissé des preuves de cet amour auprès d'Esmé, sa bonne.

– Ah oui, je me souviens d'avoir lu ce nom…

– Vous avez lu ces lettres ? tiqua Robinson.

J'en suis resté tout bête, avant de comprendre qu'il ne plaisantait pas lorsqu'il se plaignait de sa mémoire.

– Oui, Monsieur. Comme je vous l'expliquais hier, je les ai lues dans l'espoir de mieux comprendre mon patient.

– Je vois. De toute façon, ça n'a plus d'importance, maintenant.

Les doigts pointus de Robinson pianotèrent sur l'accoudoir. La zone de velours sous sa main semblait particulièrement usée.

– Vous disiez donc que Béatrice avait laissé quelque chose à Esmé ?

– Je suppose que c'est le cas, mais Esmé est morte peu après Béatrice. Elle a été foudroyée par la maladie, et j'ignore si elle a eu le temps de transmettre ce qu'elle devait à Aude. D'après cette dernière, c'est un chagrin d'amour qui aurait tué Esmé.

– J'imagine que Béatrice était une patronne bienveillante…

– Si elle ressemblait un tant soit peu à sa fille, elle était d'une présence exquise.

La tristesse gagna son visage.

– Et Aude n'a jamais su en quoi consistaient ces mystérieuses preuves ?

– Non, jamais. À son grand regret. En menant quelques recherches sur cette Esmé, j'ai découvert dans un vieux registre d'état civil que son nom était Renard, Esmé Renard, et qu'elle était née en… 1859, si je me souviens bien. Je n'ai rien appris de plus. Les parents d'Aude avaient une maison dans le village de naissance d'Esmé, mais elle fut vendue à la mort d'Yves. Je ne me rappelle même plus le nom de ce petit bourg.

– Elle avait donc huit ans de moins que Béatrice.

Robinson mit sa main en visière, comme pour mieux m'observer.

– Vous êtes sacrément au courant, dites-moi. Vous aussi, vous êtes amoureux de Béatrice ?

– J'ai toujours eu la mémoire des chiffres.

Le vieil homme commençait à fatiguer. Et si je m'en allais maintenant ?

– Enfin bref, reprit-il, je n'ai rien trouvé d'intéressant. Peu avant de mourir, Aude m'a déclaré que sa mère était la personne la plus merveilleuse qui eût jamais existé. Enfin, après moi, disait-elle. (Il s'éclaircit la voix.) Alors que voulez-vous, elle n'avait pas forcément besoin d'en savoir davantage…

– Non, elle savait l'essentiel, dis-je pour aller dans son sens.

– À propos, aimeriez-vous voir son visage ? Celui de Béatrice ?

– Volontiers. J'ai vu le portrait qu'avait réalisé Olivier Vignot, au Metropolitan…

– Oui, il est très réussi. Mais moi je vous parle d'une photo. Il en existait très peu d'elle, car Béatrice détestait se faire photographier. Comme pour les lettres, Aude m'a interdit de publier ce cliché. Alors je le conserve précieusement dans mon album.

Avant que je puisse protester, Robinson se releva avec effort et empoigna la canne posée contre son fauteuil. Je lui offris mon bras, qu'il accepta à contre-cœur, et nous traversâmes la salle jusqu'à la bibliothèque qu'indiquait le bout de sa canne. Là, il me fit sortir un épais album relié. Le cuir était râpeux et racorni, mais le rectangle d'or sur la couverture avait bien résisté. J'ai ouvert l'album sur la table la plus proche. Il renfermait des photos de famille datant de diverses époques, et je rêvais que Robinson me les commente toutes : des bambins en robe fixant gravement l'objectif, des mariées du XIXe siècle attifées comme des paons, des groupes d'amis ou de frères posant fièrement en haut-de-forme et redingote, la main sur l'épaule du voisin. Y avait-il un Yves dans le lot ? Peut-être ce grand costaud à barbe sombre mais souriant… Et était-ce Aude, cette fillette en robe évasée et bottes à boutons ? Et Olivier Vignot, était-il présent, lui aussi ? Visiblement, toutes ces questions allaient demeurer sans réponse : Henri Robinson tournait les pages avec une énergie que je n'osais contrarier. Puis ses doigts frêles se figèrent :

– La voici, dit-il.

J'aurais reconnu ce visage n'importe où, mais de le voir « en vrai » m'arracha un frisson. Elle se tenait seule, une main sur un piédestal et l'autre accrochée à sa jupe. La pose était guindée, mais le sujet magnifique. Je retrouvais le regard incandescent, le menton délicat, le nez gracile, la couronne de bouclettes. Béatrice portait une longue robe sombre aux manches bouffantes et à la taille étroite, avec une espèce de châle jeté sur les épaules. Le bas de la jupe était joliment doublé d'une bande plus claire, assez large et ornée de motifs géométriques. Une reine de la mode, ai-je pensé. Béatrice ne peignait peut-être plus, mais elle gardait l'art de s'habiller.

En bas du cliché s'inscrivaient une date et l'adresse d'un studio de photo parisien.

Quelque chose me tracassait – un souvenir, une vision, une mélancolie diffuse –, mais je n'arrivais pas à mettre le doigt dessus. À croire que ma mémoire ne valait pas mieux que celle de Robinson.

Je me suis tourné vers lui :

– Auriez-vous un livre sur… (C'était quoi ? C'était où ?) Je cherche un tableau, un tableau de Sisley. Oui, c'est ça.

– Sisley ? répéta Robinson comme si je lui réclamais un alcool absent de ses placards. Oui, j'ai forcément quelque chose. Ce serait ici, fit-il en agitant de nouveau sa canne, là où je range les impressionnistes.

Je me mis à feuilleter différents volumes, sans trouver mon bonheur. Sisley apparaissait également dans un recueil de paysages, mais ce n'était pas ça non plus. Restait un ouvrage sur des scènes d'hiver.

– Celui-ci est tout récent, signala Robinson. C'est Robert Oliver qui me l'a offert, lors de sa seconde visite.

J'ai attrapé le livre. Un cadeau luxueux.

– Vous aviez montré cette photo à Robert ? demandai-je tout en épluchant l'index.

Robinson réfléchit.

– Non, je ne crois pas. Je m'en serais souvenu. Et tant mieux : il me l'aurait volée !

Sur ce point, je pouvais difficilement donner tort à Robinson…

Victoire ! Le tableau que je cherchais était bien là, sur une pleine page, conforme à mes souvenirs de la National Gallery. Une femme s'éloignait à pied dans une rue villageoise bordée d'un grand mur. De la neige au sol, un soleil déclinant, des arbres squelettiques. C'était une œuvre stupéfiante, même dans ce format. La mouvement de la robe et l'attitude du corps étaient l'image même de la hâte. Et sous le cape noire, le bas de ladite robe présentait une épaisse bordure bleue.

J'ai montré le tableau à Robinson.

– Ça ne vous rappelle rien ?

Il examina la scène pendant de longues secondes.

– Vous croyez vraiment qu'il y a un lien ? fit-il avec une moue sceptique.

J'ai repris l'album pour placer côte à côte la photo de Béatrice et le tableau de Sisley. C'était sans conteste la même robe.

– Un modèle très en vogue à l'époque ? suggérai-je.

Henri Robinson resserra ses doigts sur mon bras. J'eus une nouvelle pensée pour mon père.

– Non, c'est hautement improbable, répondit-il. Les dames de son milieu avaient encore des couturières : elles s'offraient du sur-mesure, pas du prêt-à-porter.

D'après le texte en légende, Alfred Sisley avait peint cette toile à Grémière, à côté de son village de Moret-sur-Loing, quatre ans avant sa mort.

– Je vais me rasseoir un instant, dis-je à Robinson. Je peux revoir les lettres, s'il vous plaît ?

Je l'ai raccompagné jusqu'à son fauteuil, et il m'a prêté les documents d'une main méfiante. Malheureusement, mon français était trop faible pour comprendre ne serait-ce qu'un mot sur deux. Et comme un idiot, j'avais laissé la traduction de Zoé à mon hôtel. Si seulement Mary m'avait accompagné… Elle aurait pensé à ce genre de détails, et à cette heure ma petite fan de Sherlock Holmes aurait déjà démêlé l'affaire. J'ai rendu les papiers à Robinson.

– Je peux vous appeler ce soir, monsieur ? Je ne sais pas ce qu'il faut déduire de cette coïncidence, mais je vais y réfléchir à tête reposée.

– J'y réfléchirai aussi, promit Robinson. Mais honnêtement, je doute que cela signifie grand-chose, et quand vous aurez mon âge vous comprendrez qu'en définitive cela n'a aucune importance. Maintenant venez, le déjeuner d'Yvonne nous attend.

Nous nous sommes assis de part et d'autre d'une table en bois lustré, derrière une seconde porte verte. Cette salle à manger était elle aussi remplie de toiles, ainsi que de photos sous cadre du Paris des années 1930. La Seine, la tour Eiffel, les rues bondées de manteaux sombres et de chapeaux : une ville que je ne connaîtrais jamais. À mi-repas, Yvonne est venue nous demander si son poulet aux oignons était à notre goût – je répondis que je me régalais –, et elle s'est jointe à nous le temps de boire un demi-verre de vin.

Après le repas, Henri dormait debout. Je lui ai rappelé que je comptais l'appeler dans la soirée, façon d'amorcer mon départ.

– Et il faudra venir me dire au revoir, dit-il en se redressant.

Je l'ai aidé à regagner son fauteuil et me suis rassis en face de lui pour quelques ultimes minutes. Quand je me suis levé pour partir, il a voulu m'imiter, mais je lui ai serré la main et ses yeux se sont fermés tout seuls. Puis, alors que je regagnais le couloir, il a lancé dans mon dos :

– Au fait, je vous ai dit qu'Aude était la fille de Zeus ?

Son regard pétillait. Celui du jeune homme caché derrière le masque décati. Il venait d'énoncer à voix haute ce que je soupçonnais depuis longtemps, et j'aurais dû me douter que la confirmation viendrait de lui.

– Oui, monsieur. Et merci encore.

Le temps que je me retourne, il s'était assoupi.

102

De retour dans ma chambre étroite, j'ai empoigné la traduction de Zoé et me suis allongé sur le lit. J'ai vite retrouvé le passage qui m'intéressait :

Je suis moi-même un peu fatiguée, aujourd'hui, et je n'ai pas le courage de faire autre chose que du courrier. Heureusement, j'ai longuement peint, hier. J'ai trouvé un nouveau sujet, Esmé, une autre de mes bonnes. Je lui ai demandé si elle connaissait votre cher Louveciennes ; elle m'a timidement répondu qu'elle était d'un village tout proche, Grémière. Yves dit que je ne devrais pas tourmenter les domestiques en les faisant poser pour moi, mais où trouverais-je des modèles aussi patients ?

Je suis ressorti sur-le-champ. À deux pas de l'hôtel, j'ai acheté une carte de l'Ile-de-France, puis, muni de mes lettres traduites, je me suis rendu à la gare de Lyon, imposant bâtiment aux sculptures rongées par les pluies acides. J'aurais aimé prendre un train à vapeur pour remonter le temps jusqu'à Béatrice, mais je ne voyais à quai que trois TGV au fuselage futuriste, dans un espace résonnant d'annonces inintelligibles.

Je me suis assis sur le premier banc libre et j'ai déplié la carte. Louveciennes se situait à l'ouest de Paris, sous l'un des coudes de la Seine. Plusieurs tableaux lui étaient consacrés au musée d'Orsay, dont un Sisley. J'ai ensuite repéré Moret-sur-Loing, et juste à côté, gros comme une goutte d'encre, le village de Grémière. Je me suis ensuite enfermé dans une cabine pour appeler Mary. C'était le début d'après-midi là-bas, mais elle devait être chez elle, à peindre ou à préparer son cours du soir. Par bonheur, elle a décroché dès la deuxième sonnerie.

– Andrew ? Tout va bien ?

– Bien sûr que tout va bien. Je suis à la gare de Lyon. Si tu voyais ça…

À travers la vitre de mon bocal, je contemplais les arcades du Train Bleu, anciennement buffet de la Gare de Lyon, le restaurant de gare le plus chic à l'époque de Béatrice et d'Aude.

– Je savais que tu téléphonerais, dit Mary.

– Quoi de neuf, au pays ?

– Eh bien, je peins. Des aquarelles. Mais je tourne un peu en rond. Que dirais-tu d'une petite petite excursion paysages un de ces quatre ?

– Excellente idée. Je te laisse organiser ça.

– Et toi, de ton côté, tout va bien ?

– Oui, oui. En fait, je t'appelle aussi pour te soumettre un problème. Pas un problème pratique, rassure-toi. Plutôt le genre puzzle pour Sherlock Holmes.

– Et tu veux que je fasse Watson ?

– Non, que tu fasses Sherlock ! Voici les données de l'énigme. En 1895, Alfred Sisley a peint une scène de village. On voit une femme marcher dans une rue, et le bas de sa robe sombre présente un motif particulier, comme des figures géométriques grecques. Ce tableau est exposé à la National Gallery ; tu t'en souviens peut-être.

– Non, ça ne m'évoque rien.

– Eh bien, je crois que cette robe appartenait à Béatrice de Clerval.

– Quoi ? Mais d'où tu tiens ça ?

– Henri Robinson possède une photo de Béatrice dans cette même robe. Soit dit en passant, Henri est un type extra. Et tu avais vu juste à propos des lettres, Robert les avait bel et bien rapportées de France. Il les avait volées à Henri, l'animal.

Un ange passa.

– Alors tu les as rendues à Henri Robinson ?

– Bien sûr. Il est ravi de les avoir récupérées.

Elle se tut de nouveau. Je crus que ce silence trahissait son désarroi face à l'attitude de Robert. Mais je n'y étais pas.

– Quand bien même ce serait la même robe, quelle importance ? dit Mary. Peut-être qu'elle connaissait Sisley, et elle aura posé pour lui.

– En fait, cette scène a été peinte dans le village de Grémière, d'où était originaire la bonne de Béatrice. Peu avant de mourir, la fille de Béatrice, Aude, aurait dit à Henry que sa mère avait confié à sa bonne une chose importante, une chose prouvant l'amour de Béatrice pour Aude. Mais Aude n'a jamais su de quoi il s'agissait.

– Et alors tu voudrais que je vienne à Grémière avec toi ?

– Si tu étais là, je t'y emmènerais tout de suite. Tu crois que je devrais y faire un tour ?

– Pour trouver quoi ? Autant chercher une aiguille dans une botte de foin, surtout après tout ce temps. Il y a peut-être des proches de Béatrice enterrés là-bas…

– Oui, peut-être Esmé, la bonne. Mais j'imagine que les Vignot ont été inhumés à Paris.

– Sûrement.

– Tu crois que je fais tout ça pour Robert ? demandai-je.

Je voulais entendre sa voix chaude, moqueuse, rassurante.

– Ne sois pas stupide, Andrew. C'est pour toi que tu fais tout ça, et tu le sais parfaitement.

– Un peu pour toi, aussi.

– Un peu pour moi, si tu veux.

Le silence persistait le long du câble sous-marin. Ou bien passait-on par un satellite ? Et si j'appelais mon père, dans la foulée ?

– Oui, je crois que je vais m'offrir une petite virée à Grémière, décidai-je. C'est tout près de Paris, contrairement à Étretat.

– Qui sait ? répondit Mary. Peut-être qu'on verra Étretat ensemble. Dis, Andrew… (Elle se racla la gorge.) J'avais prévu d'attendre, mais moi aussi j'aimerais te parler d'un truc.

– Je t'écoute.

– Je ne sais pas trop par où commencer, alors voilà. Je suis enceinte.

Mes doigts crispés sur le combiné, je n'ai tout d'abord senti qu'une secousse corporelle, dénuée de toute émotion.

– Mais c'est…

– Sûr et certain.

Je ne pensais pas à ça.

– Mais c'est…

Une porte venait de s'ouvrir dans ma tête, sur une silhouette de colosse.

– Oui, c'est toi le père, si c'est ça qui t'inquiète.

– Mais je…

– Ça ne peut pas être Robert, OK ? Je ne l'ai pas revu depuis des mois, et je n'en ai même pas éprouvé le désir. Il n'y a que toi, maintenant, et tu le sais. J'avais pris mes précautions, comme je te l'avais dit, mais il faut croire qu'aucune méthode n'est fiable à cent pour cent. C'est la première fois que je suis enceinte.

– Mais je…

Elle partit d'un rire impatient.

– Dis-moi quelque chose, Andrew ! Tu es content ? Horrifié ? Perplexe ?

– Accorde-moi juste un instant.

J'ai collé mon front contre la paroi de la cabine, sans me soucier de savoir combien d'autres têtes s'y étaient frottées au cours des dernières vingt-quatre heures. Et là, j'ai fondu en larmes, ce qui ne m'était pas arrivé depuis des années. La dernière fois, c'était après le suicide d'un de mes patients préférés, des larmes brûlantes de colère. Et l'avant-dernière, encore plus lointaine, c'était en tenant la main douce, chaude et morte de ma mère, après avoir finalement compris qu'elle ne pouvait plus m'entendre, ni donc se formaliser que je craque devant elle, moi qui m'étais pourtant promis de tenir le coup pour mon père. Au demeurant, c'est surtout mon père qui m'aura soutenu, et non l'inverse. En raison de nos métiers respectifs, nous avions tous deux l'habitude de côtoyer la mort. Mais lui avait réconforté les endeuillés toute sa vie durant.

– Andrew ?

J'entendais la voix de Mary grésiller d'inquiétude.

– Ça t'embête à ce point-là ? Ne te sens pas obligé de…

Je me suis essuyé le visage d'un revers de manche et j'ai repris le combiné.

– Alors, tu veux bien m'épouser, maintenant ?

Elle a éclaté d'un rire plus familier, quoique un peu hoquetant. Une explosion contagieuse à la Robert Oliver. Mais d'où je tenais ça, d'ailleurs ? Robert n'avait jamais ri devant moi. Quelqu'un avait dû m'en faire une description très éloquente…

– Si tu veux, Andrew. Je ne pensais pas me marier un jour, mais je ferai une exception pour toi. Et ce n'est pas à cause du bébé.

En entendant le mot bébé, j'ai senti ma vie se diviser en deux, comme une violente mitose d'amour. L'une des deux moitiés obtenues n'était encore qu'une projection, mais par la magie de ces syllabes sorties d'un téléphone, un nouveau monde s'est dessiné devant moi, dédoublant l'ancien.

103

Après m'être mouché et avoir erré quelques minutes dans la gare, j'ai composé le numéro que m'avait laissé Henri.

– Je compte louer une voiture pour me rendre à Grémière demain matin, ai-je annoncé. Je vous emmène ?

– Écoutez, j'ai réfléchi à cette histoire, Andrew, et je doute que vous découvriez quoi que ce soit. Mais bon, je comprends que vous ayez envie de vous promener là-bas.

J'étais touché de l'entendre m'appeler par mon prénom.

– Dans ce cas, venez donc avec moi. Je ferai le maximum pour vous faciliter le voyage.

Il soupira.

– C'est que je ne sors plus guère, désormais. Sauf pour aller chez le médecin. Je ne servirais qu'à vous ralentir.

– Ce n'est pas un souci.

Je pensai de nouveau à mon père, qui conduisait, rencontrait ses paroissiens et marchait tous les jours. Mais à ces âges-là, dix ans de plus ou de moins faisaient une énorme différence.

– Hmm, se tâta Robinson. Au pire, qu'est-ce que je risque ? Que le voyage me tue ? Vous n'aurez qu'à ramener mon corps à Paris pour m'enterrer auprès d'Aude de Clerval. Mourir d'épuisement dans un charmant village, on fait pire comme fin !

Je ne savais que répondre, mais puisqu'il riait, j'ai ri aussi. Je brûlais de lui dire que j'allais être papa, et je regrettais que Mary ne connaisse pas cet homme qui aurait pu être son grand-père, voire son arrière-grand-père, et qui avait comme elle de longues jambes et un humour piquant.

– Bon. Je passe vous prendre à 9 heures ?
– Entendu. Je crains de ne pas fermer l'œil de la nuit…

Conduire dans Paris est un cauchemar pour le touriste. Sans Béatrice, je ne m'y serais jamais risqué. Les déboîtements intempestifs, les panneaux incompréhensibles et les myriades de sens interdits m'inspiraient deux attitudes contradictoires : fermer les yeux ou les écarquiller. C'est en nage que je me suis arrêté en bas de chez Henri, sur une place interdite, et pour seulement vingt petites minutes – le temps qu'il nous fallut, à Yvonne et moi, pour descendre le vieil homme. Si j'avais été Robert Oliver, je l'aurais tout simplement porté dans mes bras, mais je n'ai pas osé. Henri s'est carré dans son siège tandis que son employée de maison embarquait une couverture et un fauteuil roulant pliable dans le coffre. Nous pourrions ainsi parcourir le village en toute sécurité.

Nous avons jailli indemnes des grands boulevards, puis de Paris grâce aux indications étonnamment précises d'Henri, après quoi ce fut la banlieue, la nationale, les bois et les premiers accents champêtres – collines, toits d'ardoise, petites églises, arbres séculaires, rosiers grimpants… J'ai baissé ma vitre pour humer le bon air tandis que mon passager contemplait le paysage sans dire mot, le teint cireux et les lèvres sujettes au sourire.

– Merci, murmura-t-il au milieu d'un silence.

Nous avons quitté la nationale pour nous enfoncer lentement dans Louveciennes, où Henri me désigna les maisons et ateliers des peintres.

– Cette petite ville fut quasiment détruite lors de l'invasion prussienne, expliqua-t-il. Pissarro dut s'enfuir avec sa famille, et les soldats qui s'étaient installés chez lui se servirent de ses toiles comme de tapis. Les bouchers du village, eux, s'en faisaient carrément des tabliers ! Pissarro a ainsi perdu plus d'une centaine d'œuvres, des années entières de travail. *Les salauds* *…

Après Louveciennes, la route plongeait vers un petit château dont nous ne vîmes que furtivement la pierre grise et les grands arbres. Puis nous avons atteint Grémière, un village si petit que j'ai failli louper l'entrée. La place centrale se résumait à des graviers devant

* En français dans le texte. (*N.d.T.*)

une église. Cette dernière paraissait très ancienne, datant probablement de l'époque romane, avec son corps trapu, ses tours épaisses et son bestiaire émoussé par le vent. Je me suis garé devant, sous le regard de deux vieilles dames portant cabas et bottes en caoutchouc, puis j'ai sorti le fauteuil du coffre pour y installer Henri.

Rien ne pressait, puisque nous ne savions pas vraiment ce que nous cherchions. Henri a paru se délecter de notre longue pause-café à la terrasse de l'unique bistrot du coin. J'avais déployé la couverture sur ses jambes, car il faisait encore frais malgré le soleil printanier. Sur notre droite, les châtaigniers fleurissaient le long de la route en grandes tours roses et blanches. J'ai vite pris le coup de main avec le fauteuil – mon père y viendrait sans doute un jour – et nous nous sommes mis en quête de la rue du tableau de Sisley.

Selon toute vraisemblance, mon paternel vivrait assez vieux pour connaître son petit-enfant.

Henri avait tenu à apporter le livre de peinture. Après quelques tentatives, nous avons estimé que la rue où nous étions correspondait bien à l'image, et j'ai fait quelques photos. Des cèdres et des peupliers se répandaient par-dessus le haut mur, et au bout de la voie se trouvait une maison, celle vers laquelle Béatrice – si c'était bien elle – se dirigeait dans le tableau. Il y avait des géraniums sur le perron, et la façade était joliment restaurée. Mais les volets bleus étaient fermés. J'ai tout de même sonné. Sans résultat.

– Il n'y a personne.

– Personne, valida Henri.

Nous sommes allés demander à l'épicier s'il connaissait une famille Renard, mais il a secoué la tête tout en continuant de peser ses saucisses. Nous sommes ensuite entrés dans l'église, en contournant l'escalier par une porte latérale. L'intérieur était froid et sombre, une véritable caverne. Réprimant un frisson, Henri m'a demandé de le rapprocher de l'autel, et il a baissé la tête quelques minutes, comme pour prier. Puis nous nous sommes rendus à la mairie pour interroger les archives. La dame qui tenait le guichet nous a accueillis comme des sauveurs. Nous devions être ses premiers visiteurs de la journée, et elle était lasse de taper des lettres. Un type est venu la rejoindre – je n'ai pas bien saisi sa fonction, peut-être le maire en personne – et ils ont brassé des documents devant nous. Ils possédaient des dossiers sur l'histoire du village, ainsi qu'un vieux registre d'état civil longtemps tenu par l'église, mais que l'on conservait désormais ici, dans une boîte métallique ignifugée. Toujours est-il qu'il n'y avait aucun Renard. Nulle part, dans aucun registre. Les parents d'Esmé n'étaient peut-être que locataires de leur maison…

Comme nous repartions vers la sortie, Henri m'a fait signe de stopper. Il m'a pris la main par-dessus son épaule.

– Ne soyez pas déçu, Andrew. Des tas de choses restent inexpliquées dans la vie. Et ce n'est pas forcément un mal.

– Vous avez sans doute raison, ai-je répondu.

Ses doigts entre les miens me faisaient l'effet de bâtons tièdes. Mais je savais qu'il disait vrai, et d'ailleurs mon cœur était déjà passé à autre chose.

À l'approche du vestibule, j'ai pris soin de braquer le fauteuil d'Henri dans l'axe des portes, et c'est en relevant les yeux que je l'ai vue, accrochée au mur de plâtre de l'entrée. Une esquisse au fusain. Celle d'un cygne en vol, mais sur le point de se poser. Sous l'oiseau s'étendait une forme humaine : une jambe gracieuse, quelques drapés. J'ai mis le frein au fauteuil roulant et me suis rapproché d'un pas. Le cygne, la cuisse de la jeune fille, son pied parfait… Et dans un coin, des initiales, hâtives mais reconnaissables, que j'avais déjà vues dans des fleurs, sur de l'herbe, ou près d'une botte de brigand. Une signature qui ressemblait à un idéogramme. Une signature qui avait essaimé sur quantités d'œuvres avant de s'éteindre d'un coup, bien trop tôt. Profitant du fait que la porte du bureau derrière nous était refermée, j'ai discrètement décroché le cadre pour le poser sur les genoux d'Henri, sans toutefois le lâcher de peur qu'il ne lui glisse des mains. Le vieil homme ajusta ses lunettes et plissa les yeux.

– *Mon Dieu*, fit-il en français.

Nous avons admiré l'esquisse quelques instants, puis mes doigts tremblants l'ont remise en place.

– Faisons demi-tour, Henri. Ce croquis n'est certainement pas arrivé là par hasard.

Le jeune maire – ou Dieu sait ce qu'il était – se fit un plaisir de répondre à la nouvelle question d'Henri. Il expliqua qu'on avait découvert tout un lot de dessins dans une maison en restauration, plusieurs années auparavant. Le prédécesseur du jeune homme avait fait encadrer celui-là, car il le trouvait très expressif, et il avait rangé tous les autres dans un tiroir. Lorsque, bouche bée, nous avons demandé à voir ces pièces, le gars a farfouillé quelques instants avant de nous remettre une grande enveloppe. Puis il s'est absenté pour répondre au téléphone dans le bureau voisin, nous autorisant à consulter les documents en présence de sa collègue.

J'ai ouvert l'enveloppe et passé un à un les dessins à Henri. Il s'agissait d'études, pour la plupart sur papier kraft. Des ailes. Des buissons. La tête et le cou du cygne. La fille allongée sur l'herbe. Une main creusant le sol. Et elles étaient accompagnées d'une feuille manuscrite pliée en deux.

– Une lettre ! s'est exclamé Henry.

Il me l'a traduite à mesure qu'il la découvrait lui-même, d'une voix heurtée par l'émotion.

Septembre 1879

Mon beau,

Il me semble t'écrire de la plus lointaine des distances, et dans la pire des agonies. Je crains d'être à jamais séparée de toi, et cette pensée me détruit. Je t'écris dans l'urgence de mon petit atelier dans lequel tu ne devras jamais remettre les pieds. Tu viendras désormais à la maison. Par où commencer ? Cet après-midi, après ton départ, j'ai continué de travailler sur le personnage. Il me donnait du fil à retordre et je suis restée plus longtemps que prévu. Vers 17 heures, alors que le jour commençait à tomber, on a frappé à la porte. J'ai pensé qu'Esmé me rapportait mon châle, mais ce n'était pas elle. C'était Gilbert Thomas, que tu connais. Il a fait une révérence puis refermé la porte derrière lui. J'étais assez étonnée, mais sans doute avait-il entendu dire qu'Yves m'avait offert un atelier.

En fait, m'a-t-il expliqué, c'est en se présentant à la maison qu'il avait appris que je travaillais à deux pas. Cela faisait déjà quelque temps qu'il souhaitait m'entretenir de ma carrière, a-t-il dit, car il cherchait de nouveaux artistes pour accroître le succès déjà florissant de sa galerie, or il avait toujours admiré mon talent, et ainsi de suite… Tout ceci avec force courbettes, le chapeau sur le ventre. Puis, s'avançant vers notre tableau, il m'a demandé si je l'avais peint toute seule, sans l'aide de personne – et là, d'un petit geste, il a fait allusion à mon ventre, pourtant caché sous ma blouse. Je n'avais aucune envie de lui exposer mes intentions, à savoir finir rapidement afin de me mettre au repos. Je ne voulais créer aucune gêne, ni pour lui ni pour moi, et je n'allais certainement pas lui dire que tu m'aidais. J'ai donc préféré me taire. Il s'est mis à examiner la surface de la toile, pour déclarer que c'était remarquable et que mon art s'était diablement épanoui depuis que j'avais un mentor. Là, j'ai commencé à me sentir mal à l'aise, bien que cet homme n'eût aucun moyen de savoir que nous avions travaillé ensemble. Il m'a ensuite demandé quel prix je demanderais pour cette toile ; j'ai répondu que je ne souhaitais pas la vendre avant de l'avoir soumise au jury du Salon, et que même ensuite je me réservais le droit de la garder. Sans se départir de son sourire affable, il m'a alors demandé à combien j'estimais ma réputation, ainsi que celle de mon enfant.

Désarçonnée, j'ai feint de laver mon pinceau, le temps de rassembler mes esprits, puis je lui ai demandé aussi posément que possible ce qu'il entendait par là. Il m'a dit que j'avais certainement l'intention de recourir une nouvelle fois au pseudonyme de Marie Rivière – car il n'était pas dupe de ces choses-là, lui qui consacrait ses journées à observer le travail des peintres – mais, que ni Marie ni moi ne saurions brader notre réputation pour une œuvre. Bien entendu, a-t-il poursuivi, il n'avait rien contre le fait que les femmes s'adonnent à la peinture. D'ailleurs, lors d'un séjour à Étetrat fin mai, il avait vu une femme peindre en plein air, tantôt sur la plage, tantôt sur les falaises, sous les conseils avisés d'un parent plus âgé. Et s'il parlait de cette femme, c'est parce qu'il détenait une lettre qu'elle n'avait pas dû recevoir. Il a sorti de sa poche la lettre en question, l'a brandie dépliée devant moi, puis il l'a retirée quand j'ai voulu la saisir. J'ai tout de suite vu qu'elle était de toi, rédigée ce matin-là. Le cachet était brisé et je ne l'avais jamais eue entre les mains, mais c'était ton écriture, destinée à moi seule, et tu parlais de nous deux, et de notre nuit ensemble. Mais il l'a rangée dans sa poche.

Thomas a continué en disant qu'il se félicitait de l'arrivée des femmes dans la profession et que mes toiles pouvaient rivaliser avec celles de n'importe quel homme, mais que la maternité faisait parfois varier une femme, tant dans son goût pour la peinture que dans sa crainte de l'opprobre. Il en est enfin venu au fait : l'argent seul ne pouvait suffire à récompenser une si belle toile, mais si j'acceptais de l'achever au mieux de mes capacités, il me ferait l'honneur d'y apposer son propre nom. Certes, a-t-il ajouté, ce serait lui le plus honoré dans cette affaire, et ma toile était déjà magnifique, mélange parfait de vieux et de neuf, de classicisme et de spontanéité – il trouvait la fille particulièrement réussie, d'un charme irrésistible –, mais il se ferait une joie de renouveler l'opération pour d'autres toiles à venir, étant entendu qu'en échange il m'épargnerait tout désagrément. Il dégoisait tout cela d'un ton parfaitement bonhomme, comme s'il commentait la disposition de l'atelier ou la richesse d'une couleur.

Je ne pouvais plus le regarder en face, ni prononcer un mot. C'est heureux que tu n'aies pas été là, car j'aurais eu peur que tu le tues, ou bien que lui ne se jette sur toi. Il me plairait de le savoir mort, mais hélas il ne l'est pas, et je sais qu'il parle sérieusement. L'argent ne le fera pas changer d'avis, et même si j'accepte de lui céder ce tableau, il ne nous laissera jamais tranquilles. C'est pourquoi tu dois partir, mon chéri. Cela me paraît d'autant plus odieux que cette amitié qui cause ma joie et qui a rendu mon pinceau tellement plus habile est aujourd'hui parfaitement pure. Dis-moi quoi faire, et sache que mon cœur te suivra quoi que tu décides, mais je t'en supplie, mon amour, aie pitié d'Yves. C'est tout ce que je te demande. De nous trois, Yves est le seul que j'arrive à plaindre. Viens à la maison, mon amour. Rapporte-moi mes lettres et je déciderai de leur sort. En tout cas, sache que jamais je ne peindrai pour ce monstre après avoir fini cette toile-là – ou alors juste une dernière fois, pour marquer son infamie.

B.

Henri releva les yeux vers moi.

– Il faut leur dire, ai-je murmuré en indiquant le bureau. Leur expliquer cette lettre et ces dessins.

– Non, pas question !

Il m'a fait signe de l'aider à ranger le paquet dans l'enveloppe.

– S'ils savent déjà quelque chose, il n'ont pas besoin d'en savoir plus. Et s'ils ne savent rien, c'est encore mieux pour tout le monde.

– Mais personne n'a jamais compris…

– Si, vous, Andrew. Vous savez tout ce que vous aviez besoin de savoir. Idem pour moi. Et si Aude était là, elle vous dirait exactement la même chose.

J'ai cru qu'il allait pleurer, car il s'était retenu tout le temps de la lecture. Mais en fait de larmes, son visage s'est illuminé.

– Allez, Andrew, ramenez-moi au soleil.

104

Dans l'avion pour Washington, une couverture sur les genoux, j'ai tenté d'imaginer l'ultime lettre d'Olivier, avant que Béatrice ne la brûle dans l'âtre de sa chambre parisienne.

1891

Ma chérie,

Je sais quels risques je prends en t'écrivant, mais tu pardonneras qu'un vieil artiste veuille dire adieu à sa camarade. Je cachèterai ce pli avec soin, pour que personne d'autre ne l'ouvre. Tu ne m'écris jamais, et pourtant chaque jour qui passe me fait sentir ta présence dans ce pays étrange, désolé, et tellement beau. Oui, j'ai tâché de le peindre, mais Dieu seul sait ce qu'il adviendra de mes toiles. Dans sa dernière lettre, qui date d'environ huit mois, Yves me dit que tu ne touches plus à tes pinceaux et que tu te dévoues entièrement à ta fille, qui a des yeux bleus, un caractère liant et un esprit affûté. Comme elle doit être adorable et brillante, en effet, si tu as converti ton don en amour maternel ! Mais comment as-tu pu, mon amour, tirer un trait sur ton génie ? J'espère qu'il t'arrive quand même de t'en servir pour le plaisir. Cela fait dix ans que je vis en Afrique, et maintenant que Thomas est mort, ni lui ni moi ne pouvons plus menacer ta réputation. Puisqu'il a tiré sa gloire du meilleur de ton travail, il suffirait que tu le surpasses pour être aussitôt vengée. Je sais cependant que tu es une femme déterminée, pour ne pas dire têtue.

Mais peu importe. J'ai compris à quatre-vingts ans ce que je ne voyais pas à soixante-dix : qu'au bout du compte on pardonne presque tout, sauf à soi-même. Et encore. Même moi, j'arrive à m'absoudre à présent, soit par faiblesse, soit parce que n'importe quel homme serait tombé à tes pieds comme je l'ai fait, soit tout simplement parce qu'il ne me reste plus longtemps à vivre – quatre mois, six mois ? En soi, cela m'est égal. Tout ce que tu m'as donné a jeté une lumière vive sur mes années et doublé leur éclat. Comment pourrais-je me plaindre après avoir autant reçu ?

Mais ce n'est pas pour t'accabler de menue philosophie que je prends la plume aujourd'hui. C'est pour te dire que j'exaucerai le vœu que tu m'as chuchoté, dans un moment dont je garde le plus ému des souvenirs, ce souhait que je meure avec ton nom sur les lèvres. Je sais qu'au fond tu n'en doutes pas, et d'ailleurs cette lettre ne te parviendra peut-être jamais – les services postaux de ce pays ne sont guère fiables. Mais d'une manière ou d'une autre, il te reviendra aux oreilles, ce prénom murmuré.

Dorénavant, mon tendre amour, puisses-tu penser à moi avec une infinie clémence, et que les dieux te couvrent de bonheur bien plus longuement qu'ils auront gâté la vieille épave que je suis. Que soient bénis ta petite fille et ton mari Yves, si chanceux sous ton égide. Quand elle sera plus grande, raconte-lui une ou deux histoires à mon sujet. Je lègue mon argent à Aude – oui, Yves m'a révélé son prénom, et il placera mes économies sur un compte à Paris. À l'occasion, tu pourras puiser dans cette somme afin de lui montrer Étretat. Avec tous ses hameaux, ses falaises et ses chemins de promenade, souviens-toi que cette ville est un paradis pour les peintres – au cas où tu déciderais finalement de te remettre à peindre. Je baise ta main, mon amour.

Olivier Vignot

105

C'est sous un ciel ensoleillé que j'ai repris le chemin de Goldengrove, comme si j'avais rapporté le printemps dans mes bagages. Je venais de trouver la bague de fiançailles de Mary, un rubis serti dans une monture en or du XIXe siècle qui m'avait coûté davantage que le total de mes dépenses effectuées au cours des six derniers mois. Les collègues semblaient contents de me revoir, et j'ai compulsé leurs messages en buvant mon premier café. Leurs observations, dont celles du Dr Crown à qui j'avais confié Robert, étaient plutôt rassurantes. Robert refusait toujours de parler, mais il s'occupait, démontrait un certain entrain, prenait ses repas avec tout le monde, et avait souri à des pensionnaires ainsi qu'à des soignants.

J'ai ensuite fait le tour des chambres et rencontré deux patientes admises en mon absence. La première, une jeune fille, sortait d'un séjour en hôpital psychiatrique pour une tentative de suicide. Elle avait décidé de se ressaisir, afin de ménager ses proches – à l'en croire, voir sa mère pleurer d'angoisse avait modifié son regard sur pas mal de choses. La seconde arrivante était une vieille femme. Je doutais qu'elle fût suffisamment d'aplomb pour rester ici, mais j'en parlerais à sa famille. J'ai tenu pendant quelques minutes sa main fine comme une feuille, puis j'ai pris ma sacoche et suis allé voir Robert.

Il était assis sur le lit, son carnet de croquis sur les genoux, le regard vague. J'ai posé une main sur son épaule.

– J'aimerais discuter un peu, Robert.

Il s'est relevé. Son expression était un mélange de colère, de surprise et de peine. Qu'aurait-il dit en cet instant s'il avait recouvré la parole ? *Vous avez pris mes lettres.* Ou juste *Allez au diable !*, histoire de me rendre la pareille. Mais il n'a pas bronché.

– Je peux m'asseoir ?

Nul geste de refus, alors je me suis laissé choir dans mon fauteuil attitré. Étrangement, il m'a paru plus confortable que d'habitude.

– Je rentre tout juste de France, Robert. Je suis allé voir Henri Robinson.

L'effet fut immédiat, sa tête vira et son carnet tomba par terre.

– Je crois qu'Henri vous a pardonné, Robert. Je lui ai rendu ses lettres. Désolé de vous les avoir prises sans votre permission, mais je craignais d'essuyer un refus.

Il s'est rapproché d'un pas, et j'ai jugé plus prudent de me relever. Comme à l'accoutumée, j'avais laissé la porte ouverte. Mais à bien regarder ses yeux, Robert n'était pas contrarié. Juste abasourdi.

– Il était si content de les avoir retrouvées… Puis nous avons visité un petit village cité dans cette correspondance. Grémière, ça ne vous dit rien ? La bonne de Béatrice venait de ce village.

Il me regardait fixement, le visage pâle, les bras ballants.

– Nous n'avons trouvé aucune trace de cette famille, mais Henri affirmait que Béatrice avait laissé là-bas quelque chose prouvant son amour pour sa fille. Nous avons finalement découvert un dessin – toute une série, même – où figuraient ses initiales.

J'ai sorti de ma sacoche mes propres croquis, que j'avais reproduits de tête. Les revoir me rappela cruellement combien je manquais de technique. Je les ai tendus à Robert.

– Béatrice de Clerval, et non Gilbert Thomas. Vous aviez deviné ?

Il a pris les esquisses. C'était la première fois que je le voyais accepter un objet de main à main.

– Une lettre était jointe à ces planches, de Béatrice à Olivier. Je vous en ai fait une copie pour que vous puissiez la lire. Henri me l'a traduite. Béatrice y explique que Thomas la fait chanter et qu'il compte s'attribuer l'une de ses plus belles réalisations. Ça aussi, vous l'aviez deviné, n'est-ce pas ?

Je lui ai remis la photocopie. Il l'a considérée d'un air hébété avant d'enfouir son visage dans ses mains. Cela dura de longues et interminables secondes. Puis il m'a dévisagé.

– Merci, dit-il.

Je ne connaissais pas – ou avais oublié – la beauté de sa voix, à la fois claire et profonde. Une voix faite pour lui.

– Un dernier point m'échappe, avouai-je. Si vous soupçonniez *Léda* d'être l'œuvre de Béatrice, pourquoi vouloir la détruire ?

– Mais je n'en ai jamais eu l'intention.

– Vous l'avez pourtant visée avec votre couteau…

Il sourit, ou presque.

– C'était lui que je visais, pas elle. Mais bon, je n'étais pas vraiment dans mon état normal.

J'ai soudain compris ce dont il parlait : le portrait de Gilbert Thomas comptant ses pièces ! Robert était entré dans la galerie déserte ; il avait sorti son canif, déplié la lame et bondi vers la toile au moment même où un gardien se jetait sur lui. Résultat, dévié dans son élan, il avait touché le cadre voisin. Je n'osais imaginer son désarroi si, dans la bousculade, il avait éventré *Léda*, son grand amour. Ou du moins *l'un* de ses amours.

– Et maintenant ? dis-je en lui touchant l'épaule. Vous êtes dans votre état normal ?

Il prit l'air grave d'un homme prêtant serment.

– Oui, je crois. Depuis un moment, déjà.

– Un tel épisode pourrait se reproduire, vous savez, avec ou sans Béatrice. Un suivi psychiatrique restera nécessaire, et peut-être aussi des séances chez un psychologue. Et les médicaments, bien sûr. À vie, sans doute, par sécurité.

Il acquiesça. Son visage était ouvert, attentif. Présent.

– Je vous dirigerai vers un confrère si vous ne restez pas dans la région. Et vous pourrez toujours m'appeler. Réfléchissez bien à tout ce que je viens de vous dire, Robert. Mine de rien, ça fait un bout de temps que vous êtes ici.

– Et vous donc.

Je n'ai pu m'empêcher de lui rendre son sourire.

– J'aimerais vous revoir demain matin. J'arriverai de bonne heure et vous signerez vos papiers de sortie, si vous vous sentez d'attaque. Je vais également dire au reste de l'équipe que je vous autorise dès maintenant à passer des coups de fil.

Ce dernier geste m'en coûtait particulièrement, tant j'avais peur qu'il remette le grappin sur certaine jeune femme…

– J'aimerais voir mes enfants, dit-il à mi-voix. Mais je les appellerai plus tard, quand j'aurai trouvé un point de chute. Bientôt, j'espère.

Il se tenait au milieu de la pièce, les bras croisés et le regard brillant. Il m'a serré la main d'une poigne chaleureuse, quoique un peu distraite, et je l'ai laissé pour vaquer à mes autres affaires.

Encore sous le coup du décalage horaire, je n'ai eu aucun mal à me lever tôt le lendemain. Robert devait me guetter : il est entré dans mon bureau alors que je finissais d'organiser ma journée. Douché, rasé, les cheveux encore humides, il portait les même vêtements que le jour de son arrivée. On aurait dit qu'il se réveillait d'un sommeil de cent ans. Le personnel lui avait donné de grands sacs pour ranger ses affaires, que j'apercevais rassemblées dans le couloir. J'avais encore la sensation des bras de Mary autour de mon cou, et l'image de la bague à son doigt endormi. Robert n'avait pas tenté de la joindre, et maintenant je savais, sans l'ombre d'un doute, qu'elle n'espérait rien de tel. Quant à Kate, je n'avais pas encore décidé s'il fallait la prévenir ou non.

Robert sourit :

– Je suis prêt.

– Vous êtes sûr ?

– Je vous appellerai si ça se gâte.

– *Avant* que ça ne se gâte, s'il vous plaît.

Je lui ai laissé mes numéros de téléphone et lui ai tendu les papiers.

– Entendu, docteur.

Il a parcouru les formulaires, signé et reposé le stylo.

– Vous voulez que je vous dépose quelque part ? Ou que j'appelle un taxi ?

– Non merci. Dans l'immédiat, j'ai surtout envie de marcher.

Il ressemblait à un géant dans l'encadrement de la porte.

– Vous savez que j'ai enfreint toutes les règles pour vous ? ai-je lâché.

Je voulais qu'il le sache, ou j'avais juste besoin de le dire.

Il a éclaté de rire.

– Oui, j'avais remarqué !

Nous avons échangé un regard, puis il m'a serré dans ses bras. Je n'avais jamais eu de frère, ni de père assez costaud pour m'écraser ainsi, ni d'ami de cette stature.

– Merci de vous être donné tout ce mal, dit-il.

Et vous, de m'avoir donné une vie, ai-je failli lui répondre.

Je l'ai laissé partir seul, malgré mon envie de faire quelques pas avec lui, de respirer le matin frais qui était de nouveau le sien, et les fleurs des arbres dans l'allée. Quand la porte s'est refermée sur son dos, je suis retourné dans sa chambre. Elle était vide, excepté son matériel de peinture, rangé sur une étagère. Sur le chevalet abandonné au centre de la pièce, une Béatrice inachevée, à la fois sérieuse et radieuse. Robert avait emporté toutes les autres toiles.

Je sais maintenant que j'avais vu juste, ce jour-là. Robert allait élire domicile dans une nouvelle ville et peindre toutes sortes de choses, des paysages, des natures mortes, des sujets vivants avec leurs lubies et leurs attraits, des êtres capables de vieillir – autant d'œuvres qui prendraient le chemin des musées et des collections privées. Ce que je ne pouvais deviner, en revanche, c'est que sa notoriété grandissante serait le seul message qu'il m'enverrait jamais – mais aussi, en définitive, le seul dont j'avais besoin. À travers ses tableaux je verrais grandir ses enfants, connaîtrais le visage de ses nouvelles conquêtes, découvrirais les champs et les plages où il posait son chevalet. Robert avait raison, je m'étais donné du mal. Mais pour prix de mes efforts, j'emportais un cadeau unique : ces longues minutes à Paris devant une peinture que le monde ne verrait peut-être jamais. J'aurai certes eu mes grandes joies et mes grandes récompenses, mais les petites sont tout aussi savoureuses.

1895

Il fait presque nuit. Les branches noires se confondent, puis se noient dans les profondeurs du ciel. Je l'imagine qui range ses couleurs et gratte sa palette. Alors qu'il nettoie ses pinceaux près de la lampe à pétrole, elle repasse dans la rue, cette fois au ras des fenêtres, le pas rapide. Sa capuche cache l'essentiel de son visage, mais elle semble regarder le sol, la glace, les flaques gelées, les îlots de neige et de boue. Puis elle redresse la tête et il constate qu'elle a les yeux foncés, comme il l'espérait, foncés et pleins d'ardeur. Elle ne paraît plus toute jeune, malgré la souplesse de sa démarche, mais elle a un visage dont il aurait pu s'énamourer jadis, et qu'aujourd'hui encore il lui plairait de peindre. Saisie de profil par la lumière de la fenêtre, elle baisse la tête et s'éloigne sur des talons trop fins pour cette route. Il remarque qu'elle a les mains vides, signe qu'elle a laissé à quelqu'un ce qu'elle portait à l'aller – un présent, des mets pour un malade âgé, des vêtements à repriser pour la couturière du village, ou même un bébé. Non, pas un bébé, la nuit est bien trop froide.

Il ne connaît pas ce village aussi bien que le sien, Moret-sur-Loing, qui jouxte celui-là à l'ouest. Il y mourra dans quatre ans, et il se sent déjà faiblir. Son mal de gorge ne suffisant toutefois pas à brider sa curiosité, il ouvre doucement la porte pour suivre la femme du regard. Au bout de la rue, devant l'église, l'attend une voiture : chevaux gracieux, lanternes hautes. Comme la femme monte à bord, il voit danser le bas ornementé de sa jupe sombre. Elle referme elle-même la porte de sa main gantée, comme pour éviter au cocher de descendre et de les retarder davantage. Puis les chevaux s'ébrouent, soufflent une haleine blanche, et la voiture s'ébranle en grinçant.

Le silence revenu, il verrouille la porte et appelle la bonne pour le souper. Demain, il retrouvera sa femme et son atelier, de l'autre côté de la rivière, et il écrira une lettre de remerciement à l'ami qui lui prête si gentiment cette maison chaque hiver. Un bref trajet en fiacre dans la matinée, et il se remettra à peindre, pour le temps qu'il lui reste. Le feu du poêle commence à projeter des ombres sur les murs, l'eau bout dans la marmite. Il examine son paysage de l'après-midi : les arbres sont assez réussis, et la silhouette féminine apporte une touche de distinction – et de mystère – à cette route campagnarde. Il a déjà inscrit son nom et deux chiffres en bas à gauche. *Assez pour ce soir*, décide-t-il. Demain, il fignolera la tenue de la femme et corrigera la lumière dans la maison du fond, celle où le vieux Renard répare les harnais. La peinture commence déjà à prendre. Dans six mois, elle sera sèche. Il va la suspendre dans son atelier, et par un matin ensoleillé il la décrochera pour l'expédier à Paris.

Remerciements

Merci à Amy Williams, formidable agent et amie, à Reagan Arthur, mon grand ami éditeur, à Michael Pietsch dont le talent a enrichi ce livre, et à tous leurs valeureux collègues chez Little, Brown and Company.

Merci également à Georgi H. Kostov pour ses critiques éclairées et pour la liberté de potasser sans entraves, à Eleanor Johnson pour son aide lors des recherches à Paris et en Normandie, au Dr David Johnson pour sa foi en ce projet et pour tout le reste en Auvergne, à Jessica Honigberg pour m'avoir permis de voir à l'œuvre l'esprit et les mains d'un peintre, au Dr Victoria Johnson pour avoir ravivé mon amour de la France, à mon oncle hollandais Paul Howard Johnson pour son soutien sans faille et ses encouragements depuis quatre décennies, à Laura E. Wolfson, ma sœur écrivaine, pour ses avis et nos trente années de sorties au musée, à Nicholas Delbanco, mon cher mentor, pour ses avis et nos discussions sur Monet et Sisley, à Julian Popov, camarade romancier, pour ses critiques, à Janet Shaw pour ses conseils et pour des années d'ailes protectrices, au Dr Richard T. Arndt pour son aide au sujet de tout ce qui est français, à Heather Ewing pour ses conseils et son hospitalité à Manhattan, à Jeremiah Chamberlin pour ses révisions dévouées et pour avoir réduit ses déplacements en voiture, à Karen Outen, Travis Holland, Natalie Bakopoulos, Mike Hinken, Paul Barron, Raymond McDaniel, Alex Miller, Josip Novakovich, Keith Taylor, Theodora Dimova et Emil Andreev pour leurs relectures et notre éternelle complicité, à Peter Matthiessen, Eileen Pollack, Peter Ho Davies et les autres pour leurs enseignements, à Kate Dwyer, Myron Gauger, Lee Lancaster, John O'Brien et Ilya Pérdigo Kerrigan pour leurs éclairages, à Iván Mozo et Larisa Curiel pour leur hospitalité au Mexique et leurs conseils sur les scènes à Acapulco, à Joel Honigberg pour ses analyses sur l'impressionnisme, qui m'ont aidée à amorcer cette histoire, à Antonia Hodgson, Chandler Gordon, Vania Tomova, Svetlozar Zhelev et Milena Deleva pour leur amitié, la publication, la traduction, les anecdotes sur l'art et la complicité littéraire, au programme Hopwood et à l'université du Michigan, au festival du livre d'Ann Arbor, au festival des arts d'Apollonia en Bulgarie, au programme MFA de l'université de Caroline du Nord à Wilmington, à l'université américaine de Bulgarie pour les lectures publiques de certains passages de ce livre, à Rick Weaver pour m'avoir laissée assister à son cours de peinture à l'Art League d'Alexandria, au Dr Toma Tomov pour les informations sur le métier de psychiatre, au Dr Monica Starkman pour les mêmes raisons ainsi que pour son aide inestimable au moment des relectures, au Dr John Merriman, au Dr Michèle Hanoosh et au Dr Katherine Ibbett pour la documentation et l'aide sur l'histoire de France, à Anna K. Reimann, Elizabeth Sheldon et Alice Daniel pour leur soutien moral, à Guy Livingston pour nos vingt-cinq années de fraternité artistique, à Charles E. Waddell pour son *excellente* suggestion, au Dr Mary Anderson pour ses conseils avisés, à Andrea Renzenbrink, Willow Arlen, Frances Dahl, Kristy Garvey, Emily Rolka, Julio et Diana Szabo pour leurs précieux coups de main à la maison à divers moments de l'écriture de ce livre, à Anthony Lord, Virginia McKinley, Mary Parker, Josephine Schaeffer et Eleanor Waddell Stephens pour m'avoir initiée à la culture et à la langue françaises, et à tous les proches, amis, étudiants et institutions qu'il serait bien trop long de citer.

Enfin, toute ma reconnaissance à Joseph Conrad pour ce merveilleux portrait qu'est *Lord Jim*. Puisse son âme apprécier et pardonner l'hommage sincère que je lui rends dans ces pages.

Composition : Compo-Méca S.A.R.L.
64990 Mouguerre

Impression réalisée par Marquis
pour le compte des Éditions Michel Lafon

Imprimé au Canada

Dépôt légal : juin 2010
N° d'impression :
ISBN : 978-2-7499-1230-1
LAF 1304